Haiphong

VIETNAM
CENTRAL

Huê

Đa Nang
Hoi An

CÔTE ET HAUTS
PLATEAUX DU SUD

Nha Trang

Dalat

HÔ CHI
MINH-VILLE

inh Long
Tho

0   200 km

HANOI
Pages 152–177

**LA CÔTE ET LES HAUTS
PLATEAUX DU SUD**
Pages 102-119

HÔ CHI MINH-VILLE
Pages 52-83

VIETNAM

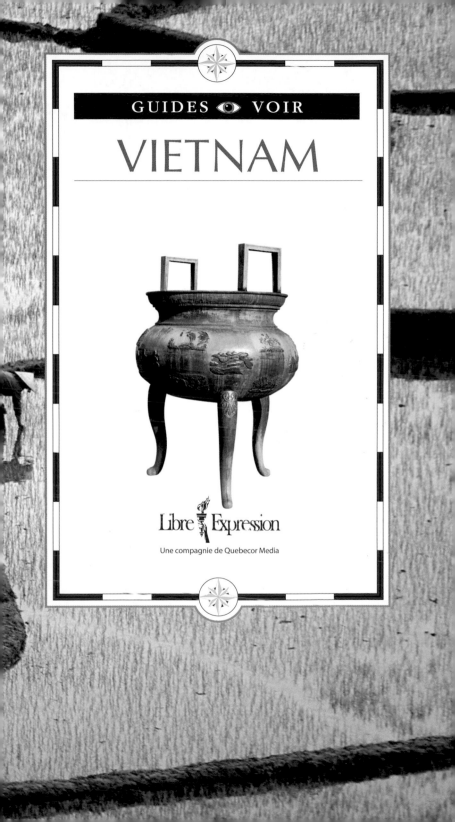

GUIDES 👁 VOIR

VIETNAM

Libre Expression

Une compagnie de Quebecor Media

Libre Expression

Une compagnie de Quebecor Media

DIRECTION
Nathalie Pujo

RESPONSABLE DE PÔLE ÉDITORIAL
Cécile Petiau

RESPONSABLE DE COLLECTION
Catherine Laussucq

ÉDITION
Émilie Lézénès et Adam Stambul

TRADUIT ET ADAPTÉ DE L'ANGLAIS PAR
Dominique Brotot et Daphné Halin
avec la collaboration d'Isabelle Guilhamon-de Jaham

MISE EN PAGES (PAO)
Maogani

CE GUIDE VOIR A ÉTÉ ÉTABLI PAR
Andrew Forbes et Richard Sterling

Publié pour la première fois en Grande-Bretagne en 2007,
sous le titre : *Eyewitness Travel Guide: Vietnam and Angkor Wat*
© Dorling Kindersley Limited, Londres 2009
© Hachette Livre (Hachette Tourisme) 2009
pour la traduction et l'édition française.
Cartographie © Dorling Kindersley 2009

© Éditions Libre Expression, 2009
pour l'édition française au Canada

Aussi soigneusement qu'il ait été établi, ce guide
n'est pas à l'abri des changements de dernière heure.
Faites-nous part de vos remarques, informez-nous de vos
découvertes personnelles : nous accordons la plus grande
attention au courrier de nos lecteurs.

IMPRIMÉ ET RELIÉ EN CHINE PAR
KHL PRINTING CO PTE LTD

Les Éditions Libre Expression
Groupe Librex inc.
Une compagnie de Quebecor Media
La Tourelle
1055, boul. René-Lévesque Est, Bureau 800
Montréal (Québec) H2L 4S5

DÉPÔT LÉGAL : Bibliothèque et Archives nationales du Québec
et Bibliothèque et Archives Canada, 2009

ISBN 978-2-7648-0452-0

SOMMAIRE

Spirales d'encens, temple de Thien Hau *(p. 70)*

Pêcheurs au travail sur une voie d'eau du delta du Mékong

Pitons karstiques dans les eaux bleues de la baie de Ha Long *(p. 182-184)*

Urne ouvragée de la cour
de la pagode Tu Dam *(p. 139)*

Figurine d'un musicien
de la cour royale

Saint-Siège du caodaïsme
à l'architecture éclectique *(p. 74-75)*

PRÉSENTATION DU VIETNAM

À LA DÉCOUVERTE DU VIETNAM

Le Vietnam s'étend le long de la mer de Chine méridionale en un long S fertile. Au pied des montagnes du nord, le delta du fleuve Rouge renferme Hanoi, la capitale historique. Elle a conservé un centre très ancien et les édifices élevés par les colonisateurs français. À la pointe sud du pays, parmi les rizières du delta du Mékong, la capitale

Statue du site d'Oc-èo

économique, Hô Chi Minh-Ville, se tourne avec enthousiasme vers l'avenir. Entre les deux, le voyageur découvre une campagne variée, de spectaculaires paysages karstiques, des temples richement décorés, des villages de minorités ethniques et des souvenirs de la guerre du Vietnam. Ces pages offrent un aperçu de ce que chaque région a à offrir.

Statue de Hô Chi Minh devant l'hôtel de ville de Hô Chi Minh-Ville

HÔ CHI MINH-VILLE

- Marchés animés de Cholon
- Ingénieux tunnels de Cu Chi
- Pagodes ouvragées

Un temps célébrée comme le « petit Paris de l'Extrême-Orient », l'ancienne Saigon conjugue avec charme le respect du passé et le modernisme. Le quartier de **Dong Khoi** *(p. 56-57)*, où Graham Greene situa son roman *Un Américain bien tranquille*, reste le cœur culturel de la ville. Des restaurants, des hôtels et des magasins récents s'y dressent à côté des bâtiments datant de la colonisation française, dont l'**hôtel de ville** *(p. 59)*. Le **musée des Vestiges de la guerre** *(p. 65)* traite d'une histoire plus récente et offre une image particulièrement accablante du conflit avec les Américains. Au nord, les rues du quartier chinois de **Cholon** *(p. 68-69)* regorgent de temples et d'échoppes vendant de tout. La **pagode de l'Empereur de Jade** *(p. 62-63)* possède une toiture qui est

en elle-même une œuvre d'art. Hors de la ville, les **tunnels de Cu Chi** *(p. 72)* témoignent de la ténacité des combattants viêt-công. Le **Saint-Siège caodaïste** *(p. 74-75)* évoquait à Graham Greene une « fantasia orientale à la Walt Disney ».

DELTA DU MÉKONG ET VIETNAM DU SUD

- Marchés flottants et vie quotidienne dans le delta
- Croisières autour de Vinh Long
- Récifs coralliens de Con Dao

Eau et terre se mêlent étroitement dans les rizières et les mangroves du delta du Mékong. Des promenades en bateau au départ de **My Tho** *(p. 88)* et de **Vinh Long** *(p. 90-91)* conduisent le long d'étroits chenaux jusqu'à des villages d'artisans et des îles riches en vergers. Près de **Can Tho** *(p. 94)* se tiennent des marchés flottants animés. Non loin, les villes de **Tra Vinh** *(p. 89)* et **Soc Trang** *(p. 96)* abritent une communauté khmère et

des temples bouddhiques Theravada. À quelques kilomètres au large, près de la charmante **Ha Tien** *(p. 100)*, l'île de **Phu Quoc** *(p. 101)* est réputée pour ses couchers de soleil et ses sentiers de randonnée. L'archipel de **Con Dao** *(p. 98)* possède de belles plages et les plongeurs y découvrent de splendides récifs et une riche faune marine.

DE HÔ CHI MINH-VILLE À KONTUM

- Plages spectaculaires
- Temples anciens
- Climat frais de Dalat

La côte du sud du Vietnam central recèle certaines des plus belles plages du pays. Celle de **Mui Ne** *(p. 106)*, bordée de palmiers, se distingue par ses hautes dunes, tandis que le littoral autour de **Nha Trang** *(p. 108-111)* se prête à la plongée sous-marine et aux sports nautiques. **Phan Rang-Thap Cham** *(p. 107)* possède deux ensembles bien conservés de sanctuaires

Bateaux de pêcheurs dans le port de Ha Tien, dans le delta du Mékong

◁ Peinture montrant des villageois de Vinh Tri, au Tonkin, travaillant dans les rizières

Somptueux intérieur du tombeau de Kai Dinh à Huê, Vietnam central

bâtis à l'époque des rois cham. **Dalat** *(p. 114-116),* au climat frais, aux sentiers de randonnée et aux cascades, est une station de villégiature appréciée. Les environs de **Buon Ma Thuot** *(p. 117)* et de **Kontum** *(p. 118)* renferment les villages de minorités ethniques fidèles à leurs modes de vie traditionnels.

Plage proche de Nha Trang, entre de Hô Chi Minh Ville et Kontum

VIETNAM CENTRAL

- Faire des achats dans la jolie Hoi An
- Palais impériaux de Huê
- Visite de la DMZ

Ancienne capitale impériale, **Huê** *(p. 138-145)* est inscrite au patrimoine mondial de l'Unesco pour sa citadelle, ses palais et ses tombeaux. La longue et belle plage de **China Beach** *(p. 133)* abritait un centre de détente et d'évaluation de l'armée américaine. C'est aujourd'hui une station balnéaire. Avec ses tailleurs confectionnant un costume en quelques

heures, **Hoi An** *(p. 124-129)* offre un cadre historique au shopping. La station de **Ba Na** *(p. 133)* ménage une vue splendide de la mer de Chine méridionale. Le parc national de **Bach Ma** *(p. 136)* séduira les amoureux des oiseaux. Des excursions d'une journée permettent de visiter la **DMZ** *(p. 149),* l'ancienne zone démilitarisée.

HANOI

- Paisible temple de la Littérature
- Rues médiévales du quartier ancien
- Architecture coloniale

La plus vieille capitale de l'Asie du Sud-Est possède de magnifiques édifices vietnamiens et coloniaux et une riche vie culturelle. Elle a pour cœur le **lac Hoan Kiem** *(p. 160),* dont les berges attirent promeneurs et joueurs d'échecs, et pour fleuron les rues étroites de la **vieille ville** *(p. 156-157),* où les artisans se regroupent par métiers. Le **temple de la Littérature** *(p. 166-167),* fondé au XIe siècle, offre un havre de calme où s'échapper. Non loin, dans l'élégant quartier français, des villas coloniales bordent toujours de larges boulevards ombragés. L'imposant **mausolée de Hô Chi Minh** *(p. 165),* où est exposée la dépouille embaumée de l'homme d'État, compte parmi les curiosités propres aux régimes communistes.

Les **marionnettes sur eau** *(p. 159)* sont un spectacle propre à Hanoi et au delta du fleuve Rouge.

VIETNAM DU NORD

- Croisière dans la baie de Ha Long
- Extraordinaire pagode des Parfums
- Minorités ethniques de Sapa

La séduction du nord du Vietnam réside dans ses traditions préservées et ses beautés naturelles. Au sud de Hanoi, une promenade en sampan dans une vallée inondée conduit à la **pagode des Parfums** *(p. 192).* Au nord de la ville, la brume enveloppe souvent les **sites de pèlerinage du Yên Tu** *(p. 185).* Au nord-est, le trajet jusqu'au **parc national de Ba Be** *(p. 200)* fait découvrir de spectaculaires paysages de montagne reflétés par des lacs. Embarquez sur une jonque pour découvrir les célèbres pitons karstiques de la **baie de Ha Long** *(p. 182-184).* Au nord-ouest, les montagnards appartenant à des ethnies comme les **Dao Rouges** et les **Hmong** *(p. 198-199)* se rassemblent le week-end au marché de **Sapa** *(p. 196-197).* Dans la **vallée de Mai Chau** *(p. 194),* des familles thaïes proposent un hébergement dans des maisons sur pilotis. Les randonneurs audacieux se lanceront à l'assaut du **mont Fan Si Pan** *(p. 197),* le plus haut sommet du pays.

Vendeuses de tissus de l'ethnie Hmong Noirs à Sapa

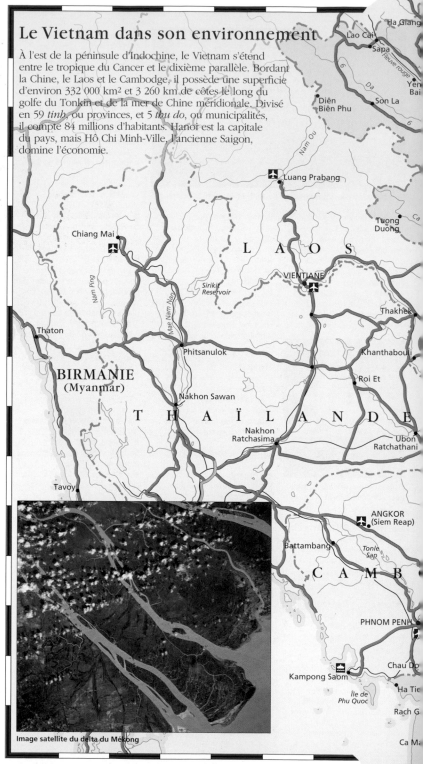

Le Vietnam dans son environnement

À l'est de la péninsule d'Indochine, le Vietnam s'étend
entre le tropique du Cancer et le dixième parallèle. Bordant
la Chine, le Laos et le Cambodge, il possède une superficie
d'environ 332 000 km² et 3 260 km de côtes le long du
golfe du Tonkin et de la mer de Chine méridionale. Divisé
en 59 *tinh*, ou provinces, et 5 *thu do*, ou municipalités,
il compte 84 millions d'habitants. Hanoi est la capitale
du pays, mais Hô Chi Minh-Ville, l'ancienne Saigon,
domine l'économie.

Ha Giang

Lao Cai

Sapa

Fleuve rouge

Da

Yen
Bai

Diên
Biên Phu

Son La

Nam Ou

6

Luang Prabang

Tuong
Duong

Ca

Chiang Mai

L A O S

Nam Ping

Sirikit
Reservoir

VIENTIANE

Thakhek

Thaton

Mae Nam Nan

Phitsanulok

Khanthabouli

BIRMANIE
(Myanmar)

Nakhon Sawan

Roi Et

T H A Ï L A N D E

Nakhon
Ratchasima

Ubon
Ratchathani

Tavoy

ANGKOR
(Siem Reap)

Battambang

Tonlé
Sap

C A M B

PHNOM PENH

Chau Do

Kampong Saom

Ha Tie

Île de
Phu Quoc

Rach G

Ca Ma

Image satellite du delta du Mékong

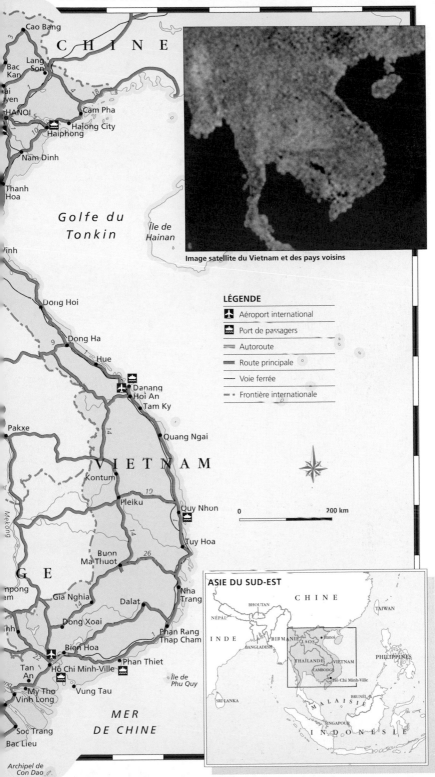

Image satellite du Vietnam et des pays voisins

UNE IMAGE DU VIETNAM

D es montagnes aux pentes couvertes de jungle, des plages spectaculaires, des pagodes anciennes et une culture fascinante attirent chaque année des millions de visiteurs. Ils contribuent au retour à la prospérité amorcé par de récentes réformes économiques et entretenu par les efforts d'un peuple décidé à prouver que le Vietnam est « une nation, pas une guerre ».

Bordé par les eaux chaudes de la mer de Chine méridionale, le Vietnam forme une longue bande étroite (50 km dans sa partie la plus resserrée) au sud-est de la péninsule indochinoise, entre le golfe du Tonkin et le golfe de Thaïlande. À l'ouest, la cordillère Annamitique, ou de Truong Son, le sépare du Laos et du Cambodge. Au nord s'étend l'immense Chine.

Pièce du musée royal des Beaux-Arts, Huê

Les Vietnamiens ont l'habitude de diviser leur territoire en trois régions. Dans la plus septentrionale, des montagnes culminent à 3 143 m d'altitude au mont Fan Si Pan. Elles entourent de trois côtés le fertile delta du fleuve Rouge, où la capitale administrative, Hanoi, a conservé son cachet historique. Le ruban formé par la partie centrale du pays renferme plusieurs belles plages, l'ancienne cité impériale de Huê, la ville commerçante de Hoi An, la grande cité portuaire de Da Nang et les vestiges de l'ancienne zone démilitarisée (DMZ). Il s'élargit dans sa moitié inférieure, dominée par les hauts plateaux des régions de Pleiku et Dalat. Dans l'extrême sud, l'ancienne Saigon, rebaptisée Hô Chi Minh-Ville, a retrouvé toute sa vitalité en bordure du delta du Mékong. Cette vaste plaine bucolique parcourue de canaux et plantée de palmiers fournit au pays une grosse part de sa production de riz.

À cette diversité géographique fait écho une diversité humaine. Cinquante-quatre groupes ethniques reconnus composent la population de

La rivière Yen menant à la pagode des Parfums *(p. 192-193)*

◁ **Vendeuses de rue installant une cuisine de fortune pour préparer des plats chauds, Hoi An** *(p. 124-129)*

Minorité hmong des montagnes du Nord

plus de 84 millions d'habitants. Les Viet, ou Kinh, forment de loin le plus important. Ils représentent 86 % du total et vivent principalement dans les plaines côtières et les deltas. Beaucoup de petites minorités peuplent les zones montagneuses du Nord et du Centre. Les Hoa d'origine chinoise, qui sont souvent commerçants, se regroupent dans les grandes villes, tandis que les Cham et les Khmers ont leurs racines dans les plaines côtières du Sud et le delta du Mékong.

CULTURE

Très marquée par le modèle confucéen, la société vietnamienne possède une structure traditionnelle hiérarchique et patriarcale. La famille et les devoirs filiaux y ont rang de valeurs cardinales. L'âge et l'éducation jouissent d'un grand respect. Les femmes ont vu leur rôle changer depuis leur émancipation par le régime communiste. Toutefois, malgré l'égalité qu'elles ont acquise dans la sphère publique, elles restent en charge de la vie domestique.

La culture vietnamienne doit une part de sa richesse aux influences étrangères qu'elle a assimilées au fil des siècles. Tout en résistant farouchement à la domination politique de la Chine, le peuple viet s'est inspiré sans réticence de la civilisation de son puissant voisin du nord, et près de mille ans d'occupation ont laissé une empreinte forte dans les coutumes, les croyances et les arts, notamment l'architecture. Un siècle de présence française n'a pas eu le même impact. L'héritage de la puissance coloniale se limite pratiquement aux bâtiments qu'elle a construits aux XIXᵉ et XXᵉ siècles pour abriter ses services administratifs et loger son personnel, ainsi qu'à quelques souvenirs culinaires comme le pain.

Les exilés qui, pour fuir les communistes, quittèrent le Nord dans les années 1950 et le Sud à partir

Pains à la française

de 1975 ont fondé une diaspora ; certains commencent à rentrer au pays. Ce sont rarement des expatriés de première génération, car ils refusent de revenir se soumettre à ceux-là mêmes qui les avaient contraints au départ. Les candidats au retour, ou Viet Kieu, viennent retrouver leurs racines ou monter des affaires. Ayant grandi outre-mer, ils marquent la société de leur empreinte occidentale.

Le tourisme et les médias ont aussi contribué à cette occidentalisation, particulièrement sensible chez les jeunes citadins. Il est de bon ton d'apprendre l'anglais, de posséder un téléphone portable et de porter jeans et vêtements de marque. Si, il y a dix ans, l'habillement était très austère, le pays est devenu une destination de

Femme vietnamienne en *ao dai*

Décor exubérant de la pagode de Quan Am, Hô Chi Minh-Ville *(p. 70)*

choix pour l'achat de vêtements, d'accessoires de mode et de linge de maison au tissu luxueux et à la coupe au goût du jour. Les jeunes femmes continuent toutefois d'apprécier l'*ao dai*, un ensemble composé d'un pantalon et d'une longue tunique fendue sur les côtés qui met en valeur leur silhouette.

RELIGION

Après des années de promotion de l'athéisme par le régime communiste, la spiritualité traditionnelle retrouve une place de premier plan depuis la libéralisation. Les Vietnamiens associent depuis des siècles le bouddhisme, le taoïsme et le confucianisme dans le cadre du Tam Giao, la « Triple Religion ». Ils pratiquent aussi le culte des ancêtres et l'animisme. Il existe une importante communauté catholique et des minorités cham musulmane et hindoue. Deux cultes syncrétiques sont apparus au XXe siècle : le caodaïsme et la secte Hoa Hao. Toutes ces religions sont tolérées tant qu'elles ne menacent pas le pouvoir.

Moine bouddhiste en prière

LANGUE ET LITTÉRATURE

La première langue parlée par environ 87 % de la population est le *tieng Viet*, aux nombreuses déclinaisons dialectales régionales. Il ne posséda pas de forme écrite avant le XIe siècle et le développement d'un système de notation appelé *chu nom* et basé sur une adaptation des caractères chinois. À partir du XVIe siècle, les missionnaires chrétiens mirent au point un mode de transcription utilisant l'alphabet latin. Systématisé par Alexandre de Rhodes *(p. 41)* sous le nom de *quoc ngu*, il est devenu l'écriture officielle en 1919.

Le Vietnam possède un riche patrimoine littéraire écrit en chinois, en *chu nom* et en *quoc ngu*. Son plus grand chef-d'œuvre est un conte moral, L'*Histoire de Kieu*, un poème épique écrit par le mandarin et érudit Nguyen Du (1766-1820). D'esprit frondeur pour leur époque, les poésies pleines d'esprit de la concubine de haut rang Ho Xuan Huong (1775-1825) jouissent d'une réputation plus controversée. La libéralisation en cours a permis l'émergence de nouveaux auteurs, qui abordent des « sujets interdits » et se concentrent sur des destinées individuelles. Bao Ninh a connu un succès international avec son roman Le *Chagrin de la guerre* (1991). Les écrivains contemporains comprennent également Pham Thi Hoai, Nguyen Huy Thiep et Duong Thu Huong.

DÉVELOPPEMENT ÉCONOMIQUE

Comptant jadis parmi les nations les plus pauvres du monde, le Vietnam connaît aujourd'hui un essor sans précédent. Le crédit en revient principalement au *doi moi* (renouveau), un programme de réformes engagé en 1986. Celui-ci a, entre autres, autorisé la création d'entreprises privées, aboli la collectivisation de l'agriculture et ouvert la voie à une plus grande liberté sociale. Le pays s'enorgueillit des meilleurs résultats économiques d'Asie après la Chine.

Motos et édifices modernes à Hô Chi Minh-Ville

Son taux de croissance est en effet de plus de 8 %. En 1993, la Banque mondiale estimait qu'environ 58 % de la population vivait en dessous du seuil de pauvreté. En 2005, la proportion avait baissé à moins de 20 %. L'agriculture reste l'activité principale. Elle fournit une part importante des exportations et emploie près de 65 % de la population. Le Vietnam est aujourd'hui le troisième pays exportateur de riz du monde. Le secteur industriel a également fait des progrès. L'exploitation minière y tient un grand rôle et la production de pétrole, de gaz et de charbon représente plus de 25 % du PIB industriel. Le tourisme s'est dans le même temps considérablement développé et compte parmi les plus grosses sources de devises étrangères. Le Vietnam est devenu un membre à part entière de l'ASEAN en 1995 et de l'OMC en 2006.

Les effets de cette prospérité récente sont visibles partout. Des centres commerciaux tape-à-l'œil ont ouvert dans les grandes villes, tandis que des voitures et des motocyclettes, de marques japonaises et coréennes, mais fabriquées souvent localement, ont envahi les rues jadis bondées de bicyclettes.

GOUVERNEMENT ET VIE POLITIQUE

Le Vietnam reste un pays communiste à parti unique. En 2006, le Congrès national, qui se réunit tous les cinq ans, a nommé Nguyen Tan Dung et Nguyen Minh Triet respectivement Premier ministre et président de la République. D'essence autoritaire, le régime ne tolère pas d'opposition politique, et la répression a frappé les nombreux dissidents qui avaient osé exprimer leur opinion. Depuis sa conversion à une économie de marché limitée, le parti a tenté quelques réformes internes, mais la corruption qui le ronge freine son évolution. S'il a donné le signe d'une modernisation de sa démarche en commandant un sondage de l'opinion publique pour le Congrès de 2006, la rénovation économique ne s'accompagne toujours pas d'avancées équivalentes dans le domaine des libertés et des droits des citoyens. Les Vietnamiens éprouvent toutefois un désir grandissant de changement. Que la population accède à un plus grand pouvoir politique est primordial pour entretenir la croissance qu'il connaît aujourd'hui.

Le riz est la culture la plus importante

PROTECTION DE LA NATURE

Le Vietnam demeure malgré tout un pays pauvre, doté d'assez peu de ressources foncières pour une population en rapide expansion. En 2020, il devrait avoir environ deux fois plus d'habitants que la Thaïlande, alors que les surfaces cultivables sont inférieures de moitié. Selon le Centre mondial de surveillance de la conservation, 30 000 ha de forêt disparaissent chaque année. La faune et la flore ont toutes les deux souffert de la chasse et du développement de l'agriculture, mais c'est la guerre du Vietnam, entre 1964 et 1975, qui a certainement causé les dommages environnementaux les plus graves à long terme. Heureusement, les perspectives s'améliorent. De nouvelles mesures de protection des forêts et des espèces menacées sont prises tous les ans, en accord avec la pensée de Hô Chi Minh, qui déclara en 1962 : « la forêt est de l'or. »

Boutique d'objets artisanaux à Hoi An

TOURISME

Quand le pays s'est enfin ouvert au tourisme au début des années 1990, le Vietnam avait surtout l'image d'une nation déchirée par la guerre. Depuis, les Vietnamiens ont beaucoup accompli pour changer cette perspective et valoriser leurs nombreux atouts naturels et patrimoniaux. Si les réseaux routier et ferroviaire nécessitent toujours une modernisation, les aéroports et la compagnie aérienne nationale offrent un service de haut niveau.

L'activité touristique augmente d'environ 20 % chaque année et des millions d'étrangers viennent aujourd'hui au Vietnam pour ses monuments historiques, ses plages de sable, sa cuisine sophistiquée, de belles opportunités d'achats et l'accueil chaleureux du peuple vietnamien. Cet afflux de visiteurs a eu pour autre effet positif de revitaliser la culture traditionnelle, notamment la musique, la danse et le théâtre. On célèbre de nouveau de vieilles fêtes.

Pavillon Hien Lam Coc de la citadelle de Huê, l'une des principales attractions touristiques du pays *(p. 143)*

Paysages et faune

De hautes montagnes au nord, deux immenses deltas séparés par 10 degrés de latitude et, entre les deux, d'étroites plaines côtières et de hauts plateaux, le Vietnam compte parmi les pays d'Asie abritant la plus grande diversité d'habitats écologiques. Les amoureux de la nature apprécieront les vastes parcs nationaux du Nord et la richesse de leur faune et de leur flore *(p. 201)*. C'est toutefois le delta du Mékong qui se prête le mieux à l'observation des oiseaux, migrateurs ou indigènes *(p. 97)*. Au large, plusieurs îles recèlent de somptueux récifs de corail *(p. 190)*.

Orchidée papillon

LÉGENDE

- Deltas
- Hauts plateaux du Centre
- Littoral du Centre
- Montagnes du Nord

LES DELTAS

Les riches plaines alluviales des embouchures du fleuve Rouge et du Mékong constituent respectivement les cœurs du Vietnam-du-Nord et Vietnam-du-Sud. La majeure partie du riz produit dans le pays en provient. Le delta du Mékong conserve des marais et des forêts de mangrove à la faune abondante. Celui du fleuve Rouge est presque entièrement dédié à l'agriculture.

LES HAUTS PLATEAUX DU CENTRE

La partie méridionale de la cordillère Truong Son forme au centre du pays une longue arête orientée nord-sud. Elle culmine à l'ouest à plus de 2000 m et s'étage à l'est en vastes plateaux. Le sol volcanique de la région de Pleiku et Kontum permet la culture du café, du thé et de l'hévéa. En altitude, des jungles abritent de nombreuses espèces végétales et animales.

Les mangliers *se distinguent par leurs racines aériennes, qui offrent un environnement protégé à de nombreux poissons, oiseaux et reptiles.*

Les éléphants d'Asie, *jadis très utilisés en forêt, deviennent de plus en plus rares. Certains restent sauvages dans le parc national de Yok Don (p. 118).*

La grue antigone, *menacée de disparition, ne subsiste pratiquement plus que dans les prairies du delta du Mékong. La plus grande colonie de cet échassier vit dans la réserve ornithologique de Tam Nong (p. 90).*

Le paulownia, *un arbre à feuilles caduques du Vietnam et de la Chine méridionale, se couvre de grandes fleurs violettes au début du printemps.*

Le crotale des bambous à gros yeux *est un petit prédateur arboricole et venimeux qui se nourrit de rongeurs, de lézards et d'oiseaux.*

La panthère longibande *possède une queue touffue presque aussi longue que son corps. Elle est apparentée au tigre à dents de sabre de l'ère préhistorique.*

PAPILLONS DU VIETNAM

Depuis les somptueux géants exhibant leurs larges ailes sur les azalées des jardins publics jusqu'aux joyaux multicolores qui volettent en nuages dans le parc national de Cuc Phuong *(p. 193)* en avril et en mai, les papillons comptent parmi les attraits du Vietnam. Plus de 300 espèces ont été répertoriées dans le parc national de Tam Dao *(p. 200)*, dans le Nord. Le compte s'élève à plus de 450 dans la réserve de biosphère de Cat Tien *(p. 77)*. Leurs noms scientifiques rendent rarement hommage à la beauté des lépidoptères, contrairement à des surnoms plus évocateurs comme « reine de la jungle » et « Jésabel rouge ».

Papilio palinurus

Cethosia biblis

Junonia almana

Delias pasithoe

LE LITTORAL DU CENTRE

Au pied des hauts plateaux du centre, une très longue bande relativement étroite de terrain plat s'étend le long des eaux agitées de la mer de Chine méridionale. Elle ne possède pas la fertilité des deltas, mais renferme de splendides plages, en particulier dans la région de Nha Trang *(p. 108-111)*, où Cau Da abrite un Institut océanographique.

La tortue boîte à trois bandes, *indigène aux voies d'eau du Vietnam du Nord et du Centre, est en voie de disparition dans la nature.*

Le martin-chasseur de Smyrne *a environ deux fois la taille d'un martin-pêcheur commun. Il signale sa présence d'un cri perçant. Son grand bec rouge et ses ailes et sa queue d'un bleu vif le rendent aisé à identifier.*

Le cocotier *pousse partout. Il fournit des fruits comestibles, mais aussi du bois d'œuvre, des palmes servant à la confection de toitures et des fibres utilisées en vannerie et pour garnir les matelas.*

LES MONTAGNES DU NORD

Les monts qui enserrent de trois côtés le delta du fleuve Rouge dressent des pics dentelés au-dessus de longues vallées. Ils forment la partie la plus inaccessible du pays. Les pentes boisées du Nord-Ouest ont longtemps constitué une réserve naturelle, mais l'ouverture de nouvelles routes, l'exploitation forestière et l'augmentation de la population menacent la beauté de la région.

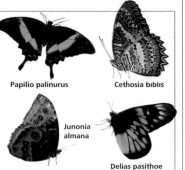

Le rhododendron **campanulata** *pousse sur les pentes pierreuses les plus hautes de la cordillère Truong Son. Ses jolies fleurs sont toxiques.*

L'ours noir d'Asie, *devenu rare au Vietnam, est un omnivore nocturne reconnaissable à la tache blanche en forme de V qui tranche sur sa poitrine avec le noir de sa fourrure.*

Le macaque brun, *un robuste primate présent surtout dans le Nord, peut peser jusqu'à 10 kg et vivre plus de 30 ans.*

Les peuples du Vietnam

Hotte en bambou tressé

Les quelque 85 millions d'habitants du pays appartiennent à 54 groupes ethniques différents. Le plus important, celui des Viet (ou Kinh) d'origine mongole, représente 86 % de la population. Il partage les plaines côtières et les deltas du fleuve Rouge et du Mékong avec les Khmers, les Cham et les Hoa chinois. Les autres minorités vivent éparpillées dans les montagnes où elles conservent leurs coutumes, leurs costumes et leurs langues. Les peuples du Nord comme les Thaïs et les Hmong ont pour la plupart migré depuis la Chine, ceux des hauts plateaux du centre sont principalement autochtones.

Jeunes mariés viet kinh en *ao dai*, le costume traditionnel

Les Khmers *d'origine cambodgienne entretiennent de nombreuses traditions, comme le Prathom Sva Pol, la danse du Singe exécutée pour la fête d'Ok Om Bok (p. 33). Vêtus de masques, les danseurs imitent un comportement simiesque.*

Chez les Bahnar *des hauts plateaux du Centre, les activités culturelles ont pour pôle une maison commune, ou* nha rong. *Des festivités marquent l'inauguration de ces édifices aux hauts toits de chaume caractéristiques.*

Des porte-bébés permettent aux mères d'emporter leurs enfants en bas âge partout avec elles.

DISTRIBUTION DES GROUPES ETHNIQUES
LÉGENDE

1	Khmer		
2	Hoa	**8**	Mnong
3	Cham	**9**	Bru
4	Co Ho/Lat	**10**	Muong
5	Ede/Rhade	**11**	Thaïs Noirs
6	Jarai	**12**	Hmong Fleurs
7	Bahnar	**13**	Dao Rouges

Les Viet Kinh forment environ 86 % de la population.

Les Cham musulmans, *ou Cham Bani, suivent une forme locale du rite chiite. Les prières du vendredi sont psalmodiées par un groupe d'environ 50 officiants au crâne rasé sous un turban cérémoniel.*

Les Bru *habitent les hauts plateaux centraux et appartiennent au groupe des Môn-Khmers. Ils pratiquent la culture en rizières inondées, et une musique entraînante accompagne leurs cérémonies. Adultes et enfants ont l'habitude de fumer la pipe.*

Les Mnong, *jadis réputés pour la capture et la domestication des éléphants, aiment se réunir pour fumer la pipe à eau. Ils forment une société matrilinéaire où les hommes comme les femmes pratiquent la vannerie, l'impression sur tissu et la fabrication de bijoux.*

Les Thaïes Noires portent un turban noir orné de broderies de couleurs vives.

COMMUNAUTÉ DES THAÏS NOIRS

La minorité thaïe, la deuxième du Vietnam par le nombre, est divisée en sous-groupes nommés d'après la couleur dominante de leurs vêtements, ainsi qu'en fonction de leurs premières implantations au bord du fleuve Rouge et de la rivière Noire. Le plus prospère est celui des Thaïs Noirs, des agriculteurs exploitant des rizières fertiles dans les hautes terres du Nord-Ouest. Malgré l'importance qu'ils accordent à l'éducation, ils restent fidèles à leur héritage culturel et conservent leurs rites animistes. Leurs chants et danses traditionnels ont traversé les siècles inchangés.

Les Hmong Fleurs *se distinguent par la beauté de leurs costumes aux parures multicolores. Les femmes consacrent une grande part de leur temps à confectionner des broderies pour lesquelles elles sont célèbres (p. 198-199).*

La tenue favorite des Thaïes est une étroite jupe droite tenue par une ceinture de couleurs vives sous une tunique ajustée.

Les Dao Rouges, *un sous-groupe d'une minorité du Vietnam du Nord, doivent leur nom au turban rouge porté par les femmes. Celles-ci ont pour coutume de se raser les cheveux et les sourcils. Très entreprenants, les Dao vivent de l'agriculture, du tissage et de la fabrication de papier. Ils possèdent un riche patrimoine littéraire rédigé dans une variante de l'écriture chinoise.*

Le Muong *sont à juste titre renommés pour leurs talents de tisserands. En général, ils s'installent pour travailler dans l'espace ombragé sous leurs maisons sur pilotis.*

Religions du Vietnam

Les principales traditions religieuses des Vietnamiens sont le bouddhisme, le taoïsme et le confucianisme, appelés collectivement le Tam Giao, soit les « Trois Enseignements » ou la « Triple Religion ». Au quotidien, les Vietnamiens rendent aussi un culte aux esprits de la terre et du ciel,

Le symbole du yin et du yang

aux ancêtres et aux héros patriotiques déifiés. Le caodaïsme est une doctrine syncrétique apparue au XXe siècle dans le Sud. Le pays compte aussi une importante population de chrétiens et, dans l'ethnie cham, quelques dizaines de milliers d'hindouistes et de musulmans.

Confucius, le Bouddha et Laozi, trois grands maîtres à penser

TAM GIAO

Au Vietnam, le bouddhisme Mahayana, né en Inde du Nord, s'est retrouvé étroitement lié, dans la pratique rituelle, au confucianisme et au taoïsme, deux pensées philosophiques originaires de Chine. Il existe aussi des adeptes du bouddhisme Theravada chez les Khmers du delta du Mékong.

Le bouddhisme Theravada, *qui se veut plus fidèle à l'origine de la doctrine, s'est répandu dans le Sud depuis l'Inde. Les moines portent des robes safran et psalmodient les écritures du Tripitika, le recueil des textes canoniques.*

Les boddhisattvas *du culte Mahayana comprennent Dai The Chi Bo Tat, divinité de puissance, Thich Ca, le Bouddha historique, et Quan Am, déesse de la miséricorde.*

Le sage chinois Confucius *(551-479 av. J.-C.) loua les vertus de l'étude et édicta un code moral régissant les rapports familiaux et politiques. Philosophie d'État pendant des siècles, le confucianisme a retrouvé une place de premier plan après une éclipse au profit d'un marxisme rigide entre 1954 et 1986.*

Brûler de l'encens *n'est plus réservé aux rites bouddhiques, mais est couramment pratiqué dans le cadre du Tam Giao, du culte des ancêtres, du caodaïsme et même du catholicisme.*

Des groupes de tombes familiales *se dressent partout dans les rizières. Cette proximité avec les ancêtres, dérivée des thèses confucéennes, offre aux vivants une inscription rassurante dans la continuité.*

Laozi, *un philosophe chinois du VIe siècle av. J.-C., prôna une vie en harmonie avec le Tao, l'« essence de l'univers » présente en toutes choses, vivantes et inertes, et qui fournit à l'homme une morale transcendant les mots.*

CAODAÏSME

Fondée par un fonctionnaire, Ngo Van Chieu, la religion du Cao Dai, l'Être suprême, associe des aspects du Tam Giao et du catholicisme. Ses fondements incluent la croyance en des « agents divins » qui entrent en contact avec des médiums durant des séances de spiritisme. Son panthéon comprend des personnalités comme Jeanne d'Arc, Louis Pasteur et Charlie Chaplin. Elle compte environ 3 millions de fidèles.

Les prêtres *portent des robes jaunes, bleues et rouges symbolisant le bouddhisme, le taoïsme et le confucianisme. Leurs mitres arborent l'œil divin.*

Les offices *organisés au Saint-Siège (p. 74-75) sont très colorés ; les costumes des officiants ajoutent leurs couleurs à celles des piliers où s'enroulent des dragons.*

L'œil divin omniscient *apparut à Ngo Van Chieu lors d'une vision. Représenté à l'intérieur d'un triangle, il est devenu l'icône du caodaïsme, partout visible dans les temples.*

CULTE DES ANCÊTRES ET ANIMISME

Tous les Vietnamiens possèdent un autel domestique où ils rendent hommage à leurs ascendants et aux esprits du ciel et de la terre. Le culte des ancêtres est un apport de la culture chinoise, tandis que l'animisme est une tradition propre au Sud-Est asiatique. Le bouddhisme et le confucianisme la désapprouvent officiellement sans avoir jamais réussi à en éradiquer la pratique.

Des tablettes ancestrales *occupent une place de choix sur les autels domestiques comme sur ceux des temples. Elles comportent une image et une description du défunt. Bâtonnets d'encens, fruits, fleurs, thé, et même cigarettes et alcool sont déposés en offrande.*

L'argent des morts, *souvent de faux billets en dollars, rejoint le monde des esprits en brûlant avec les répliques en papier d'objets utilitaires tels que voitures, téléviseurs et maisons.*

L'animisme *repose sur la croyance en la présence d'esprits dans des objets ou des espaces naturels comme des rochers ou des champs. Pour s'attirer leurs bonnes grâces, les Vietnamiens leur construisent de jolies petites maisons très colorées.*

AUTRES RELIGIONS

La diversité ethnique du Vietnam a engendré un éventail tout aussi éclectique de croyances. Le pays, où les premiers missionnaires européens arrivèrent dès le XVIe siècle, abrite environ 9 millions de chrétiens, dont plus de 90 % sont catholiques. La secte Hoa Hao, fondée en 1939, s'est développée principalement dans le delta du Mékong. Elle prône une vision ascétique du bouddhisme. Malgré son interdiction par les communistes, de 1975 à 1999, elle compte 1,5 million de fidèles. Également dans le delta du Mékong, les Cham pratiquent une déclinaison du rite musulman. Sur le littoral central, ils sont hindouistes.

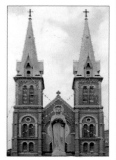

Des cathédrales et des églises *accueillent les congrégations chrétiennes dans tout le pays.*

Musique et théâtre traditionnels

Les arts vivants puisent au Vietnam dans un riche patrimoine aux origines à la fois autochtones et étrangères. Le répertoire musical, qui joue un grand rôle dans les différentes formes théâtrales, comprend des chansons populaires, de la musique classique, des compositions impériales et les mélodies accompagnant les cours amoureuses dans les différentes minorités ethniques. Ces traditions culturelles sont très importantes dans toutes les fêtes.

Flûtes en bambou

Musicien jouant du *dan bau*, un instrument à une seule corde

LA MUSIQUE AU VIETNAM

Le Vietnam possède plusieurs grandes formes de musique traditionnelle : musique de cour, musique religieuse et cérémonielle, musique de chambre, musique populaire et musique de théâtre. L'opéra chinois et les rythmes indiens, qui transitèrent par l'empire cham, comptent parmi les principales influences étrangères datant d'avant la colonisation. La gamme est pentatonique, c'est-à-dire composée de cinq notes et non de huit comme il est d'usage en Occident.

Le *hat chau van* est une forme d'art incantatoire apparue au XVIe siècle dans le delta du fleuve Rouge. Chants et danses visent à créer un état de transe chez une personne que l'on pense coupée de l'espace spirituel.

Le *quan ho*, sortes de joutes chantées apparues au XIIIe siècle, joue toujours un rôle de premier plan dans les fêtes de printemps de la province de Bac Ninh. Des groupes d'hommes et de femmes, jeunes ou âgés, se répondent selon un mode rituel qui peut conduire à l'établissement d'un lien fraternel.

Le *dan day*, un luth rectangulaire à long manche, possède trois cordes.

Le *trong de* est un tambour frappé avec une baguette.

Le *phach*, en bois, ressemble à des castagnettes.

Le *ca tru*, ou « chant des professionnelles » (hat a dao), est interprété par un trio mené par une chanteuse qui s'accompagne au phach. Cet art s'est développé au XVe siècle, mais a connu une baisse de popularité pendant l'ère communiste. Il profite aujourd'hui de la valorisation du patrimoine culturel.

Le *nhac tai tu*, lié au théâtre cai luong, évoque la musique de chambre. Les instruments ci-dessus comprennent, de gauche à droite, la cithare à 16 cordes appelée dan tranh, le dan nguyet et la flûte.

INSTRUMENTS DE MUSIQUE

La musique traditionnelle tire parti d'une large gamme d'instruments fabriqués avec des matériaux naturels comme le bois, la corne, le bambou, la pierre et le roseau. Les plus répandus comptent le *dan bau*, dont la corde unique tendue sur une caisse de résonance est pincée avec un bâtonnet, le *dan nguyet*, un luth en croissant de lune utilisé depuis le XIe siècle, le *dan trung*, un xylophone en bambou, le *broh*, un luth en bambou à deux cordes, le *dan ty ba*, une guitare en forme de poire, et différents gongs *(cong chien)* et tambours *(trong)*.

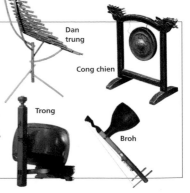

Dan trung

Cong chien

Trong

Broh

STYLES DE THÉÂTRE

Les arts de la scène associent toujours au Vietnam musique, danse et chant. Leur style dépend du public visé. Le *cheo* est une forme de théâtre populaire où les personnages échangent en permanence avec la foule. Traitant principalement du bien et du mal, il servait jadis de vecteur d'éducation morale dans les communautés rurales. Les spectacles de *roi nuoc* (marionnettes sur eau) marquent la fin de la saison des récoltes. Plus classique, le *tuong*, ou *hat boi*, est à l'origine un théâtre de cour. Le *cai luong* en est une déclinaison modernisée à l'intention de citadins éduqués.

*Le **roi nuoc** d'origine chinoise utilise un plan d'eau comme espace scénique (p. 159). Des marionnettes aux manipulateurs dissimulés illustrent en musique des anecdotes tirées du folklore, de la mythologie, de l'histoire et de la vie quotidienne.*

Le tuong (hat boi), *influencé par l'opéra chinois, utilise une gestuelle stylisée pour évoquer émotions et caractères. Sur des sujets basés sur la lutte du bien et du mal, il célèbre les valeurs confucéennes du courage, de la loyauté envers le roi et de la piété filiale.*

Le maquillage des acteurs du tuong, *un art régi par de nombreuses conventions, contribue à définir un personnage. Ainsi, un visage rouge symbolise la loyauté et le courage, tandis que le blanc représente la cruauté et la scélératesse.*

Le cai luong (théâtre réformé) *s'est développé dans le Sud au début du XXᵉ siècle et incorpore des scènes parlées inspirées du théâtre français. Moins stylisé que le théâtre traditionnel, il aborde des thèmes de société comme la corruption, l'alcoolisme et le jeu.*

Acteurs en costumes de cour, Huê

MUSIQUE ET DANSE ROYALES

Au Vietnam, les arts royaux avaient pour fleuron une forme musicale développée à la cour impériale de Chine. Introduit au XIIIᵉ siècle, le *nha nhac*, ou « musique élégante », atteignit son apogée sous la dynastie des Nguyen *(p. 41)*. Indispensables à toute procession rituelle, des musiciens et des danseurs se produisaient lors de cérémonies comme les couronnements et les funérailles, ainsi que pour des célébrations religieuses et certaines manifestations spéciales. Tombé dans l'oubli après la chute de la monarchie, le *nha nhac* est revenu en 1996 au programme de l'université des arts de Huê. L'Unesco l'a reconnu en 2003 comme un chef-d'œuvre du patrimoine oral et immatériel de l'humanité.

Le cheo (théâtre populaire) *est né dans les rizières du delta du fleuve Rouge. Le public participe activement aux représentations organisées en général devant la maison commune. Elles associent chant, danse, poésie et improvisation.*

Danseuses traditionnelles

Architecture

Les périodes d'occupation qui ont jalonné la longue histoire du Vietnam expliquent la variété de ses styles architecturaux. À côté d'édifices propres au pays comme les « maisons-tubes » et les pagodes sans étage se dressent des bâtiments montrant une influence étrangère. La culture cham a marqué les constructions anciennes du littoral central, tandis que les pagodes incorporent souvent des éléments chinois, en particulier à Hanoi et Huê. De nombreux édifices coloniaux rappellent la présence française.

Cloche de la pagode
Quan Cong,
à Hoi An

Maison-tube de Diep Dong Nguyen,
à Hoi An

PAGODES

Les pagodes vietnamiennes ne comportent généralement qu'un niveau. Des piliers en bois soutiennent une charpente élaborée dont les avant-toits s'incurvent aux angles. Une double épaisseur de tuiles forme la couverture. À l'intérieur, un vestibule, une salle centrale et le sanctuaire de l'autel principal s'étagent en paliers ascendants. Un étang sacré, un clocher et un jardin complètent le tout. Le décor au symbolisme complexe intègre des caractères chinois.

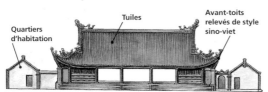

Quartiers
d'habitation

Tuiles

Avant-toits
relevés de style
sino-viet

La pagode Thay de Hanoi *repose sur une plate-forme en pierre. Des piliers en bois de fer supportent tout le poids du bâtiment. Le toit pentu arbore des avant-toits relevés et des dragons en fleurons. Des claustras en bois tourné laissent circuler l'air.*

La pagode au Pilier unique de Hanoi, *bâtie au milieu d'un bassin pour évoquer une fleur de lotus, se dressait à l'origine sur un pilotis en bois. Partiellement détruite par un incendie en 1954, elle repose désormais sur une colonne de béton.*

La pagode Tran Quoc de Hanoi *offre un bon exemple d'une pagode sans étage construite autour de stupas en brique. Fondée par l'empereur Ly Nam De au VIᵉ siècle, elle serait la plus ancienne du Vietnam. Elle bordait à l'origine le fleuve Rouge, mais l'érosion a imposé son déménagement sur son site actuel, Ho Tay (p. 168).*

Avant-toit
recourbé
typique du style
chinois

Le *long*, *ou dragon, joue un grand rôle dans l'ornementation des pagodes et des temples. Les mythologies vietnamienne et chinoise l'associent au pouvoir impérial, à la prospérité, à la longévité et à la chance.*

Les pagodes à étages *issues de la tradition chinoise possèdent presque toujours un sommet pointu et des toits de tuiles.*

CITADELLES ROYALES

Les imposantes citadelles vietnamiennes avaient aussi pour fonction d'assurer la défense de leurs occupants en les protégeant d'éventuelles attaques spirituelles. Elles suivent les règles du *feng shui* chinois, et d'épais murs carrés en pierre soutiennent des infrastructures crénelées. L'architecture militaire évolua sous l'influence française, et des fossés, des tours, des remparts et des bastions pentagonaux vinrent compléter les fortifications.

La porte Hien Nhon de la citadelle de Huê *conjugue la rigueur militaire française et le goût du décor asiatique. Les tourelles ouvragées de style chinois dominent une plate-forme offrant aux soldats une position de tir privilégiée.*

La porte Ngo Mon de la citadelle de Huê *aux épais murs de pierre obéit aux principes du feng shui. Elle comporte cinq ouvertures. Seul l'empereur empruntait l'entrée centrale, encadrée de deux passages pour les mandarins de sa cour.*

ARCHITECTURE FRANÇAISE

Future capitale de la colonie d'Indochine, Hanoi changea de visage au XIXᵉ siècle avec la construction de villas inspirées des stations de villégiature françaises, de bâtiments administratifs haussmanniens et même d'une cathédrale néogothique.

Persiennes

Portail en fer forgé

La maison d'hôtes nationale de Hanoi, *ancienne résidence supérieure du Tonkin, présente un aspect néoclassique typiquement français derrière ses grilles en fer forgé.*

Le palais présidentiel de Hanoi, *de style néo-Renaissance, offre un parfait exemple d'architecture coloniale avec son escalier monumental. Construit entre 1900 et 1906 pour le gouverneur général d'Indochine, il se dresse au milieu de vastes jardins et vergers.*

LES MAISONS-TUBES ET LEUR DÉCLINAISON ACTUELLE

Une cour intérieure sépare les quartiers professionnels et domestiques.

L'arrière abritait la cuisine et les espaces réservés à la toilette.

Étroite boutique en façade

Existant depuis la dynastie Le (1428-1788), les maisons-tubes peuvent n'avoir pas plus de 2 m de largeur pour une profondeur atteignant jusqu'à 80 m. Derrière la boutique en façade s'étendent des ateliers, des cours et des quartiers d'habitation. Ces maisons ont cédé la place sur leurs parcelles à de sveltes « immeubles-fusées ».

Rangée d'« immeubles-fusées » modernes à Hanoi

Têt Nguyen Dan

La célébration la plus importante de l'année, le Têt Nguyen Dan, ou « fête du premier matin », marque le début du nouvel an lunaire. Cette fête du renouveau à l'entrée du printemps offre l'occasion de rendre hommage aux ancêtres et d'accomplir les rituels favorables à l'année qui commence. Les préparatifs débutent une semaine avant le jour du Têt : tout le monde règle ses dettes, nettoie les tombes familiales, décore sa maison de fleurs de pêcher ou de kumquats et fait des offrandes à l'Empereur de Jade *(p. 62-63).* Trois jours fériés permettent aux familles de se réunir pour faire bombance et échanger vœux et cadeaux.

Masque de Têt

Traditionnellement, des kumquats décorent les maisons dans le Sud

CULTE DES ANCÊTRES

Le respect manifesté par les Vietnamiens envers leurs aïeux prend son expression la plus élevée le jour du Têt, où les âmes des morts sont supposées rendre visite aux vivants. Les attentions à leur égard comprennent des prières, des mets spéciaux et l'offrande d'objets symboliques en papier.

Offrandes de nourriture et de boisson   Portrait du défunt

Des étals de fleurs *parent de couleurs vives les rues et les marchés. Des branches de pêcher en fleur, symbole de prospérité et de bien-être, servent à décorer les maisons, les commerces et les temples.*

Noms des défunts

Bâtonnets d'encens

Des bâtons d'encens *de toutes tailles sont fabriqués dans les villages et mis à sécher au soleil avant d'être vendus en ville. Leur fumée parfumée, en s'élevant jusqu'aux cieux, invitera les âmes des disparus à se joindre aux célébrations ici-bas.*

Sur l'autel domestique *présent dans pratiquement tous les foyers, des offrandes d'encens, de fleurs, de fruits, de riz et d'alcool sont disposées devant des photos des ancêtres et des tablettes portant leurs noms.*

Des tombes en plein champ *n'ont rien d'exceptionnel au Vietnam. Pour le Têt, la famille les nettoie et fait de nombreuses offrandes pour s'assurer que les esprits des défunts sont en paix.*

CUISINE DE FÊTE

Les retrouvailles familiales ne sauraient être complètes sans la dégustation de mets de choix. Certaines familles économisent toute l'année pour se permettre ce festin où porc, canard, poulet et soupes figurent au menu, accompagnés de monceaux de riz gluant. Après le repas, les convives se rafraîchissent avec des fruits du dragon *(pitayas)* ou de la pastèque. Sa chair rouge est d'une couleur de bon augure.

Les friandises traditionnelles du Têt *sont des fruits confits comme les pommes et les prunes. De nos jours, les chocolats et les sucreries importés de Chine, du Japon et même de Belgique et de Suisse deviennent de plus en plus populaires.*

Le *banh chung* et le *banh tet* *comptent parmi les gourmandises indispensables à la fête. Ces gâteaux de riz gluant, de pâte de haricot mungo et de lard cuisent dans des feuilles de bananier liées par des rubans de bambou.*

Banh tet en cours de confection

FESTIVITÉS DU TÊT

Déconsidérées pendant les années d'austérité communiste, les activités ludiques associées à la célébration du nouvel an lunaire sont à nouveau populaires. Des villages entiers se retrouvent pour jouer de la musique, chanter, danser, défiler et participer à des jeux en vogue depuis des siècles. Les jeunes gens profitent de l'occasion pour faire des rencontres et flirter.

Les parties d'échecs humains *n'ont lieu qu'à l'occasion du Têt. Les participants qui tiennent le rôle des pièces doivent être jeunes, beaux, et n'avoir pas récemment souffert de la malchance.*

Le *bit mat dap nieu*, *un jeu traditionnel, consiste à essayer de briser des pots en terre à coups de bâton malgré un masque faisant office de bandeau.*

Faux pétard porté en procession

LES PÉTARDS

Les fêtes du Têt donnaient jadis lieu à l'explosion de milliers de pétards dont le bruit chassait les mauvais esprits. Ils sont interdits au Vietnam depuis 1994 pour des raisons de sécurité. Depuis que les enregistrements qui les avaient remplacés ont été à leur tour prohibés, des processions tentent de remplir leur fonction.

La danse du dragon *est une coutume séculaire d'origine chinoise. Au son de tambours, de jeunes hommes donnent une vie frénétique à l'animal mythologique. Il symbolise la chance, et sa parade est censée chasser les démons de l'année qui vient de s'écouler.*

LE VIETNAM AU JOUR LE JOUR

Liées aux traditions culturelles chinoises, les fêtes bouddhiques, confucéennes et taoïstes suivent le calendrier lunaire, dont les mois ne comptent que 29 jours et demi, tandis que les dates des fêtes chrétiennes et civiles respectent le calendrier

Branches de pêcher en fleur pour le Têt

solaire occidental. Beaucoup de jours fériés commémorent des événements de l'histoire récente du pays, comme la naissance de Hô Chi Minh, le père de l'indépendance. La libéralisation en

œuvre depuis 20 ans a remis en vogue d'anciennes célébrations. Elles donnent lieu à des cérémonies en l'honneur des ancêtres, des processions, des repas, des chants et des danses. Il existe aussi beaucoup de fêtes locales, en particulier dans le delta du fleuve Rouge. Elles sont souvent dédiées à des génies tutélaires. Les peuples montagnards du Nord et les Cham et les Khmers du Sud possèdent leurs propres festivités.

PRINTEMPS (FÉV.-AVR.)

La saison du renouveau et de la renaissance est la plus animée au Vietnam. Les célébrations du Têt (p. 28-29), le nouvel an lunaire, marquent le début d'une longue période de réjouissances dans tout le pays.

1er MOIS LUNAIRE

Têt Nguyen Dan *(fin janv.-fév.).* Pour le nouvel an lunaire, la célébration la plus importante du calendrier vietnamien, des illuminations et des fleurs décorent les rues, des éventaires vendent des mets traditionnels et les familles échangent des cadeaux et font bonne chère. Trois jours seulement sont fériés, mais beaucoup d'entreprises ferment pour une semaine.
Fondation du Parti communiste vietnamien

(3 fév.). Anniversaire de la création du parti par Hô Chi Minh en 1930.
Fête des Tay Son *(déb. fév.),* district de Tay Son, province de Binh Dinh. Le temps d'un week-end, parade d'éléphants, concours de tambours et démonstrations d'arts martiaux commémorent une rébellion du XVIIIe siècle.
Fête du Yen Tu *(mi-fév.-fin avr.),* mont Yen Tu *(p. 185).* En l'honneur de la secte bouddhique Truc Lam, des pèlerins montent jusqu'aux pagodes du sommet de la montagne pour y méditer et allumer des bâtonnets d'encens.
Festival de Lim *(mi-fév.),* village de Lim, province de Bac Ninh. Quatorze jours après la fête du Têt, des groupes de chanteurs et de chanteuses de *quan ho (p. 24)* venus de toute la région attirent à Lim une foule nombreuse. Combats de lutte et concours de tissage.

Chanteuses en costumes traditionnels au festival de Lim

Fête de la pagode des Parfums *(fév.-mai),* pagode des Parfums *(p. 192-193).* Pendant trois mois de célébrations religieuses, des milliers de pèlerins se rendent dans un cadre de montagne si idyllique qu'il a été surnommé « paradis du Bouddha ».

2e MOIS LUNAIRE

Fête de Hai Ba Trung *(déb. mars),* Den Hai Ba Trung *(p. 163),* Hanoi. Des centaines de dévots portent en procession les statues des sœurs Trung *(p. 38)* pour un bain rituel dans le fleuve Rouge.
Fête du temple de Ba Chua Kho *(mars),* temple de Ba Chua Kho, Co Me, province de Bac Ninh. Afin d'obtenir bonheur et prospérité, les fidèles font des offrandes d'encens à la reine du Trésor et lui empruntent symboliquement de l'argent.

Éventaires de fleurs pour les fêtes du Têt

Plateaux d'offrandes à la reine du Trésor, au temple de Ba Chua Kho

3e MOIS LUNAIRE

Fête de la pagode Thay
(5-7 avr.), pagode Thay,
province de Ha Tay. On
célèbre pendant deux jours
Tu Dao Hanh, le protecteur
des marionnettes sur eau.
Fête de Hon Chen *(déb. avr.)*,
temple Hon Chen *(p. 148)*,
Huê. Cette fête colorée
d'origine cham a lieu deux
fois par an, le 3e et le
7e mois lunaire. Elle rend
hommage à la déesse Thien
A Na, la « Mère divine ».
Têt Thanh Minh *(déb. avr.)*.
La fête de la Pure Clarté est
consacrée aux défunts. Les
familles réparent et nettoient
les tombes et font des
offrandes aux esprits des
ancêtres afin de leur apporter
prospérité et bien-être dans
l'au-delà.
**Fête des temples des rois
Hung** *(avr.)*, temples des rois
Hung *(p. 173)*, province de
Phu Tho. Pendant trois jours,
les rois considérés comme les
fondateurs du premier État
viet sont à l'honneur. Les

Nettoyage et décoration d'une
petite tombe pour Thanh Minh

manifestations comprennent
la procession du lion
et des jeux traditionnels.
Des concours de chants *xoan*
ont lieu au Den Ha et des
représentations d'opéra sont
données au Den Thong.
Fête de la Libération
(30 avr.). Anniversaire de
la chute de Saigon en 1975.

ÉTÉ (MAI-JUIL.)

Outre le solstice d'été au
début du mois de juin, les
Vietnamiens célèbrent pendant
la saison chaude et humide
certaines de leurs plus
importantes fêtes nationales.

4e MOIS LUNAIRE

Fête du Travail *(1er mai)*.
D'impressionnants défilés
de travailleurs.
Anniversaire de Hô Chi Minh
(19 mai). La commémoration
de la naissance du fondateur
de la République est presque
religieuse, car il a acquis
le statut de héros national
déifié.
Le Phat Dan *(28 mai)*. Dans
les maisons et les temples,
des lanternes fêtent la
naissance, l'illumination
et la mort du Bouddha.
Festival du village de Tra Co
(30 mai-7 juin), district
de Hai Ninh, province
de Quang Ninh. Cette
manifestation campagnarde
organisée dans l'extrême
nord-est du pays compte
pour fleurons des concours
de cuisine et de porcs, ainsi
que des danses et des jeux
traditionnels.

ASTROLOGIE VIETNAMIENNE

Le calendrier zodiacal repose
sur des cycles de 12 années
associées chacune à un
animal. Plutôt qu'en siècles,
les Vietnamiens calculent
traditionnellement en *hoi*,
périodes de 60 années
lunaires, soit cinq cycles
de 12 ans.

Le Rat *(Ty)*, 2009, aimable et
dégourdi, apporte la chance.
Le Buffle (Suu), 2010,
constant et fiable, possède
une grande capacité de
travail.
Le Tigre *(Dan)*, 2011,
chaleureux bien qu'effrayant,
se distingue par son courage.
Le Chat *(Meo)*, 2012, a un
naturel paisible, réaliste,
intelligent et artiste.
Le Dragon *(Thin)*, 2013,
symbole impérial lié au
yang, possède puissance
et séduction.
Le Serpent *(Ty)*, 2014,
énigmatique et sage,
apprécie le confort.
Le Cheval *(Ngo)*, 2015,
symbolise assurance
et liberté.
La Chèvre (Mui), 2016, a
pour points forts la créativité
et le bon goût.
Le Singe *(Than)*, 2017,
débrouillard et facétieux,
est le signe des inventeurs,
des acteurs et des gens
ingénieux.
Le Coq *(Dan)*, 2018, solide
et courageux, peut aussi
se révéler égoïste
et prétentieux.
Le Chien *(Tuat)*, 2007
et 2019, loyal et attachant,
porte également chance.
Le Porc *(Hoi)*, 2008 et 2020,
est associé à l'honnêteté,
à la patience et à la virilité.

Le dragon, symbole de royauté, orne
de nombreux palais et tombeaux

Défilé à Hanoi le jour de la Fête nationale ou Quoc Khanh

5e MOIS LUNAIRE

Têt Doan Ngo *(déb. juin).*
La fête taoïste du « Double
Cinq » est au solstice d'été
le moment jugé idéal par
les Vietnamiens pour se
débarrasser de leurs parasites,
particulièrement virulents à
cette période. Ils mangent
des fruits et du riz gluant
fermenté et font des offrandes
destinées à apaiser le dieu
de la Mort.
Fête du temple Chem
(mi-juin), village de Thuy
Phuong, district de Tu Liem,
Hanoi. Les célébrations
rendent hommage à Ly Ong
Trong, un grand guerrier du
IIIe siècle. Elles comprennent
une régate de bateaux-
dragons, un lâcher de
pigeons et la toilette rituelle
des statues du sanctuaire.

6e MOIS LUNAIRE

Fête du village de Dad Xa
(9-10 juil.), district de Tam
Thanh, province de Phu Tho.
Commémoration de la victoire
du général Ly Thuong Kiet sur
les Chinois en 1075.
Fête Tam Tong *(juil.)*, district
de Vinh Loc, province de
Thanh Hoa. Organisé en cas
de sécheresse, cet appel aux
cieux n'a pas de date fixe.

AUTOMNE (AOÛT-OCT.)

Il continue de faire chaud et
humide dans le Sud, mais les
feuilles changent de couleur
dans le Nord, où le climat frais
rend d'autant plus agréables
les fêtes locales et nationales.

7e MOIS LUNAIRE

Fête de Hon Chen *(déb. août)*,
temple Hon Chen *(p. 31)*.
Trung Nguyen *(mi-août)*.
Cette célébration taoïste,
la plus importante avec le
nouvel an, possède un
équivalent bouddhique :
Vu Lan. En ce jour où les
âmes errantes quittent les
enfers pour revenir sur terre,
les vivants brûlent des
imitations de billets et font
des offrandes pour adoucir
le sort des esprits torturés.
**Fête du temple du maréchal
Le Van Duyet** *(fin août-déb.
sept.)*, Hô Chi Minh-Ville
(p. 64). Pour l'anniversaire
de la mort d'un soldat devenu
un héros national au service
de l'empereur Gia Long, les
fidèles prient pour obtenir
prospérité, sécurité et
bonheur, et assistent à des
spectacles d'opéra et de danse.

8e MOIS LUNAIRE

Fête nationale *(2 sept.)*. Un
défilé sur la place Ba Dinh de
Hanoi commémore la

proclamation de l'indépendance et l'instauration de la
République par Hô Chi Minh
en 1945.
Combats de buffles à Do Son
(déb. sept.), Do Son, province
de Haiphong. Six buffles
spécialement entraînés sont
conduits jusqu'à l'arène où
ils s'affrontent deux à deux.
Il suffit à un combattant de
mettre son adversaire en fuite
pour emporter une victoire
qui ne le sauvera pas. Tous
les animaux sont sacrifiés et
mangés à la fin de la journée.
**Têt Trung Thu ou fête
de la mi-automne** *(mi-sept.)*.
Également appelé la « fête
de la Lune des enfants »,
le Têt Trung Thu donne
l'opportunité à ceux-ci
de défiler en tenant des
lanternes, de participer à
la danse de la licorne, de
recevoir des jouets et des
masques et de déguster, avec

Gâteaux pour le Têt Trung Thu, la
« fête de la Lune des enfants »

les adultes, des gâteaux
spécialement confectionnés
pour l'occasion.
Fête de la baleine *(fin sept.)*,
temple Lang Ca Ong, Vung
Tau *(p. 76)*. Les cérémonies
en l'honneur de Ca Ong, le
dieu baleine protecteur des
pêcheurs, un culte d'origine

Combats de buffles à Do Son, dans la province de Haiphong

Danseuses et musiciens cham célébrant le nouvel an

cham, attirent une foule nombreuse venue faire des offrandes colorées.

Kate *(sept.-oct.)*, tours de Po Klong Garai, Phan Rang-Thap Cham *(p. 107)*. Les célébrations du nouvel an cham, la fête la plus importante de l'année pour la minorité hindoue, s'étendent sur dix jours. Accompagnés de musiciens, les participants forment une splendide procession pour grimper jusqu'aux tours afin de rendre hommage à leurs souverains et héros divinisés et de demander à la déesse Po Ino Nagar de leur accorder de bonnes récoltes.

9e MOIS LUNAIRE

Fête de la pagode Keo *(mi-oct.)*, village de Vu Nhat, province de Thai Binh. L'anniversaire de la mort du moine bouddhiste Duong Khong Lo donne lieu à trois jours de manifestations (régates, concours de cuisine et de chasse au canard).

Anniversaire de Confucius *(fin oct. ou déb. nov.)*. Le confucianisme a perdu son rang de philosophie d'État sous le régime communiste, mais son inspirateur reste vénéré. Son anniversaire est considéré comme la fête des enseignants.

HIVER (NOV.-JANV.)

Un temps froid et pluvieux règne en hiver dans le Nord, région où sont nées la majeure partie des fêtes. La saison est donc moins riche en célébrations.

10e MOIS LUNAIRE

Fête d'Ok Om Bok et **régates de ngo** *(mi-nov.)*, Soc Trang *(p. 96)*. La fête khmère de l'eau est dédiée au génie de la Lune. Les villageois déposent dans les temples plateaux de riz, de bananes et de noix de coco dans l'espoir de récoltes et de pêche abondantes. Les courses de *ngo* (pirogues) attirent des participants d'autres régions et du Cambodge.

Fête du temple de Nguyen Trung Truc *(fin nov.)*, village de Long Kien, district de Cho Moi, province d'An Giang. Le sanctuaire est dédié au héros national déifié Nguyen Trung Truc (1837-1868), qui dirigea un soulèvement contre les Français au Vietnam-du-Sud. Les festivités comprennent des régates de pirogues, des parties d'échecs chinois et la reconstitution de la bataille sur le Nhat Tao, qui eut pour conclusion le sabordage du navire *Espérance*.

Étal de bâtonnets d'encens, de confiseries et d'argent des morts

11e MOIS LUNAIRE

Fête des fleurs de Dalat *(10-18 déc.)*, Dalat *(p. 114-116)*. Musique, danses, spectacles, exposition de lanternes et animations variées accompagnent ces floralies organisées sur les rives du lac Xuan Huong depuis 2004. La manifestation donne également lieu à une foire commerciale et touristique.

Fête Trung Do *(fin déc.)*. Cette fête rend hommage au patriote viet Ly Bon, qui dirigea une révolte victorieuse contre les Chinois en 542 et se proclama empereur sous le nom de Li Nam De. Elle offre l'occasion d'assister à des rencontres de *dan phet*, un jeu de balle en bois.

Noël *(25 déc.)*. La date la plus importante du calendrier chrétien est surtout célébrée dans les grandes villes, où les rues et les vitrines se parent d'illuminations, de neige artificielle et de décorations scintillantes.

12e MOIS LUNAIRE

Nouvel an *(1er janv.)*. Le premier jour de l'année selon le calendrier occidental est férié au Vietnam. Mais même si le réveillon commence à devenir une occasion particulière de sortir pour les citadins, les réjouissances n'ont rien de comparable avec celles qui ont lieu pour le Têt.

JOURS FÉRIÉS

Nouvel an 1er janv.
Têt Nguyen Dan 14 fév. (2010) ; 3 fév. (2011).
Fondation du Parti communiste du Vietnam 3 fév.
Fête de la Libération 30 avr.
Fête du Travail 1er mai.
Anniversaire de Hô Chi Minh 19 mai.
Le Phat Dan 28 mai.
Fête nationale 2 sept.
Noël 25 déc.

Le climat du Vietnam

Le Vietnam bénéficie sur tout son territoire d'un climat tropical, mais des différences importantes se manifestent entre le Nord et le Sud, et entre le littoral et les reliefs. Les vents de mousson apportent normalement des précipitations abondantes entre mai et octobre. La saison la plus chaude, de février à avril, peut se révéler pénible, avec des températures dépassant 35 °C et un taux d'humidité grimpant à 80 %. D'un point de vue régional, il fait en permanence chaud et humide dans le Sud, avec de fréquentes averses pendant la saison des pluies. La côte du Centre subit des typhons entre juillet et novembre, mais les hivers y sont frais et pluvieux. Le Nord connaît des hivers froids et humides de novembre à mars et il neige quelquefois sur le mont Fan Si Pan. Les étés sont chauds et pluvieux.

LÉGENDE

- ☐ Été très chaud et humide, hiver froid et sec avec quelques gelées
- ☐ Été tempéré et humide, hiver froid et pluvieux, neige en altitude
- ☐ Été frais et pluvieux, hiver vif et sec avec un peu de pluie
- ☐ Été chaud et humide, hiver frais avec quelques pluies
- ☐ Été très chaud et sec, hiver frais et pluvieux
- ☐ Climat sec et tempéré toute l'année avec une brève mousson d'hiver
- ☐ Été chaud et très pluvieux, hiver frais et sec
- ☐ Été très chaud et humide, hiver chaud et sec avec des averses
- ☐ Été très chaud et très pluvieux, hiver chaud et humide

0 ——————— 200 km

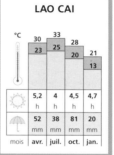

LAO CAI

°C	30	33	28	21
	23	25	20	13
☀	5,2 h	4 h	4,5 h	4,7 h
☂	52 mm	38 mm	81 mm	20 mm
mois	avr.	juil.	oct.	jan.

SON LA

°C	21	23	19	19
	13	18	13	5
☀	5,8 h	3,8 h	5,0 h	4,3 h
☂	279 mm	209 mm	38 mm	12 mm
mois	avr.	juil.	oct.	jan.

CHAU DOC

°C	35	32	30	31
	24	23	24	21
☀	7 h	5 h	6 h	7 h
☂	70 mm	190 mm	230 mm	10 mm
mois	avr.	juil.	oct.	jan.

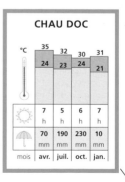

Ha Gia
Sapa • Lao Cai
Yen Bai
Diên Biên Phu • Son La
Th
Tuong Duong
Vi
Chau Doc
Ha Tien
Can T
Minh
Ca Mau

Marché flottant de Cai Rang au petit matin, Can Tho

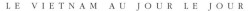
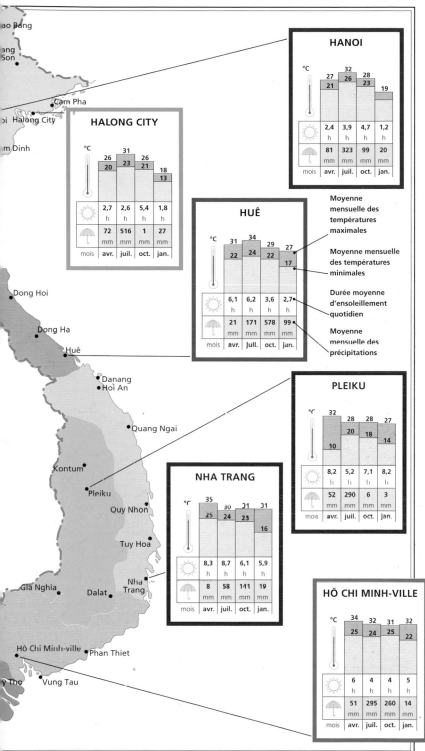

HISTOIRE DU VIETNAM

L es débuts de l'histoire du peuple viet se perdent dans les brumes du temps et de la légende. Les documents qui en ont ensuite enregistré le déroulement évoquent une nation constamment confrontée à des invasions étrangères et à des guerres civiles. Du premier retour à l'indépendance en 938, après 1 000 ans d'occupation chinoise, jusqu'à la réunification de 1975, les habitants du Vietnam n'ont jamais fléchi dans leur aspiration à l'autonomie et à la liberté.

Les recherches historiques indiquent que les ancêtres du peuple viet apprirent à cultiver le riz il y a plus de 5 000 ans et s'installèrent sur les terres fertiles des actuelles provinces chinoises du Guangxi et du Guangdong. Leurs voisins du nord, les Han, les forcèrent à migrer vers le sud, où leur chef fonda un royaume baptisé Xich Qui dans le delta du fleuve Rouge. Il se proclama Viem De, « empereur rouge du Sud ». Dans la mythologie des Viet, il s'agit de la première séparation d'avec la Chine entrée dans les annales.

Selon ce récit des origines, De Minh, roi de Xich Qui, épousa une fée de la montagne, et leur fils, Kinh Duong, se maria à la fille du roi des Dragons de la mer. Cette union donna naissance à Lac Long Quan, considéré comme le premier roi vietnamien. Pour entretenir la paix avec les Chinois, il épousa la princesse Au Co, une magnifique immortelle qui mit au monde 100 fils. Lac Long Quan l'envoya dans la montagne avec 50 de leurs enfants et resta près de la mer avec les 50 autres. Ainsi commença l'existence du peuple viet, installé à la fois dans

Tambour de bronze de Dong Son

les hauteurs et dans le delta du fleuve Rouge. Lac Long Quan forma son fils aîné à devenir le roi des Kinh, ou Viet, sous le nom de Hung Vuong, le premier souverain d'une lignée légendaire dont le pays, baptisé Vang Lang, avait pour cœur Phu To, sur la rive gauche du fleuve Rouge, à environ 80 km au nord-ouest de l'actuelle Hanoi. Pour les archéologues, l'époque de Vang Lang correspond au développement de la culture du bronze dont est issue la civilisation de Dong Son, célèbre pour les tambours mis au jour dans le nord du Vietnam et le sud de la Chine.

L'ÈRE DES ROIS HUNG

Selon la tradition, les 18 rois Hung régnèrent pendant 2 000 ans. Van Lang ne put toutefois échapper au déclin et, en 258 av. J.-C., Thuc Phan, souverain d'Au Viet, un royaume rival du nord, renversa les Hung et fonda Au Lac, le premier véritable État viet attesté aux yeux des historiens. Thuc Phan prit le nom d'An Duong Vuong et établit sa capitale, Co Loa, près du site de l'actuelle Hanoi.

CHRONOLOGIE

9000-6500 av. J.-C. Période néolithique

1000 av. J.-C. Sous les rois Hung, développement de la culture irriguée du riz et de la fonte du bronze

400-100 av. J.-C. Civilisation de Dong Son

551-479 av. J.-C. Vie de Confucius en Chine

258-208 av. J.-C. Co Loa est capitale d'Au Lac

| 9000 av. J.-C. | 5000 av. J.-C. | 1000 av. J.-C. | 500 | |

6500 av. J.-C. Débuts de l'agriculture

2361 av. J.-C. Premier contact supposé entre la Chine et Vang Lang

Guerrier de bronze de la civilisation de Dong Son

258 av. J.-C. Fondation du royaume d'Au Lac

Pierre taillée

2879 av. J.-C. Fondation de l'État semi-mythique de Vang Lang

◁ Les Français utilisent des ballons de reconnaissance pour prendre Hong Hoa, en Indochine, en 1884

L'OCCUPATION CHINOISE

Au Lac n'eut qu'une existence éphémère. En 207 av. J.-C., un général chinois insoumis, Trieu Da, s'en empara pour l'annexer à ses propres territoires en Chine méridionale. Il fonda ainsi le royaume de Nam Viet, dont la capitale, Fanyu, se trouvait dans l'actuelle province du Guangdong. Le règne de Trieu Da marqua le début de plus d'un millénaire de sinisation, plus ou moins bien acceptée, qui fit du Vietnam un avant-poste de la civilisation chinoise sans équivalent en Asie du Sud-Est.

Statue de guerrier han

Le Nam Viet passa sous l'autorité de la dynastie des Han de l'Ouest (206 av. J.-C.-8 apr. J.-C.) quand les successeurs de Trieu Da reconnurent la suzeraineté de l'empereur Wudi (r. 141-87 av. J.-C.) en 111 av. J.-C. Les territoires des Viet devinrent la province chinoise du Giao Chi. Même si les souverains de l'empire du Milieu considéraient que la région au sud du Yangzi était aux confins de leur civilisation, ils lui en imposèrent les règles et les valeurs culturelles, notamment par l'implantation de milliers de colons.

Les Viet adoptèrent volontiers de nombreux aspects de la culture chinoise, de l'écriture aux préceptes du confucianisme et du taoïsme, et ils tirèrent un profit certain d'innovations agricoles comme l'élevage du porc et du ver à soie. Ils s'opposèrent cependant à l'intégration politique. En 40 apr. J.-C., deux membres de la noblesse locale, les sœurs Trung (p. 163), prirent la tête de la première tentative d'émancipation. Elles se proclamèrent reines d'un éphémère royaume indépendant, qui avait sa capitale à Me Linh. Les troupes du général Ma Yuan matèrent la révolte en 43.

Malgré d'autres révoltes, la Chine maintint son emprise pendant les neuf siècles suivants. En 679, le Vietnam devint une préfecture de la dynastie Tang (618-907) sous le nom d'An Nam, le « Sud pacifié ». Sa capitale, Tong Binh, occupait un site proche de l'actuelle Hanoi sur les rives du fleuve Rouge.

LA CRÉATION DU DAI VIET

Le millénaire d'occupation étrangère s'acheva en 938 quand l'un des héros nationaux les plus célébrés par les Vietnamiens, Ngo Quyen, mit un terme à une longue campagne en se servant d'éperons plantés dans le lit du Bach Dang, près de Haiphong, pour détruire une flotte chinoise qui tentait de remonter le fleuve. Il se proclama roi du Dai Viet sous le nom de Ngo Vuong et transféra la capitale de Dai La, la forteresse de Tong Binh, à Co Loa, où avaient régné les souverains d'Au Lac, le premier État viet.

Bataille entre les sœurs Trung et des Chinois

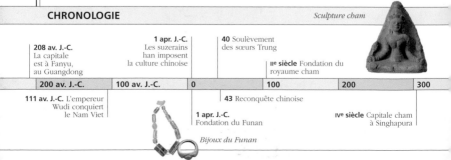

CHRONOLOGIE

Sculpture cham

208 av. J.-C. La capitale est à Fanyu, au Guangdong	1 apr. J.-C. Les suzerains han imposent la culture chinoise	40 Soulèvement des sœurs Trung IIe siècle Fondation du royaume cham	
200 av. J.-C.	**100 av. J.-C.**	**0**	**100**	**200**	**300**
111 av. J.-C. L'empereur Wudi conquiert le Nam Viet		43 Reconquête chinoise 1 apr. J.-C. Fondation du Funan	IVe siècle Capitale cham à Singhapura

Bijoux du Funan

Ruines de My Son *(p. 130-132)*, capitale religieuse des Cham entre le IVe et le XIIIe siècle

LE FUNAN ET LE CHAMPA

Tandis qu'une culture viet d'influence chinoise se développait au cœur du delta du fleuve Rouge, au sud s'imposaient deux royaumes hindous : le Funan et le Champa. Précurseur du grand Empire khmer, le Funan apparut probablement dans le delta du Mékong au Ier siècle apr. J.-C. Selon la légende, il avait pour fondateur un marchand indien marié à la fille d'un naga, un esprit protecteur à corps de serpent. Au sommet de son rayonnement, le Funan étendait son influence sur une grande partie du Cambodge et sur la côte orientale de la Thaïlande.

Entre le IIe et le VIe siècle, ses souverains accrurent leurs richesses grâce au commerce. Les historiens ont retrouvé les traces d'échanges avec la Chine, l'Inde et même l'Empire romain. Un nouvel État khmer, mieux protégé des incursions javanaises et des inondations à l'intérieur des terres, le supplanta néanmoins à la fin du VIe siècle. Du Funan subsistent aujourd'hui peu de vestiges en dehors des ruines du port

Statue de l'époque d'Oc-èo

d'Oc-èo, près de Rach Gia, et de quelques objets dans des musées de Hanoi, de Hô Chi Minh-Ville et de Long Xuyen.

Les premières mentions du royaume de Champa datent de 192, quand des colonies de Cham, un peuple probablement originaire de Java, apparurent sur la côte centrale de l'actuel Vietnam. À l'apogée de leur puissance, les Cham contrôlaient un territoire qui s'étendait de Vinh jusqu'au delta du Mékong. Ils excellaient dans le commerce maritime, notamment celui des esclaves et du bois de santal. Vers l'an 800, le Champa se retrouva pris en tenaille entre le royaume khmer d'Angkor et l'expansion viet vers le sud. La situation empira au fil des siècles et, après une terrible défaite face aux Viet en 1471, il n'en subsista plus qu'une petite principauté autour de Nha Trang. Elle survécut jusqu'en 1720, date à laquelle son souverain et un grand nombre de ses sujets s'enfuirent au Cambodge plutôt que de se soumettre aux Vietnamiens.

VIIe siècle Une puissante citadelle, Dai La, défend Tong Binh

618-907 Sous la dynastie Tang, Tong Binh devient capitale et le Vietnam prend le nom d'An Nam, le « Sud pacifié »

907 Chute de la dynastie Tang

938 Indépendance du Dai Viet

VIIIe siècle Capitale cham à Indrapuram

| 400 | 500 | 600 | 700 | 800 | 900 |

544 Soulèvement de Ly Bon

VIe siècle Les Khmers supplantent le Funan

VIIIe siècle Les Chinois étendent les digues du fleuve Rouge

Impératrice Wu Zetian, dynastie Tang

945 Mort de Ngo Vuong

979 Début de la « marche vers le Sud » des Viet

Temple de la Littérature, Hanoi

LA CONSOLIDATION DU DAI VIET

En 945, après la mort de Ngo Vuong, le morcellement du royaume en fiefs rivaux mit de nouveau en danger l'indépendance du peuple viet. Le seigneur le plus puissant, Dinh Bo Linh, parvint cependant à réunifier le pays en 968, le baptisant Dai Co Viet. Il prit le nom de Tien Hoang De et fonda l'éphémère dynastie Dinh (968-980). Il se remit également à payer tribut à la Chine pour se prémunir d'une nouvelle invasion. En 979, Le Dai Hanh s'empara du trône. Sa dynastie, les Le antérieurs (980-1009), annexa la partie du Champa située au nord du col des Nuages, près de Da Nang.

LA DYNASTIE LY

La dynastie des Ly (1009-1225) transforma le Vietnam en un État réellement souverain, même s'il resta sur bien des plans dans l'orbite de la culture chinoise. En 1010, son fondateur, l'érudit Ly Thai To, installa sa cour à Dai La, la citadelle de Tong Binh, et la rebaptisa d'un nom de bon augure : Thang Long *(p. 160)*, « le dragon

prenant son essor ». Elle resta la capitale du pays pendant les huit siècles suivants. Le bouddhisme devint la religion d'État, tandis que l'administration, aux mandarins sélectionnés sur examen, respectait les enseignements du confucianisme. Régissant une société essentiellement rurale, un gouvernement centralisé percevait des impôts nationaux, assurait une structure juridique codifiée et entretenait une armée professionnelle et un réseau de relais postaux.

LA DYNASTIE TRAN

Les Tran (1225-1400) menèrent à bien des réformes foncières et défendirent le pays des Mongols, qui avaient conquis la Chine. En 1288, le héros national Tran Hung Dao arrêta une tentative de conquête à la deuxième bataille du Bach Dang en reprenant la tactique de Ngo Quyen, qui consistait à planter des éperons dans le lit du fleuve. Les Viet poursuivirent leur expansion vers le sud, absorbant le territoire cham jusqu'à Huê.

LA DYNASTIE DES LE POSTÉRIEURS

Les Ming reprirent le contrôle du territoire en 1407, mais ils en furent chassés en 1428 lors du soulèvement de Lam Son, dirigé par le leader nationaliste Le Loi, secondé par le conseiller Nguyen Trai. Les Chinois se virent contraints de reconnaître l'autonomie du Dai Viet et Le Loi fonda la dynastie des Le postérieurs (1428-1788). Son successeur, Le Than Ton, écrasa le Champa en 1471, repoussant la frontière au sud de Qui Nhon. Le Vietnam était devenu une grande puissance en Indochine.

Nguyen Trai, conseiller de Le Loi

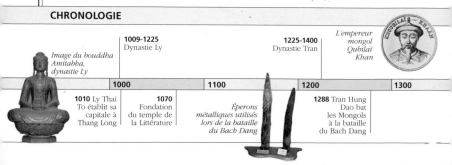

CHRONOLOGIE

Image du bouddha Amitabha, dynastie Ly

1009-1225 Dynastie Ly

1225-1400 Dynastie Tran

L'empereur mongol Qubilaï Khan

| 1000 | 1100 | 1200 | 1300 |

1010 Ly Thai To établit sa capitale à Thang Long

1070 Fondation du temple de la Littérature

Éperons métalliques utilisés lors de la bataille du Bach Dang

1288 Tran Hung Dao bat les Mongols à la bataille du Bach Dang

UNE NATION DIVISÉE

En étendant son influence, la dynastie Le provoqua l'animosité des seigneurs locaux. En 1527, Mac Dang Dung, un opportuniste de leur cour, s'empara du trône. À compter de 1539, deux familles de seigneurs de guerre se partagèrent le pouvoir réel : les Trinh et les Nguyen. La nation resta divisée plus de deux siècles, la capitale des Nguyen rivalisant par son rayonnement avec Thang Long. Sous leur direction, la conquête du Cambodge

Autel dédié à Quang Trung, chef de la rebellion des Tay Son

inférieur et du delta du Mékong débuta par l'absorption de la localité khmère de Prey Nokor, un port fluvial qui prit plus tard le nom de Saigon.

PREMIÈRES INFLUENCES EUROPÉENNES

En 1545, les Portugais ouvrirent les premières manufactures européennes au Vietnam. Ils aidèrent les Nguyen puis les Trinh. Au XVIIe siècle, les Hollandais, puis les Français leur ravirent la place de principal partenaire commercial. Des missionnaires chrétiens arrivèrent également. Le plus célèbre, le père Alexandre de Rhodes (1591-1660), un jésuite français, obtint des milliers de conversions en s'appuyant sur une transcription du vietnamien en lettres latines : le *quoc ngu*.

LA RÉVOLTE DES TAY SON

Des années de guerre civile et d'oppression par les Trinh et les Nguyen finirent par provoquer en 1771 un soulèvement paysan mené par trois frères d'une famille marchande du village de Tay Son. Après une succession de victoires, les insurgés renversèrent les Nguyen en 1783. Le dernier seigneur, Nguyen Anh, s'enfuit à l'étranger où il recherche l'assistance de la France. Les Tay Son vainquirent alors les Trinh, provoquant l'arrivée de troupes chinoises, défaites en 1788. Le plus valeureux des trois frères se proclama alors empereur sous le nom de Quang Trung. Il mourut en 1792. Son fils avait dix ans.

LE TRIOMPHE DE LA DYNASTIE NGUYEN

En 1788, Nguyen Anh s'empara de Saigon grâce aux troupes et à l'artillerie fournies par un missionnaire français : Pigneau de Behaine (1741-1799). Après la mort de Quang Trung, son avantage technique lui permit de vaincre les Tay Son dans le nord. En 1802, il prit le nom royal de Gia Long et établit sa capitale à Huê.

Porte Ngo Mon, bâtie par l'empereur Gia Long, citadelle de Huê

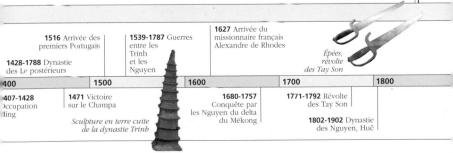

Soldats français débarquant à Haiphong en 1884

tion de missionnaires, la France occupa brièvement Da Nang. Deux ans plus tard, elle s'emparait de Saigon, puis, en 1865, elle contraignait Tu Duc à lui céder la Cochinchine. En 1883, elle contrôlait tout le pays. L'Annam (le Nord) et le Tonkin (le Centre) devinrent des protectorats. Les successeurs de Tu Duc se trouvèrent réduits au rang des marionnettes du pouvoir colonial. Après avoir mis sous tutelle le Cambodge, la France fonda en 1887 l'Union indochinoise, qui intégra bientôt le Laos. Elle avait pour capitale Hanoi.

LA PRISE DE POUVOIR FRANÇAISE

Pour symboliser la réunification du pays, Nguyen Anh avait associé dans son nom d'empereur, Gia Long, les cités de Gia Dinh et Thang Long, qui deviendront respectivement Saigon et Hanoi. Il régna en souverain autoritaire jusqu'en 1820. Son fils, Minh Mang (r. 1820-1841), hérita du pouvoir dans un pays où les Français avaient pris pied. Il ne leur manifesta aucune gratitude et, tenant d'un confucianisme des plus orthodoxe, promulgua des décrets hostiles aux missionnaires catholiques. Son successeur, Thieu Tri (r. 1841-1847), poursuivit la même politique à laquelle Tu Duc (r. 1847-1883) resta fidèle, considérant les convertis comme des « idiots séduits par les prêtres ».

Ce manque d'esprit de conciliation conduisit Napoléon III à monter une « mission civilisatrice » qui entraîna pour le Vietnam près d'un siècle de soumission à un pouvoir étranger. En 1858-1859, prenant prétexte de la persécu-

Paul Doumer, gouverneur de l'Union indochinoise

LA PÉRIODE COLONIALE

Paul Doumer fut gouverneur de l'Union indochinoise de 1896 à 1902. La puissance coloniale soumit le pays à son administration et à ses règles, leva de lourdes taxes et s'octroya un monopole sur le sel, l'alcool et l'opium. Elle construisit aussi des routes et des voies ferrées. Les entreprises françaises exploitèrent les richesses minières et le produit de plantations d'hévéas et de café. Pendant l'Occupation, à partir de 1940, les représentants du gouvernement de Vichy en Indochine collaborèrent avec l'allié des nazis en Extrême-Orient : le Japon. Les Vietnamiens tombèrent sous une nouvelle et brutale férule coloniale.

L'ESSOR DE LA RÉSISTANCE SOCIALISTE

Des mouvements nationalistes apparurent dès le début du XXᵉ siècle. La révolution chinoise de 1911 inspira la fondation du Parti nationaliste du Vietnam, copié sur le Guomindang de Chiang Kai-shek. En 1930, son président,

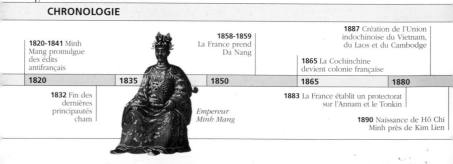

CHRONOLOGIE

1820-1841 Minh Mang promulgue des édits antifrançais

1858-1859 La France prend Da Nang

1887 Création de l'Union indochinoise du Vietnam, du Laos et du Cambodge

1865 La Cochinchine devient colonie française

| 1820 | 1835 | 1850 | 1865 | 1880 |

1832 Fin des dernières principautés cham

Empereur Minh Mang

1883 La France établit un protectorat sur l'Annam et le Tonkin

1890 Naissance de Hô Chi Minh près de Kim Lien

Nguyen Thai Hoc, fut envoyé à la guillotine avec 12 de ses camarades après l'échec d'une tentative d'insurrection. En 1941, Hô Chi Minh *(p. 169)* rentra dans son pays. Il créa le Front pour l'indépendance du Vietnam, ou Viêt-minh, et entama une farouche lutte armée contre les occupants français et nippons. Les Américains lui apportèrent leur soutien à partir de 1944. En mars 1945, menacés d'une défaite imminente dans le Pacifique, les Japonais prirent le contrôle direct du pays. Mais Hô Chi Minh et ses maquisards avaient déjà libéré des régions du Nord et avançaient rapidement sur Hanoi. Le Japon capitula le 15 août 1945. Le 2 septembre, Ho Chi Minh proclamait l'indépendance depuis la place Ba Dinh de Hanoi.

Hô Chi Minh *(à gauche)* devant une carte militaire à Diên Biên Phu, 1953

LA PREMIÈRE GUERRE D'INDOCHINE
Au sortir de la Libération, le gouvernement français décida de restaurer son emprise sur l'Indochine, et des troupes françaises reprirent pied au Vietnam dès octobre 1945. Hô Chi Minh négocia avec la France mais ne put obtenir le respect des accords signés. Un soulèvement à Hanoi en décembre 1946 marqua le début de la première guerre d'Indochine. Les Français conservèrent le contrôle de Hanoi, de Saigon et des grandes villes, mais les Viêt-minh habilement dirigés par le général Vo Nguyen Giap gagnèrent du terrain dans les campagnes.

Hô Chi Minh avait prévenu ses ennemis dès 1946 : « Vous pouvez tuer dix de mes hommes pour chacun de vos morts, vous finirez par perdre et je triompherai. » La défaite du corps expéditionnaire français à Diên Biên Phu *(p. 195)* confirma en 1954 la justesse de ses paroles. Décidés à contenir la contagion communiste, les États-Unis finançaient déjà 80 % de l'effort de guerre français. Le décor était dressé pour la guerre du Vietnam.

PRÉLUDE À LA GUERRE DU VIETNAM
Au cours de la conférence de Genève de 1954, la France, la Grande-Bretagne, les États-Unis, l'URSS et la Chine décidèrent la partition du Vietnam au niveau du 17e parallèle jusqu'à des élections générales en 1956. Mais ces dernières n'eurent jamais lieu, et le nord du pays devint la République démocratique du Vietnam dirigée depuis Hanoi par le gouvernement communiste de Hô Chi Minh. Au sud, un catholique austère allié des Américains, Ngô Dinh Diem, prit la tête de la République du Vietnam, qui avait Saigon comme capitale.

Attaque par le Viêt-minh du camp retranché de Diên Biên Phu

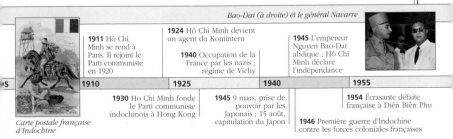

Bao-Dai (à droite) et le général Navarre

Carte postale française d'Indochine

1911 Hô Chi Minh se rend à Paris. Il rejoint le Parti communiste en 1920

1924 Hô Chi Minh devient un agent du Komintern

1940 Occupation de la France par les nazis ; régime de Vichy

1945 L'empereur Nguyen Bao-Dai abdique ; Hô Chi Minh déclare l'indépendance

1910	1925	1940	1955

1930 Ho Chi Minh fonde le Parti communiste indochinois à Hong Kong

1945 9 mars, prise de pouvoir par les Japonais ; 15 août, capitulation du Japon

1954 Écrasante défaite française à Diên Biên Phu

1946 Première guerre d'Indochine contre les forces coloniales françaises

La guerre du Vietnam

L'offensive du Têt en insigne

À partir de 1954, le président Diem, soutenu politiquement et financièrement par les Américains, mena depuis Saigon une politique autoritaire, persécutant les communistes et les bouddhistes. Le Nord-Vietnam s'était allié à la Chine et à l'URSS. En 1960, les rebelles du Sud fondèrent le Front national de libération (FNL), plus connu sous le nom de Viêt-công. La lutte armée reprit et John Kennedy envoya les premiers conseillers militaires en 1961. Après sa mort, en 1963, Lyndon Johnson décida d'entrer ouvertement dans le conflit. La « guerre américaine », pour les Vietnamiens, ou « guerre du Vietnam », pour les Américains, durera 15 ans. Elle fera des millions de morts.

Guérilla
Le FNL et ses alliés nord-vietnamiens excellaient dans les pièges simples, mais d'une redoutable efficacité.

PATROUILLE DANS DES RIZIÈRES, DELTA DU MÉKONG

En 1967, il y avait un demi-million de soldats américains au Vietnam. Beaucoup manquaient d'expérience et de motivation et devaient se battre sur un terrain inconnu et difficile, pataugeant dans des rizières et des marais en quête d'adversaires insaisissables. Les hommes les plus expérimentés partaient en patrouilles de reconnaissance profonde (LRRPS), de dangereuses missions de cinq jours où ils s'efforçaient de localiser l'ennemi.

Incident du golfe du Tonkin (1964)
L'attaque du destroyer Maddox par des vedettes lance-torpilles fournit à Lyndon Johnson un prétexte pour bombarder le Nord-Vietnam et envoyer des troupes au Sud.

La mort venue des airs
L'US Air Force et ses alliés sud-vietnamiens utilisèrent un large éventail d'armes chimiques, dont le phosphore blanc. Ici, un avion américain bombarde Da Nang en 1966.

Piste Hô Chi Minh
D'étroits sentiers et des ponts branlants permettaient aux troupes communistes de circuler entre le Nord-Vietnam et Saigon (p. 151).

CHRONOLOGIE

Le président du Sud-Vietnam Ngo Dinh Diem, 1

1954 Le traité signé à la Convention de Genève entérine la partition du Vietnam

1960 Des communistes fondent le Front national de libération au Sud-Vietnam

1965 Arrivée des premiers combattants américains ; début des bombardements du Nord-Vietnam

| 1955 | 1960 | 1965 |

Un bonze s'immole par le feu pour protester contre la politique de Diem, 1963

1963 Diem est assassiné à l'instigation des États-Unis

1964 Incident entre un des américain et des vedettes nord-vietnamiennes dans le golfe du Tonkin

L'offensive du Têt (1968)
La bataille la plus longue et la plus sanglante eut lieu en janvier 1968. Les communistes s'emparèrent de l'ancienne capitale impériale de Huê et la conservèrent 25 jours. Les deux camps subirent de lourdes pertes.

Hamburger Hill (1969)
Le 10 mai, cinq bataillons attaquèrent les troupes du Nord tenant le mont Ap Bia, près du Laos. L'acharnement de la défense lui valut le surnom de « colline hamburger », car les hommes se faisaient hacher menu.

Bombardements au napalm
Les projections d'essence gélifiée des bombes au napalm tuèrent des milliers de personnes. Cette célèbre photo de jeunes victimes renversa l'opinion publique américaine contre la guerre.

Manifestations pacifistes
La guerre devint toujours plus impopulaire au cours des années 1960 et 1970. Ces manifestants défilent sur Grosvenor Square devant l'ambassade américaine à Londres.

Accords de Paris (1973)
Un cessez-le-feu fut signé le 23 janvier. Contre le retrait des Américains, le Nord relâchait quelque 500 prisonniers de guerre.

29 avril 1975
Les troupes nord-vietnamiennes entraient déjà dans la ville quand des hélicoptères évacuèrent vers des navires en mer de Chine méridionale les derniers soldats américains de Saigon.

monument au massacre de My Lai

1968 Offensive du Têt en janvier-février ; 16 mars, massacre de My Lai (p. 119)

1973 Accord de cessez-le-feu ; les G.I. se retirent du Vietnam

Badges pacifistes des années 1970

1970		1975

1969 Mort de Hô Chi Minh ; Nixon propose des discussions de paix

1972 Bombardement du port de Haiphong

1971 Le *New York Times* fait des révélations sur l'engagement américain au Vietnam

1975 Reddition du Sud-Vietnam ; gouvernement provisoire

Manifestante brandissant un drapeau viêt-công.

RÉUNIFICATION ET ISOLATION

La victoire du Nord en 1975 donna à Le Duan, le secrétaire général du Parti communiste depuis la mort de Hô Chi Minh, un pouvoir absolu sur tout le pays, officiellement réunifié en juillet 1976 sous l'appellation de République socialiste du Vietnam. Six mois plus tard, le parti décida à son IVe congrès d'accélérer la collectivisation forcée de l'industrie, du commerce et de l'agriculture. Saigon fut rebaptisée Hô Chi Minh-Ville. Les services administratifs de l'ancien régime subirent une impitoyable purge, de nombreux fonctionnaires étant envoyés pour de longues périodes de rééducation dans des zones frontalières sous-développées, ce qui priva l'État des compétences de milliers de citoyens expérimentés et éduqués. À Cholon (p. 68-69) et dans tout le Sud, les persécutions qui frappèrent la classe marchande asphyxièrent l'activité économique et provoquèrent

Les soldats vietnamiens quittent le Cambodge en 1989

la colère de la Chine, soucieuse des intérêts de la minorité Hoa. Un embargo imposé par les États-Unis en 1976 augmenta encore les difficultés du pays. Des centaines de milliers de personnes prêtes à tout pour se donner un avenir commencèrent à s'enfuir par la mer, souvent sur des navires hors d'état. Les médias leur donnèrent le surnom de *boat people*.

La situation se dégrada aussi sur le plan régional. En 1976, le Kampuchea démocratique des Khmers rouges de Pol Pot, soutenu par la Chine, lança de sanglantes incursions dans les villages frontaliers. Le Vietnam répliqua en 1978 en signant un pacte de sécurité avec l'Union soviétique et en envahissant le Cambodge. En guise de représailles, la Chine envoya son armée en 1979 dans le Nord pour y détruire plusieurs capitales provinciales. Coupé de l'Occident, le Vietnam n'eut d'autre choix que de resserrer ses liens avec l'URSS.

RÉNOVATION

La mort du doctrinaire Le Duan en 1986 ouvrit un espace au changement. Un natif du Sud, Nguyen Van Linh, le remplaça à la tête du parti et le VIe congrès adopta un programme de réformes appelé *doi moi*, ouvrant la voie à une libéralisation économique

Boat people en route pour Manille, 1978

CHRONOLOGIE

1975 Réunification du Nord et du Sud sous un gouvernement communiste

1978 Le Vietnam envahit le Cambodge et renverse les Khmers rouges

Le dictateur cambodgien Pol Pot

1989 Retrait du Cambodge

1979 La Chine envahit le nord du Vietnam

1976   1980   1984   1988   1992

1976 Création de la République socialiste du Vietnam

Signature du document préparant la réunification, palais de l'Indépendance de Saigon

1986 Mort de Le Duan ; lancement du *doi moi*

Le Duan

et sociale contrôlée. L'éclatement de l'URSS et la fin de la guerre froide en 1991 accélérèrent cette évolution. Privé de son principal soutien militaire et financier, le Vietnam dut se réconcilier avec la Chine, nouer des liens plus étroits avec ses voisins de l'Asie du Sud-Est et s'ouvrir davantage à l'Ouest.

Cette politique porta ses fruits et les États-Unis levèrent leur embargo en 1994 et rétablirent des relations diplomatiques avec Hanoi en 1995. La même année, le Vietnam devint un membre à part entière de l'Association des nations du Sud-Est asiatique (ASEAN). En 1997, l'élection de Tran Duc Luong à la présidence et de Phan Van Khai au poste de Premier ministre confirma la ligne réformatrice sur le plan économique.

Tran Duc Luong et Bill Clinton en 2000

RENAISSANCE

Depuis le tournant du XXe siècle, le Vietnam a connu de remarquables changements. En 2000, la visite du président américain Bill Clinton a consacré l'amélioration des rapports entre les deux anciens ennemis, confirmée en 2001 par la normalisation des relations commerciales. La même année, Nong Duc Manh accédait au rang de secrétaire général du Parti communiste, la plus haute fonction au Vietnam avant celles de Premier ministre et de président de la République. Considéré comme un modernisateur, Nong Duc Manh s'est engagé lors de son élection à se concentrer sur l'essor économique et à combattre la corruption et la bureaucratie. En juin 2006, l'Assemblée

nationale confirmait la nomination de Nguyen Tan Dung, le plus jeune Premier ministre du pays et le premier gouvernant d'après-guerre à n'avoir pas connu la lutte pour l'indépendance.

Il a fait vœu d'assurer à la nation un développement viable et de la sortir de l'arriération. Tout indique que ce but est accessible. Le Vietnam connaît aujourd'hui de meilleurs résultats en termes de croissance économique que tout autre pays d'Asie hors de la Chine. S'il reste autocratique, le gouvernement s'est ouvert à la libre entreprise et à l'économie de marché. Néanmoins, il existe de grandes inégalités entre les villes et le monde rural. En outre, les associations de défense des droits de l'homme accusent Hanoi d'atteintes à la liberté politique et religieuse. Pourtant, à l'heure actuelle, les Vietnamiens jouissent pour la plupart de plus de liberté qu'en n'ont jamais eue leurs ancêtres à aucun moment d'une longue histoire pleine de bruit et de fureur.

Gratte-ciel modernes de Hô Chi Minh-Ville

LE VIETNAM RÉGION PAR RÉGION

Le Vietnam d'un coup d'œil

Frôlant au nord le tropique du Cancer, ce long pays étroit s'étend vers l'équateur presque jusqu'au 8ᵉ parallèle et possède une étonnante diversité de paysages. Ses beautés naturelles comprennent les vallées isolées du Nord-Ouest, les plateaux de la cordillère centrale et les plages tropicales du littoral méridional. Le fleuve Rouge, dans le Nord, et le Mékong, dans le Sud, alimentent deux deltas d'une immense fertilité où d'innombrables voies d'eau serpentent parmi des forêts luxuriantes et de vastes rizières. Le Vietnam conserve d'une longue histoire mouvementée de grandes richesses artistiques, culturelles et architecturales. Ce guide divise son territoire en six régions identifiées par des repères dont les couleurs sont montrées sur cette carte.

VIETNAM DU NORD
(voir p. 178-201))

HANOI
(voir p. 152-177)

Sapa (p. 196-197), *nichée dans un cirque isolé du Nord, doit sa réputation à la beauté d'un site permettant de splendides randonnées. Depuis des siècles, des minorités ethniques entretiennent les terrasses cultivées qui s'étagent sur les flancs des monts Hoang Lien.*

0   200 km

Le vieux quartier (p. 156-157) *de Hanoi, aussi appelé quartier des 36 rues, doit sa création aux corporations qui répondaient au XIIIᵉ siècle aux besoins du palais. C'est aujourd'hui une zone marchande pittoresque où venir acheter soieries ou café fraîchement moulu.*

Tra Vinh (p. 89), *dans le delta du Mékong, abrite d'importantes communautés khmère et chrétienne et se distingue par la diversité de ses édifices religieux. Des canaux permettent d'y circuler parmi des vergers et une dense végétation.*

DELTA DU MÉKONG ET VIETNAM DU SUD
(voir p. 84-101)

◁ La plage de Mui Ne Beach et ses dunes de sable rouge en arrière-plan

Le pavillon Hien Lam de la citadelle de Huê (p. 140-143), *ou pavillon de la Splendeur, veille sur neuf grandes urnes dynastiques au cœur de la Cité impériale, dont il est le plus haut bâtiment.*

Les tours cham de Po Nagar (p. 109) *datent du VIIIe siècle et comptent parmi les sites cham les plus importants du Vietnam. Situées à Nha Trang, ces ruines évocatrices constituent un témoignage rare sur l'architecture de l'ancien et puissant royaume du Champa.*

VIETNAM CENTRAL
(voir p. 120-151)

A CÔTE ET LES HAUTS
PLATEAUX DU SUD
(voir p. 102-119)

HO CHI MINH-VILLE
(voir p. 52-83)

La plage de Mui Ne (p. 106), *longue de 20 km au sud de Nha Trang, offre aux visiteurs un sable blanc et propre au pied de cocotiers. D'août à janvier, les conditions climatiques la rendent particulièrement propice au surf et à la planche à voile.*

La terrasse sur le toit de l'hôtel Rex (p. 60) *renferme l'un des restaurants les plus populaires de Hô Chi Minh-Ville. Elle offre une vue spectaculaire des rues animées et pittoresques du centre.*

HÔ CHI MINH-VILLE

L*a plus grande ville du Vietnam en est aussi la métropole économique, et elle s'impose rapidement comme sa fenêtre sur le monde. Cosmopolite, elle se tourne vers l'extérieur, écoute du jazz et boit du vin français. Ses habitants n'en renient pas pour autant leur passé, et les temples séculaires attirent de nombreux fidèles, tandis que les édifices coloniaux restent soigneusement préservés.*

Hô Chi Minh-Ville a pour origine Prey Nokor, un petit comptoir commercial khmer fondé il y a quelque trois siècles dans un méandre de la Dông Nai, à la frange du delta du Mékong. Ce port fluvial devint au XVIIIe siècle la capitale provinciale de la dynastie Nguyen sous le nom de Saigon. Les Français s'en emparèrent en 1859 et y établirent le gouvernement colonial de la Cochinchine. Le plan d'urbanisme du centre, un quadrillage d'artères se coupant à angle droit, date de cette période d'important développement. La ville a aussi conservé nombre des édifices qui lui valurent le surnom de « petit Paris de l'Extrême-Orient ». À la partition du pays en 1954, elle devint la capitale du Sud-Vietnam (*p. 43*). Sa chute en 1975 et l'évacuation des derniers soldats américains marquèrent la fin de la partition du pays. Les vainqueurs rebaptisèrent leur conquête Hô Chi Minh-Ville, un nom que ses habitants mettent toujours peu d'empressement à utiliser. Profitant de la politique de libéralisation économique et culturelle mise en œuvre à partir de 1986, la cité, dont la population est estimée à 5 millions d'âmes, s'est lancée avec ferveur dans une modernisation où elle ne cesse de se réinventer. Des nouveaux restaurants et cafés haut de gamme offrant un large choix gastronomique ouvrent en permanence, tandis qu'une vie nocturne règne dans les bars et les discothèques. Avec ses monuments historiques et ses musées, ses boutiques et ses tables en terrasse, le quartier de Dong Khoi (*p. 56-57*) reste un pôle incontournable pour les visiteurs.

Grand portrait de Hô Chi Minh à la poste centrale

◁ Tours modernes des hôtels Caravelle et Sheraton dominant la rue Dong Khoi (*p. 56-57*)

À la découverte de Hô Chi Minh-Ville

Le pôle touristique se trouve dans le 1er arrondissement, dans le quartier de la rue Dong Khoi riche en boutiques chic, en musées et en bons restaurants. Il renferme aussi des bâtiments coloniaux comme le théâtre municipal, la cathédrale Notre-Dame et la poste centrale. Au nord s'étend une vaste zone résidentielle où la pagode de l'Empereur de Jade mérite une visite pour la qualité et son architecture et de ses sculptures. À l'ouest, les innombrables boutiques du faubourg de Cholon justifient son nom, signifiant « grand marché ». Les Hoa d'origine chinoise y ont bâti certains des plus vieux temples de Hô Chi Minh-Ville.

CARTE DE SITUATION
Voir atlas des rues p. 78-83

HÔ CHI MINH-VILLE D'UN COUP D'ŒIL

Lieux de culte
Cathédrale Notre-Dame **7**
Pagode au Pilier unique
  du Sud **27**
*Pagode de l'Empereur
  de Jade p. 62-63* **11**
Pagode de Quan Am **23**
Pagode Giac Vien **26**
Pagode Phung Son **25**
Pagode Vinh Nghiem **13**
Pagode Xa Loi **16**
*Saint-Siège du caodaïsme
  p. 74-75* **30**
Temple hindou de Mariamman **17**
Temple de Nghia An Hoi Quan **21**
Temple de Thien Hau **22**
Temple du maréchal
  Le Van Duyet **12**

Site et bâtiments historiques
Hôtel de ville **4**
Poste centrale **8**
Tunnels de Cu Chi **28**

Théâtre
Théâtre municipal **2**

Musées et palais
Musée de Hô Chi Minh-Ville **5**
Musée de la Femme
  sud-vietnamienne **14**
Musée d'Histoire
  du Vietnam **10**
Musée des Beaux-Arts **19**
Musée des Vestiges
  de la guerre **15**
Palais de la Réunification **9**

Sites naturels
Nui Ba Den **29**
Parc national de Cat Tien **35**
Plage de Ho Coc **33**
Sources chaudes
  de Binh Chau **34**

Villes et marchés
Long Hai **32**
Marché Ben Thanh **18**
Marché Binh Tay **24**
Marché Dan Sinh **20**
Vung Tau **31**

Hôtels
Hôtel Caravelle **1**
Hôtel Continental **3**
Hôtel Rex **6**

LÉGENDE

Dong Khoi pas à pas :
p. 56-57

✈ Aéroport international

🚉 Gare ferroviaire

🚌 Gare routière

⛴ Embarcadère

━━ Route nationale

━━ Grande route

══ Route secondaire

─── Voie ferrée

– ▪ – Frontière internationale

– – Frontière provinciale

CIRCULER

Le quartier de Dong Khoi est assez petit pour être aisément découvert à pied. Sinon, la moto-taxi, baptisée localement *xe om* ou Honda, constitue le moyen de transport le plus populaire. Une course n'importe où en ville coûte normalement moins d'un dollar. À Cholon, le cyclo-pousse se révèle plus pratique. Les radio-taxis sont devenus courants. La plupart des agences de voyages se chargeront d'organiser une excursion hors de la ville.

0   800 m

VOIR AUSSI

• *Hébergement* p. 232-234

• *Restaurants* p. 250-252

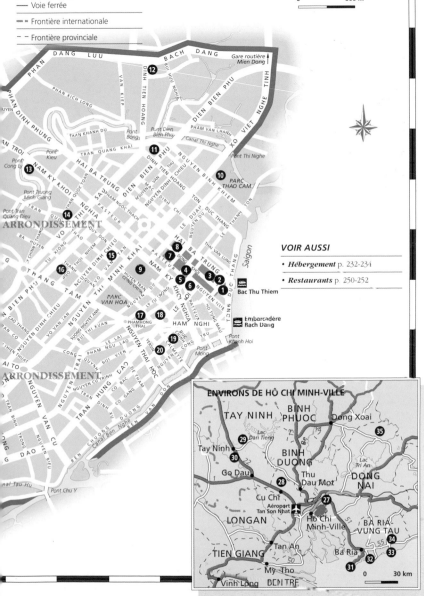

ENVIRONS DE HÔ CHI MINH-VILLE

0   30 km

Dong Khoi pas à pas

Les alentours de la rue Dong Khoi renferment le véritable centre nerveux de Hô Chi Minh-Ville. L'artère elle-même acquit sa renommée à l'époque de la colonisation française sous le nom de rue Catinat. Alors bordée de grands hôtels, de magasins chic et de cafés accueillants, ainsi que de bars et de maisons closes moins bien famés, elle servit de cadre à une grande part du roman de Graham Green : *Un Américain bien tranquille*. La plupart de ces établissements fermèrent sous le régime communiste, mais le quartier commence à retrouver son éclat d'antan grâce à la libéralisation économique entamée en 1986. Son animation entretient le souvenir de l'époque où la capitale de la Cochinchine portait le surnom de « petit Paris de l'Extrême-Orient ».

Vue de Dong Khoi depuis le Diamond Plaza *(p. 263)*

★ **Poste centrale**
Ce bâtiment, achevé en 1891, compte parmi les plus beaux souvenirs de l'époque coloniale. La fraîcheur règne à l'intérieur sous une structure métallique dessinée par Gustave Eiffel ❽

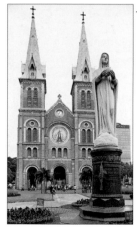

L'international SOS, au personnel polyglotte, offre des services médicaux de haut niveau en plein centre-ville.

★ **Cathédrale Notre-Dame**
Construite dans le style néoroman en pierre locale et en brique rouge importée de France, elle date de la fin du XIXe siècle. Sur le parvis se dresse une statue de la Vierge datant des années 1950 ❼

Hôtel de ville
Longtemps décrié, entre autres sous l'épithète de « pâtisserie », le monument le plus emblématique de la ville, élevé en 1901-1908, abrite aujourd'hui le Comité du peuple ❹

À NE PAS MANQUER

★ Cathédrale Notre-Dame

★ Poste centrale

★ Théâtre municipal

Pour les hôtels et les restaurants de la ville, voir p. 232-234 et p. 250-252

Chez Givral
Les sandwiches et pâtisseries vendus dans ce café et restaurant, repaire de journalistes pendant la guerre, rappellent ses origines françaises.

Hôtel Continental
Exemple typique de l'architecture coloniale de Saigon, ce havre de sérénité au cœur de la ville possède un atrium central très apprécié l'après-midi pour prendre le thé dans une ambiance décontractée ❸

LÉGENDE

— — — Itinéraire conseillé

Le café Chi Lang, entouré d'une verdure apaisante, est l'endroit idéal où déguster un *café da* (café frappé).

0   150 m

★ **Théâtre municipal**
D'un style néoclassique typique de la Belle Époque, l'ancien Opéra abrita l'Assemblée nationale de 1956 à 1975 ❷

Hôtel Caravelle

Hôtel Rex
Très fréquenté par les reporters pendant la guerre du Vietnam, cet établissement, bâti en 1953, ménage un panorama exceptionnel depuis sa vaste terrasse sur le toit ❻

Hôtel Caravelle ❶

19, pl. Lam Son, 1er arr. **Plan** 2 F3.
Tél. *(08) 823 4999.* ◯ *t.l.j.* 🔟 ▨
www.caravellehotel.com

Lors de son ouverture
en 1959, la veille de Noël, cet
établissement était avec ses
10 étages le plus haut édifice
de la ville. En commentant son
inauguration, la presse locale
encensa son système central
de climatisation et ses vitres à
l'épreuve des balles. Il
s'agissait là d'une précaution
particulièrement inspirée de
la part de ses concepteurs,
et diplomates et journalistes
l'apprécièrent
à sa juste
valeur pendant
la guerre du
Vietnam
(p. 44-45).
L'Australie et
la Nouvelle-
Zélande y
établirent
leurs
ambassades,
tandis que le
Washington Post, le *New York
Times* et des agences de
presse comme *Associated Press*
y ouvraient des bureaux. Les
grands reporters affirmaient en
plaisantant qu'ils pouvaient
couvrir tout le conflit sans quitter
leur table du bar sur le toit.
L'éclat du Caravelle ternit après
la chute de Saigon en 1975. Une
complète rénovation a permis
sa réouverture en 1998.
    Avec sa haute tour parée
de marbre, il compte parmi
les palaces les plus luxueux
de la ville. Les anciens habitués
auraient peut-être du mal à

reconnaître le bar du toit,
mais il coiffe toujours l'aile
ancienne et reste idéal
pour déguster un cocktail.

Théâtre municipal ❷

7, pl. Lam Son, angle de Le Loi
et Dong Khoi, 1er arr.
Plan 2 F3. **Tél.** (08) 829 9976.
◯ *variables.* 🎞 ▨

L'Opéra construit en 1899
pour la bourgeoisie coloniale
ne dépareraitt pas une avenue
parisienne. Après avoir abrité
les séances de l'Assemblée
nationale du Sud-Vietnam
de 1956 à la
chute de
Saigon, il a
retrouvé sa
fonction
initiale sous
le nom de
Nha Hat
Thanh Pho.
Les deux
grandes
cariatides de
l'entrée, au

Sculptures ornant le fronton
du théâtre municipal

sommet du grand escalier
d'accès, ainsi que les figures
ailées sculptées au fronton
sont typiques des déclinaisons
européennes du
néoclassicisme à la fin
du XIXe siècle.
    Plus sobre, l'intérieur
offre un cadre adapté à une
programmation éclectique
– théâtre vietnamien
traditionnel, musique classique
occidentale, concerts de rock
et démonstrations de
gymnastique. Des affiches
en donnent le détail
à la billetterie.

Moment de détente dans la cour
intérieure de l'hôtel Continental

Hôtel Continental ❸

132-134, Dong Khoi, 1er arr.
Plan 2 F3. **Tél.** (08) 829 9203.
◯ *t.l.j.* 🔟 ▨ www.continental
vietnam.com

Achevé en 1886, le plus
prestigieux des grands hôtels
de luxe construits à l'époque
française entoure une cour
intérieure ombragée par des
frangipaniers. La majeure
partie de l'établissement n'a
pas subi la « modernisation »
qui a frappé d'autres édifices
historiques de la ville et l'âge
lui donne une patine
élégante. À l'intérieur, des
tapis rouges couvrent toujours
les escaliers d'origine.
    D'illustres clients ont fait
entrer le Continental dans
l'histoire. André Malraux
(1901-1976) et son épouse
Clara (1898-1982) y
séjournèrent en 1924 et 1925.
Pendant la guerre du
Vietnam, de grands
journalistes comme Walter
Cronkite (1916) en firent leur
quartier général, surnommant
l'hôtel « Radio Catinat ».
Somerset Maugham (1874-
1965) compte parmi les
autres écrivains célèbres
qui louèrent une chambre,
mais c'est Graham Greene
(1904-1991) qui a le plus
contribué au renom de l'hôtel.
Il y a séjourné plusieurs mois
et en a parfaitement rendu
l'esprit dans son célèbre
roman *Un Américain bien
tranquille* (1955).

Décorations de Noël à la réception de l'hôtel Caravelle

Pour les hôtels et les restaurants de la ville, voir p. 232-234 et p. 250-252

Hôtel de ville ❹

Angle de Le Thanh Ton et Nguyen Hue, 1er arr. **Plan** 2 E3. 🖼 au public.

La construction de l'ancien hôtel de ville de la capitale de la Cochinchine dura de 1898 à 1908. Le 25 août 1945, à l'abdication de l'empereur Bao-Dai, des milliers de personnes se rassemblèrent devant pour acclamer la fondation du Comité administratif provisoire du Sud-Vietnam. Le bâtiment renferme aujourd'hui le siège du Comité populaire qui dirige la ville. Il n'a jamais été un lieu d'hébergement. C'est le monument le plus photographié de l'ancienne Saigon, mais il n'est pas ouvert aux visites.

De style néo-Renaissance, il s'inspire de l'hôtel de ville de Paris, mais présente un visage moins austère. Le décor chargé de sa façade jaune et crème lui a valu un temps des qualificatifs peu flatteurs comme « désastreuse pâtisserie », mais son charme kitsch a cessé de provoquer des critiques et il s'est élevé au rang d'emblème de la ville

À défaut de pouvoir en découvrir l'intérieur, vous pouvez le contempler depuis la place où se dresse une statue de Hô Chi Minh tenant un enfant dans ses bras La nuit, l'éclairage rend le monument encore plus spectaculaire en accentuant les reliefs des deux ailes et du pavillon central.

Photo de la chute de Saigon (1975) au musée de Hô Chi Minh-Ville

Musée de Hô Chi Minh-Ville ❺

65, Ly Tu Trong, 1er arr. **Plan** 2 E4. **Tél.** (08) 829 9741. ☐ t.l.j. 8h-17h 🖼 ▪ ▯

L'ancienne résidence du gouverneur de la Cochinchine, bâtie entre 1885 et 1890, semble être arrivée tout droit de France en pièces détachées. Une colonnade anime la façade néoclassique et l'édifice possède peut-être plus d'intérêt en lui-même que l'exposition qu'il renferme. Les jeunes mariés viennent souvent poser dans l'escalier d'apparat pour leurs photos de noce.

L'institution prétend illustrer les 300 ans d'histoire de la ville. Cependant, son nom d'origine, « musée de la Révolution », offre une idée plus conforme de ce qui attend le visiteur. Au rez-de-chaussée se côtoient des images de la Saigon française, de vieilles cartes et des documents délabrés de l'époque de la fondation de la cité au XVIIe siècle. On y découvre aussi des céramiques anciennes et des costumes traditionnels. Une salle est consacrée à l'histoire naturelle locale.

Le premier étage retrace la longue lutte du Vietnam contre l'impérialisme. Des vitrines abritent des armes ainsi que des photographies de soldats, des lettres du front et des manifestes politiques. Les engins de guerre visibles à l'extérieur comprennent un hélicoptère Huey, un avion de chasse et un blindé de construction américaine.

Pavillon central de l'hôtel de ville néo-Renaissance

LE VIETNAM AU CINÉMA

Aucun autre pays de la région n'a inspiré autant de cinéastes étrangers que le Vietnam. Hollywood en fit dès 1932 le décor de *La Belle de Saigon*, un film interprété par Clark Gable. Les deux adaptations d'*Un Américain bien tranquille*, en 1957 avec Audie Murphy et en 2002 avec Michael Caine, évoquent les derniers temps de la présence française. Les récits de guerre abondent. *Apocalypse Now* (1979), la fresque allégorique de Francis Ford Coppola, et *Platoon* (1986), le témoignage réaliste

Scène de *Platoon* d'Oliver Stone

d'Oliver Stone, comptent parmi les plus connus. Avec *Indochine* (1992), le Français Régis Wargnier offre une vision très romanesque de l'époque coloniale. Après avoir réalisé *Cyclo* (1995), interdit au Vietnam pour le regard noir qu'il posait sur la vie moderne à Hô Chi Minh-Ville, le Franco-Vietnamien Tran Anh Hung a connu un succès international avec *L'Odeur de la papaye verte* (1993).

Vue aérienne de la terrasse aménagée sur le toit de l'hôtel Rex

Hôtel Rex ❻

141, Nguyen Hue, 1er arr. **Plan** 2 E4.
Tél. (08) 829 2185.
◻ 24h/24. 🍴 💻 📷
www.rexhotelvietnam.com

Le Rex, construit par les
Français dans les années
1950, joue un rôle central
dans l'histoire de la ville.
Lieu de résidence de soldats
américains pendant
la guerre du Vietnam,
il abritait aussi les services
d'information de l'armée
et servait de cadre aux
conférences de presse
quotidiennes. Leur nature
outrageusement partiale
leur valut leur surnom de
« Délires de cinq heures ».
L'établissement reste
très populaire, et pas
uniquement pour son
bar sur le toit *(p. 51)*.
Il accueille des congrès
d'affaires, les joueurs se
pressent dans sa salle de
bingo et les célébrations
de noces se succèdent
dans sa cour centrale.

Cathédrale Notre-Dame ❼

1, pl. Cong Xa Paris, 1er arr.
Plan 2 E3. ◻ lun.-sam. 8h-10h,
14h30-15h30, offices le dim. ♿

Appelée Nha Tho Duc Ba en
vietnamien, la plus grande
église jamais construite par
les Français de l'empire
colonial demanda 3 ans de
travaux, de 1877 à 1880.
    Dotée de tours de 40 m,
c'était alors le plus haut
édifice de Saigon. Elle

possède une structure en
granit. Cuites à Marseille, les
briques rouges ne sont qu'un
parement. Les vitraux de
Chartres qui l'ornaient n'ont
pas survécu à la Seconde
Guerre mondiale. À
l'intérieur, les ex-voto en
français et en vietnamien
sont à voir. Sur le parvis
se dresse une statue
de la Vierge sculptée
à Rome. Lors de son
érection à son
emplacement actuel
en 1959, elle reçut le
nom de Marie Reine
de Paix, un message
d'espoir et de
conciliation dans un
pays déchiré par la
guerre. Si la
communauté
catholique a perdu
de son influence, les
offices attirent de
nombreux fidèles. Le clocher,
ouvert le dimanche, offre
une vue superbe.

Statue de la
Vierge, cathédrale
Notre-Dame

Poste centrale ❽

2, pl. Cong Xa Paris, 1er arr.
Plan 2 E3. **Tél.** (08) 829 3274.
◻ *t.l.j. 6h30-21h30.* 📷

L'imposante Buu Dien Trung
Tam, édifiée entre 1886
et 1891, mérite qu'on s'y
arrête, ne serait-ce que pour
profiter de la fraîcheur
dispensée par les ventilateurs.
La façade rose et blanche
arbore les effigies de
philosophes et de savants
célèbres. Éclairé par une
verrière, le vaste espace
intérieur, sous une structure
métallique dessinée par
Gustave Eiffel, évoque une
gare. De longs bureaux de
bois permettent de rédiger
courriers et adresses. Un
comptoir vend des souvenirs
et des timbres. Ceux-ci ne
sont pas adhésifs et des
pots de colle sont mis à
disposition près de
l'entrée. Un grand
portrait de Hô Chi
Minh décore le mur
du fond et le père
de la nation semble
surveiller le bon
déroulement des
opérations.
Au-dessus des
téléphones,
à droite en entrant,
un plan représente
Saigon et ses environs
en 1892. La carte en
face date de 1936.
Elle montre les lignes
télégraphiques qui existaient
à l'époque au Sud-Vietnam
et au Cambodge.

L'intérieur aéré et harmonieux de la poste centrale

Pour les hôtels et les restaurants de la ville, voir p. 232-234 et p. 250-252

Façade moderniste du palais de la Réunification, un exemple rare de l'architecture vietnamienne des années 1960

Palais de la Réunification ❾

135, Nam Ky Khoi Nghia, 1er arr.
Plan 2 D3. **Tél.** (08) 822 3652.
⭕ t.l.j. 7h30-11h30, 13h-16h, sauf pendant les manifestations officielles. 📷 ✔

L'ancien palais présidentiel, dont la prise symbolisa la fin de la guerre du Vietnam, est devenu un musée.
Il occupe l'emplacement de la résidence du gouverneur général de l'Indochine, bâtie en 1868. Un bombardement effectué par la propre aviation du président Ngo Dinh Diem *(p. 43)* lors d'une tentative manquée d'assassinat la détruisit en 1962. Diem commanda la construction de l'édifice moderniste actuel, mais il ne put jamais s'y installer. Un nouveau complot causa sa perte avant l'achèvement des travaux en 1966.

Son successeur, Nguyen Van Thieu, y reçut dignitaires et hommes d'État jusqu'au jour de 1975 où il décolla en hélicoptère du toit pour fuir l'avancée des troupes nord-vietnamiennes. Le 30 avril, le char d'assaut 879 de la 203e brigade enfonçait la grille de la propriété, une image *(p. 59)* qui devait entrer dans l'histoire comme le symbole de la fin de 15 ans de guerre.

L'intérieur a peu changé depuis avec ses larges couloirs hauts de plafond qui ouvrent sur de vastes salons et des salles de réception. Derrière le bureau où étaient reçues les lettres de créance, un grand laque illustre des épisodes de l'histoire de la dynastie Le *(p. 40)*. Somptueusement meublés dans un style typique des années 1970, les quartiers d'habitation entourent un atrium ensoleillé et comprennent une salle de détente. Le sous-sol renferme le bunker et la salle des transmissions, où des cartes montrent la progression des Nord-Vietnamiens.

Derrière le palais de la Réunification s'étend un vaste parc municipal.

Musée d'Histoire du Vietnam ❿

2, Nguyen Binh Khiem, 1er arr.
Plan 2 F1. **Tél.** (08) 829 8146.
⭕ mar.-dim. 8h-11h30, 13h30-16h30. 📷 🚫 📷
Jardin botanique et zoo 2, Nguyen Binh Khiem St.
Tél. (08) 829 3728.
⭕ t.l.j. 7h-20h. 📷 ♿

Construit en 1929 dans le style d'une pagode, le Bao Tang Lich Su retrace l'histoire de la région depuis l'époque préhistorique. La première partie de l'exposition

Vase de la dynastie Le

comprend des reliques datant du Néolithique et des objets de bronze de l'époque des rois Hung *(p. 37)*, notamment de splendides tambours de la civilisation de Dong Son. Les souvenirs de la culture d'Oc-èo, dans le delta du Mékong, comprennent une pièce de monnaie romaine du IIe siècle

Des dynasties Ly et Tran subsistent surtout des céramiques, tandis que la dynastie Nguyen *(p. 41)* a laissé un riche ensemble de vêtements et de bijoux. Une salle présente des objets d'art cham et khmers, entre autres des lingas en pierre, ainsi que de l'artisanat des minorités montagnardes. Les vestiges funéraires comprennent une momie de 1869. Une magnifique collection de bouddhas réunit des statues de toute l'Asie.

Un spectacle de marionnettes sur eau *(p. 159)* conclut la visite.

Le musée borde le vaste espace vert du **Jardin botanique**. Avec son **zoo**, il offre le cadre idéal à une promenade à l'écart de l'agitation de la ville.

Éléphants du zoo du Jardin botanique

Pagode de l'Empereur de Jade ⓫

Dédié à Ngoc Hoang, le maître suprême des cieux selon le panthéon taoïste, ce petit lieu de culte construit par la communauté cantonaise en 1909 porte aussi le nom de « pagode des Tortues ». La sobriété de sa façade contraste avec la sophistication de sa toiture. Ses grandes portes de bois possèdent un riche décor sculpté où se côtoient êtres humains et divins. Les statues à l'intérieur

Statuette de la salle des Femmes

de la pagode constituent le principal intérêt d'une visite. Elles associent sans préjugé des divinités bouddhiques et taoïstes. Les panneaux de bois montrant les supplices endurés dans les enfers par les âmes des pécheurs qui ornent les murs sont splendides.

Illustration de l'un des 1 000 tourments dans la salle des 10 Enfers

Le seigneur de l'Enfer au cheval rouge préside la salle des 10 Enfers, aux murs couverts de scènes de damnation.

Salle des Femmes
Kim Hoa, déesse des Mères, domine l'assemblée formée par deux rangs de figurines en céramique vêtues de robes de couleurs vives. À chacun de ces personnages féminins sont associés une année lunaire et une qualité ou un défaut humain.

Dans l'incinérateur brûlent des offrandes votives en papier. La fumée les emporte jusqu'aux ancêtres dans les cieux.

Abri des tortues
Bien que la tortue soit un symbole de chance souvent représenté au Vietnam, rares sont les sanctuaires en son honneur, comme le petit espace où plusieurs prospèrent dans la cour de la pagode.

Vers l'entrée principale

À NE PAS MANQUER

★ Démons protecteurs

★ Mère des cinq bouddhas

★ Sanctuaire principal

Cour extérieure
Ombragé par des arbustes fleuris et un vieux banian, cet espace paisible renferme des bancs et un bassin à tortues.

Pour les hôtels et les restaurants de la ville, voir p. 232-234 et p. 250-252

Toiture à étages traditionnelle de tuiles vertes
Sur les faîtières d'une charpente élaborée, des dragons jouent en plein ciel leur rôle d'intermédiaires avec le divin.

★ Sanctuaire principal
Au fond de la salle principale, quatre gardiens entourent l'effigie somptueusement vêtue de l'Empereur de Jade.

Abri des tortues

★ Démons protecteurs
Deux sculptures en papier mâché plus grandes que nature représentent des esprits gardiens, le pied posé l'un sur un dragon, l'autre sur un tigre maté.

★ Mère des cinq bouddhas
Un autel est dédié à une divinité rarement rencontrée, Phat Mau Chuan De, la Mère des cinq bouddhas des points cardinaux. Elle étend ses bras multiples au milieu des images de ses fils.

SIGNIFICATION RELIGIEUSE DU FOYER

Représenté sous la forme d'un gros personnage jovial dont le pantalon a brûlé parce qu'il s'est tenu trop près du feu, Ong Tao, le génie de la cuisine, réside dans le foyer familial et sait donc tout ce qui se passe au logis. Nombreuses sont les maisons où il possède un autel toujours généreusement garni d'offrandes de nourriture, de boissons et d'encens. Il joue en effet un rôle d'informateur auprès de l'Empereur de Jade, à qui il fait tous les ans pour le Têt un rapport sur la conduite de la famille. Selon que la discorde ou l'harmonie a régné, elle sera punie ou récompensée.

Offrandes sur un autel familial à Ong Tao

Temple du maréchal Le Van Duyet ⓬

1, Bis Phan Dang Luu, arr. de Binh Thanh. **Tél.** *(08) 841 2517.* ⏰ *t.l.j. du lever au coucher du soleil.* 🎭 *fête du temple (fin août-déb. sept.).*

Eunuque au service de l'empereur Gia Long, le général Le Van Duyet (1763-1831) se vit accorder le rang de maréchal pour son rôle dans l'écrasement de la rébellion des Tay Son *(p. 41)*. Appréciant les Français, il refusa de persécuter les chrétiens pour le compte du successeur de Gia Long, l'empereur Minh Mang (r. 1820-1841). Mis en fureur, ce dernier poussa l'animosité jusqu'à faire démolir le tombeau du guerrier. En réhabilitant en 1841 le fidèle serviteur de son grand-père, l'empereur Thieu Tri permit la reconstruction du mausolée.

Un lieu de culte a été élevé à côté. Dans le tombeau, Le Van Duyet repose à côté de sa femme à l'abri d'un muret. Des mosaïques et des reliefs décorent l'extérieur du sanctuaire voisin. Il renferme les statues en bois poli d'un cheval et de grues, un oiseau symbolisant la sagesse et la fidélité. L'absence de toute autre image en dehors d'un portrait de Le Van Duyet rappelle aux dévots qu'ils rendent un culte à un mortel. La salle contient aussi des possessions du maréchal, entre autres de la verrerie, des armes et un tigre empaillé. Des fidèles de toutes confessions viennent y faire des offrandes, méditer et prendre des engagements solennels.

Tous les ans, la célébration de l'anniversaire de la mort du maréchal donne lieu à des représentations de théâtre traditionnel.

Pagode Vinh Nghiem ⓭

339, Nam Ky Khoi Nghia, 3e arr. **Plan** 1 B2. **Tél.** *(08) 848 3153.* ⏰ *t.l.j. du lever au coucher du soleil.* 📷

Achevée en 1971 avec l'aide de l'Association d'amitié nippo-vietnamienne, la plus grande et la plus récente des pagodes de Hô Chi Minh-Ville possède une tour de 7 étages aux côtés ornés chacun d'un bouddha en haut relief. Elle se dresse tout de suite à gauche du portail. Le bâtiment principal se trouve au fond d'une cour longue de 20 m. Une raide volée de marches mène aux

La tour à sept étages de la pagode Vin Nghiem est visible de loin

cinq grandes portes laquées donnant dans la première salle. Sur les murs, des peintures de bonne facture illustrent des scènes tirées de la tradition bouddhique. Des légendes, à côté, les expliquent. Un immense bouddha assis encadré de deux bodhisattvas domine l'autel principal.

Derrière le sanctuaire, Quan Am, déesse de la Compassion, veille sur une salle emplie d'urnes funéraires portant les photographies, l'identité et les dates de naissance et de décès des défunts. Une tour de trois étages en contient 10 000 autres.

Au premier étage du sanctuaire, une galerie conduit à un lieu d'exposition d'artistes. Des jardins de rocaille et de topiaire flanquent l'édifice.

Grand bouddha arborant un svastika, pagode Vinh Nghiem

Dans la cour spacieuse du temple du maréchal Le Van Duyet

Pour les hôtels et les restaurants de la ville, voir p. 232-234 et p. 250-252

Musée de la Femme sud-vietnamienne ⓮

202, Vo Thi Sau, 3e arr. **Plan** 1 C3. **Tél.** *(08) 932 5696.* ◯ *t.l.j. 7h30-11h30, 13h30-17h.* 🖼️ 📷

Le Bao Tang Phu Nu Nam Bo, fondé en 1985, illustre sur trois étages l'importance du rôle des femmes au Sud-Vietnam, depuis le culte traditionnel de la déesse mère jusqu'aux combattantes qui furent nombreuses à participer aux luttes de libération. L'organisation de la section historique, très détaillée, témoigne d'une vocation pédagogique.

La visite commence habituellement au troisième étage, consacré aux guerres d'indépendance et de réunification du XXe siècle. Sur les murs, des photos et des biographies retracent le destin, en général tragique, d'héroïnes nationales. Les vitrines contiennent des effets personnels qui leur ont appartenu. Les salles du deuxième étage développent le même thème en l'illustrant avec des statues et de grandes peintures d'événements historiques. Ce niveau renferme aussi la reconstitution de la cellule d'une prisonnière emblématique.

Dédié aux artisanats et aux coutumes traditionnels, le premier étage présente davantage d'intérêt pour un étranger. La collection comprend, entre autres, un bel ensemble de robes de mariée, des costumes de fête, des bijoux et de vieilles photographies. Le vestibule, où de nombreux objets votifs ornent le pastiche d'une entrée de temple, évoque le culte ancien voué à la déesse mère. Dans une vaste salle sont expliquées les techniques de fabrication des cotonnades et des tapis en fibres végétales. Le musée possède aussi une salle de projection, une petite bibliothèque et une boutique.

Blindé dans le jardin du musée des Vestiges de la guerre

Musée des Vestiges de la guerre ⓯

28, Vo Van Tan, 3e arr. **Plan** 2 D3. **Tél.** *(08) 930 2112.* ◯ *t.l.j. 7h30-11h45, 13h30-17h15.* 🖼️ 🖥️ 📷

Bombe à fragmentation américaine

L'ancien musée des Crimes de guerre occupe le bâtiment où les Américains avaient leur service d'information.

Les photographies, les objets exposés et les films dénoncent d'un point de vue strictement nord-vietnamien les atrocités commises par les occupants français, chinois et américains.

Le rez-de-chaussée évoque la dimension la plus horrible de la guerre du Vietnam avec des images du massacre de My Lai, de supplices et de blessures subies par des victimes de bombardements. Le musée peut choquer : les bocaux contiennent des fœtus mal formés, conséquence des épandages de défoliant. Le jardin renferme des pièces d'artillerie et des véhicules militaires.

Pagode Xa Loi ⓰

89, Ba Huyen Thanh, 3e arr. **Plan** 1 C4. **Tél.** *(08) 930 7438.* ◯ *t.l.j. 7h-11h, 14h-19h.*

Ce sanctuaire, construit en 1956 au sein d'une grande enceinte, a joué un rôle important dans l'histoire récente du Sud-Vietnam. Il fut en effet, au début des années 1960, un pôle de résistance à la politique hostile au bouddhisme du président Ngo Dinh Diem *(p. 43).* Trois de ses bonzes s'immolèrent publiquement par le feu en signe de protestation, et une rafle se conclut par l'arrestation de 400 fidèles et membres du clergé. Ces événements cristallisèrent le rejet de la population du régime corrompu de Diem, sentiment qui poussa les États-Unis à fomenter le coup d'État de 1963 où il perdit la vie.

Ces souvenirs tumultueux ne troublent pas aujourd'hui la sérénité des lieux dominés par une tour de six étages haute de 15 m. De grands panneaux peints illustrent des épisodes de la vie du Bouddha.

Le sanctuaire se trouve au premier étage du bâtiment principal. Il se distingue par la sobriété de son décor. En l'absence de mobilier, de piliers et d'encensoirs, rien ne distrait l'attention du bouddha doré assis en position du lotus derrière l'autel.

Bouddha colossal de la pagode Xa Loi

Façade multicolore du temple hindou de Mariamman

Temple hindou de Mariamman ⓱

45, Truong Dinh, 1er arr. **Plan** 2 D4.
Tél. (08) 823 2735. ⬤ *t.l.j. du lever au coucher du soleil.* ♿

Dédié à Mariamman, une incarnation de Shakti, épouse d'Indra et déesse de la Puissance, ce lieu de culte édifié à la fin du XIXe siècle par la communauté indienne attire aussi de nombreux Vietnamiens. Bien que bouddhistes, ces derniers ne voient aucune incongruité à venir se recueillir ici. Les lieux restent magnifiquement entretenus. Les soubresauts d'une histoire sanglante ont pourtant considérablement réduit l'importance de la congrégation à l'origine de la construction du temple. Elle est aujourd'hui principalement composée de Tamouls.

De nombreuses statues de déités, de vaches et de lions, peintes dans des tons éclatants de rose, de bleu et de vert, dominent une façade couleur corail. Au-dessus de l'entrée, d'autres images sculptées, principalement des divinités féminines, décorent la tour pyramidale à étages qui s'élève depuis le toit.

À l'intérieur du temple, un imposant lion drapé de rouge monte la garde au débouché sur le portique découvert qui entoure le sanctuaire principal.

Des niches creusées dans trois des murs de la cour renferment les effigies de divers dieux et déesses. Légèrement surélevé, le bâtiment lui-même, en pierre, évoque le style architectural d'Angkor Wat *(p. 212-213)*. Il sert d'écrin à la représentation de Mariamman, aisément reconnaissable à ses multiples bras. Deux lingas (symboles phalliques) se dressent devant elle. Les êtres divins qui l'entourent comprennent Ganesh, le fils de Shiva à tête d'éléphant, porteur de chance et de prospérité.

Les fidèles serrent des bâtons d'encens entre leurs mains pour prier. Certains pressent leur tête contre un

Échoppe du marché Ben Thanh

mur à l'arrière du temple dans l'espoir que la déesse entendra leurs vœux. Le toit et ses tours sacrées sont accessibles.

Marché Ben Thanh ⓲

Croisement de Le Loi et Ham Nghi, 1er arr. **Plan** 2 E4.
⬤ *t.l.j. 6h-17h.* ♿ ▭ ◻

Construit par les Français en 1914, le plus grand et le plus ancien des marchés couverts de Hô Chi Minh-Ville portait à l'origine le nom de halles centrales. Une haute tour de l'horloge domine l'entrée de l'immense corps de bâtiment en béton armé.

À l'intérieur, les éventaires, qui proposent des marchandises allant des denrées alimentaires, articles de cuir et ustensiles de cuisine jusqu'à la quincaillerie et le bétail sur pied, se comptent par centaines. Ces produits attirent une foule considérable et il règne dans les allées une atmosphère bruyante et animée. Tout au long de la journée, les vendeurs haranguent le chaland et les clients marchandent, tandis que des touristes se promènent en quête de la bonne affaire.

Une fois franchi le portail principal sur le boulevard Le Loi, à droite s'étend la zone des vêtements et des tissus. En continuant plus loin, on arrive, toujours à droite, à des produits d'épicerie comme le thé, le café, les épices et les conserves. Au milieu de la halle, en face des marchands d'aliments frais, des éventaires proposent des plats variés. Bien que très bon marché, ces petits établissements de restauration jouissent d'une bonne réputation. Comme les noms des mets figurent aussi en anglais sur la carte, il suffit de pointer du doigt pour commander.

Pour les hôtels et les restaurants de la ville, voir p. 232-234 et p. 250-252

Musée des Beaux-Arts ⑲

97A, Pho Duc Chinh, 1ᵉʳ arr.
Plan 2 E5. **Tél.** *(08) 829 4441.*
⬛ *mar.-dim. 9h-16h30.* 🖼️ 📷

Derrière d'imposantes grilles
en fer forgé, le Bao Tang My
Thuat occupe une ancienne
demeure coloniale à
la façade jaune et blanche
particulièrement harmonieuse,
avec ses auvents tuilés
évoquant la Chine,
et ses gracieux balcons
semi-circulaires.

Le rez-de-chaussée abrite
un assortiment hétéroclite
d'œuvres Belle Époque,
modernes, de style chinois
classique et même typiques de
la propagande soviétique. Au
premier étage, principalement
consacré à l'art politique, les
guerres de libération inspirent
des créations d'une
grande diversité de
supports : dessins,
gravures, aquarelles,
affiches et peintures.
Une collection de
céramiques anciennes
rassemble surtout des
pièces d'origine ou
d'inspiration chinoise.

Le deuxième étage
se révèle le plus
intéressant.
L'exposition
comprend en effet
des sculptures en
pierre du royaume de
Champa, des poteries et des
sculptures des cultures Oc-èo
et post-Oc-èo et des antiquités
chinoises et indiennes. Les
statues funéraires en bois des
hauts plateaux centraux du
début du XXᵉ siècle sont
particulièrement remarquables.

Derrière le musée, deux
galeries vendent les œuvres
d'artistes contemporains.

Marché Dan Sinh ⑳

104, Yersin, 1ᵉʳ arr. **Plan** 2 E5.
⬛ *t.l.j. du lever au coucher du soleil.*

Même si les articles
aujourd'hui proposés sont
souvent des imitations,
ce dédale de boutiques et
d'éventaires jadis alimentés
par les surplus des armées

Sculpture à base de casques de soldats
inconnus, musée des Beaux-Arts

qui s'affrontèrent sur le sol
vietnamien, ou de celles qui
les équipèrent, offre un but de
visite pittoresque : uniformes,
bottes, casques et accessoires
divers, principalement copiés
sur l'équipement américain.

Dans un registre moins
utilitaire, les contrefaçons
de briquets Zippo datant
soi-disant de la guerre du
Vietnam se comptent
par milliers.

La plupart portent
un emblème de
régiment. Les autres
souvenirs de ce genre
comprennent des
plaques d'identité,
des épaulettes, des
insignes viêt-công, des
médailles, des boucles
de ceinture et des

**Buste
en pierre, musée
des Beaux-Arts**

casques tropicaux. Le marché
propose aussi un très large
choix d'articles domestiques.
Tous les ustensiles de cuisine
imaginables sont en vente,
des woks aux cafetières
et aux shakers à cocktail

Toutes sortes d'outils, à main
et électriques, couvrent les
étagères, à côté de boussoles
de types variés ; c'est le
paradis des curieux !

Temple de Nghia An Hoi Quan ㉑

678, Nguyen Trai, Cholon.
Plan 4 E4. **Tél.** *(08) 853 8775.*
⬛ *t.l.j. du lever au coucher du soleil.*

Construit au milieu du
XIXᵉ siècle, ce temple, réputé
pour la qualité de ses
sculptures sur bois, est l'un
des plus anciens de la ville.
Il est dédié à Quan Cong,
un guerrier chinois déifié,
et à Nghia An, son palefrenier.

L'intérieur renferme à
gauche de l'entrée les effigies
plus grandes que nature de
Nghia An et du cheval rouge
de Quan Cong. Les fidèles
vouent une vénération
particulière à ces statues.
Faire sonner la cloche
accrochée au cou de la
monture, puis passer de
l'autre côté en rampant
sous son ventre, porte tout
spécialement bonheur.
En face, des vitres protègent
l'autel d'Ong Bon, gardien
du Bonheur et de la Vertu.

Des portes à claire-voie en
bois donnent sur le sanctuaire
principal. Les murs latéraux
portent des frises représentant
un tigre et un dragon.

Derrière l'autel, des vitrines
abritent les images de Quan
Cong, doté d'une longue
barbe noire, et de ses deux
assistants : Quan Binh, son
premier mandarin, à droite,
et Chau Xuong, son général
en chef, à gauche.

Temple de Nghia An Hoi Quan, de style chinois

Cholon en cyclo-pousse

Fondé au XVIIIe siècle, le faubourg de Cholon, ou 5e arrondissement, a retrouvé son rôle de pôle commercial de Hô Chi Minh-Ville. Les boutiques qui se serrent le long de ses boulevards et de ses rues justifient son nom, qui signifie « grand marché ». La majeure partie de la communauté des Vietnamiens d'origine chinoise, les Hoa, y vit et y travaille. Elle compte près d'un demi-million de membres. Elle est traditionnellement organisée en congrégations contrôlant un secteur d'activité et regroupant les personnes issues d'une même région. Ces congrégations ont financé la construction de temples remarquables. Ils se trouvent pour la plupart sur ou près de l'artère principale : Nguyen Trai. Louer un cyclo-pousse offre le meilleur moyen d'explorer le quartier.

Brûle-encens du temple de Thien Hau *(p. 70)*

Le marché de l'électronique est une véritable caverne d'Ali Baba, que l'on soit à la recherche d'un grille-pain ou d'un téléviseur.

Temple Phuoc An Hoi Quan ①
Ce sanctuaire, édifié en 1902 par la congrégation des Fujianais, est dédié à Quan Cong. Des lances, devant l'autel principal, symbolisent les vertus cardinales.

TAN HUNG
HUNG VUONG
LAO TU
CHAU VAN LIEM
LUONG NHU HOC

Pagode de Quan Am ②
La fondation du seul temple de la ville traversé par une rue remonte au début du XIXe siècle. Un joli portail polychrome protège l'entrée principale (p. 70).

LÉGENDE

•••••••••• Itinéraire conseillé

Temple de Thien Hau ③
La frise qui illustre une légende chinoise au sommet d'un toit est la caractéristique la plus remarquable de ce lieu de culte très fréquenté (p. 70).

0   100 m

Rue Trieu Quang Phuc
Les parfums émanant de nombreuses herboristeries traditionnelles planent sur cette rue, l'une des plus bruyantes et des plus animées de Cholon.

MODE D'EMPLOI

Cyclo-pousse : disponibles partout dans le centre, ces tricycles-taxis peuvent être loués à l'heure ou à la demi-journée. Prenez soin de marchander le prix avant de prendre place.
***Durée :** deux heures.*
***Où faire une pause ?** La rue Trieu Quang Phuc, le marché de l'électronique et le marché Xa Tay, situé près de la mosquée, offrent pour se restaurer un large choix à petits prix.*

Temple de Nghia An Hoi Quan ④
Dans des vitrines, les images du guerrier chinois divinisé Quan Cong et de ses deux principaux assistants président derrière l'autel principal (p. 67).

Mosquée de Cholon ⑤
Bâti dans les années 1930, ce petit édifice au charme serein est d'une discrétion et d'une simplicité à l'opposé de la somptuosité des autres temples du quartier.

Temple de Tam Son Hoia ⑥
Ce sanctuaire du XIXᵉ siècle financé par la communauté du Fujian reçoit la visite de nombreux couples souhaitant avoir des enfants, car il est consacré à Me Sanh, la déesse de la Fertilité. Son image domine un petit autel au fond de la pagode.

Temple de Thien Hau ㉒

710, Nguyen Trai, Cholon.
Plan 4 E4. **Tél**. (08) 855 5322.
☐ *t.l.j. du lever au coucher du soleil.*
☐ ☐ ⚑ *Fête du temple de Thien Hau (avr.).*

Construit par la congrégation des Cantonais au début du XIXᵉ siècle, et également connu sous le nom de Chua Ba, ou pagode de la Dame, ce temple consacré à la déesse de la Mer, gardienne des marins, compte parmi les plus richement décorés de la ville. Avant leur départ, ou après leur retour, les voyageurs viennent lui demander sa protection ou l'en remercier. De hauts murs entourent la première cour. Des frises et des tableaux sculptés courent à leur sommet.

À l'intérieur, d'autres frises et reliefs se déploient au-dessus des galeries latérales de l'atrium. Au centre se dresse un incinérateur destiné aux offrandes. Au faîte du toit du sanctuaire, des personnages en céramique illustrent des scènes tirées de légendes chinoises. Dans la salle centrale, une vitrine contient les lances d'incendie qui servirent à éteindre le feu qui menaçait de détruire le temple en 1898. Des bandes de papier rouge couvrent les murs. Les fidèles y ont écrit des prières que la brise soufflera jusqu'à Tien Hau. Trois représentations de la déesse entourée de deux acolytes dominent l'autel. Du plafond pend un bateau sculpté qui rappelle sa

Image de la déesse de la Compassion, pagode de Quan Am

fonction protectrice. À droite se trouve une image de Long Mau, la déesse des Mères et des Nouveau-nés.

Pagode de Quan Am ㉓

12, Lao Tu, Cholon. **Plan** 4 D4.
Tél. (08) 855 3543. ☐ *t.l.j. du lever au coucher du soleil.*

Commandé en 1816 par des marchands chinois, ce lieu de culte bouddhique rend hommage à Quan Am, la déesse de la Compassion et de la Miséricorde, connue également sous le nom de Kwan Yin. Il possède la particularité d'être

Encensoir du temple de Thien Hau

coupé en deux par une rue. Au sud, une petite esplanade borde une grotte artificielle entourée d'un bassin à poissons. Au nord, un portail d'apparat aux piliers parés d'inscriptions précède le corps de bâtiment formant la partie la plus importante de la pagode. Sur le toit, des figurines de céramique illustrent des légendes chinoises. Deux dragons de pierre très expressifs et d'élégants panneaux de bois sculptés encadrent l'entrée.

À l'intérieur, le premier autel mène à une salle qui abrite deux moulins à prières. Des dizaines de petites images du Bouddha couvrent ces colonnes mises en rotation par un moteur électrique. Faire une donation permet au dévot de fixer une étiquette portant son nom sur l'une des images. Chaque tour effectué correspond à une prière dite.

Près de l'autel principal, les déités qui entourent Quan Am comprennent Di Lac, le bouddha de l'avenir, A Di Da, le bouddha du passé, et Tchich Ca Mau Ni, le bouddha historique (Siddharta). De part et d'autre de l'autel, de petits incinérateurs permettent de brûler des imitations de billets de banque destinés à faciliter le séjour des morts dans le monde des esprits. Une statue représente A Pho, impératrice céleste et mère sacrée. La cour du fond renferme d'autres autels portant les images de dieux et de déesses.

Scènes d'une légende chinoise illustrées par des personnages en céramique sur le toit du temple de Thien Hau

Pour les hôtels et les restaurants de la ville, voir p. 232-234 et p. 250-252

Marché Binh Tay 24

Tap Muoi, Cholon. **Plan** 3 C5.
Tél. (08) 855 6130.
◯ t.l.j. 8h-17h. 11 🔲

Moins touristique que son
équivalent de Ben Thanh
(p. 66), ce grand marché
couvert mérite une visite pour
son atmosphère animée et
authentique. Il a pour origine
quelques éventaires jadis
dressés en plein air.
En 1826, un marchand ayant
fait fortune décida de financer
gracieusement la construction
de l'immense halle actuelle et
engagea un architecte français
pour la dessiner. Un beffroi
domine l'entrée centrale et les
deux ailes s'achèvent par des
tours. Des arbres tropicaux
poussent dans la cour intérieure.
   L'éventail des produits
disponibles va des plantes
médicinales et des jouets
importés jusqu'aux oiseaux
en cage. Des tailleurs et des
mécaniciens proposent leurs
services. De nombreuses
échoppes permettent
de se restaurer.

**Bocaux de bonbons dans une
échoppe du marché Binh Tay**

Pagode Phung Son 25

1408, 3 Thang 2, 11e arr.
Plan 3 B4. **Tél**. (08) 969 3584.
◯ t.l.j. du lever au coucher du soleil.

Également connue sous le
nom de pagode Go, la pagode
Phung Son, construite entre
1802 et 1820, occupe
l'emplacement d'un sanctuaire
plus ancien. De récentes

**Femme en prière devant une statue
à l'entrée de la pagode Phung Son**

découvertes archéologiques
suggèrent que ce lieu de culte
aurait appartenu à l'empire du
Funan *(p. 39)*. Selon une
légende, son
déménagement sous
d'autres cieux aurait
été annulé parce
qu'un éléphant
blanc aurait
trébuché. On pensa
qu'il valait mieux laisser
le temple en place.
   Le sanctuaire
principal se trouve à
gauche du quartier
d'habitation des moines. Il
contient les statues de divers
bouddhas. Il donne sur un
atrium abritant une image de
Quan Am, la déesse de
la Compassion et de la
Miséricorde, ainsi qu'un
tambour cérémoniel. Une
chambre renferme l'effigie de
Bodhidarma, le moine indien à
l'origine du bouddhisme chan
(ou zen). Elle ressemble
curieusement à une statue
traditionnelle du Christ.

**Svastika sur le
portique de la pagode
Giac Vien**

Pagode Giac Vien 26

161/35/20, Lac Long Quan, 11e arr.
Plan 3 A4. ◯ t.l.j. du lever au
coucher du soleil. **Parc Dam Sen**
3, Hoa Binh, 11e arr. **Tél**. (08) 858
8148. ◯ t.l.j. 9h-18h. 📷 ♿ 11

Ce sanctuaire fondé par
le moine Hai Tinh Giac
Vien en 1744 s'inscrit
harmonieusement dans un
paysage rural à la périphérie

de la ville. Il a conservé son
style classique et doit sa
réputation à une collection
de plus de 150 statues en bois.
Il y règne la sérénité
convenant à un lieu où l'on
rend hommage aux défunts.
Plusieurs grands tombeaux
magnifiquement sculptés se
trouvent à droite de l'entrée,
et un columbarium renferme
des urnes funéraires. Les
ouvertures stratégiquement
disposées dans le toit laissent
filtrer les rayons du soleil,
qui créent dans la pénombre
un effet cinématographique.
   Dans le sanctuaire, sur
l'autel, les images de deux
bodhisattvas, au premier plan,
et d'un grand bouddha A Di
Da, assis au fond, encadrent
plusieurs bouddhas de tailles
variées, certains dorés et
d'autres en bois nu ou en
céramique. En face, une
multitude de petits
bouddhas couvrent
les étages d'un
support conique
éclairé par une
guirlande
électrique. De part
et d'autre du
bâtiment, des galeries
renferment
de jolis bonsaïs.
   À courte distance
de la pagode, le **parc
Dam Sen** propose autour d'un
lac artificiel des attractions
foraines et culturelles, ainsi
que des spectacles de danse
et de marionnettes sur eau.

**Grand bouddha doré d'un autel
de la pagode Giac Vien**

Reconstitution d'une cuisine des tunnels de Cu Chi

Pagode au Pilier unique du Sud ㉗

100, Dang Van Bi, arr. de Thu Duc. **Tél.** (08) 897 2143. t.l.j. du lever au coucher du soleil.

Des moines qui s'enfuirent du Nord après la partition du pays en 1954 ont construit ce petit temple sur pilotis inspiré de la pagode au Pilier unique de Hanoi (p. 165). Un temps menacé de destruction par la politique antibouddhique du président Diem, le sanctuaire servit de base clandestine au Viêt-công pendant la guerre du Vietnam (p. 44-45).
La pagode se dresse sur une colonne plantée au milieu d'un bassin de lotus. Un escalier étroit mène du bord du plan d'eau jusqu'à une entrée couverte. Les nombreuses fenêtres qui percent les parois ménagent un panorama de 360° presque intégral. L'intérieur se distingue par sa sobriété et renferme un autel bas.

Pagode au Pilier unique dressée dans un bassin de lotus

Tunnels de Cu Chi ㉘

40 km au N.-O. de Hô Chi Minh-Ville. jusqu'à Cu Chi, puis taxi. **Tél.** (08) 794 8820. t.l.j. 7h30-17h.

La petite ville de Cu Chi doit aux réseaux de galeries creusés dans l'argile par le Viêt-minh dans sa lutte contre les Français, puis étendus par le Viêt-công pendant la guerre du Vietnam, d'être entrée dans l'histoire. Ces tunnels atteignirent une longueur totale de plus de 200 km.
Deux sites permettent d'en découvrir une petite partie. Au village de Ben Dinh, situé à environ 15 km, la visite guidée commence dans une salle de réunion, où des cartes et des plans de coupe montrent l'organisation du dédale. Une projection retrace son histoire. Le groupe est ensuite conduit à une zone garnie d'imitations de pièges et de mannequins de combattants viêt-công. Des trappes ouvrent non loin sur des boyaux incroyablement étroits. Ils relient des salles qui ont retrouvé l'aspect qu'elles avaient pendant le conflit, avec leurs lits, fourneaux ou caches d'armes.
Les souterrains du deuxième site, à Ben Duoc, sont plus touristiques : ils sont mieux équipés qu'à l'époque du conflit.
À Cu Chi même, des peintures murales et une sculpture en forme de larme décorent un monument aux combattants vietnamiens tombés dans la région.

Nui Ba Den ㉙

106 km au N.-O. de Hô Chi Minh-Ville sur la route 22 ; 15 km au N.-E. de Tay Ninh. jusqu'à Tay Ninh, puis taxi. **Tél.** (066) 826 763. Fête de Nui Ba Den (juin).

La province de Tay Ninh renferme deux principales destinations touristiques : le Saint-Siège du caodaïsme (p. 74-75) et Nui Ba Den, le mont de la Dame noire. Malgré la proximité des deux sites, peu de visiteurs se rendent au second, impossible à rejoindre en transport public. La montagne, avec ses flancs couverts de forêts, constitue la véritable attraction du coin. Au sein d'un paysage de rizières d'un vert lumineux, elle s'élève jusqu'à 850 m d'altitude. Le sommet ménage une vue superbe.
Il n'est pas obligatoire de le rejoindre à pied, un télésiège permet d'y accéder sans avoir faire une longue ascension. Un sanctuaire rend hommage à la Dame noire, une jeune femme nommée Huong qui préféra se jeter d'une falaise plutôt que de perdre son honneur. Objet de combats pendant la guerre du Vietnam, Nui Ba Den subit bombardements et épandages de produits chimiques qui firent de nombreuses victimes. Ses grottes sont redevenues des sanctuaires bouddhiques et hindous. Chaque année, une fête célèbre l'esprit de la montagne et donne lieu à des offrandes, des chants et des danses.

Grande statue avenante au pied de Nui Ba Den

Pour les hôtels et les restaurants de la ville, voir p. 232-234 et p. 250-252

Les réseaux de tunnels

Les Vietnamiens en guerre contre les Français, puis les Américains, ont utilisé comme une arme et un refuge des réseaux sophistiqués de tunnels, comme ceux de Cu Chi et de Vinh Moc *(p. 150)*. Malgré tous ses efforts, la plus puissante armée du monde ne parvint pas à les en déloger. Creusés sans autre moyen que des pelles, souvent étayés, dans des régions déboisées, avec des matériaux volés à l'adversaire, ils s'étendaient sur des dizaines et des dizaines de kilomètres. Étagées sur plusieurs niveaux, les galeries comportaient des salles souterraines aménagées pour la survie de leurs occupants : dortoirs, cuisines ou infirmeries. Du poivre égarait les chiens lâchés dans les boyaux. Des pièges guettaient les soldats ennemis qui s'y risquaient.

Grenade lacrymogène

ANATOMIE D'UN RÉSEAU DE TUNNELS

Si les dédales souterrains étaient principalement formés d'étroits boyaux, ils constituaient par endroits de véritables « villes » creusées jusqu'à 10 m de profondeur. Certaines possédaient même de petits cinémas.

Les entrées, *minuscules et camouflées, étaient pour l'ennemi très difficiles à repérer. Pour détecter les activités souterraines des combattants viêt-công, les Américains utilisèrent des stéthoscopes et l'imagerie infrarouge.*

La cuisine émettait une fumée évacuée avec beaucoup d'astuce pour la garder indécelable.

Les « rats de tunnel », *des soldats spécialement formés à la traque des occupants des réseaux souterrains, utilisaient des gaz pour tenter de les en débusquer.*

Des postes de tir occupaient des positions dissimulées et faciles à évacuer.

Bureau de planification stratégique

Entrée sous la surface

L'infirmerie ne servait pas qu'aux soins ; beaucoup de bébés y sont nés.

Réserve de munitions

Des abris antiaériens, au niveau le plus bas, servaient de refuge en cas d'intense bombardement.

L'étroitesse des boyaux *les rendait difficilement praticables aux soldats américains, d'un plus gros gabarit que les Vietnamiens.*

Des pièges, *souvent des tiges de bambou ou d'acier empoisonnées, menaçaient ceux qui ne connaissaient pas les lieux.*

Saint-Siège du caodaïsme ⓪

Symboles du caodaïsme

Le monastère abritant les dignitaires de la religion du Cao Dai, fondée en 1926 par un fonctionnaire de l'administration coloniale (*p. 23*), a pour pôle le Grand temple divin, un immense bâtiment où les architectures asiatique et européenne se conjuguent en un cocktail étonnant. Ce lieu de culte est fréquenté par près de 3 millions de fidèles. Ils participent aux offices en robe blanche, les membres du clergé étant vêtus aux couleurs du bouddhisme (jaune), du christianisme (rouge) et du taoïsme (bleu). Les visiteurs assistent à la cérémonie depuis des galeries.

Des dragons multicolores décorent les colonnes du temple

Bouddha Maitreya
Au sommet de la tour centrale de la façade, une image du bodhisattva de l'Amour rappelle les liens étroits entre le caodaïsme et le bouddhisme.

Salle de prière
La longue nef décorée de couleurs vives reproduit symboliquement les neuf stades menant l'âme à sa libération. Des deux côtés, l'œil divin omniscient brille aux fenêtres.

Des sculptures ornent les piliers

Tombeau de Ho Phap

À NE PAS MANQUER

★ Autel de l'œil

★ Phan Cong Tac

★ Les Trois Saints

MODE D'EMPLOI

Village de Long Hoa, 4 km à l'E. de Tay Ninh ; 96 km au N.-O. de Hô Chi Minh-Ville. 🚗
ℹ️ *Tay Ninh Tourist 210B, 30 Thang 4, Tay Ninh, (066) 822 376.* ⭕ *t.l.j.* **Offices** *6h, 12h, 18h, 24h.*

★ **Phan Cong Tac**
Phan Cong Tac était à la fondation du caodaïsme son principal spirite, capable de communiquer avec les esprits saints lors des séances.

★ **Autel de l'œil**
Symbole du Cao Dai, l'œil divin omniscient domine l'autel principal depuis la surface d'un globe constellé d'étoiles. Au-dessus, la coupole peinte de nuages représente le royaume des cieux.

★ **Les Trois Saints**
Une fresque montre les trois émissaires divins venus ouvrir la voie vers la « troisième alliance entre Dieu et l'homme » : le Chinois Sun Yat-sen, le poète vietnamien Nguyen Binh Khiem et Victor Hugo.

Salle de prière

Architecture
Le mélange d'éléments hétérogènes et la profusion de sculptures et de décors aux couleurs contrastées font de la cathédrale caodaïste un bâtiment hors du commun.

Le panthéon qui domine la nef comprend des statues de Jésus, du Bouddha et de Confucius.

GRAND TEMPLE DIVIN
Construit entre 1933 et 1955 sur un terrain de plus de 100 ha, le centre spirituel des caodaïstes mesure 107 m de long et s'inspire d'une cathédrale chrétienne par ses dimensions, ses clochers et ses dômes. Ses toitures et son ornementation de style sino-vietnamien évoquent toutefois une pagode.

PLAN DU SAINT-SIÈGE CAODAÏSTE

PRINCIPAUX BÂTIMENTS
① Grand temple divin
② Temple de la Sainte Mère
③ Tombeau de Ho Phap
④ Amphithéâtre
⑤ Salle de méditation
⑥ Ateliers publics
⑦ Maison de tissage
⑧ Bureau d'information
⑨ Bureau du pape
⑩ Bureau de la cardinale

LÉGENDE
☐ Zone illustrée

Bateaux de pêche dans la baie de Vung Tau

Vung Tau ③

130 km à l'E. de Hô Chi Minh-Ville sur la route 51. 🏚 250 000. 🛦 *hélicoptère depuis Hô Chi Minh-Ville.* 🚌 🚢 *hydroptère depuis Hô Chi Minh-Ville.* 🚌 🛈 *Ba Ria-Vung Tau Tourist, 33, Tran Hung Dao, (064) 856 445. www.vungtautourist.com.vn* **Phare de Vung Tau** Nui Nho. ◯ *t.l.j. 7h30-11h30, 13h30-17h.* 🎫 **Musée Bach Dinh** 4, Tran Phu. **Tél.** (064) 852 605. ◯ *t.l.j. 7h30-11h30, 13h30-17h.* 🎫

L'ancienne station balnéaire connue des Français sous le nom de cap Saint-Jacques offre toujours un cadre plaisant où venir s'aérer en bord de mer non loin de Hô Chi Minh-Ville. Malheureusement, la ville est aujourd'hui dévolue au tourisme de masse et de grands immeubles en béton déparent la beauté du site. En outre, les forages pétroliers effectués au large nuisent à la propreté de l'eau. Cela n'empêche pas les Vietnamiens de s'y presser en une foule bruyante le week-end. Les prix atteignent alors des sommets.

Baptisées **Bai Truoc** (plage de devant) et **Bai Sau** (plage de derrière), les plages principales s'étendent pour l'une en centre-ville et pour l'autre à l'est de la péninsule de **Nui Nho** (petite montagne), où une statue géante du Christ se dresse face à la mer. Il faut gravir plusieurs centaines de

Barque de pêche typique de Long Hai

marches pour en atteindre le pied. Un escalier intérieur mène ensuite jusqu'aux épaules. Le **phare de Vung Tau** ménage un point de vue encore meilleur. Au nord de Bai Truoc, la route qui mène au promontoire de **Nui Lon** (grande montagne) conduit d'abord à **Bach Dinh**, la villa Blanche construite à partir de 1898 par le gouverneur général de l'Indochine Paul Doumer pour y venir en villégiature. Les porcelaines, les poteries et les bronzes exposés proviennent de l'épave d'un navire du XVIIe siècle. Ils datent de la dynastie chinoise des Qing.

Long Hai ③

130 km à l'E. de Hô Chi Minh-Ville sur la route 19 ; 40 km au N.-E. de Vung Tau. 🚌 *depuis Hô Chi Minh-Ville.* 🛈 *Long Hai Tourism, Hai Son Group, (064) 868 401.* 🎉 *Fête des pêcheurs (fév.-mars).*

Il y a encore peu de temps, la portion de côte entre Vung Tau et Phan Tiet restait pratiquement dépeuplée en dehors de quelques hameaux de pêcheurs et du joli petit bourg de Long Hai. L'appellation « Riviera vietnamienne » paraît un peu vite attribuée, même si la région renferme des plages relativement préservées. L'eau est propre, les prix sont bas et les fruits de mer frais.

Près de Long Hai, le **temple Mo Co** est le point de convergence de centaines de bateaux de toute la région lors de la fête des pêcheurs. Plus à l'est, la luxueuse Anoasis Resort *(p. 234)* occupe une ancienne propriété de l'empereur Bao-Dai. S'acquitter d'un droit d'entrée permet de profiter des équipements de sa plage privée. Il n'existe pas de desserte directe en transports publics ou en hydroptère depuis Vung Tau, mais la route jusqu'à Long Hai permet de découvrir en chemin plusieurs charmantes églises, ainsi que quelques temples.

Plage de Ho Coc ③

190 km à l'E. de Hô Chi Minh-Ville ; 36 km au N.-E. de Long Hai. 🏠 🖵

Le principal atout de la plage de Ho Coc est son relatif isolement. Bien qu'appréciée des Vietnamiens le week-end, elle n'est pas accessible en transports publics et n'abrite que quelques bungalows et cafés sans prétention. La bande de sable blanc s'étend sur des kilomètres, jalonnée ici et là de gros rochers polis par l'érosion.

Aux environs : Ho Coc s'étend en bordure de la **réserve naturelle forestière de Bung Rien**. Plusieurs sentiers partent directement de la plage pour s'enfoncer dans la jungle. La réserve protège un habitat qui était jadis peuplé de gros animaux, mais ils ont été pour la plupart déplacés

Rustique bungalow sur pilotis sur la plage de sable de Ho Coc

Pour les hôtels et les restaurants de la région, voir p. 232-234 et p. 250-252

Dans les vagues de la mer de Chine méridionale, plage de Ho Coc

vers des sites mieux adaptés à leur survie. Plusieurs espèces de singes et d'oiseaux y prospèrent cependant. Louer les services d'un guide est bon marché et les promenades sont apaisantes.

Sources chaudes de Binh Chau ❸❹

150 km au S.-E. de Hô Chi Minh-Ville ; 50 km au N.-E. de Long Hai. 🚌 🛈 Binh Chau Hot Springs Resort, (064) 870 103. 🖼 🍴 🖵

Au cœur d'une forêt primitive de palétuviers, les sources chaudes qui affleurent à Binh Chau alimentent plusieurs bassins sur un site d'une superficie de 1 km². Elles ont suscité la création d'un complexe touristique. Malgré les propriétés thérapeutiques attribuées à une eau riche en sels minéraux, il n'a pas pour principale clientèle des personnes souffrant de rhumatismes ou d'arthrite.

La Binh Chau Hot Springs Resort est plutôt une destination de loisirs. On peut y venir simplement pour la journée, y camper ou louer une chambre ou un bungalow. Les équipements de détente comprennent un bar karaoké, des courts de tennis et des tables de billard américain. Des bains privés entourés d'écran en bois et protégés du soleil peuvent accueillir de 2 à 10 personnes. La zone des bains publics est moins coûteuse et renferme une piscine. La température de l'eau s'élève en moyenne à 40 °C, mais elle a atteint 82 °C dans la source la plus chaude. Une des activités les plus populaires consiste à tremper des paniers d'œufs dans le liquide presque bouillant. De grandes statues de poules signalent les endroits où cette cuisson est possible. Les services proposés comprennent aussi des bains de boue.

Cuisson d'œufs dans des paniers, Binh Chau Hot Springs Resort

Parc national de Cat Tien ❸❺

250 km au S.-E. de Hô Chi Minh-Ville. 🚌 🚐 depuis Hô Chi Minh-Ville. **Tél.** (061) 386 2391. 🖼 🖵

La forêt primitive de Cat Tien, sur le plateau de Bao Loc, compte parmi les réserves de la biosphère les plus riches de celles désignées par l'Unesco. C'est d'autant plus remarquable qu'elle a subi des épandages de défoliant pendant la guerre du Vietnam. Les objets religieux que les archéologues y ont retrouvés indiquent qu'elle abritait un lieu de pèlerinage à l'époque des empires du Funan et du Champa (p. 39). Le parc protège une superficie de 72 000 ha. La flore compte 1 800 variétés de plantes répertoriées, et de nouvelles ne cessent d'être découvertes
Parmi les animaux, le rhinocéros de Java est sans doute le plus connu, mais la faune comprend aussi des cervidés, des léopards, des éléphants et des gaurs, de grands bovidés asiatiques en voie d'extinction. Plus de 300 espèces d'oiseaux attirent des ornithologues du monde entier. Des colonies de singes, dont le rare rhinopithèque à pieds noirs, peuplent les frondaisons. Quatre cent cinquante papillons différents butinent les fleurs. Les gardes forestiers sont aussi guides de randonnée. Les hébergements disponibles, sommaires mais acceptables, se trouvent sur l'autre rive de la Dông Nai.

LE RHINOCÉROS DE JAVA

Également appelé rhinocéros de la Sonde (Rhinoceros sondaicus), le mammifère le plus rare du parc de Cat Tien compte aussi parmi les plus rares du monde. Jadis répandu dans tout le Sud-Est asiatique, il doit son extinction à la disparition de son habitat, la jungle profonde, et aux vertus médicinales qu'attribue la médecine traditionnelle chinoise à la poudre obtenue en broyant sa corne. Celle-ci mesure 25 cm chez le mâle. Femelles et mâles atteignent tous les deux un poids d'environ 1,8 t à l'âge adulte. L'espèce ne compte plus que quelques représentants sur l'île de Java et les 8 qui vivaient encore à Cat Tien.

Le rare rhinocéros de Java

ATLAS DES RUES
DE HÔ CHI MINH-VILLE

I l n'est pas toujours facile de se repérer dans l'ancienne Saigon divisée en 19 *quan* ou arrondissements. Les adresses vietnamiennes *(p. 287)* comportent comme en France un numéro et un nom de voie. La situation se complique un peu à Hô Chi Minh-Ville, où la numérotation reprend à 1 sur une même artère lorsqu'on

Touriste à Hô Chi Minh-Ville

change d'arrondissement. Il arrive aussi que des numéros pairs et impairs se succèdent sur le même trottoir. Sur les plans, certains noms courants ont été abrégés, par exemple Nguyen en Ng. Dans le Sud, c'est le mot *duong* (rue) qui apparaît normalement devant le nom propre, et non *pho* comme dans le Nord.

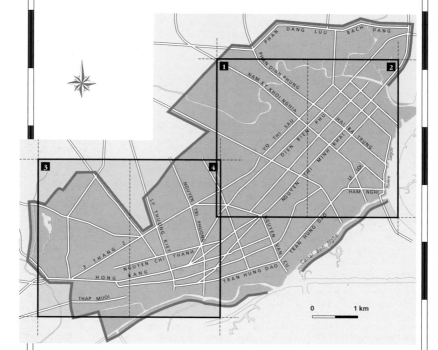

0   1 km

LÉGENDE

■ Site exceptionnel	ℹ Information touristique
▨ Site intéressant	✚ Hôpital
▢ Autre édifice intéressant	⊠ Poste
🚆 Gare	🏛 Pagode ou temple
🚌 Gare routière	✝ Église
⛴ Embarcadère	☪ Mosquée

ÉCHELLE DES PLANS
1-2, 3-4
0   500 m

Index des rues

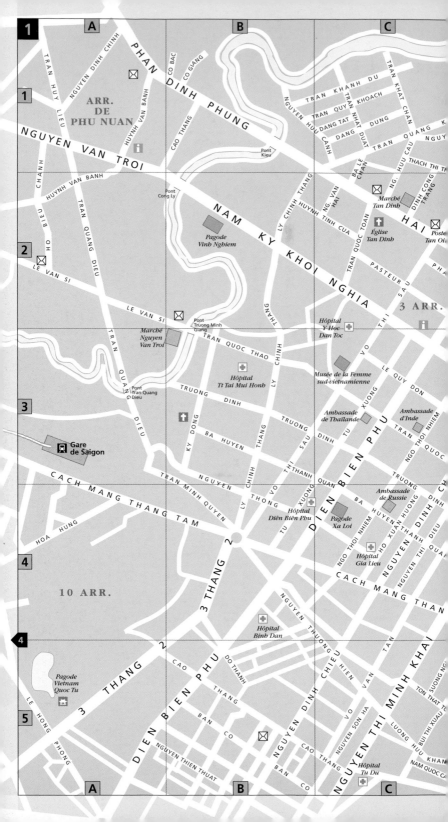

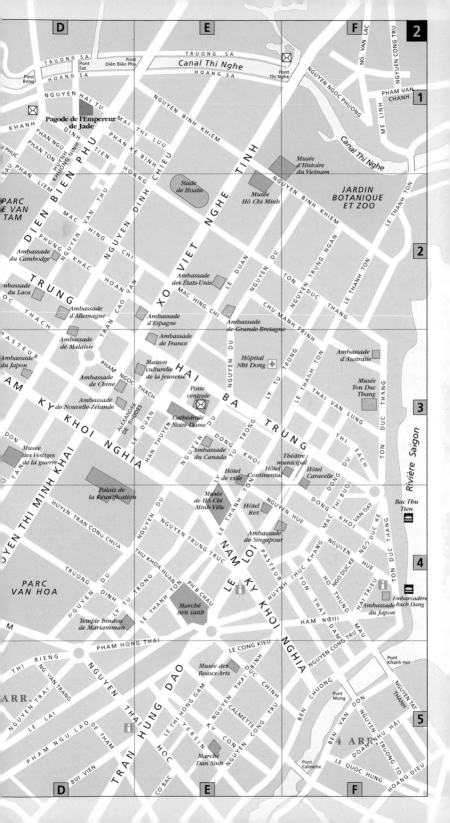

LE DELTA DU MÉKONG ET LE VIETNAM DU SUD

Les bras du Mékong et les canaux qui les relient sont partout au cœur de la vie des habitants du delta. Sur leurs eaux dansent maisons flottantes et bateaux de pêche et de commerce, tandis que les terres qu'elles irriguent portent rizières et arbres fruitiers. Cette vie reste fidèle à des traditions séculaires, notamment dans les temples de multiples confessions. Les îles du large renferment de belles plages et de denses forêts.

Prenant sa source sur le haut plateau tibétain, le puissant Mékong serpente sur une longueur de 4 500 km et il charrie des alluvions en provenance de la Chine, de la Birmanie, de la Thaïlande, du Laos et du Cambodge quand il se divise pour former les bras qui valent à son estuaire le nom de Song Cuu Long, ou fleuve des Neuf Dragons. Ces voies d'eau ont donné à la plaine méridionale du Vietnam un riche sol limoneux qui en fait le « grenier à riz » et le « grenier à fruits » du pays.

Le Cambodge a longtemps revendiqué ces terres fertiles et les Khmers rouges s'y livrèrent en 1978 à plusieurs massacres de villageois. Une épreuve de plus pour une région régulièrement victime d'inondations et qui avait déjà subi l'occupation française et les effets dévastateurs des bombardements et des épandages de défoliant. Les répercutions de ces drames semblent néan-moins effacées et, même si des villes marchandes comme Can Tho et Rach Gia ont entamé leur modernisation, la vie a repris un cours qui paraît immuable. Pour emprunter les canaux qui quadrillent leurs champs, les paysans rament sur des sampans identiques à ceux de leurs ancêtres ; grossistes et particuliers s'approvisionnent toujours à des marchés flottants. Les diverses communautés ethniques restent fidèles à leurs cultes.

Ses beautés naturelles comptent parmi les attraits de la région. Plages de sable et reliefs karstiques composent un somptueux paysage à Ha Tien. Les marais autour de Bac Lieu accueillent de nombreux oiseaux migrateurs. En mer, l'île de Phu Quoc et l'archipel de Con Dao renferment des parcs nationaux et deviennent de plus en plus prisés des amateurs d'espaces préservés et de plongée sous-marine.

En sampan parmi les cocotiers

◁ Le marché flottant de Cai Rang au petit matin, Can Tho *(p. 94)*

À la découverte du delta du Mékong et du Vietnam du Sud

Impossible de découvrir le delta du Mékong sans emprunter ses voies d'eau. La cité la plus proche de Hô Chi Minh-Ville, My Tho, offre un bon point de départ pour des promenades en bateau, à l'instar de Vinh Long, qui se trouve plus au sud. Plusieurs marchés flottants se tiennent à proximité de Can Tho, la ville la plus peuplée de la région. À Chau Doc, une grande part de la population vit sur l'eau, dans des maisons flottantes notamment. Les pagodes de Soc Trang et de Tra Vinh témoignent de la vitalité de leurs communautés khmères. Ha Tien et les îles de Phu Quoc et de Con Dao possèdent de belles plages.

Étal de fruits et légumes au marché de Ben Tre *(p. 89)*

LE VIETNAM DU SUD D'UN COUP D'ŒIL

Villes
Bac Lieu ❾
Ben Tre ❸
Can Tho ❼
Cao Lanh ❻
Chau Doc ⓬
Ha Tien ⓭
My Tho ❶
Rach Gia ⓫
Soc Trang ❽
Tra Vinh ❹
Vinh Long ❺

Îles
Archipel de Con Dao ❿
Île du Phénix ❷
Île de Phu Quoc ⓮

VOIR AUSSI
• *Hébergement* p. 235-236
• *Restaurants* p. 252-253

Façade de la pagode Ong Met de style khmer, Tra Vinh *(p. 89)*

0 _____ 25 km

CHAU DOC ⓬
Nha Bang Cho V
Hong N
Tan Chau
Cai Dau
948
Chi Lang   AN GIANG
Tri Ton
Trung Son
Oc Eo
Temple de Thach Dong
HA TIEN ⓭
Kien Luong
80
Hon Dat
ÎLE DE PHU QUOC
Duong Dong ⓮
Cay Dua
Grotte de Chua Hang
Baie de Cay Duong
KIEN GIANG
80
RACH GIA ⓫
Île de Tre
Baie de Rach Gia   Rach Soi   Gior Rie
63
Minh Luong
61
Go Quar
Thu Muoi Mot
Vinh Thuan
U Minh
Réserve naturelle de U Minh   Thoi Binh
63
Ca Mau
Tran Van Thoi   Dam
Song Doc   CA MAU
Cai Nuoc
Cai Doi Vam   Bay Hap
Nam Can
Cua Lon   Mai
Cap de Ca Mau
Île de Khoai   Île de Da Le

Paysans coiffés de chapeaux traditionnels dans une rizière

CIRCULER

Le delta du Mékong sort de son isolement et possède désormais des aéroports à Can Tho, Con Dao, Rach Gia et Phu Quoc. Les grandes routes sont bonnes, mais, en campagne, attendez-vous à des trajets cahoteux dans les bus aux horaires aléatoires. De nombreuses agences de voyages proposent des visites organisées en autocar ou en voiture. Le bateau reste néanmoins la meilleure façon de découvrir le delta, qui possède un réseau de 2 800 km de canaux. Les services de transports publics fonctionnent bien, mais les opérateurs privés offrent plus de confort. Des bicyclettes et des motocyclettes sont partout disponibles à la location.

Légende

— Route principale

···· Route secondaire

▬ Frontière internationale

— Frontière provinciale

My Tho ❶

Carte routière B6. 72 km au S.-O.
de Hô Chi Minh-Ville sur la route 1.
🏯 *170 000.* 🚌 *depuis Hô Chi Minh-
Ville.* 🚤 🚗 ℹ *Tien Giang Tourist,
63, Trung Trac St, (073) 872 105.*

Sa proximité avec Hô Chi
Minh-Ville, sur le bras le plus
septentrional du Mékong, fait
de la capitale de la province
de Tien Giang un excellent
but de promenade d'une
journée. Depuis ses quais,
des excursions organisées,
ou la location d'un bateau
privé, permettent de partir à
la découverte des voies d'eau
du delta et de leurs îles.

Flâner le long des larges
boulevards et parmi les
éventaires du marché qui
s'étend au bord de l'eau donne
l'impression de remonter dans
le temps. Des bateaux en bois
se serrent contre la rive ou
circulent chargés de produits
agricoles. Des arômes de fruits
exotiques se mêlent à des
effluves de poisson séché.
Les articles destinés à la vie
domestique comprennent de
grandes urnes en terre servant
à la toilette.

My Tho est aussi un centre
religieux. Le plus important
lieu de culte bouddhiste de la
région, la **pagode Vinh Trang**,
date de 1848. Sa façade ornée
de mosaïques de céramique
mêle les styles khmer et
vietnamien. Des bassins à
nénuphars et des tombes en
pierre l'entourent. Une image
de Quan Am, la déesse de la
Miséricorde, occupe le cœur
d'un banian.

LE MOINE AUX NOIX DE COCO

**Grande urne funéraire posée sur une
sculpture de tortue, île du Phénix**

Né en 1909, Nguyen
Thanh Nam étudia la
chimie en France. De
retour dans son pays, il
fit retraite sur l'île du
Phénix où, selon ses
dires, il médita trois ans
en se nourrissant
uniquement de noix de
coco. Il y fonda ensuite
une secte baptisée Tinh
Do Cu Si, dont le
dogme associait
bouddhisme et catholicisme. Elle compta jusqu'à 2 000
membres. Persuadé de détenir la clé de la réunification
du pays, le « moine aux noix de coco » défia les autorités
sud-vietnamiennes aussi bien que communistes et il finit
par mourir en prison en 1990. Les surprenants vestiges de
son sanctuaire sont devenus une destination touristique.

Au sein d'un vaste espace
arboré, l'**église de My Tho**,
d'un jaune pastel, date
également du XIXe siècle. Elle
fait office d'évêché et d'école.
Des ex-voto constituent le
principal décor mural de
sa haute nef harmonieuse.

À courte distance au nord-
ouest de la ville, le hameau
d'**Ap Bac** possède une
importance historique.
En effet, c'est là que le Viêt-
công remporta en 1963
sa première grande victoire
contre l'armée vietnamienne
soutenue par les États-Unis.

🏯 **Pagode Vinh Trang**
60, Nguyen Trung Truc St.
Tél. *(073) 873 427.*
⬜ *t.l.j. 9h-11h30, 13h30-17h.*

ℹ **Église de My Tho**
32, Hung Vuong St. **Tél.** *(073) 872
290.* ⬜ *t.l.j. 7h-18h.* ♿

Île du Phénix ❷

Carte routière B6. 3 km de My Tho.
🚤 🚗 ■ **Sanctuaire** ⬜ *t.l.j. 8h30-11h,
13h30-18h.* 🖼

Entre My Tho et Ben Tre,
les dépôts alluviaux ont créé
plusieurs petites îles dans
le cours du fleuve. L'île du
Phénix (Con Phung) doit
à son « moine aux noix de
coco » d'attirer de nombreux
visiteurs. Ils viennent
découvrir les vestiges du
curieux lieu de culte où ses
adeptes se réunissaient pour
prier en plein air. Sur une
esplanade circulaire d'environ
25 m de diamètre se dressent
plusieurs colonnes où
s'enroule un dragon. Non loin,
une construction en treillage
évoque les montagnes russes,
à côté de minarets et d'une

Façade parée de mosaïques de céramique de la pagode Vinh Trang, My Tho

Pour les hôtels et les restaurants de la région, voir p. 235-236 et p. 252-253

Sanctuaire en plein air du « moine aux noix de coco », île du Phénix

sculpture censée représenter une fusée Apollo. Une gigantesque urne funéraire repose sur l'effigie d'une tortue.

Également desservies par un service de bac régulier, les autres îles offrent un cadre verdoyant. Elles comprennent Thoi Son, l'île de la Licorne, parcourue d'arroyos, Con Qui, la petite île de la Tortue, réputée pour ses sucreries à

Colonne sculptée, île du Phénix

la noix de coco et son alcool de banane, et Con Tan Long, l'île du Dragon, où vivent des pêcheurs, ainsi que des apiculteurs et des fabricants de bateaux *(p. 90)*. Ananas, manguiers et longaniers poussent en abondance sur toutes les îles.

Ben Tre ❸

Carte routière B6. 86 km au S.-O. de Hô Chi Minh-Ville ; 14 km au S. de My Tho. 🚶 *112 000*. 🚌 *depuis Hô Chi Minh-Ville.* 🚤 *depuis My Tho.* 🛈 *Ben Tre Tourist, 65, Dong Khoi St, (075) 829 618.*

Située hors des sentiers les plus touristiques, la capitale de la province de Ben Tre demeure peu visitée et la vie y suit toujours un cours authentiquement traditionnel. Les étrangers ne manquent pas d'y éveiller la curiosité.

Entourée de vastes plantations de cocotiers, elle a pour spécialité les confiseries à la noix de coco. Le mode de fabrication reste

fondamentalement artisanal. La pulpe et le lait du fruit sont mis à bouillir jusqu'à leur réduction en une pâte collante qui est ensuite laissée durcir. Il ne reste plus alors qu'à la couper en petits morceaux et à l'envelopper de papier de riz comestible.

Le marché central, un rendez-vous « fermier » dans tous les sens du terme, ne propose guère d'articles d'habillement ou de parure. Ses marchands vendent principalement de la quincaillerie, des coupons de tissu et des aliments. Les étals des poissonniers sont particulièrement pittoresques.

En face du marché, la **pagode Vien Minh**, construite au tournant du XIXe siècle, abrite le siège de l'association bouddhiste provinciale. Des tentures colorées égaient l'intérieur austère.

📷 **Pagode Vien Minh**
156, Nguyen Dinh Chieu St. **Tél.** *(075) 813 931.* 🕐 *t.l.j. du lever au coucher du soleil.*

Tra Vinh ❹

Carte routière B6. 100 km à l'O. de Can Tho. 🚶 */5 000*. 🚌 *depuis Vinh Long et Can Tho.* 🛈 *Tra Vinh Tourist Office, 64-66, Le Loi St, (074) 858 556.*

Les édifices religieux de Tra Vinh révèlent l'importance des communautés khmère, chrétienne et chinoise de la ville. Des piliers surmontés d'un épi sculpté de quatre visages encadrent le portail de la **pagode Ong Met** *(p. 86)*, le plus intéressant des lieux de culte où les Khmers pratiquent le bouddhisme Theravada *(p. 22)*. Des stupas dorés hauts

de 3 m y sont dédiés à des moines décédés. À l'intérieur, des mosaïques, des reliefs et des peintures composent un décor harmonieux.

Consacré au général chinois déifié Quan Cong, le **temple Ong**, fondé en 1556, possède dans la cour de derrière une ornementation chatoyante. Sur un mur, des gravures montrent des dragons rouges en train de s'ébattre entre une chaîne de montagnes bleues et une mer verte. Dans un bassin à poissons, des sculptures peintes représentent des carpes en plein bond perçant la surface. L'auteur de ces œuvres, Le Van Chot, possède un atelier sur place.

Néanmoins, c'est sans doute l'**église de Tra Vinh** qui reflète le mieux l'éclectisme religieux de la ville. L'extérieur paraît typiquement colonial, mais un examen plus minutieux révèle aux avant-toits des « flammes de dragon » semblables à celles des temples de style khmer

Épi de pilier, pagode Ong Met

Aux environs : à environ 6 km au sud de la ville, la **pagode Hang** a dû être reconstruite après un bombardement en 1968. Les centaines de cigognes qui y nichent en constituent le principal attrait. Le **musée de la Minorité khmère** expose des ustensiles domestiques, des costumes, des bijoux et des objets liturgiques. Sur la route qui y mène, l'**étang Ba Om** offre un cadre idyllique à un pique-nique avec ses dunes ombragées par des manguiers. La **pagode Ang** voisine compte parmi les plus anciennes du Vietnam, puisque sa fondation remonterait au XIe siècle. Des lions de pierre gardent l'entrée. À l'intérieur, des peintures murales retracent la vie du Bouddha.

🏛 **Musée de la Minorité khmère**
7 km au S.-O. du centre au 3, SEB Luong Hoa. **Tél.** *(074) 842 188.* 🕐 *t.l.j. 7h30-11h30, 13h30-16h30.*

Le marché flottant de Cai Be
commence dès le petit matin

Vinh Long ❺

Carte routière B6. 136 km au S.-O.
de Hô Chi Minh-Ville ; 74 km au
S.-O. de My Tho. 126 000.
Cuu Long Tourist,
1, Thang 5 St, (070) 823 616.

Ce gros bourg au bord du
Co Chien est une bonne base
d'où partir à la découverte des
îles proches, mais il mérite
une visite. Sa grande église
catholique typiquement
coloniale rappelle que la
région fut l'une des premières
à accueillir des missionnaires.
En périphérie, le **temple
Van Thanh Mieu**, dédié à
Confucius, est le seul temple
de la Littérature du sud du
Vietnam. Il date de 1866 et
renferme un bâtiment de 1930
bâti en l'honneur de Phan
Thanh Gian, le chef d'une
révolte infructueuse contre
les Français.
Des croisières organisées
permettent de découvrir la
beauté d'un territoire où l'eau
et une somptueuse végétation
s'entremêlent intimement. On
peut aussi prendre simplement

un bac pour rejoindre les îles
enchanteresses **An Binh** et
Binh Hoa Phuoc, couvertes
de vergers. Au nord du
débarcadère d'An Binh, la
pagode Tien Chau possède un
extérieur anodin. À l'intérieur,
toutefois, des fresques
macabres dépeignent
les horreurs de l'enfer
bouddhique, où les âmes
égarées se font, entre autres,
piétiner par des chevaux ou
dévorer par des serpents.
Vinh Long et ses îles offrent
un cadre idéal pour découvrir
la vie du delta et le travail de
ses artisans, entre autres
des fabricants de
bateaux, des
confiseurs et des
apiculteurs. Loger
chez l'habitant (p. 229)
permet de partager la
vie d'une famille, une
expérience hautement
recommandée.

Aux environs : le
**marché flottant de Cai
Be** se tient à une heure
en bateau de Vinh Long, de
l'autre côté de l'île Binh Hoa
Phuoc. Il commence dès le
petit matin et rassemble des
commerçants de gros et de
détail. Les professionnels
viennent s'approvisionner
auprès de grandes embarcations,
tandis que de petits sampans
vendent aux particuliers.
Leur ballet et l'adresse
des mariniers offrent un
merveilleux spectacle.

🏯 Temple Van Thanh Mieu
3 km au S. de la ville sur Tran Phu.
Tél. (070) 830 174.
⏰ t.l.j. 8h-coucher du soleil.

Cao Lanh ❻

Carte routière B6. 160 km de Hô
Chi Minh-Ville. 140 000.
ℹ Dong Thap Tourist, 2, Doc Binh
Kieu St, (067) 855 637.

Même si la ville n'a rien de
remarquable en elle-même,
le plaisir procuré par le trajet
justifie de passer par Cao Lanh
pour rejoindre Chau Doc
(p. 100). Le **musée de Dong
Thap** illustre les modes de vie
et de travail des cultivateurs
et des pêcheurs de la
province. Le **monument aux
morts**, élevé entre 1977
et 1985,
évoque la
grande époque
du réalisme socialiste
soviétique avec sa
faucille et son marteau.
Le cimetière
renferme les tombes
de 3 000 soldats
viêt-công. À 1,5 km
au sud-ouest du
centre, le mausolée
Nguyen Sinh Sac rend
un hommage révolutionnaire
au père de Hô Chi Minh.

Statue du musée
de Dong Thap

Aux environs : au nord de
Cao Lanh, Dong Thap Muoi,
« la plaine de roseaux », abrite
de nombreux oiseaux. La
**réserve ornithologique de Tam
Nong**, à 45 km au nord-ouest
de la ville, attirait des nuées
d'ornithologues amateurs prêts
à affronter un long trajet
en bateau pour apercevoir
des grues antigone. Ils se
rendaient aussi à **Vuon Co
Thap Muoi**, à 45 km au
nord-est de Cao Lanh, pour
contempler des cigognes
blanches. La menace causée
par la grippe aviaire (p. 283)
a entraîné la fermeture
de ces deux réserves.
Au sud-est de Cao Lanh, la
forêt de Rung Tram renfermait
la base viêt-công de **Xeo Quyt**.
Il faut une autorisation de
l'office de tourisme pour
visiter le site situé à une
demi-heure de bateau.

🏛 Musée de Dong Thap
162, Nguyen Thai Hoc St.
Tél. (067) 851 342.
⏰ t.l.j. 7h-11h, 13h-16h.

🎖 Monument aux morts
Sur la route 30 à la sortie est
de la ville. ⏰ t.l.j.

FABRICATION DES BATEAUX DU DELTA DU MÉKONG

L'art de la construction navale est
peut-être le plus ancien du delta.
Sans lui, pas de transport, pas
de commerce, voire pas de logis.
Il est lié à la transmission
d'instructions séculaires,
de quelques règles empiriques
et d'outils spécialisés. Il arrive
qu'une embarcation prisée soit,
lorsqu'elle vieillit, démontée pour
servir de modèle à une réplique
exacte. Tout bateau du delta peut
ainsi être la perpétuation fidèle
d'un prédécesseur mis à l'eau
il y a des siècles.

Sampans en cours
d'achèvement

Excursion en bateau de Vinh Long

Orchidée en fleur, Vinh Long

Le meilleur moyen d'avoir rapidement un aperçu de la vie dans le delta du Mékong est d'effectuer une promenade sur le dense réseau de canaux autour de Vinh Long. Les petites îles d'An Binh et de Binh Hoa Phuoc recèlent un monde enchanteur de vergers luxuriants, de maisons à toit de chaume et d'arroyos enjambés par de petits ponts. Partout, et jusque sur les marchés, on vit autant sur l'eau que sur terre.

Une église à la flèche élancée domine le marché flottant de Cai Be

Vinh Long ①
La ville de Vinh Long, elle-même presque cernée par l'eau au bord de la rivière Co Chien, offre une bonne base d'où partir à la découverte d'un réseau complexe de canaux et de petites îles.

Marché flottant de Cai Be ②
Ce marché très animé s'arrête à midi, et c'est tôt le matin qu'il est le plus agréable d'y passer. Une église du plus pur style colonial offre un arrière-plan incongru au ballet des sampans chargés de produits exotiques.

Dong Phu ③
Ce hameau de cultivateurs, d'arboriculteurs et de mariniers a peu changé depuis les siècles.

Hoa Ninh ④
Cet îlot réputé pour ses jardins fleuris et ses vergers d'abricotiers, de manguiers et de longaniers n'est accessible qu'à pied ou en bateau.

Village de Binh Hoa Phuoc ⑤
Sur l'île du même nom, les visiteurs peuvent trouver ici à se loger chez l'habitant et admirer des pépinières de bonsaïs.

0   3 km

Vergers à An Binh ⑥
La générosité de la nature permet la culture de nombreux fruits exotiques, dont le longane, la pomme rose et l'ugli, un agrume plus savoureux qu'appétissant.

MODE D'EMPLOI

Durée : 5 à 6 heures.
Location de bateaux : Cuu Long Tourist jouit théoriquement d'un monopole sur les visites guidées, mais on peut aussi s'adresser à un privé… au risque d'une amende.
Où faire une pause ? Le village de Binh Hoa Phuoc est l'endroit idéal où prendre un repas rapide.

Can Tho

MODE D'EMPLOI

Carte routière B6. 170 km
au S.-O. de Hô Chi Minh-Ville.
🚌 335 000. ✈ 10 km au S. 🚌
🚌 🛈 CanTho Tourist, 20, Hai Ba
Trung, (071) 821 852. 🚌 🛶
fête du temple Binh Thuy (janv., mai).

Au point de contact de six provinces, la plus grande ville du delta joue le rôle de plaque tournante de tout son réseau de transport. C'est aussi un centre agricole avec une importante production de farine de riz. Can Tho offre une bonne base pour des excursions d'une journée, en particulier jusqu'aux marchés flottants, principales destinations touristiques des environs. À Can Tho même, le marché central est réputé pour ses étals de fruits et de poissons. Le parc municipal renferme une statue de Hô Chi Minh.

Relief de la pagode de Munirangsyaram

🏛 Pagode Ong
32, Hai Ba Trung. **Tél.** (071) 823 862.
Les fidèles viennent dans ce petit temple vénérer Than Tai, dieu de la Prospérité, et Quan Am, déesse de la Miséricorde. Pour s'assurer que leur prière sera entendue, ils paient un calligraphe pour qu'il l'écrive sur une bande de papier qui est ensuite fixée au mur.

🏛 Musée de Can Tho
6, Phan Dinh Phung. **Tél.** (071) 816 016. ◯ t.l.j. 8h-17h.
Ce musée compte parmi les plus intéressants du delta avec son exposition ethnographique. Elle comprend des outils agricoles, des costumes de mariage et les reconstitutions d'une maison de thé et d'une herboristerie.

🏛 Temple Munirangsyaram
36, Hoa Binh. **Tél.** (071) 816 022.
◯ t.l.j. 8h-17h.
Une tour du style d'Angkor s'élève au-dessus de ce sanctuaire, où la minorité khmère de la ville pratique le bouddhisme Theravada. Des reliefs polychromes parent les bâtiments.

Marchés flottants
Trois marchés flottants se tiennent à proximité de Can Tho. Le plus grand et le plus proche, à 7 km au sud-ouest de la ville, rassemble de nombreux grossistes à **Cai Rang**. Les fruits et les légumes accrochés à des perches indiquent les marchandises en vente. 14 km plus à l'ouest, le marché de **Phong Dien** est

à la fois plus simple et plus authentique. Il est possible de louer des sampans pour ces deux destinations sur les quais de la rue Hai Ba Trung. On peut aussi s'adresser à une agence de voyages. À **Phung Hiep**, le marché sur l'eau se double d'un marché à terre également pittoresque. Le village se trouve à environ 30 km au sud de Can Tho. Le plus simple consiste à s'y rendre par la route et à louer un bateau sur place.

Légumes et fruits frais au marché du matin de Cai Rang

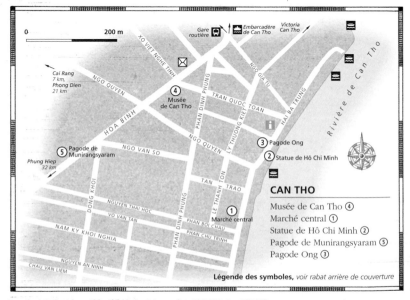

CAN THO

Légende des symboles, voir rabat arrière de couverture

Culture du riz

Le riz est non seulement l'aliment de base des Vietnamiens, mais aussi une importante source de devises. Sa culture, son transport et sa transformation emploient sous une forme ou une autre près de 80 % de la population du pays. Le delta du Mékong en est la plus grande zone de production, et la fertilité de son sol régénéré

Joie et fierté au moment de la récolte

par des crues a permis au Vietnam de devenir le troisième exportateur mondial. Ce résultat est aussi le fruit d'un travail acharné. Les rizières restent souvent labourées avec des buffles et irriguées non par des pompes, mais par des équipes munies de seaux à poignées ou de paniers tressés assez serré pour être étanches.

La riziculture est une entreprise collective facilitée par la solidarité au sein de familles élargies.

Les canaux d'irrigation marquent aussi les limites de propriété.

De la richesse du sol dépend l'abondance de la récolte.

TRANSPLANTATION

Les grains sont semés en pépinières, plus faciles à surveiller, souvent dans des plateaux ou des pots. Les plants ne sont mis en sol dans les rizières qu'après avoir atteint une longueur suffisante.

Des paniers servent au transport des plants.

Bottes de plants

La récolte *reste éreintante, souvent effectuée le dos voûté pour manier la faucille.*

Après le battage *qui les sépare des épis et le vannage qui élimine la balle, les grains de riz sont étalés sur des nattes pour sécher au soleil.*

Le transport *a parfois lieu en camion ou en chars à bœufs, mais le bateau demeure le moyen le plus traditionnel et le plus efficace pour acheminer le riz jusqu'au marché.*

Pâte liquide de farine de riz

Tissu tendu sur une marmite

Feuilles de riz mises à sécher

Fabrication de feuilles de riz dans un atelier

FABRICATION DE LA FEUILLE DE RIZ

La cuisine vietnamienne fait un très grand usage de la feuille de riz *(banh trang)*. Elle sert entre autres à préparer toutes sortes d'en-cas aux garnitures très variées. Sa fabrication peut aussi bien être artisanale qu'industrielle. Versée sur un tissu tendu sur une marmite d'eau bouillante, une pâte liquide de farine de riz cuit en quelques secondes gâce à la vapeur. Le film ainsi obtenu est ensuite étalé sur un séchoir en bambou tressé. Celui-ci donne au *banh trang* sa texture en treillis si particulière.

Animaux en argile peinte de Chua Dat Set, Soc Trang

Soc Trang ❽

Carte routière B6. 63 km au S.-E.
de Can Tho. 🚹 112 000. 🚌
🛈 Soc Trang Tourist, 131, Nguyen
Chi Thanh St, (079) 821 498.
🎭 Ok Om Bok (mi-nov.).

Cette ville animée doit sa
réputation à ses festivités
et à ses édifices religieux.
La province faisait jadis partie
de l'empire d'Angkor
et elle renferme 90 pagodes
khmères, 47 chinoises et
30 vietnamiennes. Dix fêtes
annuelles ont lieu
à Soc Trang. La plus
spectaculaire, Ok Om
Bok *(p. 33)*, la fête de
l'eau, a pour temps fort
une course de longues
pirogues. Au sein d'un
superbe jardin,
la **pagode Khleang**
est typique des
sanctuaires khmers
Bâtie en 1905,
elle a remplacé un
bâtiment en bambou
de 1533. À l'intérieur,
un bouddha doré
domine l'autel.
   À environ 200 m à
l'est, **Chua Dat Set**, la pagode
d'Argile, n'attire pas les
visiteurs pour son intérêt
architectural, mais pour les
centaines de sculptures en terre
exécutées entre 1930 et 1970
par Ngo Kim Tong, surnommé
le « moine d'argile ». Si ses
œuvres comptent de très
nombreux bouddhas, il a aussi
peuplé le temple d'un bestiaire
naïf, où figurent aussi bien un
éléphant que des animaux
plus symboliques comme un
lion doré et un Phénix géant.
Le Musée khmer fait également

office de centre culturel, et il
accueille de temps en temps
des spectacles de danse et
de musique traditionnelles.
La collection comprend des
costumes, des instruments de
musique, de la vaisselle, des
statues et même deux bateaux.

Aux environs : Chua Doi,
la pagode des Chauves-souris,
se trouve en retrait de la rue
Le Hong Phong, à 4 km à
l'ouest de la ville. Elle doit
son nom aux nuées de
mammifères ailés qui
viennent se suspendre
à ses arbres. Ils prennent
ensemble leur envol
au coucher du soleil.
Les moines cohabitent
aussi avec des porcs,
auxquels ils vouent
une grande affection.
Une mutation
génétique les a dotés
de cinq doigts
au lieu de quatre.
À l'intérieur du
sanctuaire, vieux
de quatre siècles,
des peintures murales
illustrent des
épisodes de la vie
du Bouddha. À 14 km à l'ouest
de la ville, la **pagode Xa Lon**a
beaucoup souffert de
l'offensive du Têt *(p. 44-45)*.
Des céramiques parent
l'extérieur du bâtiment bas
actuel. Il accueille des cours
de sanskrit. À l'est de Soc Trang,
à environ 1,5 km, l'élégante
pagode **Im Som Rong** de style
khmer mérite qu'on s'y arrête.

🏛 **Musée khmer**
23, Nguyen Chi Thanh.
Tél. (078) 822 983. ⬜ 7h30-11h,
13h30-17h. ⬤ jeu.

Sculpture d'autel,
pagode Khleang

Bac Lieu ❾

Carte routière B6. 280 km de Hô
Chi Minh-Ville ; 50 km au S.-O. de
Soc Trang. 🚹 131 000. 🚌
🛈 Bac Lieu Tourist, 2, Hoang Van
Thu St, (781) 824 273.

Le chef-lieu de la province
de Bac Lieu a conservé
sa vocation principalement
rurale, et il tire une grande
part de ses revenus des
élevages de crevettes
et des marais salants situés
sur le littoral. Il fait surtout
office de lieu d'étape pour
les visiteurs étrangers, mais
n'en possède pas moins
d'intéressantes pagodes.
Quelques beaux édifices
coloniaux agrémentent
également une promenade
au bord du canal. Le plus
imposant, le **Cong Tu Bac
Lieu**, construit en 1916,
servait jadis de résidence
à un prince local. Il abrite
désormais un hôtel.

**Aux environs : la réserve
ornithologique de Bac Lieu**
s'étend à 5 km au sud
de la ville dans une forêt
de mangrove. Plus de
50 espèces d'oiseaux
y résident à l'année ou
y séjournent dans le cadre
de leur migration annuelle.
Les ornithologues amateurs
qui s'y rendaient, malgré
l'absence de tout
équipement, venaient surtout
pour les grandes colonies
de hérons blancs. Même si
la menace présentée par
la grippe aviaire *(p. 283)*
semble diminuer, le parc
naturel reste fermé.

Entrée du Cong Tu Bac Lieu, de style
colonial français

Flore, faune et avifaune du delta du Mékong

Un climat chaud et humide et la richesse d'un sol alluvial partout irrigué créent dans le delta du Mékong un habitat propice à la vie de très nombreuses espèces végétales et animales. Des mangroves et des jungles tropicales couvrent une grande partie du territoire, tandis que les fruitiers comme les manguiers, les papayers

Fleur de bananier, un ingrédient de salade

et les bananiers poussent en abondance dans des vergers. La région se trouve sur la voie de migration d'Asie de l'Est et de nombreux échassiers y font étape, dont la grue antigone. Les mammifères peuplant les forêts comprennent le sanglier, des singes et des cervidés. Le crocodile et divers serpents comptent parmi les reptiles.

COCOTIERS EN BORDURE D'UN CANAL
Le cocotier est l'arbre le plus répandu dans le delta et il joue un rôle essentiel dans son économie. La cuisine vietnamienne fait grand usage de son huile et de son fruit, tandis que ses longues palmes servent à la confection de toits, qui peuvent durer des années malgré l'importance des pluies.

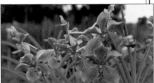

Les orchidées *sont nombreuses à pousser dans le delta. Il en existe tant de variétés que les botanistes ne cessent d'en découvrir de nouvelles.*

Les noix de coco ont une chair molle quand elles sont vertes. Elle devient croquante à maturité.

Le Mékong charrie des alluvions provenant d'aussi loin que le Tibet.

Les guêpiers d'Orient *nichent dans des tunnels qu'ils creusent dans le sol meuble des rives. Pour débarrasser leurs proies de leur dard, ils les cognent contre une surface dure.*

Le tantale Indien *compte parmi les cigognes menacées d'extinction qui trouvent refuge dans les réserves ornithologiques du delta.*

Les serpents *les plus connus sont le cobra royal et le python géant. Ils entrent dans la composition de repas de fête et des fermes spécialisées en pratiquent l'élevage.*

Le macaque crabier, *ou macaque à longue queue, se nourrit aussi de végétaux et d'insectes. Noire à la naissance, sa fourrure prend avec l'âge un ton brun tirant sur le gris ou le roux.*

Des crocodiles *vivent encore en liberté, mais ils seraient chassés jusqu'à extinction si les Vietnamiens n'en pratiquaient pas aussi l'élevage.*

Archipel de Con Dao ❿

Carte routière B6. 100 km au large de la pointe sud du Vietnam. 🚶 *5000.* ✈ *depuis Hô Chi Minh-Ville, hélicoptère depuis Vung Tao.* 🛥 *depuis Vung Tao.* ℹ *Con Dao Transport, 430, Truong Cong Dinh, (064) 859 089.*

Enfants jouant sur une plage, îles de Con Dao

Malgré leur situation isolée, les 14 petites îles de Con Dao figurent, avec leurs forêts et leurs plages, parmi les destinations les plus remarquables du Vietnam.

Depuis 1993, le **parc national de Con Dao** en protège l'essentiel. Les surfaces émergées ne comptent que pour deux tiers de sa superficie de 40 000 ha. Dans sa partie maritime, la réserve naturelle renferme de splendides récifs de coraux. Quelque 1 300 espèces différentes fréquentent ses eaux. Elles comprennent des mammifères comme les dauphins et les dugongs (*p. 190*). Les visiteurs peuvent se faire conduire sur un site de ponte de la très rare tortue verte. La faune et la flore terrestres se composent de 135 espèces animales et de 882 espèces végétales. Le parc, où prospère le carcophage blanc, un gros pigeon, séduit également les ornithologues amateurs. Seule la plus grande des îles, **Con Son**, possède une population permanente. Sa forme lui vaut le surnom d'« île de l'Ours ». Longue d'une dizaine de kilomètres, elle peut être parcourue en une journée sur des sentiers bien balisés. Les Français y ouvrirent en 1862 le bagne de Poulo Condore, connu plus tard sous le nom de **prison de Phu Hai**. De nombreux opposants politiques et militants communistes, dont Lê Duan, futur maître du Vietnam réunifié (*p. 46*), y séjournèrent dans des conditions éprouvantes. Un bloc de détention en montre une reconstitution dans le cadre du **Musée révolutionnaire**.

Tortue de mer

Phu Hai passa en 1954 sous le contrôle du Sud-Vietnam qui lui conserva sa fonction. Appelées « cages à tigres », les cellules les plus inhumaines obligeaient les détenus à rester accroupis dans des trous minuscules creusés dans le sol et fermés par des barreaux. L'île possède de nombreuses plages superbes, dont **Dat Doc**, la plus populaire. La **plage Nho** est plus isolée, tandis que celle de l'**île de Tre Nho** se prête bien à un pique-nique. Des fous bruns peuplent **Hon Trung**, à une heure de bateau de Con Son. C'est de mars à juin que le climat se montre le plus clément, mais la saison de plongée s'étend jusqu'au mois d'octobre.

🏛 **Musée révolutionnaire**
Près du Saigon Con Dao Hotel, 18, Ton Duc Thang, Con Son.
🕐 *lun.-ven. 7h-11h, 13h30-17h.*

Rach Gia ⓫

Carte routière B6. 116 km de Can Tho. 🚶 *175 000.* ✈ *depuis Hô Chi Minh-Ville.* 🚌🛥🚐ℹ *Kien Giang Tourist, 5, Le Loi, (077) 862 081.*

Ce port prospère renferme de nombreux édifices religieux, comme la charmante **pagode Pho Minh** occupée par un ordre des nonnes mendiantes. Dans le sanctuaire voisinent deux bouddhas, l'un de style thaï, l'autre de style vietnamien. Vieille de deux siècles, la **pagode Phat Lon** dédiée au bouddhisme Theravada abrite des peintures murales. Les images du Bouddha portent des tenues khmères. Le **temple de Nguyen Trung Truc** rend hommage à un héros local qui se distingua dans la résistance contre les Français au milieu du XIXe siècle. Il se constitua prisonnier pour sauver sa femme prise en otage par les autorités coloniales et fut exécuté sur la place du marché de Rach Gia le 27 octobre 1868.

Le **musée de Rach Gia** possède une section consacrée à la guerre du Vietnam et présente une collection d'objets et de poteries de la culture d'Oc-èo.

🏛 **Musée de Rach Gia**
27, Nguyen Van Troi.
Tél. (077) 863 727.
🕐 *sam.-mer. 7h-11h, 13h30-17h.*

Aux environs : la ville d'**Oc-èo**, dont les ruines se trouvent à 10 km de Rach Gia, fut au début de l'ère chrétienne un important comptoir commercial de l'empire indianisé du Funan (*p. 39*), qui s'étendait du Sud-Vietnam jusqu'en Malaisie. Les marchands auraient entretenu des contacts avec de nombreuses nations de la région. Les archéologues ont même mis au jour une pièce romaine. Bien qu'il n'y ait pas grand-chose à voir sur le site de fouilles, il n'est accessible que sur autorisation.

Maisons du delta du Mékong

Les centaines de milliers de Vietnamiens qui peuplent le delta du Mékong ne vivent pas uniquement sur les rives des « neuf dragons » et des nombreux canaux qui les relient, mais également sur ou au-dessus de l'eau. Il existe pour cela deux formes caractéristiques d'habitat traditionnel : des maisons sur

Exemple de grande maison sur pilotis

pilotis supportées par des bambous plantés dans le lit des cours d'eau, et des maisons flottantes posées sur des radeaux ou des bidons et que des ancres empêchent de dériver avec le courant. Des passerelles les relient au rivage. Elles n'offrent souvent que la largeur d'un poteau où poser le pied.

MAISONS SUR PILOTIS

En bois ou, de plus en plus souvent, en tôle ondulée, ces habitations reposent sur des piliers assez hauts pour les protéger des crues annuelles du Mékong. Elles renferment une ou deux pièces spacieuses et ouvrent sur une terrasse. À marée basse, leurs habitants les rejoignent par une échelle. À marée haute, ils viennent en bateau jusqu'à la porte.

Les passerelles, *dépourvues de garde-corps, imposent d'avoir le pied sûr. Les habitants du delta les empruntent depuis l'enfance.*

Les pilotis de bambou peuvent mesurer jusqu'à 6 m. À la fois souples et robustes, ils résistent aux courants les plus forts.

Sampan familial

Les toits de chaume *cèdent de plus en plus la place à la tôle ondulée. Elle offre une meilleure ombre et dure plus longtemps.*

Des villages flottants, *dotés de leurs propres commerces et même d'édifices industriels, peuvent couvrir des hectares entiers. Dépourvues d'ancrage permanent, les maisons sont aisées à déplacer vers l'aval.*

PIÈGES À POISSONS

Ouverture d'un piège à poissons

Dans beaucoup de maisons flottantes, un trou percé dans le plancher permet l'accès à un grand filet confectionné avec des lanières de bambou entrecroisées ou du grillage métallique. Ces pièges à poissons utilisés depuis des générations sont en train de trouver une nouvelle fonction grâce aux évolutions techniques. Ils servent désormais à l'incubation d'œufs fertilisés ou à l'élevage d'alevins conservés dans le courant jusqu'à l'âge adulte.

Les activités quotidiennes *sur les maisons flottantes comprennent la culture d'aromates et l'élevage de poulets. Leurs habitants passent la totalité de leur vie sur l'eau, mettant rarement pied à terre.*

Chau Doc ⑫

Carte routière B6. 245 km au S.-O. de Hô Chi Minh-Ville ; 120 km au N.-O. de Can Tho. 🏙 *110 000.*
🚌 *depuis Hô Chi Minh-Ville, Can Tho et Ha Tien.* 🚤 *depuis Ha Tien et Phnom Penh au Cambodge.* 🚤 🚌 🚲

L'eau est au cœur de la vie dans cette ville frontière à l'atmosphère effervescente. Nombre de ses habitants logent en effet dans des maisons sur pilotis et des maisons flottantes *(p. 99).* Étonnamment animé, le marché se tient au bord du Hau Giang, ou Bassac, un affluent du Mékong. Funanais, Cham, Khmers et Vietnamiens se sont disputés la cité pendant plusieurs siècles, aussi n'est-il pas étonnant qu'elle possède la plus grande diversité ethnique et religieuse de la région. C'est aussi là qu'est née dans les années 1930 la secte Hoa Hao, qui prêche un bouddhisme sans clergé ni pagodes. Ses milices prirent le contrôle de plusieurs provinces à la mort de Ngô Dihn Diem en 1963 *(p. 44).* La petite communauté de Cham musulmans se retrouve pour prier à la **mosquée Moubarak** et à la mosquée de **Chau Giang**. Toutes deux sont situées sur l'autre rive du Hau Giang. Elles ne possèdent pas de véritable adresse, mais les bateliers savent les rejoindre.

En centre-ville, une statue de Quan Am, la déesse de la Miséricorde, domine depuis un belvédère la **pagode Bo De Dao Trang**. Non loin, le **temple de**

Statue de bronze, pagode Tay An, Chau Doc

Chau Phu, dédié à un mandarin mort en 1829, date de 1926. De nombreuses tablettes mortuaires y côtoient des œuvres d'art colorées.

Aux environs : l'un des sites les plus sacrés du Vietnam, le **mont Sam**, dresse sa silhouette conique haute de 230 m à 6 km au sud-ouest de Chau Doc. À sa base, au nord, deux éléphants gardent l'entrée de la **pagode Tay An**. Elle renferme une multitude de statues peintes de couleurs vives. Non loin, le **temple de la déesse Chua Xu** abrite une grande statue de pierre richement vêtue. Des vitrines protègent les parures et les bijoux offerts par les fidèles. La colline porte une multitude de petits sanctuaires. Le panorama est spectaculaire : les rizières du Vietnam s'étendent à l'est, et les plaines du Cambodge à l'ouest.

Ha Tien ⑬

Carte routière B6. 300 km à l'O. de Hô Chi Minh-Ville ; 90 km au N.-O. de Rach Gia. 🏙 *95 000.* 🚌 *depuis Hô Chi Minh-Ville et Chau Doc.* 🚤 *depuis Chau Doc et l'île de Phu Quoc.* 🚌 ℹ️ *Kien Giang Tourist, 14, Phuong Thanh, (077) 851 929.*

Entourée de buttes calcaires au bord du golfe de Thaïlande, cette ville de pêcheurs jouit de l'un des plus beaux cadres du delta du Mékong. Un pont flottant construit par l'armée américaine franchit le

Statue de Quan Am à l'entrée du temple Thach Dong, Ha Tien

débouché du bassin d'eau de mer appelé lac de l'Est (Dong Ho). Réservé aux piétons et aux cyclistes, il conduit au quartier le plus animé, autour du marché. Ha Tien n'est devenue vietnamienne qu'au XVIIIe siècle. C'est un seigneur d'origine cantonaise, Mac Cuu, qui l'arracha aux Cambodgiens puis aux Siamois pour la léguer à son fils en 1736. À l'ouest de la ville, les **tombeaux de la famille Mac** s'étagent au flanc de la colline Nui Lang. Sur son côté nord, la **pagode de Phu Dung** renferme d'élégantes sépultures et de beaux panneaux en haut relief.

Aux environs : à environ 4 km à l'ouest de la ville, à mi-chemin du sommet d'une formation karstique *(p. 182),* le **temple Thach Dong** se niche dans un réseau de grottes. La plus grande abrite une pagode. Une statue de la déesse bouddhique Quan Am se dresse près de l'entrée.

Non loin, une **stèle de la Haine** commémore le massacre de 130 civils par les Khmers rouges en 1978. Le sanctuaire renferme aussi une image de l'Empereur de Jade taoïste. Environ 30 km séparent au sud-ouest Ha Tien de la paisible station balnéaire de **Hon Chong**. À l'extrémité sud de la plage, dans la pagode Hang, les stalactites sonnent comme des tuyaux d'orgue. À une heure de bateau, au large, l'île de Nghe abrite un sanctuaire troglodytique au pied d'une haute statue.

Maisons flottantes, Chau Doc

Île de Phu Quoc ⑭

Carte routière A6. 45 km à l'O.
de Ha Tien. 🏘 *84 000.*
☒ *depuis Hô Chi Minh-Ville.*
⛴ *depuis Rach Gia et Ha Tien.*

Revendiquée par le
Cambodge, la plus grande île
du Vietnam mesure environ
50 km de long, du nord au
sud, pour une largeur
maximale de 20 km. Ses
collines boisées culminent à
603 m d'altitude. Elle joua un
rôle crucial dans l'histoire du
Vietnam en servant de refuge
au prince Nguyen Anh, le
futur empereur Gia Long,
pendant la rébellion des Tay
Son *(p. 41).* C'est là qu'il
obtint le soutien du Français
Pigneau de Behaine, qui lui
permit de reconquérir le pays.

Phu Quoc est encore
préservée, et la ville
principale, **Duong Dong**,
concentre la majeure partie
des infrastructures touristiques.
Ce gros bourg renferme un
marché et l'on peut y visiter
des fabriques de nuoc-mâm.

Le **parc national de Phu Quoc**,
fondé en 2001, protège près
de 70 % des 585 km² de l'île.
Peu de sentiers de randonnée
parcourent ses forêts tropicales,
mais les bassins de son extrémité
sud permettent de se baigner.

À mi-chemin entre
Duong Dong et le parc,
une plantation de poivriers
se visite à **Khu Tuong**.

Parmi les
superbes plages de
l'île, **Bai Truong**, sur
la côte sud-ouest, est
la plus connue. Bordée
par de nombreux hôtels,
elle ménage de splendides
couchers de soleil.
Au nord, de petites
structures d'hébergement
se nichent dans les anses
de **Bai Ong Lang**, plus sauvage.
À courte distance au large,
Hon Doi Moi offre aux plongeurs
sous-marins, ou au tuba, un
récif de corail. Il en existe un
autre autour des îles d'**An Thoi**,
qui prolongent la pointe sud
de Phu Quoc, frangée à l'est
par les splendides plages de
sable blanc de **Bai Sao** et **Bai
Dam**. Deux-roues et matériel
de pêche et de plongée sont
en location à Duong Dong, où
les moto-taxis sont nombreux.

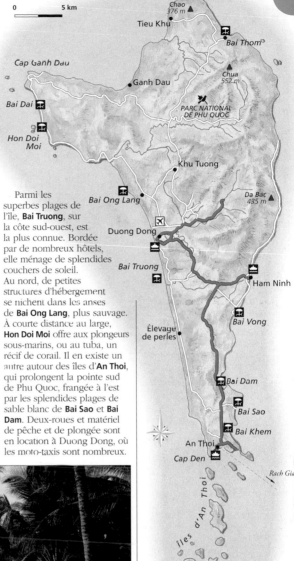

Barques de pêcheurs, cocotiers et sable fin à Bai Truong

Légende des symboles
voir rabat arrière de couverture

LÉGENDE

▬▬ Route principale

═══ Route secondaire

--- Ligne de ferry

LA CÔTE ET LES HAUTS PLATEAUX DU SUD

Cette région correspond au sud du territoire jadis contrôlé par le royaume du Champa. De belles plages de sable et des villes et villages de pêcheurs jalonnent le littoral. Sur les hauts plateaux de l'intérieur, plusieurs minorités ethniques s'efforcent de préserver leurs coutumes. Seules les villes de Dalat et Nha Trang sont touristiques.

Enrichi par le commerce maritime, le Champa de culture hindoue s'imposa à partir du IVe siècle comme un puissant État régional. À son apogée, il s'étendait à l'ouest jusqu'à la frontière cambodgienne, au nord jusqu'au col Ngang et au sud jusqu'aux approches du delta du Mékong. Sa puissance s'affaiblit à partir du XIe siècle et les Viet annexèrent principauté après principauté dans leur marche vers le sud. Au XVIIIe siècle, seul le Panduranga, de Phan Rang à Phan Tiet, conservait son autonomie. Il la perdit en 1832. Le royaume a laissé comme vestiges les ruines caractéristiques de temples construits au sommet de collines. Une minorité cham vit toujours à Phan Rang-Thap Cham ; elle célèbre en grande pompe son nouvel an, Kate, au début de l'automne.

Le sud du littoral recèle certaines des plus belles plages du pays. À Phan Thiet, une station balnéaire se développe sur la bande de sable blanc longue de 18 km qui s'étend jusqu'au village de Mui Ne. Plus au nord, le port de pêche de Nha Trang jouit d'une réputation méritée pour les produits de la mer. Une vaste gamme d'activités nautiques est proposée dans son petit archipel. Des hameaux authentiques et des plages souvent désertes s'offrent à qui prend le temps de continuer de remonter la côte sans se presser. À l'intérieur des terres, l'ancienne station de villégiature de Dalat a conservé son charme colonial et attire de nombreux touristes vietnamiens. Sur les hauts plateaux du centre, les villes de Buon Ma Thuot et Kontum permettent de partir à la découverte des villages d'ethnies montagnardes comme les Mnong, les Ede et les Jarai. Leurs édifices traditionnels comprennent les spectaculaires *nha rong* des Bahnar.

La région a beaucoup souffert pendant la guerre du Vietnam. À Son My, un musée et un mémorial entretiennent le souvenir d'une des pires atrocités du conflit : le massacre de My Lai.

Terrasses de cultures maraîchères sur les pentes fertiles de Dalat

◁ Barque de livraison dans le port de pêche de Nha Trang *(p. 108-110)*

À la découverte de la côte et des hauts plateaux du Sud

Avec ses plages aisément accessibles, ses stations balnéaires, ses villages de pêcheurs et, au nord, ses ruines cham, la longue bande littorale attire beaucoup plus de visiteurs que l'intérieur des terres.
Sur les hauts plateaux, la kitsch Dalat possède les meilleurs établissements d'hébergement.
En s'élevant vers la frontière cambodgienne, Buon Ma Thuot constitue une base acceptable d'où partir visiter les villages de communautés montagnardes et la plus grande réserve naturelle du pays, le parc national de Yok Don. Dans la région peu fréquentée de l'accueillante Kontum, l'accès à certaines zones est soumis à autorisation.

Les chutes de Dambri, au sud-ouest de Dalat

Tours cham remarquablement préservées de Po Klong Garai, Phan Rang-Thap Cham

LA CÔTE ET LES HAUTS PLATEAUX DU SUD D'UN COUP D'ŒIL

Villes
Buon Ma Thuot **8**
Dalat **6**
Kontum **10**
Nha Trang **5**
Phan Rang-Thap Cham **4**
Phan Thiet **2**
Quang Ngai **13**
Quy Nhon **11**
Sa Huynh **12**

Plage
Plage de Mui Ne **3**

Sites naturels
Lac Lak **7**
Mont Ta Cu **1**

Parc national
Parc national de Yok Don **9**

0   50 km

Symboles de la carte *voir rabat arrière de couverture*

CIRCULER

Les deux grandes voies de circulation, la route 1 et la ligne de chemin de fer Hô Chi Minh-Ville-Hanoi, suivent le littoral où des bus de luxe et une nuée de minibus affrétés par des hôtels ou des voyagistes permettent de se déplacer facilement. La route 27 entre le littoral et Dalat est superbe. Il est plus difficile de s'enfoncer plus loin sur les hauts plateaux. Il existe des dessertes en minibus, mais une moto ou une voiture avec chauffeur offre plus de liberté. Malgré les améliorations apportées à la route 14 depuis Hô Chi Minh-Ville, elle reste sinueuse et pentue au nord de Buon Ma Thuot.

LÉGENDE

▬▬	Route principale
▭▭▭	Route secondaire
∿∿∿	Voie ferrée
▬▬	Frontière internationale
▬▬	Frontière provinciale
△	Sommet

VOIR AUSSI

• *Hébergement* p. 237-238

• *Restaurants* p. 254-255

Barque de pêcheur sur la plage de Doc Lech, au nord de Nha Trang, sur la péninsule de Hon Khoi

Image du Bouddha accédant au nirvana sur le mont Ta Cu

Mont Ta Cu ❶

Carte routière C6. 130 km au S. de
Phan Thiet. 🚌 🛈 *(062) 869 109.*

Haute de 650 m, cette
montagne sacrée s'élève dans
une zone plate et aride et
ménage par temps clair une
vue spectaculaire du
littoral. Les pagodes
Linh Son Truong Tho
et **Linh Son Long
Doan**, fondées à la
fin du XIXᵉ siècle,
accueillent les
dévotions des
nombreux
bouddhistes qui
s'y rendent en
pèlerinage.

   C'est toutefois
une attraction plus
récente qui motive la venue
de la majorité des visiteurs,
presque tous vietnamiens : un
bouddha couché long de 49 m.
Sculpté en 1962, ce serait le
plus grand du pays. Il faut
compter deux heures de marche
à pied pour l'atteindre depuis
le bas de la colline. Un
téléphérique de conception
suisse permet d'éviter cet effort.
La gare de départ se trouve
près de la route 1. La dernière
cabine redescend à 16 h 30.

**Vendeur ambulant
sur la plage**

Phan Thiet ❷

Carte routière C6. 1 200 km à l'E.
de Hô Chi Minh-Ville. 👥 *175 000.*
🚌 🚃 🛈 *Binh Thuan Tourist,
82, Trung Trac, (062) 816 821.*
🎏 *Festival international de course
de bateaux-dragons (26-27 avr.).*
www.binhthuan.vn

La capitale de la province du
Bin Thuan s'étend sur les rives
de la Ca Thy et la pêche y

reste une activité importante.
Renommé dans tout le pays,
son nuoc-mâm a la réputation
d'être aussi bon que celui de
Phu Quoc *(p. 101)*. Pour les
visiteurs résidant sur la plage
voisine de Mui Ne, Phan Thiet
est le centre urbain le plus
proche. La ville appartenait
jadis au Panduranga,
la dernière
principauté cham à
garder un semblant
d'autonomie jusqu'à
son absorption par
l'empereur Minh
Mang en 1832.
Les Cham forment
toujours une part
relativement
importante de la
population locale.
Pour eux, la cité garde
le nom de Malithit.

Aux environs : à 7 km du
centre-ville, dans le quartier
de Phu Hai, le **temple de
Poshanu** se dresse sur une
colline dominant Phan Thiet
et la mer. Il en subsiste
principalement les ruines
de deux tours sanctuaires,
ou *kalan*, et d'un templion.

Il s'agit des exemples
d'architecture cham les
plus méridionaux du pays.
Ils comptent aussi parmi
les plus anciens souvenirs
du royaume du Champa,
car leur construction remonte
au VIIIᵉ siècle.

Plage de Mui Ne ❸

Carte routière C6. E. de Phan Thiet.
🚃 🚌 🚗 🛈 *(062) 748 155.*

À la sortie est de Phan Thiet,
une bande de sable blanc
ombragée par des cocotiers
s'étend sur une longueur de
près de 20 km jusqu'à la
péninsule de Hon Lao et le
petit village de pêcheurs de
Mui Ne. L'étroite route 706 qui
la longe en rend la majeure
partie aisément accessible.

   La réputation de ce petit
paradis tropical proche de
Hô Chi Minh-Ville s'est forgée
dans les années 1990, quand
il est devenu une retraite
appréciée des routards en
quête de tranquillité. Cette
période est révolue et la plage,
l'une des plus belles au sud de

Dunes de sable de la plage de Mui Ne

Nha Trang, connaît aujourd'hui un développement constant. Des dizaines de complexes hôteliers s'élèvent au bord de l'eau. Cependant, un grand nombre des petits lieux d'hébergement ont survécu.

Les activités possibles comprennent la baignade, le bain de soleil et, entre août et janvier, le surf et la planche à voile. Les fonds, dénués de récif de corail, ne se prêtent pas à la plongée. Le **Suo Tien**, ou fontaine de la Fée, coule à peu près à mi-chemin entre Phan Thiet et le village de Mui Ne. Remonter ce cours d'eau permet une jolie promenade à qui est prêt à marcher dans son lit peu profond.

En continuant à l'est, la route finit par s'écarter du littoral. À cet endroit, un sentier conduit au nord jusqu'à des dunes où des enfants louent des luges de fortune.

Au **village de Mui Ne**, les cuves de macération du nuoc-mâm bordent les rues et emplissent les jardins. Les pêcheurs débarquent leurs prises le matin. Les acheteurs les attendent avec leurs camionnettes sur la plage.

Les marchandages ne manquent pas de pittoresque. La flotte alimente aussi le village en excellents poissons et fruits de mer.

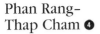

Phan Rang-Thap Cham ❹

Carte routière C5. 105 km au S. de Nha Trung. 🏠 *150 000*. 🚉 🚌 ℹ️ *45, Bac Ai, (068) 888 116.* 🎎 *nouvel an cham (sept. ou oct.).*

Sur une aride bande côtière réputée pour la production de raisin de table et de pitayas (fruits du dragon), cette ville jumelle est une importante plaque tournante routière et ferroviaire entre les provinces du littoral et Dalat et les hauts plateaux du centre. Le nom de « Thap Cham », qui signifie « tours cham », fait référence à deux sanctuaires fondés à l'époque du royaume

Kalan bien conservé de Po Klong Garai

du Champa et de la principauté du Panduranga.

De **Po Klong Garai** subsistent quatre tours en brique au sommet d'une colline. Construit au XIIIe siècle par le roi Jaya Simhavarman III, le temple principal, ou *kalan*, arbore au-dessus de l'entrée une sculpture de Shiva.

Mukhalinga de Po Klong Garai

Sa danse symbolise les cycles de destruction et de recréation de l'univers.

À l'intérieur, le visage du dieu, représenté sous les traits d'un roi cham, apparaît sur un *mukhalinga* toujours objet de vénération. Le vestibule abrite une statue de sa monture, le bœuf Nandi. Les paysans lui font des offrandes dans l'espoir d'obtenir de bonnes récoltes. Pour les célébrations du nouvel an cham, des groupes de musiciens et danseurs traditionnels se produisent à l'intérieur de l'enceinte.

Mieux vaut disposer d'une moto pour se rendre au second site, plus difficile d'accès. **Po Ro Me** porte le nom du roi qui en commanda

la construction au XVIIe siècle, alors que le Panduranga était en déclin. Le souverain est représenté sous forme déifiée dans le *kalan*.

À 6 km à l'est de Phan Rang s'étend la **plage de Nin Chu**, jadis réservée à l'usage personnel du président Nguyen Van Thieu (1967-1975).

🏛️ **Po Klong Garai**
Route 27, 6 km à l'O. de Thap Cham. **Tél.** *(068) 888 116.* ⭕ *t.l.j. du lever au coucher du soleil.* ♿

🏛️ **Po Ro Me**
14 km au S. de Thap Cham. ⭕ *t.l.j. du lever au coucher du soleil.*

Inscriptions cham à l'entrée du *kalan* de Po Klong Garai

Nha Trang ⑤

Shiva, tours cham de Po Nagar

Important port de pêche et cité animée, Nha Trang est aussi la première destination balnéaire du Vietnam, et les visiteurs y disposent d'hôtels de tout standing et d'un large éventail de restaurants de poisson. Une élégante promenade domine la plage municipale, où des vendeurs ambulants circulent parmi les vacanciers prenant un bain de soleil. La vie sociale locale a pour pôle le marché central, Cho Dam. Les infrastructures touristiques se trouvent en majorité plus au sud. Les attractions des alentours comprennent les sources chaudes de Thap Ba et le port de Cau Da, d'où partent les bateaux pour les îles de la baie.

Barques circulaires mises au sec sur la plage municipale de Nha Trang

🏯 Pagode Long Son

23, Thang 10. **Tél.** (058) 816 919.
◯ t.l.j. 7h30-20h
Le lieu de culte bouddhiste le plus fréquenté de la ville se dressait à l'origine au sommet de la colline Tray Hui, située au sud de Nha Trang, mais un typhon le détruisit au début du XXᵉ siècle. Sa dernière restauration remonte à 1940. Il est aujourd'hui dédié à la mémoire des bonzes qui périrent

Grand bouddha assis de la pagode Long Son

victimes des persécutions du gouvernement du président Ngô Dinh Diem (1955-1963) ou qui s'immolèrent pour les dénoncer. La pagode reste un monastère en activité. Le bâtiment principal renferme des fresques illustrant la vie du Bouddha.
De style distinctement sino-vietnamien avec ses parements de mosaïques de céramique et ses dragons qui courent sur ses toits, il

s'adosse à la colline. Au sommet, une image en pierre blanche d'un bouddha assis sur une fleur de lotus mesure 14 m de hauteur. Elle date des années 1960. Il faut gravir 155 marches pour accéder à la statue, d'où s'ouvre un magnifique panorama de la ville et de la campagne environnante, des montagnes jusqu'à la mer. L'escalier passe devant un autre grand bouddha blanc, couché cette fois. Un artisan thaïlandais le sculpta en 2003.

✝ Cathédrale de Nha Trang

31A, Thai Nguyen. **Tél.** (058) 822 335. **Offices** tous les jours
Édifié en blocs de béton entre 1928 et 1934, le siège du diocèse de Nha Trang ne compte pas parmi les grandes réussites du style néogothique français. Éclairée par de beaux vitraux, la nef possède cependant plus de grâce que n'en laisse présager l'aspect

fortifié que donnent au bâtiment les créneaux de la tour et des arcades latérales. Le clocher renferme trois cloches fondues en France en 1786. Le cimetière, jadis attenant au sanctuaire, a été désaffecté pour permettre l'extension de la gare ferroviaire.

🏖 Plage municipale

Deux promontoires abritent la plage de sable blanc longue de près de 7 km qui s'étend au sud de l'estuaire de la Cai. L'avenue Tran Phu la longe d'un bout à l'autre. Plantée de cocotiers, elle ménage une belle vue de la baie et offre un cadre très agréable à une promenade. Hôtels et restaurants ne cessent d'ouvrir du côté terre. Entre la chaussée et la mer, de nombreux cafés et petits kiosques de nourriture invitent à une pause.

🏛 Musée Alexandre-Yersin

10, Tran Phu. **Tél.** (058) 822 355.
◯ t.l.j. 8h-11h, 14h-16h30. 📷
Né en Suisse, Alexandre Yersin (1863-1943) effectua des études médicales à Paris et obtint la nationalité française en 1889. Il travailla à l'Institut Pasteur, puis entreprit l'exploration de l'Annam à partir de 1890. Il découvrit ainsi le plateau qu'il recommanda pour la fondation de la station de Dalat en 1897. En 1894, il identifia à Hong Kong le bacille de la peste bubonique. Le Vietnam lui

Cathédrale néogothique construite en blocs de béton

Pour les hôtels et les restaurants de la région, voir p. 237-238 et p. 254-255

Tour nord (Thap Chinh) et tour centrale (Thap Nam) de Po Nagar

doit l'acclimatation du quinquina, plante péruvienne dont est tirée la quinine. Dans la reconstitution d'une de ses demeures, une exposition légendée en français retrace sa vie. À côté, l'institut Pasteur reste un centre de recherche et de fabrication de vaccins.

🍃 Estuaire de la Cai
La flotte de pêche de la ville s'amarre au débouché du fleuve qui longe le centre au

nord. Un pont offre un point de vue privilégié sur ses beaux bateaux en bois peints en bleu et rouge *(p. 102)*. Pour circuler de l'un à l'autre, les marins se déplacent avec adresse dans de curieuses petites barques circulaires en vannerie calfatée.

🏛 Tours cham de Po Nagar
Rive nord de la Cai.. **Tél.** *(058) 831 569.* 🚌 ⬜ *t.l.j. 6h-18h.* 📷
Dédié au culte de la déesse Yang Ino Po Nagar, considérée comme la protectrice de la

MODE D'EMPLOI

Carte routière C5. 450 km au N. de Hô Chi Minh-Ville. 🚶 *300000.* ✈ *34 km au S. à Cam Ranh.* 🚌 🚌
ℹ *Khanh Hoa Tourist Company, 1, Tran Hung Dao St. (058) 526 753.* 🎎 *Fête de Po Nagar (mi-avr.).*

ville par les bouddhistes viet et chinois et les Cham hindous, le sanctuaire, édifié entre le VIIIe et le XIIe siècle par les souverains de la principauté du Kauthara, compta jusqu'à huit tours. Quatre restent debout. Thap Chinh, la tour nord, date de 817. Elle renferme une image de la déesse Uma aux dix bras, l'une des formes données à Shakti, la parèdre du dieu Shiva. Celui-ci danse à l'entrée sur le dos de sa monture sacrée, le bœuf Nandi. De taille plus réduite, la tour centrale et la tour sud abritent chacune un linga. Des sculptures en brique ornent l'extérieur de la petite tour sud-ouest. D'un *mandapa*, ou salle de méditation, ne subsistent que des colonnes. Un musée moderne expose des objets de la culture cham.

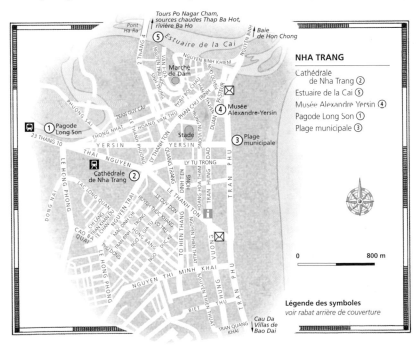

NHA TRANG

0   800 m

Légende des symboles
voir rabat arrière de couverture

Vedettes proposant des promenades aux îles de Nha Trang, Cau Da

🔱 Baie de Hon Chong

4 km au N. de Nha Trang.
Tél. *(058) 832 189.* 🚗 ⬜ *t.l.j.*
6h30-18h30. 📷
À la sortie nord de Nha Trang,
un chaos de gros blocs de
granit forme un promontoire
qui protège une anse en demi-
lune. L'un des rochers porte
cinq indentations, dont la
tradition locale fait l'empreinte
de la main d'un géant.

Plusieurs villages de pêcheurs
nuisent à la propreté de la
plage et la rendent impropre à
la baignade. C'est toutefois un
bon endroit où venir manger
du poisson à prix raisonnables
et jouir d'une jolie vue. Au sud
s'étend la baie, à l'ouest, Nui
Co Tien, la montagne de la
Déesse, dont la forme évoque
un corps de femme.

Sources chaudes de Thap Ba

10 km au N.-O. de Nha Trang.
Tél. *(058) 835 335.* 🚗
⬜ *t.l.j. 7h30-19h30.* 📷
Le centre thermal de Thap Ba
propose des bains d'une boue
riche en chlorure de silicate de
sodium censée avoir un effet
bénéfique sur l'arthrite et les

Bain de boue collectif aux sources
chaudes de Thap Ba

rhumatismes. Déstressante,
elle faciliterait aussi la
relaxation. La technique la
plus populaire consiste à se
recouvrir entièrement, puis à
s'exposer au soleil jusqu'à ce
que la boue soit sèche avant
de se rincer avec une eau
minérale naturellement chaude.
Différents types de massages
sont aussi proposés. Il n'est pas
nécessaire de s'inscrire à un
soin pour accéder à la piscine.

Cascade alimentant un bassin de
la rivière Ba Ho

🐟 Rivière Ba Ho

25 km au N. de Nha Trang. 🚗
La Suoi Ba Ho coule sur le
flanc du mont Hon Long
(1 342 m) puis bifurque à l'est
pour rejoindre la mer de Chine
méridionale. Elle s'élargit
pour former trois bassins
communicants et alimentés par
une eau fraîche et revigorante.
Des cascades les relient. Mieux
vaut se munir de vivres et
de boissons (il n'y a pas de
boutiques sur place). Le site,
idéal pour un pique-nique
au bord de l'eau, jouit d'une
grande popularité auprès des
habitants des environs, qui s'y
pressent le week-end.

Cau Da

3 km au S. du centre de Nha Trang.
🏛 **Institut océanographique**
national *Tél. (058) 590 036.* ⬜ *t.l.j.*
6h-18h. 📷 **Villas de Bao-Dai**
Tél. *(058) 590 1478.*
📷 *pour les non-résidents.*
Protégé du vent par le mont
Chut, appelé ici Nui Chut,
le faubourg de Cau Da
abrite le principal
embarcadère pour les îles
de la baie.

Près du port, l'**Institut**
océanographique national
occupe un bâtiment colonial
de 1923. Il possède plusieurs
bassins et aquariums et
expose des spécimens
naturalisés.

Au nord des quais, les
villas de Bao-Dai offrent une
belle vue. Ces cinq demeures
auraient été commandées
dans les années 1920 par
le dernier empereur de
la dynastie Nguyen. Des
influences Art nouveau
marquent leur style franco-
vietnamien. Après la Seconde
Guerre mondiale, elles
servirent de résidences de
villégiature à des membres
du gouvernement sud-
vietnamien. À partir de
1975, de hauts dignitaires
du Parti communiste
les remplacèrent. Restaurées,
elles sont transformées en
un établissement hôtelier
assez décevant. Un service
régulier de bac relie Cau Da
au village de pêcheurs de
Tri Nguyen sur **Hon Mieu**,
la plus proche des îles de
l'archipel. L'aquarium local
ressemble beaucoup à une
ferme d'aquaculture. Un café
dominant les bassins en béton
sert des plats de poisson. Bai
Soi est une plage de galets.

Pour les hôtels et les restaurants de la région, voir p. 237-238 et p. 254-255

Les plages autour de Nha Trang

La station balnéaire de Nha Trang doit son attrait aux nombreuses plages de sable qui s'étendent au nord, ainsi qu'aux charmantes îles qui lui font face au large. Des excursions d'une journée, dont le prix comprend souvent un repas dans un restaurant de poisson et de la bière à profusion, sont proposées. Les activités permises par les destinations les plus paisibles, comme Dai Lanh et Hon Lao, l'île aux Singes, comprennent la baignade, le bain de soleil et la plongée au tuba. Dans les îles de l'archipel, le programme peut inclure des distractions plus sophistiquées, comme le ski nautique, le parachutisme ascensionnel et l'apéritif dans un bar flottant.

Plongée au tuba au large de Hon Hong

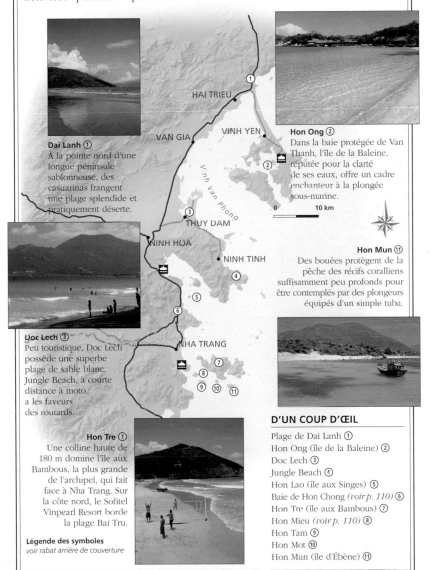

Dai Lanh ①
À la pointe nord d'une longue péninsule sablonneuse, des casuarinas frangent une plage splendide et pratiquement déserte.

HAI TRIEU

VAN GIA

VINH YEN

Hon Ong ②
Dans la baie protégée de Van Thanh, l'île de la Baleine, réputée pour la clarté de ses eaux, offre un cadre enchanteur à la plongée sous-marine.

Vinh van phong

③ THUY DAM

NINH HOA

NINH TINH

0   10 km

Hon Mun ⑪
Des bouées protègent de la pêche des récifs coralliens suffisamment peu profonds pour être contemplés par des plongeurs équipés d'un simple tuba.

④

⑤

⑥

NHA TRANG

⑦

⑧

⑨ ⑩ ⑪

Doc Lech ③
Peu touristique, Doc Lech possède une superbe plage de sable blanc. Jungle Beach, à courte distance à moto, a les faveurs des routards.

Hon Tre ⑦
Une colline haute de 180 m domine l'île aux Bambous, la plus grande de l'archipel, qui fait face à Nha Trang. Sur la côte nord, le Sofitel Vinpearl Resort borde la plage Bai Tru.

Légende des symboles
voir rabat arrière de couverture

D'UN COUP D'ŒIL

Plage de Nha Trang bordée de palmiers ▷

Dalat

Dalat est une ville très fleurie

Sur un plateau exploré en 1893 par Alexandre Yersin *(p. 108)*, alors qu'il cherchait un lieu propice à la culture du quinquina, le gouvernement colonial décida au tournant du XIXᵉ siècle de créer une station d'altitude où les Européens pourraient échapper à la chaleur des plaines. Ce « petit Paris » où se dresse une tour Eiffel miniature a traversé presque intact les conflits qui ont déchiré le pays. Son charme kitsch attire aujourd'hui par dizaines de milliers les touristes vietnamiens comme étrangers. Les jeunes mariés en voyage de noces ne manquent pas de se rendre à la vallée de l'Amour et au lac des Soupirs *(p. 116)*. La cascade de Datanla est également très populaire. Il faut une voiture pour se rendre aux chutes de Dambri et de Bo Bla.

Embarcations à pédales en forme de cygne sur le lac Xuan Huong

La « maison folle » aux formes étranges sculptées en béton projeté

🌸 Lac Xuan Huong

Un barrage construit en 1919 a créé le plan d'eau artificiel en forme de croissant qui donne à la ville son atmosphère de station thermale. Jadis appelé « Grand lac » par les Français, il a été rebaptisé en l'honneur de Ho Xuan Huong *(p. 15)*, la poétesse du XVIIᵉ siècle réputée pour ses évocations de l'amour et du désir. Son nom signifie « essence du printemps ». On peut se promener à sa surface dans des pédalos en forme de cygne ou dans des kayaks plus classiques. Sa rive longue de 7 km permet une agréable promenade à pied ou à bicyclette. Au nord, elle longe le **jardin des Fleurs**.

🏛 Cathédrale de Dalat

Tran Phu et Tran Quoc Toan Sts. **Tél.** *(063) 821 421.* ⏱ *office une fois par jour en semaine, 2 fois le dimanche.*
Consacré à saint Nicolas, le siège de l'évêché, édifié entre 1931 et 1942, répondait aux besoins créés par l'accroissement d'une congrégation où de nombreux convertis locaux venaient s'ajouter aux colons.
Il succédait à deux églises. La première, bâtie en 1917, est devenue le presbytère. L'école Quang Trung occupe la seconde, élevée en 1922. Les vitraux, achevés en 1940, proviennent d'une verrerie grenobloise. La flèche mesure 47 m de hauteur.

La cathédrale de Dalat fut achevée en 1942

⊞ Pension et galerie d'art de Hang Nga (Crazy House)

3, Huynh Thuc Khang. **Tél.** *(063) 822 070.* ⏱ *t.l.j. 7h-18h.* 📷
À la fois hôtel, lieu d'exposition et café, la « maison folle », selon son appellation locale, offre un raccourci de ce que tous les visiteurs aiment ou détestent à Dalat. Du béton projeté sur une armature de grillage et de bois forme des arbres géants accessibles par des échelles et creusés de passages et de pièces biscornus. Nains et champignons géants peuplent le jardin. L'ensemble est pour certains une monstruosité et pour d'autres, un charmant petit Disneyland. Un modique droit d'entrée permet de jeter un coup d'œil à l'intérieur des chambres inoccupées.

Hang Nga, la propriétaire et architecte, est la fille de Truong Chinh, qui fut un idéologue influent du Parti communiste jusqu'en 1987.

⊞ Pagode Lam Ty Ni

2, Thien My. **Tél.** *(063) 821 775.* ⏱ *t.l.j. 8h30-18h30.*
La forme d'excentricité souriante qui caractérise Dalat ne s'arrête pas aux portes de ses temples. Si la pagode Lam Ty Ni n'a rien de particulier sur le plan architectural, son unique occupant, le bonze Vien Thuc, ne manque pas d'originalité. Il occupe la pagode depuis 1964, en compagnie de chiens affectueux qui saluent de leurs aboiements les nouveaux arrivants. Quand il n'est pas en train de lire ou d'écrire de la poésie zen, il coule des bustes

éton, généralement à son gie. C'est aussi le créateur olifique de calligraphies et e paysages oniriques. Il parle e français, rêve de parcourir le monde et, de l'avis général, tire un juteux profit de ses œuvres et de celles, plus maladroites, de ses disciples de passage.

🏛 Palais d'été de Bao-Dai

1, Trieu Viet Vuong. **Tél.** (063) 826 858. ○ t.l.j. 7h-17h30.

Le dernier empereur de la dynastie des Nguyen (p. 43), aussi dépourvu de pouvoir que de goût pour les responsabilités gouvernementales, vécut à Dalat de 1938 à 1945 avec son épouse, l'impératrice Nam Phuong, et divers membres de sa famille. Il consacra son temps à la chasse et aux conquêtes féminines.

Construite entre 1933 et 1938, sa résidence de 25 pièces a conservé son mobilier d'époque. Un buste de Bao-Dai orne son ancien bureau et la salle de réunion abrite une carte du Vietnam gravée dans du verre. Luxueusement décorés, les appartements privés ménagent une belle vue des jardins à la française.

🚉 Gare de Dalat

1, Quang Trung St, depuis Nguyen Trai. **Tél.** (063) 834 409. Départs t.l.j. 8h, 9h30, 14h, 15h30. 📷

Bâti en 1936 sur le modèle de la gare de Deauville, ce pittoresque édifice colonial n'a rien perdu de son charme Arts déco. La ligne jusqu'à Thap Cham (p. 107) n'a pas survécu aux attaques du Viêt-công (p. 44-45), mais une micheline russe effectue des allers-retours (17 km) jusqu'au village de Trai Mat.

🏛 Musée du Lam Dong

4, Hung Vuong. **Tél.** (063) 822 339. ○ mar.-sam. 7h30-11h30, 13h30-16h30. 📷

Le musée provincial occupe une élégante villa de style français construite en 1935. L'impératrice Nam Phuong y résida. Certaines pièces exposées sont très anciennes : elles remontent à la préhistoire. Elles comprennent des poteries de la période d'Oc-èo et des instruments de musique, dont un lithophone vieux de plusieurs milliers d'années. Des costumes et des objets du quotidien illustrent les modes de vie des minorités ethniques du Lam Dong.

🏛 Pagode Thien Vuong

4 km du centre de Dalat sur Khe Sanh.

Sur le flanc d'une colline boisée, des éventaires proposant des confitures et des fruits secs jalonnent le sentier menant à ce temple plus orthodoxe que Lam Ty Ni. Bâti en 1958 par la communauté chinoise, il se compose de trois bâtiments en bois. Le sanctuaire principal renferme trois sculptures en santal doré hautes de 4 m. La déesse de la Miséricorde Quan Am et le bodhisattva Dai The Chi Bo Tat encadrent Thich Ca, le Bouddha historique.

Bouddha en santal doré, Thien Vuong

MODE D'EMPLOI

Carte routière C5. 310 km au N. de Hô Chi Minh-Ville. 🚍 140 000. ✈ 🚉 🚌 ℹ Dalat Travel Service, 7, 3 Thang 2 St, (063) 822 125.

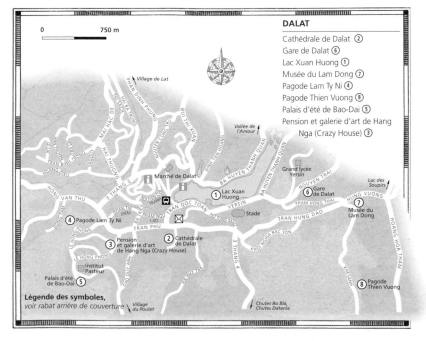

DALAT

0   750 m

Village de Lat

Vallée de l'Amour

Village de Lat

PHAN DINH PHUNG
BUI THI XUAN
MAI HAC DE
HAI THUONG
HOANG DIEU
HONG VAN THU
3 THANG 2
DINH TIEN HOANG
BA HUYEN THANH QUAN
PHAM NGOC THACH
PHAM HONG THAI
NGUYEN TRAI
TRAN HUNG DAO
HUNG VUONG
HOANG HOA THAM
KHE SANH
LE HONG PHONG
DAO DUY ANH
3 THANG 4
KHOI NGHIA BAC SON
TRAN PHU
YERSIN
HOANG VAN THU
LE THAI TO

Marché de Dalat
Grand lycée Yersin
Lac des Soupirs
Lac Xuan Huong ①
⑥ Gare de Dalat
Stade
Musée du Lam Dong ⑦
④ Pagode Lam Ty Ni
Pension et galerie d'art de Hang Nga (Crazy House) ③
② Cathédrale de Dalat
Institut Pasteur
Palais d'été de Bao-Dai ⑤
⑧ Pagode Thien Vuong
Village du Poulet
Chutes Bo Bla, Chutes Datanla

Légende des symboles, *voir rabat arrière de couverture*

🏞 Chutes de Datanla

5 km au S. de Dalat, route 20.
Tél. (063) 831 804. 🚗 🔵 t.l.j. 📷
À courte distance de la ville,
dans les collines boisées de
pins situées au sud-ouest de
Dalat, cette double cascade
qui s'enfonce dans un étroit
ravin attire de nombreux
touristes vietnamiens, en
particulier le week-end.
Depuis la route 20, il faut
compter 15 mn à pied pour
atteindre le site. Le manque
d'eau rend le déplacement
sans intérêt en saison sèche.

Statue en béton à l'origine du
surnom du village du Poulet

🏘 Village du Poulet

18 km au S. de Dalat près de
la route 20. 🚗
Devenu une curiosité
touristique grâce au colossal
gallinacé en béton qui le
domine, le village appelé
localement Lang Ga est habité
par des membres de l'ethnie

Co Ho. Ils tirent une maigre
subsistance de la culture des
fruits et du café et de la vente
des tissus qu'ils fabriquent. Les
autocars des visites organisées
empruntent la route entre Dalat
et la côte s'y arrêtent pour
permettre à leurs passagers
de regarder les femmes tisser.
Habituées aux contacts avec
les étrangers, à qui elles
proposent leur production,
les villageoises parlent
très bien l'anglais.

🏘 Village de Lat

10 km au N. de Dalat. 🚗
Les neuf hameaux qui forment
le village de Lat sont peuplés
surtout par une minorité
ethnique appartenant au
groupe des Co Ho, mais
ils abritent aussi des Ma
et des Chill. Leurs habitants
christianisés pour la plupart,
conservent leurs maisons
traditionnelles sur pilotis.
Ils se sont habitués à voir des
touristes intéressés par leurs
tissages et leurs broderies.
Les visiteurs se voient offrir
une tasse de thé vert pendant
qu'ils regardent les femmes
à l'œuvre. Malgré la qualité de
leurs créations et la chaleur de
l'accueil, on peut marchander.

🏞 Vallée de l'Amour

5 km au N. de Dalat.
Tél. (063) 821 448. 🔵 t.l.j. 📷
Dévolue au tourisme de masse,
la vallée de l'Amour, ou
Thung Lung Tinh Yeu, connaît
surtout du succès auprès
des Vietnamiens, notamment
les jeunes mariés en voyage
de noces. Le site, partiellement
inondé en 1972 pour créer

Bateau de promenade près des
chutes de la vallée de l'Amour

un lac, ne manque pas
d'une certaine beauté, mais
les boutiques de souvenirs
et l'atmosphère bruyante
déprécient le site. Des poneys
permettent d'effectuer
de courtes balades et de
se faire prendre en photo.

🏞 Lac des Soupirs

6 km à l'E. de Dalat. 🚗
C'est l'autre attraction qui fait
de Dalat un haut lieu de la
lune de miel. Ce joli plan d'eau
devrait son nom à la femme
qui s'y jeta au XVIIIᵉ siècle
parce qu'elle se croyait
abandonnée par son fiancé ;
celui-ci était en fait enrôlé dans
l'armée. Le vent porterait ses
soupirs. Cafés et commerces
bordent l'une des rives.
On peut y louer des pédalos
et faire des promenades
en voiture à cheval.

🏞 Chutes de Dambri et de Bo Bla

Dambri : 85 km au S.-O. de Dalat,
près de la route 20 ; Bo Bla : 80 km
au S.-O. de Dalat sur la route 28. 🚗
🔵 t.l.j. 7h-17h. 📷
La plus spectaculaire des
cascades accessibles de la
région tombe en un immense
rideau d'une falaise haute de
90 m. Pour rejoindre le
sommet à pied, il faut gravir
une pente abrupte, mais un
téléphérique permet de
s'épargner cet effort. En amont
de la cataracte, on peut
parcourir un petit lac en
bateau. Un arrêt aux chutes
de Bo Bla, au sud de Di Linh,
complétera agréablement une
excursion à Dambri.

Maison typique de l'un des hameaux du village de Lat

Pour les hôtels et les restaurants de la région, voir p. 237-238 et p. 254-255

ac Lak ❼

Carte routière C5. 32 km au S. de
Buon Ma Thuot sur la route 27.
Tél. (050) 586 184. 🚗 🍴 🖥

Au centre du plateau
basaltique du Dak Lak, ce
vaste lac serein séduisit jadis
l'empereur Bao-Dai, qui fit
construire un pavillon
de chasse sur une colline
en offrant une belle vue.
Un hôtel occupe aujourd'hui
le bâtiment. Peu de visiteurs
s'arrêtent en ce lieu encore
préservé du tourisme de
masse. Il constitue pourtant
une excellente étape sur
la route de montagne entre
Dalat et Buon Ma Thuot.
Deux villages mnong bordent
ses rives. Leurs habitants
ont conservé leurs maisons
sur pilotis et leur mode
de vie traditionnel. Ils
proposent des promenades à
dos d'éléphant. Normalement,
il faut réserver la veille.

Rizières en bordure du lac Lak

Buon Ma Thuot ❽

Carte routière C5. 195 km au N.-E.
de Nha Trang. 🏠 *190 000.* ✈
ℹ *Dak Lak Tourist, 3, Phan Chu
Trinh, (050) 85,8.*

La capitale de la province du
Dak Lak offre une excellente
base d'où rayonner à la
découverte des lacs, des
cascades, des forêts pluviales
et des villages de tribus
montagnardes des hauts
plateaux.

Les Viet, ou Kinh, forment
aujourd'hui la majorité de
la population locale, mais
les membres de quelque
30 ethnies minoritaires
habitent toujours des hameaux
éparpillés dans toute la
province. Les deux groupes
les plus nombreux, les Ede
et les Mnong, sont des peuples
indigènes. Ils donnent des
noms légèrement différents à
la ville, respectivement « Buon
Ma Thuot » et « Ban Me Thuot »,
mais leur signification est unique :
« village du père de Thuot ».

La productivité des
plantations de la région place
le Vietnam en deuxième
position, derrière le Brésil,
des pays exportateurs de café.
Une visite ne manque pas
d'intérêt. En centre-ville,
le **monument de la Victoire**
commémore la dernière
grande bataille de la guerre
du Vietnam avant la prise
de Saigon. Un groupe sculpté
perché au sommet d'un haut
pilier domine un socle portant
la réplique du premier char
nord-vietnamien qui entra
le 10 mars 1975 dans Buon
Ma Thuot. La chute de la clé
stratégique des hauts plateaux
sema la déroute dans
les troupes sud-vietnamiennes.

Le **Musée révolutionnaire**
développe les conséquences
de cette défaite dans le
déroulement du conflit.
Le **musée des Minorités
ethniques** présente davantage
d'intérêt. Les pièces exposées
permettent de se familiariser
avec les coutumes
et les artisanats traditionnels
des ethnies locales avant
de partir à leur rencontre
dans leurs villages.

🏛 **Musée révolutionnaire**
1, Le Duan. ⬤ *t.l.j. 8h-11h.* 📷

🏛 **Musée
des Minorités ethniques**
4, Nguyen Du. **Tél.** (050) 850 426.
⬤ *t.l.j. 7h-11h, 13h30-17h.* 📷

Aux environs : à 14 km au
sud-ouest de Buon Ma Thuot,
le petit village de Tur, proche
de la route 14, compte parmi
les communautés les plus
aisément accessibles. Cette
société de quelque 200 000
personnes est matrilinéaire ;
c'est l'homme qui emménage
dans la demeure de son
épouse après le mariage.
Agrandies au gré des besoins,
les maisons ont une forme
allongée. Elles reposent sur
des pilotis, l'espace sous le
plancher servant à entreposer
du bois et à abriter divers
animaux domestiques. Près
du village coule le puissant
Dak Krong, également appelé
rivière Sérépok. Il pénètre
au Cambodge, où il se jette
dans le Mékong. Les rapides
de Trinh Nu sont à voir.
En amont, les chutes de Dray
Nur, Dray Sap et Gia Long
font pénétrer dans un
territoire plus sauvage.

Le **village de Buon Tuo**,
à 13 km au nord-ouest de
Buon Ma Thuot, renferme
aussi de longues maisons
typiques de l'habitat ede.

**Plantation de caféiers près de Buon
Ma Thuot**

Nha rong au haut toit de chaume caractéristique, Kontum

Parc national de Yok Don ❾

Carte routière C5. 40 km au N.-O. de Buon Ma Thuo. **Tél.** (050) 783 049. 🚌 minibus depuis Buon Ma Thuot. 🚌 🏊 🧗 🍴 🖥 📷

Le plus vaste des parcs nationaux vietnamiens s'étend à la frontière cambodgienne sur une superficie de 115 000 ha. Le Dak Krong, ou rivière Sérépok, le traverse. Parmi les 67 espèces de mammifères qu'il protège, 38 sont menacées de disparition. On a peu de chances d'apercevoir des tigres ou des léopards, mais les éléphants sauvages font des apparitions, même s'ils sont moins d'une centaine. Les activités organisées proposées par le parc comprennent des randonnées à pied, des descentes en canoë et des promenades à dos d'éléphant d'une demi-journée. Ces dernières incluent le passage à un village mnong. À l'entrée de la réserve naturelle, plusieurs boutiques vendent de l'artisanat et des pots scellés d'alcool de riz local. Une *guest-house* rustique permet de loger sur place. Il faut réserver. Le plus isolé des monuments cham, baptisé **Thap Yang Prong**, est situé juste au-delà de la frontière nord du parc ; il est difficile d'accès si l'on ne dispose pas d'un véhicule. L'édifice fournit une indication de l'extension atteinte à l'ouest par l'ancien royaume du Champa aux XIIIe et XIVe siècles.

Kontum ❿

Carte routière C4. 200 km au N.-E. de Quy Nhon. 🚶 95 000. 🚌 🚌 🛈 *Kontum Travel Service, 2, Phan Dinh Phung St, (060) 861 626.*

Gros bourg isolé dans un cirque montagneux, au bord de la rivière Dakbla, la capitale de la province de Kontum jouit d'un climat agréablement tempéré. Elle est restée longtemps fermée au tourisme et reçoit peu de visiteurs. Ces derniers viennent le plus souvent pour profiter des beautés naturelles des alentours et se rendre dans les villages des minorités ethniques. Malgré les dégâts causés par des bombardements intensifs pendant la guerre du Vietnam, la ville a conservé quelques devantures de style français. Les premiers missionnaires y arrivèrent en 1851 et, sur Nguyen Hue, dans le centre, une belle église en bois de 1913 se dresse à côté d'un *nha rong*, une maison communautaire. Dans la même rue, un saint Georges aux traits vietnamiens terrasse un dragon chinois sur la façade de l'église Tan Huong. Dans une ancienne école catholique française, le **musée du Séminaire** présente de l'artisanat et des costumes de tribus montagnardes.

Les peuples de la région comprennent les Jarai, les Sedang, les Rongao et les Bahnar *(p. 20)*. Respectivement situés à 5 km à l'est et à 4 km à l'ouest de Kontum, le village bahnar de **Kon Kotu** et le village rongao de **Kon Hoano** offrent d'intéressants buts de promenade à travers un joli paysage de champs de canne à sucre et de manioc.

🏛 **Musée du Séminaire**
56, Tran Hung Dao. ⏲ lun.-ven. 7h30-10h30, 14h-16h. 🌐

Quy Nhon ⓫

Carte routière C5. 220 km au N. de Nha Trang. 🚶 27 000. ✈ 🚌 🚌 🚌 🛈 *Binh Dinh Tourist, 4, Phan Chu Chinh St, (056) 892 524.*

Important port de pêche bordant une jolie baie, la capitale de la province de Binh Dinh sert principalement d'étape sur le trajet entre Nha Trang et Hoi An. Son temple le plus fréquenté, la **pagode Long Khan**, se trouve en plein centre sur la rue Tran Cao Van.

Fondée au début du XVIIIe siècle et reconstruite en 1946, elle est consacrée à Thich Ca, le Bouddha historique. Il existe une plage en ville, mais les plages qui s'étendent à environ 5 km au sud, dont

Thap Doi Cham au sein d'un jardin soigneusement entretenu, Quy Nhon

Offrandes au pied d'un bouddha, pagode Long Khan, Quy Nhon

Bai Hoang Hau, la plage de la Reine, se révèlent plus paisibles et plus agréables. À 1,5 km à l'est du centre, les **Thap Doi Cham**, ou « tours cham jumelles », possèdent des toitures pyramidales de style khmer. Elles mesurent 18 et 20 m de hauteur et remonteraient à la fin du XIIᵉ siècle.

Aux environs : remarquablement conservées, les quatre tours cham de Banh It, ou tours d'Argent, se dressent sur une colline près de la route 1 à environ 20 km au nord de Quy Nhon.

En continuant dans la même direction, on atteint les maigres vestiges de Cha Ban, l'ancienne capitale de la principauté cham de Vijaya. Fondée vers l'an 1000, elle ne résista pas aux troupes du Dai Viet, et sa destruction en 1470 marqua la fin de l'existence du Champa en tant que royaume. Il n'en subsiste que des pans de muraille et la tour de Canh Tien.

Épi de toit, pagode Long Khan, Quy Nhon

fréquentée et les vagues y déferlent avec assez de puissance pour permettre la pratique du surf. La ville doit sa renommée à la culture dite de Sa Huynh (1000 av. J.-C. –200 apr. J.-C.), à l'origine du royaume du Champa.

La découverte en 1909 de 200 urnes funéraires contenant des objets en bronze ouvrit la voie à la mise au jour de nombreux autres vestiges dans la région. Aucun des objets n'est accessible au public sur place ; il faut se rendre au musée d'Histoire de Hanoi (p. 162-163) ou au petit musée de la Culture de Sa Huynh situé à Hoi An (p. 125).

Sa Huynh ⑫

Carte routière C4. 60 km au S. de Quang Ngai. 🏠 50 000.
🚆 🚌 🚗 ℹ️ (055) 860 454.
🎏 fête de la pêche (déb. mai).

Cet agréable petit port de pêche permet de déguster d'excellents produits de la mer, mais il ne possède pas d'établissement d'hébergement digne de sa belle plage de sable bordée de cocotiers. Celle-ci reste relativement peu

Quang Ngai ⑬

Carte routière C4. 180 km au N. de Quy Nho. 🏠 112 000. 🚆 🚌 🚗
ℹ️ Quang Ngai Tourist, 310, Quang Trung St, (055) 822 836.

Capitale provinciale assoupie, Quang Ngai ne présente pas d'intérêt pour le visiteur en dehors de sa proximité avec Son My. Elle permet néanmoins de faire étape au cours d'un long trajet sur la route 1.

Aux environs : c'est à Son My, à 15 km à l'est de Quang Ngai, que s'est déroulé en 1968 le carnage universellement connu sous le nom de « massacre de My Lai ». Sur le site du hameau martyr de Tu Cung, au sein d'un **parc mémorial**, un musée en granit sombre retrace le déroulement de la tragédie. Il expose notamment les photographies qui choquèrent le monde entier et contribuèrent à retourner l'opinion américaine, jusque-là majoritairement favorable à la poursuite de la guerre. Les moto-taxis offrent le meilleur moyen de s'y rendre. Trois kilomètres plus à l'est, la **plage de My Khe** est encore préservée, mais pour un temps seulement, car des hôtels sont en construction en bordure de cette longue bande de sable blanc frangée de casuarinas.

MASSACRE DE MY LAI

Le 16 mars 1968, trois compagnies d'infanterie de l'armée américaine attaquèrent quatre hameaux du sous-district de Son My soupçonnés de collusion avec le Viêt-công. En trois heures, l'unité sous l'autorité du lieutenant William Calley massacra 504 civils désarmés, en majorité des femmes et des enfants, commettant le pire des crimes de guerre dont l'existence a été révélée au Vietnam. L'un des soldats alla jusqu'à se tirer une balle dans le pied pour ne pas participer aux atrocités. Une cour martiale condamna Calley à la prison à perpétuité, mais il ne passa que trois ans en détention avant d'être libéré sur l'ordre du président Nixon. Il n'y eut pas d'autre sanction.

Monument au massacre de My Lai à Tu Cung, près de Quang Ngai

LE VIETNAM CENTRAL

Entre les sommets boisés de la cordillère de Truong Son, à l'ouest, et les plages de sable blanc de la mer de Chine méridionale, à l'est, le centre du Vietnam est une terre de contrastes. L'Unesco a inscrit au patrimoine de l'humanité quatre de ses richesses naturelles et historiques : l'impressionnante grotte de Phong Nha, les temples cham de My Son, la citadelle de Huê et le quartier ancien de Hoi An.

La culture du riz et la pêche restent les activités principales dans les zones habitées de la région, qui sont pour l'essentiel concentrées dans une étroite bande côtière. Les reliefs de la cordillère de Truong Son, qui sépare le Vietnam du Laos, dominent l'arrière-pays. Point de passage historique, le col de Hai Van (col des Nuages) ménage une vue exceptionnelle. Non loin, le parc national de Bach Ma protège une faune et une flore d'une grande richesse. Dans les contreforts au nord-ouest de Dong Hoi s'ouvre la grotte de Phong Nha.

Le patrimoine architectural compte trois sites à ne pas manquer. La ville ancienne de Hoi An conserve des bâtiments construits par des marchands japonais, chinois et français. Certains remontent au XVI\e siècle. À Huê, la citadelle et les tombeaux royaux de la dynastie des Nguyen (1802-1945) témoignent des fastes de la cour des derniers souverains vietnamiens. À My Son subsistent les ruines des temples, construits entre le VII\e et le XII\e siècle, du plus grand centre religieux cham.

La guerre du Vietnam a marqué Huê et My Son. Les combats furent aussi très violents plus au nord, comme le rappelle une visite de l'ancienne zone démilitarisée (DMZ), de la vallée où la base américaine de Khe Sanh subit un siège de plusieurs mois ou des tunnels de Vinh Moc creusés par des villageois contraints par les bombardements de vivre sous terre. Les hameaux de Hoang Tru et Kim Lien abritent des reproductions des maisons où Hô Chi Minh vit le jour et passa une grande partie de son enfance.

Quatre des neuf urnes dynastiques entretenant chacune le souvenir d'un empereur, citadelle de Huê

◁ **Rue bordée de boutiques installées dans des maisons historiques à Hoi An** *(p. 124-129)*

À la découverte du Vietnam central

Réputé pour ses sites historiques, le centre du Vietnam se distingue aussi par la beauté de ses paysages. Sur la route entre Huê et Da Nang, le col de Hai Van (col des Nuages), entouré de collines et de vallées verdoyantes, ménage un panorama spectaculaire. Au sud du col, 40 km seulement séparent la charmante ville de Hoi An des ruines de My Son, le plus grand centre religieux cham. Au nord du col, l'ancienne capitale impériale de Huê est la meilleure base d'où partir à la découverte d'une région très marquée par la guerre du Vietnam, notamment au niveau de la zone démilitarisée. Deux belles plages, à Thuan An et Lang Co, permettent de profiter de la mer près de la ville. La grotte de Phong Nha offre un agréable but d'excursion.

Élégant intérieur de la maison Phung Hung *(p. 124)*, Hoi An

LE VIETNAM CENTRAL D'UN COUP D'ŒIL

Localités

Station de Ba Na **4**
Da Nang **5**
Dong Hoi **14**
Hoi An p. 124-129 **1**
Huê p. 138-145 **10**
Kim Lien **16**

Sites historique et militaires

Zone démilitarisée (DMZ) **12**
Base de Khe Sanh **11**
My Son p. 130-132 **2**

Plages

China Beach **3**
Plage de Lang Co **8**
Plage de Thuan An **9**

Sites naturels

Grotte de Phong Nha **15**
Suoi Voi **7**

Parc national

Parc national de Bach Ma **6**

Tunnels

Tunnels de Vinh Moc **13**

LÉGENDE

— Route principale
⋯ Route secondaire
⋯ Voie ferrée
▬ Frontière internationale
— Frontière provinciale
△ Sommet

VOIR AUSSI

• *Hébergement* p. 238-240
• *Restaurants* p. 255-257

0   25 km

Bateaux-dragons sur les rives de la rivière des Parfums *(p. 148)*, Huê

CIRCULER

Louer une voiture constitue le meilleur moyen de se déplacer à l'intérieur de la région. Les minibus permettent de passer d'une destination à une autre ou d'effectuer des excursions d'une journée, jusqu'à la DMZ ou le col de Hai Van, par exemple. Le train de la Réunification dessert les principales localités entre Hô Chi Minh-Ville et Hanoi. Hoi An et Huê se prêtent bien à une découverte à pied ou à bicyclette. Nous vous conseillons de prendre un bateau au quai de la rue Le Loi pour une promenade sur la rivière des Parfums. Les hôtels et les agences de voyages proposent une large gamme de visites organisées.

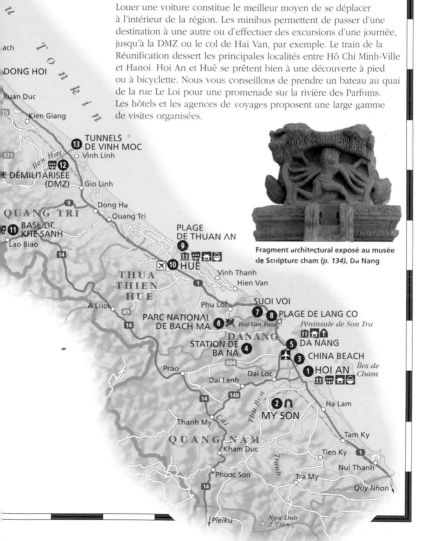

Fragment architectural exposé au musée de Sculpture cham *(p. 134)*, Da Nang

Hoi An ❶

Poterie, musée de la
Culture de Sa Huynh

Sur la rive nord de la rivière Thu Bon, l'ancienne cité cham de Fai Fo fut du XVIᵉ au XIXᵉ siècle un grand port international où résidèrent des marchands chinois, japonais et européens. Leur apport architectural, sans équivalent au Vietnam, lui vaut d'être inscrite au patrimoine mondial de l'humanité depuis 1999. Elle renferme des centaines de bâtiments anciens, dont de longues et étroites maisons-tubes *(p. 27)*, de riches demeures patriciennes, des temples chinois, les maisons communes de congrégations et des sanctuaires privés. Un petit quartier français a été récemment restauré.

**Autel au dieu taoïste Bac De,
pont couvert japonais**

🏛 Maison Phung Hung
4, Nguyen Thi Minh Khai.
Tél. *(0510) 862 235.* ⏰ *t.l.j.
8h-11h30, 13h30-17h.* 🗝
La même famille habite depuis huit générations cette maison construite en 1780 et

**Images de divinités chinoises,
maison Phung Hung**

protégée par le statut de monument historique.
Le clan fit fortune dans le commerce des bois parfumés et des épices et vendit de la porcelaine et de la soie dans la boutique en façade. Soutenu par 80 piliers en bois de fer, le bâtiment obéit à un plan de style vietnamien, mais il possède une toiture à quatre pans japonaise et une véranda intérieure chinoise.

🏛 Pont couvert japonais
Croisement de Tran Phu et Nguyen Thi Minh Khay. ⏰ *t.l.j. du lever au coucher du soleil.* 🗝
La prospère communauté marchande japonaise installée au XVIᵉ siècle à Hoi An commanda en 1593 la

construction de ce gracieux ouvrage d'art reposant sur des voûtes de pierre *(p. 126)*, pour relier le quartier qu'elle occupait au quartier chinois. Un petit affluent de la Thu Bon les séparait.
Commencés en année du singe, les travaux durèrent trois ans et s'achevèrent en année du chien, ce que rappellent les statues d'animaux aux deux extrémités. Hoi An perdit brutalement ses résidents japonais après que le shogun Tokugawa Iemitsu eut promulgué en 1635 un édit interdisant à ses sujets tout voyage à l'étranger.
Le pont a conservé son apparence d'origine malgré de nombreuses restaurations.

HOI AN

LÉGENDE

◻ Quartier pas à pas : *voir p. 126-127*

DA NANG

PHAN DINH PHUNG   TRAN HUNG DAO   TRAN HUNG DAO

MY SON

PHAN CHU TRINH

⑦ Maison de culte de la famille Tran

Plage de Cua Dai

Temple Phuc Kien
⑨ ⑩ Temple de Quan Cong ⑪ Maison commune du Hainan

Phung Hung ①
② Pont couvert japonais
③ Maison commune du Quang Dong
④ Musée de la Culture de Sa Huynh
Musée des Céramiques de commerce ⑧
⑥ Maison Quang Tang
⑫ Marché central
⑬ Handicrafts Workshop

⑤ Maison Tan Ky

Pont piéton An Hoi

Pont Cam Nam

ÎLE DE AN HOI

Rivière Thu Bonr

0   400 m

Légende des symboles *voir rabat arrière de couverture*

La dernière, en 1986, lui a rendu sa chaussée piétonnière en dos d'âne. Le petit temple qui en occupe la partie nord porte au frontispice une inscription signifiant « pont pour les passants venus de loin », un nom attribué en 1719 par le mandarin Lai Vien Kieu. Dans le pagodon, une effigie de la divinité taoïste Bac De domine l'autel.

⚑ Maison commune du Quang Dong

176, Tran Phu. ◯ t.l.j. 7h30-17h. 🖼

Les Vietnamiens appellent Quang Dong la province chinoise du Guangdong, qui a pour capitale la ville de Canton. Des bas-reliefs et des tentures décorent le bâtiment construit en 1786 par des marchands cantonais. L'autel principal est dédié au guerrier déifié Quan Cong *(p. 67)*, reconnaissable à son visage rouge, la couleur symbolisant la loyauté pour les Chinois. L'autel qui se trouve à gauche sert au culte de Thien Hau, la déesse de la Mer.

🏛 Musée de la Culture de Sa Huynh

149, Tran Phu. **Tél.** *(0510) 861 535.* ◯ t.l.j. 7h30-17h. 🖼

La culture qui se développa entre 1000 av. J.-C. et 200 apr. J.-C. dans la région de l'actuel petit port de Say Huynh *(p. 119)*, à 160 km au sud de Hoi An, travaillait le fer et nous a laissé des urnes funéraires qui contenaient, outre les cendres des défunts, des objets tels que bijoux, céramiques, outils et ustensiles de cuisine. Ils témoignent d'échanges commerciaux d'une grande ampleur pour l'époque. Un élégant édifice de style franco-vietnamien en abrite une sélection.

♨ Maison Tan Ky

101, Nguyen Thai Hoc. **Tél.** *(0510) 861 474.* ◯ t.l.j. 7h30-17h. 🖼

La première des habitations de Hoi An qui bénéficia du statut de monument historique offre un superbe exemple de maison-boutique sino-

vietnamienne du XVIIIe siècle. Elle présente aussi des influences japonaises avec son toit soutenu par des supports à triple poutre. La charpente repose sur des colonnes que des socles en pierre protègent de l'humidité. Des briques importées de Bat Trang, dans le delta du fleuve Rouge, forment le dallage. Dans la salle de réception, des colonnes portent de splendides incrustations de nacre.

♨ Maison Quan Thang

77, Tran Phu. ◯ t.l.j. 7h30-17h. 🖼

Cette maison-boutique offre un exemple typique du soin apporté à la construction des demeures traditionnelles hoianaises. Édifiée au début du XVIIIe siècle par un riche capitaine marchand originaire du Fujian, elle reste occupée par ses descendants depuis six générations. Elle possède une façade sombre en teck et une toiture couverte de tuiles de style chinois. Depuis le magasin bordant la rue, on accède à une cour intérieure. Des bas-reliefs en stuc représentant des arbres et des fleurs en décorent les murs. Au-delà, une étroite terrasse sert à la cuisine. Remarquez la délicatesse des sculptures

Sculpture sur bois, Qang Dong

MODE D'EMPLOI

Carte routière C4. 790 km au S. de Hanoi. 🚌 *80 000.* 🚉 *depuis Da Nang.* 🚐 🚕 🛈 *Hoi An Tourist Office, 12, Phan Chu Trinh, (0510) 861 276.* 🎎 *fête des lanternes (chaque mois).* **www.**hoianworldheritage.org **Billets :** *l'office de tourisme vend les billets d'accès aux monuments du vieux quartier.*

sur bois des fenêtres, des volets et des balustres.

⚑ Maison de culte de la famille Tran

21, Le Loi. **Tél.** *(0510) 861 723.* ◯ t.l.j. 7h30-17h. 🖼

Un beau jardin entoure la chapelle bâtie en 1802 par un mandarin de l'empereur Gia Long, Tran Thu Nac, pour le culte de ses ancêtres. Ses descendants guident la visite. Ils appartiennent à la 13e génération depuis que les membres de la lignée émigrèrent de Chine au XVIIIe siècle pour s'installer au Vietnam. Le sanctuaire associe des éléments de styles différents *(p. 129)*.

Il possède trois portes. La porte centrale destinée aux ancêtres n'est ouverte que lors des réunions familiales et des célébrations du Têt. Sur l'autel principal, des tablettes commémoratives voisinent avec des reliquaires en bois.

Cour intérieure de la maison Tan Ky

Le vieux quartier de Hoi An pas à pas

Grand comptoir commercial jusqu'au XIXᵉ siècle, Hoi An
doit à l'ensablement de son port, sur la rivière Thu Bon,
d'avoir échappé à la modernisation en perdant sa prospérité,
puis d'avoir été préservée des bombardements par
manque d'intérêt stratégique pendant la guerre du Vietnam.
Elle conserve un ensemble remarquable de bâtiments
historiques marqués par les croisements de plusieurs
cultures. Des règlements d'urbanisme très stricts
les protègent et limitent l'accès du quartier ancien
aux véhicules. Celui-ci renferme aussi un large éventail
de commerces proposant tous les produits qui fondent
la réputation du pays. Une atmosphère décontractée
et d'agréables cafés contribuent à la popularité de cette
destination touristique très prisée, en particulier l'été.

Intérieur sino-vietnamien de la
maison de culte de la famille Tran

★ **Maison commune cantonaise**
*Également connu sous le nom de
maison commune du Quang
Dong (p. 125), ce bâtiment
datant de 1885 abrite des
peintures traditionnelles
chinoises, comme cette gracieuse
représentation de la déesse
de la Miséricorde.*

Vers la maison de culte
de la famille Tran

★ **Pont couvert japonais**
*Cet ouvrage d'art de 1593 témoigne
de l'intérêt porté au développement de
la ville par la communauté japonaise,
qui y prospéra jusqu'au repli sur
lui-même de l'empire du Soleil,
Levant édicté en 1635.*

LÉGENDE

– – – Itinéraire conseillé

À NE PAS MANQUER

★ Maison commune
  cantonaise

★ Maison Tan Ky

★ Pont couvert japonais

Le musée de la Culture de Sa Huynh occupe
une maison coloniale et expose des poteries
et des objets funéraires façonnés par les membres
d'une société vieille de quelque 2 000 ans.

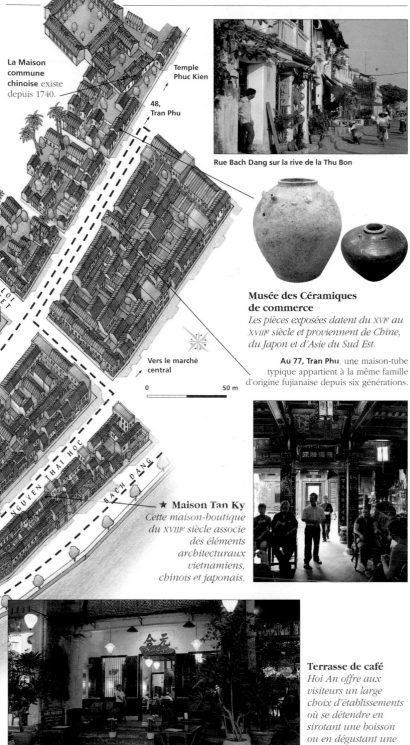

La Maison commune chinoise existe depuis 1740.

Temple Phuc Kien

48, Tran Phu

Rue Bach Dang sur la rive de la Thu Bon

Vers le marché central

0   50 m

LOI TET

NGUYEN THAI HOC

BACH DANG

Musée des Céramiques de commerce
Les pièces exposées datent du XVIe au XVIIIe siècle et proviennent de Chine, du Japon et d'Asie du Sud Est.

Au 77, Tran Phu, une maison-tube typique appartient à la même famille d'origine fujianaise depuis six générations.

★ Maison Tan Ky
Cette maison-boutique du XVIIIe siècle associe des éléments architecturaux vietnamiens, chinois et japonais.

Terrasse de café
Hoi An offre aux visiteurs un large choix d'établissements où se détendre en sirotant une boisson ou en dégustant une excellente cuisine.

🏛 Musée des Céramiques de commerce

80, Tran Phu. **Tél.** *(0510) 862 944.*
⭕ *t.l.j. 7h30-17h.* 📷
L'exposition, dans une maison-boutique, évoque le passé commercial de Hoi An et la place de la céramique du XVIᵉ au XVIIIᵉ siècle. Plusieurs pièces proviennent des épaves de navires naufragés, entre autres près des îles Cham, au large de l'embouchure de la Thu Bon.

La façade très colorée du temple Phuc Kien

🔴 Temple Phuc Kien

46, Tran Phu. **Tél.** *(0510) 861 252.*
⭕ *t.l.j. 7h30-17h.* 📷
La maison commune, financée par des marchands qui avaient fui la province chinoise du Fujian après la chute de la dynastie Ming en 1644, abrite un temple dédié à Thien Hau, déesse de la Mer et protectrice des navigateurs. Elle préside au-dessus de l'autel principal, dans la première salle. Ses deux assistants possèdent respectivement une vue perçante et une ouïe très fine afin de pouvoir la prévenir quand un naufrage se produit. À droite de l'autel, une maquette représente une jonque chinoise du XVIIᵉ siècle. Une pièce au fond renferme un autel consacré aux pères fondateurs, représentés assis.

🔴 Temple de Quan Cong

24, Tran Phu. **Tél.** *(0510) 862 945.*
⭕ *t.l.j. 7h-18h.*
Dans ce lieu de culte fondé en 1653, une impressionnante statue dorée représente le général chinois du IIIᵉ siècle Quan Cong, intégré au panthéon taoïste pour sa droiture et sa justice. Deux gardes du corps l'entourent. Des baldaquins protègent ses deux montures, un cheval blanc et un cheval rouge.

🏛 Maison commune du Hainan

10, Tran Phu. **Tél.** *(0510) 940 529.*
⭕ *t.l.j. 7h30-17h.*
La communauté des immigrants de l'île chinoise de Hainan commanda cet édifice en 1875. Elle le dédia à la mémoire de 108 compatriotes accusés à tort de piraterie et exécutés par les Vietnamiens en 1851. Devant l'autel, un relief en bois doré représente des scènes de la cour chinoise.

🔵 Marché central

Entre Tran Phu et Bach Dang. ⭕ *t.l.j. du lever au coucher du soleil.*
Ce marché très animé est agréable le matin. Il occupe deux ruelles qui courent au sud de Tran Phu jusqu'au bord de la rivière Thu Bon, où circulent petites et grosses embarcations. Les éventaires proposent une somptueuse gamme de produits frais. Les étals à l'est du quai ont pour spécialité le poisson et la viande. Le principal intérêt pour les visiteurs réside néanmoins dans les soieries vendues par les boutiques de tissus et de vêtements *(p. 264)*. Des tailleurs réalisent des tenues sur mesure en moins d'une journée.

🏛 Handicrafts Workshop

9, Nguyen Thai Hoc. **Tél.** *(0510) 910 216.* ⭕ *t.l.j. 7h-18h.* 📷 *mar.-dim.*
www.hoianhandicraft.com
La fabrication de lanternes en soie tendue sur une armature

Fabrication de lanternes au Handicrafts Workshop

en bambou compte parmi les spécialités de Hoi An. Cet atelier permet non seulement de regarder les artisanes travailler, mais également d'essayer de les imiter sous une direction avisée. L'établissement accueille aussi des récitals de musique traditionnelle interprétée notamment au *dan bau* *(p. 24)*. La cour intérieure offre un cadre original où prendre un rafraîchissement.

🏖 Plage de Cua Dai

4 km à l'E. de Hoi An.
⭕ *t.l.j. 8h-17h.*
Aisément accessible en vélo, en prenant la rue Cua Dai qui prolonge Tran Hung Dao, une belle plage de sable fait face à l'archipel des îles Cham. On peut s'y rafraîchir dans de petits restaurants et certains des meilleurs hôtels de la ville la bordent. Ils comprennent le Victoria Hoi An Beach Resort and Spa *(p. 240)*, le Hoi An Riverside Resort *(p. 239)* et l'Ancient House *(p. 239)*.

Bain de soleil sur la plage de Cua Dai

Pour les hôtels et les restaurants de la région, voir p. 238-240 et p. 255-257

Styles architecturaux de Hoi An

L'histoire a légué à Hoi An une architecture remarquablement éclectique, due aux apports culturels des marchands étrangers. En effet, les conditions climatiques de la région contraignaient ces derniers à des séjours prolongés dans ce grand port commercial. Des Japonais fondèrent au XVIᵉ siècle une communauté à l'ouest du pont couvert, tandis que le centre et l'ouest de la cité

accueillirent plusieurs implantations chinoises. Les Français donnèrent un cachet colonial à la partie sud-est de la ville.

Ces influences variées se marièrent harmonieusement avec les canons esthétiques vietnamiens. La décrépitude a un temps menacé ce patrimoine unique, mais le retour récent du pays à une certaine prospérité a permis que commence sa réfection.

Symbole taoïste du yin et du yang

Balcon de style européen   **Toit chinois**

Les yeux vietnamiens, ou *mat cua*, protègent le bâtiment et ses habitants des influences malveillantes.

Persiennes françaises

MÉTISSAGE CULTUREL ET ARCHITECTURAL
La cohabitation de cultures d'horizons très divers a abouti à Hoi An à une synthèse d'influences étrangères et locales sans équivalent dans le pays. Elle est particulièrement évidente dans les maisons-tubes. Celles-ci sont d'un modèle classique vietnamien, mais sont dotées de toits de tuiles chinois, de supports de charpente à la japonaise et de lampadaires et de volets à persiennes typiquement français.

Les maisons coloniales *ont l'extérieur souvent peint en ocre jaune et égayé par des boiseries bleues ou vertes. Des balcons couverts et des volets à persiennes animent les façades.*

Les maisons-tubes vietnamiennes *comportent deux cours au décor généralement sophistiqué. La cour extérieure sépare les quartiers professionnels et privés. La cour intérieure accueille les tâches domestiques.*

Le dragon chinois *apparaît partout dans les édifices de Hoi An. Il symbolise la continuité, la puissance, la stabilité et la prospérité.*

La maison de culte de la famille Tran *a plus de deux siècles. Elle associe des éléments architecturaux chinois et vietnamiens sous une toiture soutenue par un support à triple poutre de style japonais.*

My Son ❷

Éléphants en bas-relief sur
la tour B5 du Xᵉ siècle

Le plus grand centre religieux du royaume du Champa resta en activité du IVᵉ au XIIIᵉ siècle. Il est sorti d'un long oubli grâce à sa découverte par des archéologues français à la fin des années 1890. Les traces d'environ 70 temples, construits en brique à partir du VIIᵉ siècle, demeurent visibles. Une vingtaine d'édifices seulement sont encore en bon état. Les spécialistes ont divisé les monuments en 10 groupes, dont les plus importants sont les groupes B, C et D (p. 132). Les bombardiers américains ont presque entièrement rasé le groupe A, qui comprenait un sanctuaire considéré comme le chef-d'œuvre de l'art cham. Les trois étages des tours symbolisent, de bas en haut, la terre, le monde spirituel et le royaume entre la terre et le ciel.

Tour C1
Ce sanctuaire (kalan) dédié à Shiva abritait une statue du dieu représenté debout sous forme humaine. Elle est exposée au musée de Sculpture cham.

Des murets de briques fixées avec du calcaire séparent les groupes B et C.

Ruines de B4
Avec ses pilastres sculptés et ses fausses portes, le style de ce temple dédié à Ganesh, le fils de Shiva à tête d'éléphant, rappelle celui de Dong Duong, un lieu de culte bouddhique cham.

★ Lingam de B1
Symbole phallique de Shiva, le lingam repose sur la yoni, représentation de la féminité. Celle-ci recueillait l'eau versée lors des cérémonies. Le liquide s'écoulait par une fente tournée vers le nord, direction de la prospérité.

Les pilastres sculptés de B5 remontent au VIIIᵉ siècle.

★ Tour B5
L'édifice le mieux conservé du site date du Xᵉ siècle. Il servait au dépôt des objets du culte. Dans la partie basse, des pilastres finement sculptés encadrent des représentations de Gajalaksmi, déesse de la Prospérité.

À NE PAS MANQUER

★ Divinités ornant C1

★ Galerie de D2

★ Lingam de B1

★ Tour B5

★ Divinités ornant C1
Les figures célestes sculptées au VIIIe siècle sur C1 portent de larges ceintures basses d'origine indienne. Les marques d'une influence javanaise révèlent que le style a sans doute transité par l'Indonésie.

MODE D'EMPLOI

Carte routière C4. 40 km au S.-O. de Hoi An. 🚌 minibus depuis Hoi An et Da Nang. 🚗 depuis Hoi An et Da Nang. ⏰ t.l.j. 6h30-16h30. 🎫 Prévoir un chapeau, de l'écran solaire et de l'eau. Ne pas s'éloigner des sentiers.

0   30 m

Chaussée centrale
Un passage surélevé s'étend entre les deux longues salles du groupe D, jadis utilisées pour la méditation, l'accueil des invités et la préparation des offrandes effectuées dans les sanctuaires des groupes B et C.

Statue cham
Les gracieux personnages qui ornent My Son (p. 135) ont été taillés dans la brique et le calcaire

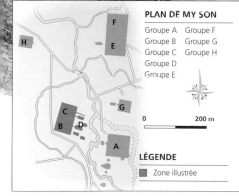

PLAN DE MY SON

Groupe A	Groupe F
Groupe B	Groupe G
Groupe C	Groupe H
Groupe D	
Groupe E	

0   200 m

LÉGENDE

🟥 Zone illustrée

★ Galerie de D2
D2 abrite une petite exposition de fragments sculptés, de figures armées notamment, retrouvés dans les vestiges des bâtiments ravagés par les bombes. Un toit moderne les protège des intempéries.

À la découverte de My Son

Inscrit par l'Unesco au patrimoine mondial de l'humanité, le site se trouve dans une vallée boisée et dominée par le mont My Son, la « belle montagne » également appelée Hon Quap, la « dent de chat ». Malgré des siècles de pillage et les dégâts causés par les bombardements, les ruines constituent le plus important témoignage artistique laissé par le royaume indianisé du Champa. Depuis l'entrée, un sentier conduit tout d'abord aux édifices du groupe B. Le groupe C est moins bien conservé. À l'est, les vastes vestiges du groupe D abritent des sculptures. Il faut beaucoup d'imagination pour apprécier les groupes E, F, G et H très endommagés.

Apsara exposée dans la galerie D2

des statues de Shiva et de son bœuf Nandi en D1 et un Garuda (oiseau fabuleux), un Shiva dansant et des apsaras (génies féminins) en D2.

Ruines du groupe C

Groupe A
Le groupe A comportait 13 édifices comptant parmi les plus intéressants du site avant d'être presque totalement détruits en 1969. En attendant une éventuelle restauration, il n'en reste guère que des décombres. Le monument le plus important, un splendide *kalan* (A1), se distinguait des sanctuaires cham habituels, ouvrant uniquement à l'est, par le fait qu'il possédait aussi une porte à l'ouest, direction associée à la mort. Elle servait peut-être de lien avec les rois, dont les cendres étaient déposées dans les groupes B, C et D. Notez les motifs décoratifs sinueux sur les vestiges de A9.

Groupes B, C et D
Au centre du complexe, le groupe B a pour caractéristique remarquable d'associer des éléments indiens et javanais. Le sanctuaire principal, élevé au XIe siècle, était dédié à Shiva et au roi Bhadravarman, qui avait construit en bois le

premier temple du site au IVe siècle. B6 abrite un petit bassin destiné aux ablutions rituelles. Une image du dieu hindou Vishnou, protégé par les 13 capuchons du serpent de l'Éternité, décore le toit. Seul un mur de brique sépare le groupe B du groupe C dont la tour centrale, C1, restaurée au Xe siècle, incorpore des éléments de remploi comme le tympan et le linteau. Édifiée à la fin du VIIIe siècle, la tour trapue C7 renferme un autel de pierre et constitue un lien architectural entre les styles des anciennes cités cham de Hoa Lai et de Dong Duong. À l'est des groupes B et C, les anciennes salles de méditation (*mandapa*) du groupe D servent à l'exposition de sculptures, dont un lingam et

Groupes E, F, G et H
Les monuments de la partie nord du site sont les plus endommagés, mais leurs ruines très délabrées recèlent quelques beaux exemples de sculpture. Construit entre le VIIIe et le XIe siècle, le groupe E ne suit pas le modèle courant des lieux de culte cham. Le principal *kalan* ne possède pas de vestibule et un seul temple fait face à l'est. À côté, un lingam finement travaillé subsiste à l'autel du groupe F. À la base des maigres vestiges de la tour du groupe G, érigée au XIe siècle, un relief représente Kala, le dieu du Temps. Du groupe H provient un tympan en pierre décoré d'un Shiva dansant aujourd'hui exposé au musée de Sculpture cham de Da Nang (p. 134).

La toiture symbolise la montagne sacré des hindous

Colonnes de pierre

Sculpture d'une divinité

Façade de brique sculptée

Reconstitution du temple A1

Toits de tuiles d'un complexe hôtelier moderne dans les montagnes de la cordillère de Truong Son, station de Ba Na

China Beach ❸

Carte routière C4. 5 km au S.-E. de Da Nang. 🚌 🍴 🖥 🛗

Les longues bandes de sable fin situées entre la montagne de Marbre et la mer de Chine méridionale portent pour les Vietnamiens les noms de My Khe, My An et Non Nuoc. Elles ont toutefois pris aux États-Unis le nom de « China Beach », d'après le titre d'une série télévisée sur la guerre du Vietnam qui connut un grand succès à la fin des années 1980. Les professionnels du tourisme l'ont repris à leur compte dans l'espoir d'attirer des visiteurs étrangers.

Pendant le conflit, les Américains avaient à Da Nang l'une de leurs bases les plus importantes et les plus sûres du Sud-Vietnam, et ils aménagèrent les plages de My Khe et My An en un centre de repos et de distraction pour les soldats en permission.

Vendeur ambulant de snacks et confiseries à China Beach

Il ne reste rien de ces équipements, mais plusieurs boutiques de souvenirs et des restaurants de poisson se sont installés sur le site. Quelques complexes hôteliers haut de gamme sont aussi en cours de construction, en particulier à My Khe. On peut louer des planches pour pratiquer le surf *(p. 272)*, mais la mer est souvent dangereuse.

Station de Ba Na ❹

Carte routière C4. 40 km à l'O. de Da Nang. 🚌 🍴

Souvent enveloppée de brume ou perdue dans un nuage à une altitude de 1 400 m, cette ancienne station de villégiature française offre un havre de fraîcheur à courte distance de Da Nang. À son apogée, au début du XXᵉ siècle, elle renfermait plus de 200 villas et de très nombreux restaurants et clubs. Malheureusement, cet âge d'or ne dura pas. La ville fut vidée de ses habitants par la guerre d'Indochine. Elle suscite depuis peu un regain d'intérêt et les autorités touristiques s'emploient à lui rendre sa vocation de destination de vacances. Les attractions comprennent de vieilles villas coloniales délabrées, des bars à karaoké, un téléphérique, des promenades jusqu'à des cascades et une vue panoramique de Da Nang et de la mer.

SAUVER MY SON

Les sites archéologiques de My Son et Dong Duong comptent parmi les plus grandes pertes non humaines de la guerre du Vietnam. Ils ont particulièrement souffert des bombardements intensifs par l'aviation américaine au moment de l'offensive

Panneau d'avertissement à My Son

du Têt, en 1968 *(p. 45)*. Les archéologues français avaient répertorié près de 70 bâtiments à My Son ; 20 seulement échappèrent à des dégâts irréparables. Philippe Stern, spécialiste reconnu de la culture et de l'art cham, se plaignit amèrement auprès du gouvernement américain. Ces efforts finirent par porter leurs fruits et l'ambassadeur reçut en janvier 1971 l'ordre de prendre toutes les mesures pour préserver le site historique de My Son.

Aujourd'hui, les archéologues s'efforcent, avec l'aide de l'Unesco, de reconstituer ce que les bombes ont réduit en débris. Les Français avaient effectué des relevés architecturaux détaillés, mais ces témoins du passé qui avaient traversé les siècles ont pour une grande part disparu à jamais.

Autel dédié à Quan Am, la déesse de la Miséricorde, pagode Pho Da

Da Nang ❺

Carte routière C4. 110 km au S. de Huê ; 960 km au N. de Hô Chi Minh-Ville. 🚌 *750 000*. ✈ 🚲 *depuis Hanoi, Hô Chi Minh-Ville et Nha Trang.* 🚆 *train de la Réunification depuis Hanoi et Hô Chi Minh-Ville.* 🚌 *depuis Hanoi, Huê, Hô Chi Minh-Ville et Nha Trang.* 🛈 *Da Nang Tourism, 118, Le Loi, (0511) 823 160.* **www.**danang.gov.vn

Située à peu près au milieu de la longue côte orientale du Vietnam, Da Nang, troisième port et quatrième ville du pays, s'étend au fond d'une baie protégée à l'embouchure de la Han. La ville, bien desservie par la route, le rail et l'avion, constitue une bonne plate-forme d'où rayonner dans une région riche en histoire. De belles plages et trois sites inscrits au patrimoine de l'humanité, Hoi An *(p. 124-129)*, My Son *(p. 130-132)* et la citadelle de Huê *(p. 140-143)*, comptent parmi les attraits des environs.
La cité devint importante à la fin du XIXᵉ siècle après sa conquête par les Français en 1858. Elle fut transformée en concession, en 1888, sous le nom de Tourane. Elle profita de l'ensablement du port de Hoi An, mais ne prit son véritable essor qu'avec la création, en 1965, de la plus grande base

aérienne et navale des États-Unis en Asie du Sud-Est.
Le fleuron de Da Nang est le **musée de Sculpture cham**. Fondé en 1915 par l'école française d'Extrême-Orient, il possède la plus belle collection d'art du Champa. Elle comprend, entre autres, des autels, des bustes de divinités hindoues comme Shiva, Brahma et Vishnou et des reliefs illustrant des épisodes de l'épopée du *Ramayana*. Ces pièces datent du VIIᵉ au XIIIᵉ siècle et proviennent des sites proches, dont My Son, Dong Duong et Tra Kieu, la première capitale du Champa.
Édifiée en 1923, la **cathédrale de Da Nang** possède une charmante façade rose dominée par le coq perché sur la croix de la flèche. Le **temple caodaïste** est le plus important après le Saint-Siège de Tay Ninh *(p. 74-75)*. Bâti en 1956, il mêle des influences coloniales et asiatiques. Les autres lieux de culte méritant une visite incluent la **pagode Phap Lam** dédiée à Thich Ca, le Bouddha historique. La **pagode Pho Da** date de 1932. Deux tours à triples toits aux rives débordantes encadrent le sanctuaire, où des images du Bouddha, de Quan Am et de Dai The Chi Bo Tat dominent l'autel principal. L'institution est aussi un centre de formation de moines et de nonnes.

Vitrail de la cathédrale de Da Nang

Le **musée Hô Chi Minh** retrace le parcours du père de la nation et sa lutte pour l'indépendance. La cour renferme du matériel et des véhicules de guerre, ainsi qu'une reproduction de la maison sur pilotis réalisée d'après ses propres plans. Il y vécut les dernières années de sa vie à Hanoi *(p. 168)*.

Aux environs : à 30 km au nord de Da Nang, le **col de Hai Van**, ou col des Nuages, ménage une vue splendide des montagnes de la cordillère de Truong Son dominant les eaux bleues de la baie. À courte distance au sud-est de la ville, cinq collines calcaires dont on extrait une pierre de taille de haute qualité forment les **montagnes de Marbre**.
Plusieurs grottes creusent la plus élevée, Thuy Son, le mont de l'Eau. Elles abritent des sanctuaires bouddhiques et confucéens. À la sortie nord-est de Da Nang, **Nui Son Tra** doit son nom de mont des Singes à sa population de primates. À l'ouest se trouvent les **tombeaux des soldats espagnols et français** tombés au combat lors de la conquête de la ville en 1858.

🏛 **Musée de Sculpture cham**
Angle de Bach Dang et Trung Nu Vuong. **Tél.** (0511) 821 951.
🕐 *t.l.j. 7h-17h.* 📷 📹

🚩 **Temple caodaïste**
63, Hai Phong. **Tél.** (0511) 829 463.
🕐 *t.l.j. 6h-18h.*

🚩 **Pagode Pho Da**
340, Phan Chu Trinh. **Tél.** (0511) 826 094. 🕐 *t.l.j. 5h-21h.*

Collines calcaires des montagnes de Marbre, Da Nang

Art et sculpture cham

Depuis leurs prémices au IIᵉ siècle jusqu'à la chute de la dernière principauté en 1832, des États cham existèrent au Vietnam pendant plus de 1 600 ans. Cette culture développa une forme artistique originale qui atteignit son apogée entre le VIIIᵉ et le Xᵉ siècle. Elle a laissé comme principaux vestiges architecturaux les tours de brique couronnant de nombreuses collines du Vietnam

Déesse Uma, parèdre de Shiva

central. Les œuvres d'art sont des sculptures sur pierre et plus rarement des bronzes. Elles proviennent de sites comme Tra Kieu, My Son et Dong Duong. Les thèmes religieux puisent dans le panthéon hindouiste, qui compte de nombreux démons à côté des dieux et de leurs montures. Les apsaras, nymphes au corps de belles jeunes femmes, possèdent une grande sensualité.

Le makara, *chimère marine dotée d'une denture de crocodile et d'une queue de poisson, était considéré comme favorable à la fécondité.*

DANSEUSE DE TRA KIEU

Il émane un grand charme de cette apsara sculptée au début du Xᵉ siècle sur le socle d'un autel de Tra Kieu, près de Da Nang. Les artistes cham portaient une attention méticuleuse aux coiffures, aux vêtements et aux bijoux.

Une coiffe sophistiquée retient les cheveux de la danseuse.

La parure de l'apsara rehausse plus qu'elle ne dissimule sa féminité.

Ce socle d'autel *arbore une couronne de seins, un organe souvent représenté dans l'art cham, où il aurait symbolisé Uma, la déesse mère et parèdre de Shiva.*

Garuda *est la monture ailée du dieu Vishnou, qui préserve le monde. Les artistes cham ont créé de splendides sculptures en pierre et en terre cuite.*

Cette frise d'autel *date de la fin du XIIᵉ siècle. Malgré l'érosion subie par le grès, le soin apporté aux détails du cavalier et du chariot reste clairement visible.*

Ce flûtiste *abrité par un baldaquin ouvragé remonte aux VIIᵉ-VIIIᵉ siècles. Très bien conservé, il provient de l'autel d'un des temples de My Son.*

Sentier de la cascade des cinq lacs, parc national de Bach Ma

Parc national de Bach Ma ❻

Carte routière C4. 45 km au S.-E. de Huê. **Tél.** (054) 871 330. 🚌 depuis Huê et Da Nang jusqu'à Cau Hai. 🚌 depuis Da Nang, Huê, Hot An et Cau Hai. ☐ t.l.j. 6h-18h. 🈺 🔲 🍴 🅿️ 🈯 www.bachma.vnn.vn

À la frontière entre les provinces de Huê et de Da Nang, le parc national de Bach Ma a pour origine une station climatique fondée dans les années 1930 par les Français sur un plateau situé à une altitude de 1 200 m. Elle compta jusqu'à 139 villas et hôtels, mais subit les attaques du Viêt-minh pendant la guerre d'Indochine (p. 43), et la plupart de ses habitants l'avaient abandonnée à la fin du conflit en 1954. De nouveaux combats ravagèrent la région pendant la guerre du Vietnam, les Américains ayant installé une base d'hélicoptères sur son sommet le plus élevé.

Après leur victoire en 1975, les communistes tentèrent de développer les cultures maraîchères sur la montagne, mais la rigueur du climat fit échouer ce projet. En 1991, le gouvernement décida de créer une réserve naturelle de 22 000 ha, une protection qui permet à la forêt de commencer à se remettre des dégâts causés par les épandages de défoliant. Le parc s'étend sur des

Faisan d'Edwards, parc national de Bach Ma

pentes boisées dont la végétation varie avec l'altitude. Comme il se trouve en outre à la charnière entre le nord et le sud du pays, il possède une biodiversité exceptionnelle, avec plus de 2 000 espèces végétales. Plusieurs centaines possèdent des vertus médicinales. Parmi les 132 mammifères répertoriés figurent le muntjac géant, le muntjac de Truong Son et le saola, un bovidé inconnu de la science avant 1992 (p. 201). Les primates comprennent des entelles, des loris, des macaques et le gibbon à crête noire. De grands prédateurs comme le tigre et le léopard hanteraient encore les parties les plus isolées. Les quelque 360 espèces d'oiseaux incluent le très rare faisan d'Edwards.

Macaque, parc national de Bach Ma

S'il ne reste pas grand-chose de la station de villégiature française, le spectacle étrange offert par ses derniers vestiges noyés dans la jungle justifie la randonnée pour s'y rendre. Un étroit sentier grimpe jusqu'au sommet du mont Bach Ma, d'où un poste d'observation ménage par beau temps un somptueux panorama de la cordillère de Truong Son.

Des bus et le train desservent la petite ville de **Cau Hai**, qui borde la route 1 à 3 km du portail d'accès au parc. Des moto-taxis permettent d'éviter d'effectuer la fin du trajet à pied. Deux pensions proches de l'entrée, et quatre autres situées près du sommet, 15 km plus loin, offrent un logement sur place. Seuls les véhicules du parc sont autorisés à circuler à l'intérieur. Mieux vaut réserver à l'avance transport et hébergement.

Suoi Voi ❼

Carte routière C3. 65 km au S. de Huê ; 15 km au N. de Lang Co sur la route 1. **Tél.** (054) 891 804. 🚌 depuis Huê. ☐ t.l.j. 6h30-21h30. 🈺 🔲

Destination de week-end populaire des habitants de Huê et de Da Nang, les sources de Suoi Voi, également appelées sources de l'Éléphant d'après la forme d'un énorme rocher, attirent peu de visiteurs étrangers bien qu'elles soient une étape très agréable entre les deux villes.

En venant de Huê, il faut guetter le grand panneau dressé au début de la piste qui part à droite de la route 1. Environ 2,5 km plus loin, après avoir dépassé la vieille église Thua Lau, on atteint le portail et le parc de stationnement du site. Il faut ensuite marcher environ 1,5 km. Une eau fraîche et les petits bassins qu'elle a creusés dans la roche permettent à l'arrivée de se débarrasser de

Déjeuner dans un restaurant de bord de mer, plage de Lang Co

la sueur et de la poussière accumulées pendant le trajet. Les reliefs densément boisés de la cordillère de Truong Son se détachent en arrière-plan et le bord de la rivière se prête à merveille à un pique-nique.

Des kiosques vendent normalement de la nourriture sur place.

Plage de Lang Co ❽

Carte routière C3. 75 km au S. de Huê ; 35 km au N. de Da Nang sur la route 1. 🚉 depuis Huê et Da Nang. 🚌 depuis Huê et Da Nang. 🍴 🖵 🛉

Pour pleinement apprécier la beauté de la péninsule de Lang Co, nous conseillons de commencer par la contempler depuis le col des Nuages (col Hai Van) ou depuis le train circulant entre Huê et Da Nang. En regardant vers le nord, des surfaces vertes, blanches et d'un bleu scintillant

composent un somptueux tableau. Une étroite pointe de sable court au sud depuis la commune de Loc Vinhn, protégeant la surface miroitante d'une lagune, à l'ouest, des flots remuants de la mer de Chine méridionale.

La plage se prête à la baignade dans une eau tiède et peu profonde, en particulier dans les mois précédant juillet, avant que le climat ne devienne maussade et pluvieux. En toute saison, il reste toutefois possible de faire un excellent repas de poisson et de fruits de mer. Plusieurs complexes hôteliers permettent de séjourner aux environs. Le village assoupi de Lang Co a gardé le mode de vie traditionnel des petites localités du littoral.

À sa sortie sud, un pont de construction récente franchit la lagune, menant au tunnel qu'emprunte la route 1 pour passer sous le col des Nuages. Les pêcheurs locaux profitent de l'abri offert et une promenade dans cette partie de la péninsule fait découvrir leurs bateaux peints de couleurs vives et leurs minuscules barques circulaires en vannerie calfatée, typiques du centre du Vietnam.

Un ambitieux projet de développement touristique devrait dans les années qui viennent profondément transformer la région.

Plage de Thuan An ❾

Carte routière C3. 15 km au N.-E. de Huê, route 49. 🚌 🍴 🖵 🛉

Très fréquentée par les Vietnamiens le week-end, la plus belle plage des environs de Huê s'étend à la pointe nord d'une longue île étroite, qui court parallèlement à la côte depuis l'embouchure de la rivière des Parfums *(p. 148)* presque jusqu'au petit bourg de Phu Loc.

Comme à Lang Co, quelque 90 km plus au sud, de hauts cocotiers bordent une bande de sable fin et blanc. Les eaux paisibles de la lagune de Thanh Lam la baignent au sud-ouest, tandis qu'au nord-est s'abattent les rouleaux de la mer de Chine méridionale.

Thuan An est un village de pêcheurs. Leurs barques aux élégantes coques en arc de cercle s'alignent sur le rivage. La fabrication de nuoc-mâm demeure une activité importante et il règne dans certains quartiers une odeur pénétrante, et pour certains écœurante. Elle provient des bacs où les poissons mis en saumure mûrissent au soleil. Il faut compter 10 kg de poissons et 3 kg de sel pour obtenir 3 l de condiment de première qualité.

Depuis Huê, Thuan An offre un agréable but d'excursion d'une journée à bicyclette. La route longe la rivière et son ballet de bateaux et passe devant plusieurs pagodes et maisons communes. Un petit pont au-dessus de la lagune permet de rejoindre l'île, qu'une route étroite parcourt dans toute sa longueur, menant jusqu'à la pagode Thanh Duyen à sa pointe sud.

La lagune de la plage de Lang Co, avec en arrière-plan le col des Nuages

Huê ❿

L'ancienne capitale de la dynastie Nguyen est réputée pour ses monuments, mais aussi pour sa tradition de piété bouddhique, son rayonnement en tant que centre intellectuel et la sophistication de sa cuisine. Malgré les dégâts subis pendant les guerres d'Indochine et du Vietnam, c'est un lieu d'une grande beauté. Elle est traversée par la rivière des Parfums (*p. 148*). La citadelle (*p. 140-143*) renfermant la Cité impériale s'étend sur la rive nord. Entre ses remparts et le fleuve, le marché Dong Ba attire marchands et clients. Au sud se trouvent plusieurs pagodes et le quartier français. D'excellents restaurants et hôtels ajoutent au plaisir du séjour.

Statue de la pagode Dieu De

Entrée de la halle du marché Dong Ba

🏯 Cité impériale
Voir p. 140-143

🏛 Musée d'Art royal de Huê
3, Le Truc. **Tél.** (054) 524 429.
⭕ *mar.-dim. 7h-17h.* 🅿 🚫
À l'intérieur de la citadelle, mais en dehors de la Cité impériale, le magnifique palais Long An date de 1845. Plus de 100 piliers de bois de fer forment son ossature. Des poèmes en *chu nom*, une

forme d'écriture en caractères chinois (*p. 15*), ornent les parois intérieures. Il abrite une exposition de plus de 500 objets et vêtements précieux ayant appartenu aux membres de la dynastie Nguyen.

🏯 Pagode Dieu De
29, Le Quy Don. **Tél.** (054) 815 161.
⭕ *t.l.j. du lever au coucher du soleil.*
La pagode des Quatre Nobles Vérités a connu de nombreuses restaurations depuis sa construction sous le règne de Thieu Tri (r. 1841-1847), le troisième empereur Nguyen. Elle a pris sa forme actuelle en 1953. Bordant le canal qui longe à l'est la Citadelle, elle se distingue par ses quatre tours basses. Dans le principal sanctuaire, deux bodhisattvas encadrent Thich Ca, le Bouddha historique.

Comme beaucoup d'autres lieux de culte bouddhiques de la ville, Dieu De fut un pôle de résistance à la politique du président Ngo Dinh Diem (*p. 44*). Le 31 mai 1963, le bonze Nun Nu Thanh Quang s'y immola par le feu.

🛒 Marché Dong Ba
N.-E. de Tran Hung Dao.
⭕ *t.l.j. du lever au coucher du soleil.*
Le cœur du grand marché de Huê est une vaste halle sans charme, mais il s'étale jusqu'au bord de la rivière des Parfums, où viennent s'amarrer de nombreuses embarcations. Ses éventaires débordent d'une gamme colorée de marchandises allant du poisson aux vêtements et aux chaussures, et des fruits et légumes aux jouets et aux produits de beauté. Il est ouvert toute la journée, mais c'est le matin tôt qu'y règne la plus grande animation.

⛪ Cathédrale Notre-Dame
80, Nguyen Hue. **Tél.** (054) 828 690.
⭕ *pendant la messe.*
Aisément identifiable à son curieux clocher à trois étages, cette grande église, édifiée entre 1958 et 1962 dans un style hybride, sert une congrégation d'environ 1 500 fidèles. Hors des messes célébrées à 5 h et 17 h en semaine, et à 5 h, 7 h et 17 h le dimanche, ses portes restent généralement closes.

🏯 Pagode Bao Quoc
Rue Bac Quoc. **Tél.** (054) 836 400.
⭕ *t.l.j. du lever au coucher du soleil.*
La pagode créée en 1670 par le bonze chinois Giac Phong occupe une superficie de 2 ha sur la colline Ham Long, où coule un ruisseau qui la traverse. Le seigneur Nguyen Phuc Khoat (r. 1738-1765) lui accorda le statut de sanctuaire d'État, ce qui n'empêcha pas Quang Trung, le chef des rebelles Tay Son (*p. 41*),

Intérieur raffiné du musée d'Art royal

Colonnes sculptées à l'entrée de la pagode Bao Quoc

de l'utiliser comme dépôt d'armes. Elle joua un rôle important dans le renouveau du bouddhisme au Vietnam avec l'ouverture d'une école en 1935, puis d'un séminaire en 1940. Malgré un grand nombre de rénovations, Bao Quoc conserve un charme d'une autre époque.

Pagode Tu Dam

1, Duong Lieu Quan. **Tél.** (054) 836 118. t.l.j. du lever au coucher du soleil.
Ce lieu de culte établi au XVIIe siècle devint l'une des trois pagodes d'État de Huê sous la dynastie des Nguyen. Il fut agrandi à plusieurs reprises. En 1951, il accueillit la réunion de fondation de l'Association bouddhique vietnamienne dont il devint le siège. En grande partie détruit par les forces armées lors de la répression des mouvements de protestation contre la politique du président Diem en 1963, il subit de nouveaux

Urne ouvragée dans la cour intérieure de la pagode Tu Dam

dégâts en 1968 pendant l'offensive du Têt *(p. 45)*.

Le fleuron du jardin est l'arbre qui s'est développé à partir d'une bouture, plantée en 1939, de l'arbre de Bodhi, le descendant du figuier sous lequel le Bouddha historique atteignit l'éveil.

MODE D'EMPLOI

Carte routière C3. Capitale de la province de Thue Thien-Huê, 110 km au N. de Da Nang.
300 000. depuis Hanoi et Hô Chi Minh-Ville.
Réunification depuis Hanoi et Hô Chi Minh-Ville. depuis Hanoi, Vinh, Da Nang, Nha Trang et Hô Chi Minh-Ville.
Hue Tourist, 16, Ly Thuong Kiet, (054) 823 577.

Pont couvert de Thanh Toan

Village de Thanh Thuy Chan, 7 km à l'E. de Huê.
Peu connu, ce charmant petit ouvrage d'art date de 1778. Il ressemble beaucoup, en plus modeste, au pont japonais de Hoi An *(p. 124)*, mais repose sur des poteaux en bois et non sur des voûtes de pierre. Les paysages ruraux et les hameaux que l'on traverse justifient à eux seuls la promenade.

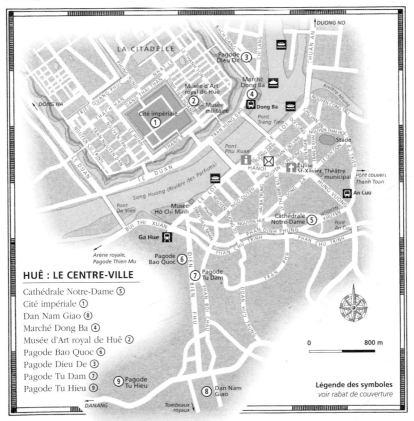

HUÊ : LE CENTRE-VILLE

Cathédrale Notre-Dame ⑤
Cité impériale ①
Dan Nam Giao ⑧
Marché Dong Ba ④
Musée d'Art royal de Huê ②
Pagode Bao Quoc ⑥
Pagode Dieu De ③
Pagode Tu Dam ⑦
Pagode Tu Hieu ⑨

Citadelle de Huê : la Cité impériale

**Personnages,
Bibliothèque royale**

Inscrite au patrimoine mondial de l'humanité en 1993, l'immense citadelle entreprise en 1805 par l'empereur Gia Long (r. 1802-1820) s'inspire pour ses fortifications extérieures de l'architecture militaire de Vauban. Elle s'organise en enceintes concentriques, la Ville fortifiée renfermant la Cité impériale, qui elle-même contient la Cité pourpre interdite. Lors de l'offensive du Têt en 1968, les forces viêt-công y résistèrent pendant des semaines à d'intenses bombardements qui provoquèrent de très importants dégâts. Une récente restauration a rendu une part de sa grandeur à l'ancienne capitale féodale des Nguyen.

**Autel dédié à un souverain Nguyen,
Temple dynastique**

Temple de la Résurrection
Bâti en 1821, ce sanctuaire appelé Hung Mieu en vietnamien est dédié au culte des parents de l'empereur Gia Long. Parmi les sculptures du toit, les deux grands dragons de pierre montant la garde sur la vaste cour pavée sont particulièrement dignes d'attention.

Le Temple dynastique
(The Mieu) abrite 10 autels consacrés à des empereurs et à leurs épouses.

★ **Neuf urnes dynastiques**
Ces imposants monuments funéraires en bronze fondus entre 1835 et 1837 possèdent des décors tous différents. Ils évoquent symboliquement les qualités de l'empereur auquel chaque urne est dédiée.

À NE PAS MANQUER

★ Palais de l'Harmonie suprême

★ Porte du Midi

★ Urnes dynastiques

Pavillon de la Splendeur
La restauration de Hien Lam Cac, un bâtiment haut de 13 m élevé en 1824 par l'empereur Minh Mang, imposa son démontage complet pour un traitement des bois contre les insectes.

Pour les hôtels et les restaurants de la région, voir p. 240 et p. 256-257

La Bibliothèque royale accueille désormais des concerts et des représentations théâtrales.

MODE D'EMPLOI

Carte routière C3. *23, Thang 8, Huê.* ☒ ☐ *Hô Chi Minh-Ville et Hanoi.* ☐ *Da Nang.* ☐
ℹ️ *ATC Hue, 4, Ben Nghe, (054) 830 830.* ○ *t.l.j. 7h-17h.*

Théâtre royal
Cette salle de spectacle achevée en 1826 possède une ornementation intérieure colorée, où des dragons dorés s'enroulent autour de colonnes laquées de rouge.

★ Palais de l'Harmonie suprême
Quatre-vingts colonnes laquées dominent la salle du Trône, construite en 1805. Elle a conservé le somptueux décor dans lequel les empereurs Nguyen donnaient audience à leurs hôtes de marque.

★ Porte du Midi
L'entrée principale de la citadelle, la porte Ngo Mon, est un superbe exemple d'architecture défensive asiatique. Sur de massifs blocs de pierre repose une élégante structure en bois, où l'empereur prenait place en certaines grandes occasions.

À la découverte de la citadelle de Huê : la Cité impériale

Également connue sous le nom de Dai Noi, « le Grand intérieur », la Cité impériale renfermait dans l'enceinte de la citadelle les palais royaux et les lieux de pèlerinage. D'importants travaux de restauration donnent un aperçu de son ancienne grandeur. L'imposante porte du Midi ouvre sur un pont qui franchit des bassins pour conduire au superbe palais de l'Harmonie suprême. Derrière, une esplanade domine l'espace qu'occupait jadis la Cité pourpre interdite, où l'empereur avait ses quartiers privés.

Figurine d'un musicien de la cour royale

🏯 Tour du Drapeau
Érigée par l'empereur Gia Long (r. 1802-1820) en 1809 sur une redoute en brique de 18 m, la tour du Drapeau (Cot Co) était à l'origine en bois. La version actuelle en béton mesure 37 m de hauteur. Elle domine le premier rempart. En hissant au sommet l'étendard rouge et bleu étoilé de jaune du Front national de libération, les forces communistes remportèrent le 31 janvier 1968 une importante victoire symbolique lors de l'offensive du Têt *(p. 45)*.

Neuf canons sacrés
De part et d'autre des portes Ngan et Quang Duc, les neuf canons fondus à partir d'objets en bronze et en laiton ayant appartenu aux Tay Son *(p. 41)* restent les génies protecteurs de la citadelle. Commandés par Gia Long en 1803, ils portent chacun le nom d'une des quatre saisons et d'un des cinq éléments : la terre, le métal, le bois, l'eau et le feu.

🏯 Belvédère des Cinq Phénix
Reposant sur les énormes blocs de pierre de la porte du Midi,
l'élégant pavillon Ngu Phung doit son nom au fait qu'il ressemblerait à un groupe de cinq Phénix vu d'en haut. L'empereur y prenait place lors de grandes occasions et des tuiles à sa couleur, le jaune, couvrent la section centrale du toit ornée de dragons, de feuilles de banian et de chauves-souris. Des orchidées, des chrysanthèmes et des bambous en mosaïque embellissent les avant-toits. Au-dessus du pavillon, un escalier conduit à une pièce où les femmes de la cour se postaient derrière des écrans ajourés pour assister aux cérémonies.

🏛 Palais de l'Harmonie suprême
🚫 *dans la salle du trône.*
Thai Hoa, le plus impressionnant des édifices de la citadelle à avoir subsisté, a pour origine un pavillon construit par Gia Long en 1805. Magnifiquement restauré, il permet d'imaginer le faste des manifestations officielles qui s'y déroulaient, couronnements, anniversaires royaux ou réceptions d'ambassadeurs. En ces occasions, l'empereur,
coiffé du chapeau aux neuf dragons, vêtu d'une robe tissée d'or et portant une ceinture de jade, présidait depuis son trône posé sur une estrade. Seuls les mandarins de plus haut rang avaient le droit de pénétrer dans la salle, les autres attendaient dehors.

🏯 Salles des Mandarins
L'esplanade des Grandes Salutations s'étend derrière le palais de l'Harmonie suprême. Deux pavillons l'encadrent. Les mandarins s'y rassemblaient, entre militaires, dans l'un, et entre fonctionnaires civils, dans l'autre, pour revêtir leurs robes

Chaudron en bronze de l'esplanade des Grandes Salutations

cérémonielles. À en juger aux exemples exposés, elles rivalisaient de somptuosité.

🏮 Cité pourpre interdite
À l'intérieur d'une enceinte fortifiée, les quartiers privés de l'empereur occupaient une superficie de 10 ha. Il était le seul à pouvoir y pénétrer en dehors de l'impératrice, des concubines de 9 rangs distincts, des servantes et des mandarins eunuques. Tout autre homme qui en franchissait le seuil était passible de la peine de mort.

Construite entre 1802 et 1833, la Cité pourpre interdite (Tu Cal Thanh) comptait plus de 60 bâtiments entourant de nombreuses cours. Il n'en restait pratiquement plus rien à la fin de l'offensive du Têt de 1968.

🎭 Théâtre royal
Reconstruit en 1825, Duyet Thi Duong a retrouvé son rôle de salle de spectacle, et il accueille des représentations de *nha nhac (p. 25)*, une forme de musique de cour interprétée avec des instruments traditionnels à cordes et à vent

Les quatre canons sacrés nommés d'après les saisons

Pour les hôtels et les restaurants de la région, voir p. 240 et p. 256-257

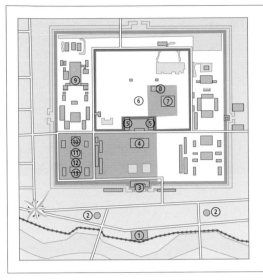

PLAN DE LA CITÉ IMPÉRIALE

Belvédère des Cinq Phénix ③
Bibliothèque royale ⑧
Cité pourpre interdite ⑥
Neuf canons sacrés ②
Neuf urnes dynastiques ⑫
Palais de la Reine Mère ⑨
Palais de l'Harmonie suprême ④
Pavillon de la Splendeur ⑬
Salles des Mandarins ⑤
Temple de la Résurrection ⑩
Temple dynastique ⑪
Théâtre royal ⑦
Tour du Drapeau ①

LÉGENDE

▬▬ Cité impériale

▬▬ Cité pourpre interdite

▪ Zone illustrée (p. 140-141)

◆━◆ Enceinte de la citadelle

accompagnés par des tambours. L'Unesco l'a reconnue comme un chef-d'œuvre du patrimoine oral et immatériel de l'humanité.

✦ Bibliothèque royale

Construite en 1887 par l'empereur Dong Khanh sur le site où Minh Mang avait fait élever en 1821 un pavillon où s'isoler pour lire en paix, la Bibliothèque royale (Thai Binh Lau) se dresse dans le quart nord-est de la Cité interdite. Elle fait face à un bassin carré ayant en son centre un jardin

Antiquités et boiseries décorent le palais de la Reine Mère.

de rocaille. De petits ponts enjambent d'autres plans d'eau pour relier diverses galeries. Le bâtiment accueille des concerts de musique et des représentations théâtrales.

🏛 Palais de la Reine Mère

Un mur entoure Cung Dien Tho, édifié en 1803 pendant le règne de l'empereur Gia Long pour servir de lieu de résidence et de réception à la mère du souverain en exercice. On le franchit au sud par la porte de l'Éternelle Longévité (Cua Tho Chi). Le bâtiment abrite des meubles raffinés aux délicates incrustations de nacre. Des lanternes sculptées pendent du plafond décoré d'éventails en plumes. À l'est de l'entrée, le pavillon Truong Du, agrémenté d'un petit lac artificiel et d'une gracieuse rocaille, servait de lieu de divertissement à la reine mère et à sa suite.

⊞ Temple de la Résurrection

Construit en 1821 par l'empereur Minh Mang pour rendre hommage à ses grands-parents, Hung Mieu était réputé pour la beauté des sculptures de son toit, mais un incendie le ravagea en 1947 au début de la guerre d'Indochine. Sa restauration n'est pas encore complètement achevée.

⊞ Temple dynastique

Dans la partie sud-ouest de la Cité impériale, The Mieu

Urne funéraire miniature, Temple dynastique

est dédié au culte des rois Nguyen. Entrepris en 1821, il renferme 10 autels à la mémoire des membres de la dynastie et de leurs épouses. Ils possèdent une ornementation d'un grand raffinement, mais ne portent plus comme jadis des piles de lingots d'or déposés en offrande.

Neuf urnes dynastiques

Fondues sur l'ordre de Minh Mang, les neuf urnes dynastiques (Cuu Dinh) jouent un grand rôle dans le culte des ancêtres royaux. Chacune porte en décor 17 reliefs représentant une richesse ou une beauté naturelle du Vietnam. Aucun de ces motifs n'est répété.

✦ Pavillon de la Splendeur

En 1824, Minh Mang fit élever au centre de la cour du Temple dynastique un monument à triple toiture, Hien Lam Cac, rendant hommage aux mandarins, dont le dévouement avait permis à sa famille d'accéder à sa position. Aucun édifice de la citadelle ne devait le dépasser en hauteur. Les gravures de sa façade en bois rehaussent son élégance.

Dan Nam Giao

3 km au S. du centre, extrémité sud de la rue Diên Biên Phu. ⏰ t.l.j. 8h-17h.

Entrepris par l'empereur Gia Long en 1802, le tertre du Sacrifice au Ciel se trouve au-delà de l'ancien quartier français, sur la rive droite de la rivière des Parfums (p. 148). De 1806 à 1945, il servit de cadre au rituel le plus important de la vie du pays. Celui-ci reproduisait fidèlement la cérémonie pratiquée à Pékin dans le temple du Ciel (Tiantan), bâti au XVe siècle. Au solstice d'hiver, le souverain venait en procession, accompagné de musiciens et de danseuses, présenter ses respects à l'Empereur céleste et lui rendre des comptes sur sa gestion de l'année écoulée. Il implorait sa clémence en pratiquant une série de sacrifices élaborés et renouvelait ainsi la légitimité de son pouvoir.

Le site cérémoniel a perdu sa fonction sacrée il y a plus de 50 ans et il en reste peu de choses en dehors de trois terrasses. Les deux premières sont de forme carrée. La plus basse représente l'humanité, l'autre, la terre. Circulaire, la troisième, au sommet, symbolise le ciel. Les édifices liés au culte ont disparu, mais le cadre conserve une atmosphère particulière.

Pagode Tu Hieu

2, Thon Thuong, village de Thuy Xuan, 5 km au S.-O. de Huê. **Tél.** (054) 836 389. ⏰ t.l.j. 6h-18h.

Au sein de la belle pinède qui s'étend au nord du tombeau de Tu Duc, un étang en forme

Les arènes royales bien conservées

de croissant entoure l'un des lieux de culte les plus sereins de la région. Fondée par un bonze en 1843, la pagode Tu Hieu prit son ampleur actuelle en 1848 à la demande d'eunuques impériaux. Ne pouvant avoir d'enfants à même de leur rendre un culte des ancêtres, ils s'assuraient, en finançant le sanctuaire, que des générations de moines s'y succéderaient pour célébrer les cérémonies nécessaires au confort de leur existence dans l'au-delà. L'autel principal est dédié au Bouddha historique, dit Sakyamuni ou Thich Ca. Sur d'autres, des tablettes entretiennent le souvenir d'eunuques de haut rang. Le jardin contient toujours leurs tombes.

Pagode Thien Mu

5 km au S.-O. de la citadelle de Huê. ⏰ t.l.j. du lever au coucher du soleil.

Fondée en 1601 par le seigneur Nguyen Hoang, la pagode de la Dame céleste couronne une butte sur la rive gauche de la rivière des Parfums. Sa tour de la Source de la félicité, Thap Phuoc Duyen, possède six étages. Thieu Tri commanda en 1841 la construction de ce monument octogonal en brique. Un pavillon proche abrite une énorme cloche. Fondue en 1710, elle pèse plus de 2 t et peut être entendue à plus de 10 km. Un deuxième pavillon renferme une grande stèle de

Austin bleu de Thich Quang Duc, pagode Thien Mu

pierre posée sur le dos d'une tortue. Les inscriptions relatent l'histoire de Thien Mu.

À l'intérieur du sanctuaire, un bouddha riant en bronze et les statues des 10 rois de l'enfer et de 18 arhat, des sages libérés du cycle des réincarnations, dominent l'autel principal près d'une image du Bouddha historique. Les quartiers d'habitation des moines et leurs jardins se trouvent à l'arrière du temple. Un garage ouvert, à l'ouest, contient la voiture qu'utilisa en juin 1963 le moine Thich Quang Duc (p. 44) pour se rendre à Saigon afin de s'immoler par le feu. Les photographies de son suicide discréditèrent le régime de Diem dans le monde entier.

Arènes royales

Village de Phuong Duc, 4 km au S.-O. de Huê. ⏰ t.l.j. du lever au coucher du soleil.

Ce monument circulaire porte également le nom d'arènes des Tigres (Ho Quyen). Il servait au divertissement de l'empereur et de ses mandarins, qui venaient y voir s'affronter des tigres et des éléphants. Le pachyderme, symbole de la royauté, en sortait toujours vainqueur. Pour éviter que le félin, symbole du désordre, ne perturbe ce résultat, on lui coupait les crocs et les griffes. Le dernier combat s'est déroulé en 1904 sous le règne

Bassin aux lotus devant la petite et sereine pagode Tu Hieu

À la découverte des tombeaux royaux

Accessibles à bicyclette, en taxi ou en bateau, les sépultures des empereurs de la dynastie Nguyen *(p. 41)* doivent être visités quand on séjourne dans leur ancienne capitale.

Des treize souverains qui prirent place sur le trône du Vietnam entre 1802 et 1945, 7 seulement ont eu l'honneur de bénéficier de leur propre mausolée, ou *lang*. Les autres sont morts en exil ou en disgrâce. Ces monuments, conçus également pour le séjour de vivants,

Statue du tombeau de Tu Duc comportent de nombreux bâtiments au sein de parcs aménagés.

Façade en béton du temple du tombeau de Khai Dinh

de Thanh Thai. Un haut portail, entre les escaliers menant aux tribunes, permettait le passage des éléphants. Cinq petites portes, en face, ouvraient sur les cages des tigres.

🏛 Tombeau de Tu Duc
6 km au S.-O. de Huê. **Tél.** *(054) 836 427.* ⭘ *t.l.j. 7h 17h.* 🖼
Tu Duc (r. 1848-1883) dessina lui-même son mausolée, véritable résidence de campagne comptant plusieurs dizaines de bâtiments, dans un parc clos de 12 ha agrémenté de plans d'eau et planté de nombreux arbres tels que frangipaniers et longaniers. L'empereur aimait venir y réciter de la poésie. Une légende prétend qu'il aurait été enterré avec un grand trésor dans un lieu secret. Pour éviter une profanation, les participants aux funérailles auraient été exécutés.

🏛 Tombeau de Dong Khanh
0,5 km au S.-E. de Lang Tu Duc. **Tél.** *(054) 836 428.* ⭘ *t.l.j. 7h-18h.* 🖼
Édifié après la mort de Dong Khanh (r. 1885-1888), le temple de la plus modeste des sépultures des Nguyen

montre à l'intérieur une nette influence française.

🏛 Tombeau de Thieu Tri
1,5 km au S. de Lang Tu Duc. ⭘ *t.l.j. 7h-17h.*
Le parc du mausolée de Thieu Tri (r. 1842-1847) renferme plusieurs plans d'eau artificiels. Il est divisé en deux parties : à l'est le temple, à l'ouest le tombeau lui-même.

🏛 Tombeau de Khai Dinh
10 km au S. de Huê. **Tél.** *(054) 865 875.* ⭘ *t.l.j. 6h-17h30.* 🖼
L'avant-dernier empereur de la dynastie régna de 1916 à 1925 et son tombeau fut le dernier construit à Huê. L'usage du béton et le mélange de styles architecturaux européens et vietnamiens le rendent unique à défaut de véritablement réussi. Inscrit à flanc de colline, le monument s'étage sur trois niveaux. Le temple qui s'élève au sommet renferme un buste en bronze de Khai Dinh, fondu à Marseille en 1922.

🏛 Tombeau de Minh Mang
12 km au S. de Huê. **Tél.** *(054) 560 277.* ⭘ *t.l.j. 7h30-17h30.* 🖼
Sur la rive gauche de la rivière des Parfums, le tombeau dessiné par l'empereur Minh Mang (r. 1820-1841), mais édifié après sa mort, compte de nombreux bâtiments le long d'un axe de 700 m. Ils s'inscrivent dans un cadre magnifiquement paysagé.

🏛 Tombeau de Gia Long
16 km au S.-E. de Huê. 🖼
Louer un bateau, soit depuis Huê, soit depuis le hameau de Tuan, en face de Lang Minh Mang, offre le meilleur moyen de rejoindre la mausolée du fondateur de la dynastie. Ce dernier est le plus isolé des tombeaux royaux et il a beaucoup souffert des bombardements pendant la guerre du Vietnam.

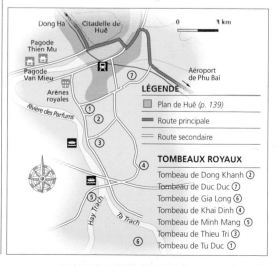

LÉGENDE

◻ Plan de Huê (p. 139)

━━ Route principale

═══ Route secondaire

TOMBEAUX ROYAUX

Tombeau de Dong Khanh ②
Tombeau de Duc Duc ⑦
Tombeau de Gia Long ⑥
Tombeau de Khai Dinh ④
Tombeau de Minh Mang ⑤
Tombeau de Thieu Tri ③
Tombeau de Tu Duc ①

Tombeau de Khai Dinh, l'avant-dernier empereur Nguyen ▷

Croisière sur la rivière des Parfums

Une promenade sur la rivière des Parfums, ou Song Huong, compte parmi les plaisirs qu'il serait dommage de ne pas s'accorder lors d'un séjour à Huê. Le fleuve est magnifique. De superbes monuments inscrits dans des paysages ruraux jalonnent son cours. Au panorama offert par ces temples et souvenirs de l'époque impériale s'ajoute le spectacle de la circulation sur l'eau : paysannes godillant sur de petits sampans, barges chargées de poissons ou de fruits et légumes, pêcheurs relevant filets et nasses…

Pagode Thien Mu, symbole de Huê

Bateau de pêche sur les eaux paisibles de la rivière des Parfums

Pagode Thien Mu ②
Fondée en 1601, la plus vieille pagode de Huê possède une tour de 21 m.de hauteur érigée en 1841. Elle est devenue le symbole de la ville *(p. 144)*.

Temple de la Littérature ③
Dans ce petit lieu de culte confucéen bâti par Gia Long en 1808, des stèles rendent hommage à des mandarins.

Citadelle ①
L'ancienne capitale de la dynastie des Nguyen est inscrite au patrimoine mondial de l'humanité *(p. 140-142)*.

Arènes royales ④
Le cirque où des tigres et des éléphants s'affrontèrent de 1830 à 1904 pour le plaisir des empereurs ne possède pas d'équivalent au Vietnam *(p. 144)*.

Rivière des Parfums

Ga Hue

Aéropo de Phu

Rivière des Parfums

Temple Hon Chen ⑤
Reconstruit en 1886 sur le site d'un très ancien sanctuaire, ce temple uniquement accessible en bateau est dédié à Po Nagar, la déesse mère des Cham.

LÉGENDE

▬▬	Route principale
══	Route secondaire

0   2 Km

Tombeau de Minh Mang ⑥
Statues, plans d'eau et jardins paysagés ajoutent à la grandeur du tombeau impérial qui a sans doute le mieux résisté aux outrages du temps *(p. 145)*.

MODE D'EMPLOI

Bateaux : des bateliers proposent leurs services au quai de la rue Le Loi. N'hésitez pas à marchander. Il existe aussi des promenades organisées.
Durée : une demi-journée.
Où faire une pause ? Des en-cas sont en vente à Thien Mu et Minh Mang. Il est possible de prévoir un déjeuner sur le bateau.

Base de Khe Sanh ⓫

Carte routière B3. 145 km au N.-O. de Huê sur la route 9. **Tél.** *(053) 880 840.* 🚌 *minibus depuis Huê.* 🚗 **Musée** 1,5 km au N. de Khe Sanh. ⏰ *t.l.j. 7h-17h.* 📷📺

Pont Hien Luong sur la Ben Hai, DMZ

Près de la frontière avec le Laos, l'emplacement de l'ancienne base militaire de Khe Sanh se trouve à environ 3 km du village qui lui a donné son nom et s'appelle aujourd'hui Hoang Ho. Les Américains commencèrent par aménager en 1962 un aéroport sur ce site proche de la zone démilitarisée, puis, le conflit s'amplifiant, ils le transformèrent en un camp des forces spéciales chargées d'interrompre la circulation sur la piste Hô Chi Minh *(p. 151)*. En 1968, le général William Westmoreland décida d'y amasser des troupes pour contraindre l'armée nord-vietnamienne à un assaut frontal. Son adversaire, le général Vo Nguyen Giap, fit mine de mordre à l'hameçon, mais utilisa les combats comme diversion. Ils commencèrent en effet une semaine avant l'offensive du Têt *(p. 45)*. La bataille dura du 20 janvier au mois d'avril. Encerclée, la base resta deux mois sous le feu de l'artillerie ennemie, dépendant pour sa survie d'un approvisionnement par voie aérienne. Dépourvus d'aviation et ne possédant pratiquement pas de chars, les attaquants ne réussirent toutefois pas à s'en emparer et finirent par se replier après avoir perdu quelque 9 000 hommes, selon les estimations. Les pertes américaines s'élevaient à 207 tués. Il y eut aussi des milliers de victimes civiles.

Même si le siège ne s'était pas transformé en un nouveau Diên Biên Phu *(p. 195)*, comme l'avait redouté un temps le président Johnson, les États-Unis durent abandonner la base quelques mois plus tard.

Le site est devenu une destination de visites guidées. Les Américains ayant pris le plus grand soin à ne laisser aucun matériel militaire derrière eux, les Vietnamiens en ont fait venir d'autres localités du Sud pour garnir un petit **musée** aux documents légendés en anglais.

Zone démilitarisée ⓬

Carte routière B3. 90 km au N.-E. de Khe Sanh sur la route 9. **Tél.** *(053) 852 927.* 🚌 *minibus depuis Huê.* 🚗 *depuis Huê.* ⏰ *t.l.j. 7h-17h.*

L'ancienne zone démilitarisée (DMZ), censée séparer le Vietnam-du-Nord et le Vietnam-du-Sud avant la réunification de 1975, est devenue une attraction touristique. De nombreuses agences proposent des visites d'une journée au départ de Huê ou de Dong Ha. La plupart commencent au **pont Hien Luong**, ancien poste-frontière sur la rivière Ben Hai, et comprennent une visite des tunnels de Vinh Moc *(p. 150)*. Le cimetière national de Truong Son, à l'ouest de la route 1, entretient le souvenir des soldats nord-vietnamiens et viêt-công qui périrent. Depuis Dong Ha, la route 9 s'enfonce dans l'intérieur des terres pour rejoindre des sites comme Camp Carroll, Khe Sanh et Hamburger Hill *(p. 45)*. La DMZ offre peu en matière de « choses à voir » et sa visite engendre principalement de la tristesse. L'excursion connaît surtout du succès auprès des visiteurs américains et des passionnés d'histoire militaire.

HISTOIRE DE LA DMZ

Les participants à la conférence de Genève de 1954 décidèrent d'établir une « ligne de démarcation provisoire » partageant le Vietnam au niveau du 17e parallèle *(p. 44-45)* et une zone démilitarisée large de 2 km de part et d'autre de la rivière Ben Hai. Dès le début, cependant, l'armée nord-vietnamienne s'y infiltra, creusant des tunnels, ouvrant des sentiers et introduisant des maquisards. Les Américains

Canon exposé à Khe Sanh, près de la DMZ

réagirent en établissant ce qui prendrait le nom de ligne McNamara : un rempart de champs de mines et de barbelés électrifiés et équipés de détecteurs sophistiqués. Ironie de l'histoire, la zone démilitarisée fut le théâtre de combats particulièrement âpres, en particulier lors du siège de Khe Sanh et de l'offensive de Pâques 1972, où les Nord-Vietnamiens s'emparèrent de la région, déclenchant des bombardements de représailles massifs.

Souvenirs de la guerre du Vietnam, zone démilitarisée

Galerie des tunnels de Vinh Moc

Tunnels de Vinh Moc ⓭

Carte routière C3. 13 km à l'E de Ho Xa sur la route 1 ; 20 km au N.-E. de la DMZ. **Tél.** (053) 823 184.
🚌 minibus depuis Huê et Dong Hoi.
🚗 🅾 t.l.j. 7h30-17h. 🖼 🎥

Ce réseau de galeries diffère de celui de Cu Chi *(p. 72)*, même s'il témoigne, lui aussi, de l'extraordinaire capacité d'adaptation des Vietnamiens aux conditions extrêmes imposées par les conflits qu'ils subirent. En effet, il n'abrita pas des combattants, mais servit de refuge à la population d'un village que sa situation avait transformé en cible militaire.

Vinh Moc borde la mer de Chine méridionale, et ses ennuis commencèrent en 1954 avec la division du pays et la création de la zone démilitarisée *(p. 149)*. Il devint en effet un enjeu stratégique, car il faisait face à l'île de Con Co utilisée par les Nord-Vietnamiens comme un relais d'approvisionnement des maquis du Sud. L'armée du Sud-Vietnam, puis les Américains le soumirent à d'intenses bombardements. Plutôt que de s'enfuir, une partie de ses habitants décida de s'enterrer pour se protéger. Sans autre matériel que des bêches et des paniers, ils creusèrent en 18 mois environ 3 km de tunnels répartis sur trois niveaux à 12 m, 15 m et 23 m de profondeur.

Accessible par 13 entrées, ces galeries permirent la survie, entre 1968 et 1972, de quelque 400 personnes. Près de 12 000 tonnes d'approvisionnement et de matériel militaire y transitèrent en route pour Con Co.

Ouverts à la visite, les tunnels n'ont pratiquement pas changé depuis que leurs occupants ont enfin pu les quitter. Plus hauts et moins étroits que ceux de Cu Chi, ils autorisent des déplacements debout, même si les personnes de grande taille sont obligées de courber la tête. Les aménagements comprenaient des cellules où logeaient les familles, des espaces où faire la cuisine, une salle commune pouvant accueillir une cinquantaine de personnes et un hôpital où naquirent 17 enfants. Un musée retrace

Église bombardée de Dong Hoi

l'histoire de Vinh Moc et de ses souterrains. Les plages des environs ajoutent à l'intérêt du déplacement.

Dong Hoi ⓮

Carte routière B3. 160 km au N. de Huê sur la route 1.
👥 100 000. 🚌 🚉 *depuis Vinh, Dong Ha et Huê.* 🚗
ℹ️ *Quang Binh Tourist, Huu Nghi, (052) 822 669 / 822 160.*
www.quangbinh.gov.vn

La capitale de la province de Quang Binh n'est souvent qu'une étape sur la route de la grotte de Phong Nha. Il existe pourtant de belles plages à proximité, dont celle de Nhat Le, à 3 km au nord de la ville.

Devenue un important centre de transit, Dong Hoi ne possède pas de monuments remarquables, mais il est intéressant de voir à quelle vitesse elle s'est remise des ravages de la guerre. Là où, il y a peu, ne s'étendaient que des décombres, des édifices bien entretenus bordent de larges avenues. Son marché mérite qu'on y flâne.

La cité marqua pendant près de 150 ans la frontière entre les territoires contrôlés respectivement par les seigneurs Trinh et Nguyen *(p. 41)*. Des deux grands remparts élevés par ces familles ennemies ne subsiste qu'une porte décrépite.

Grotte de Phong Nha ⓯

Carte routière B3. Village de Son Trach, 55 km au N.-O. de Dong Hoi. **Tél.** (052) 675 323. 🚌 *depuis Dong Hoi.* 🚢 *depuis Son Trach.* 🚗
🅾 6h-17h. 🖼 🎥 🍴 🛒 🏠

Inscrit en 2003 au patrimoine mondial de l'humanité, le parc national de Phong Nha-Ke Bang protège une vaste zone karstique réputée pour son réseau de galeries et de rivières souterraines. Les spéléologues en ont exploré 35 km. Phong Nha, la plus grande et la plus spectaculaire des grottes du Vietnam,

Pour les hôtels et les restaurants de la région, voir p. 238-240 et p. 255-257

porte un nom qui signifie
« grotte des Dents du vent ».
Formée il y a environ
250 millions d'années, elle
arborait jadis à l'entrée des
crocs de calcaire aujourd'hui
brisés. Une nuée de sampans
attend les visiteurs au centre
d'accueil pour les emporter
5 km en amont jusqu'à la
caverne profonde de 8 km.
À environ 1,5 km à l'intérieur,
la paroi porte une inscription
à l'endroit où des Cham
avaient aménagé un lieu de culte
bouddhique aux IXe-Xe siècles.
  À l'extérieur de Phong Nha,
un escalier pentu conduit
125 m plus haut à la **grotte de
Tien Son**. Selon la tradition,
l'eau qui s'accumule dans ses
creux donne force aux
hommes et beauté aux
femmes. Dans les deux
grottes, des éclairages parfois
criards mettent en valeur
les stalactites, les stalagmites
et les formes étranges créées
par le ruissellement des eaux.

Sampan à l'intérieur de la grotte de Phong Nha

Kim Lien 🔟

Carte routière B2. 14 km au N.-O.
de Vinh. 🚌 *minibus depuis Vinh.* 🚗

C'est à Kim Lien, hameau dont
le nom signifie « Lotus d'or »,
que Hô Chi Minh *(p. 169)*
passa les premières années
de sa vie. Il y resta jusqu'à
l'âge de 5 ans, puis
accompagna son père à Huê,
avant de revenir en 1901 pour
5 ans. Il vécut cette dernière
période dans la maison à toit
de chaume que les villageois
avaient construite pour
remercier son père d'avoir

obtenu le titre de vice-docteur,
un accomplissement dont le
prestige rejaillissait sur toute
la communauté. On peut
aujourd'hui en visiter une
reconstitution. Elle abrite
les objets de la vie
quotidienne d'une famille
paysanne. Hô Chi Minh s'était
opposé de son vivant à la
création d'un musée en son

honneur, estimant que les
fonds pouvaient trouver
meilleur usage, mais les lieux
lui rendant hommage se sont
multipliés depuis sa mort en
1969. Hoang Tru, le village
voisin où il vint au monde,
propose ainsi une
reconstruction de sa maison
natale et une petite collection
de photos et de souvenirs.

LA PISTE HÔ CHI MINH

Construite à travers la jungle à
partir de 1959, la piste Hô Chi
Minh, ou Duong Truong Son,
joua un rôle essentiel dans la
guerre du Vietnam *(p. 44-45)* en
permettant aux maquis du Front
national de libération de recevoir
du Nord les armes, les vivres et
les combattants qui leur étaient
indispensables. En 1975, ce fut
l'armée nord-vietnamienne qui
la suivit dans sa marche
victorieuse sur Saigon.

Section bombardée de la piste
Hô Chi Minh

La piste reprenait le tracé de
sentiers existant depuis des siècles et formait un écheveau
dont les historiens ont estimé la longueur totale à 20 000 km.
Il avait son point de départ près du port de Vinh, serpentait
ensuite à travers la cordillère de Truong Suong, longeait la
frontière laotienne, et enfin traversait le Laos et le Cambodge
pour pénétrer au Sud-Vietnam par divers points tenus
secrets. Les bombardements, les épandages de défoliant
et même des interventions comme une incursion de grande
ampleur menée en 1972 au Laos par les troupes sud-
vietnamiennes ne parvinrent jamais à arrêter le flux des
véhicules qui l'empruntaient. Ceux-ci comprenaient aussi
bien des bicyclettes adaptées au transport de marchandises
que des camions qui circulaient de nuit en convoi.

Métier à tisser en bambou dans la
maison de Hô Chi Minh à Kim Lien

HANOI

La plus vieille capitale de l'Asie du Sud-Est va bientôt fêter son millénaire et possède une grâce et une intemporalité qui en font une des villes les plus captivantes de l'Extrême-Orient. De part et d'autre d'un lac, un dédale de ruelles inchangé depuis plusieurs siècles et les larges boulevards de l'ancienne concession française constituent un patrimoine préservé malgré la modernisation de la ville.

Fondée par l'empereur Ly Thai To en 1010, la « ville en deçà du fleuve » s'étend sur la rive droite du fleuve Rouge, protégée par des digues. La cité s'est développée autour d'une citadelle, aujourd'hui réduite à de maigres vestiges, qui abritait la cour. Les artisans qui répondaient à ses besoins s'établirent à proximité. Au XVIe siècle, ils s'étaient regroupés par activité, donnant au vieux quartier *(p. 156-157)* le visage qu'il a conservé jusqu'à aujourd'hui.

Une période de régression suivit l'installation du pouvoir politique à Huê en 1806, puis l'arrivée des Français bouleversa l'organisation de la ville à partir de 1873. Ceux-ci démolirent la majeure partie de ce qui restait de la citadelle, ainsi que plusieurs temples, pour aménager un quartier à l'européenne. Ses bâtiments Belle Époque font aujourd'hui pleinement partie de l'héritage architectural revendiqué par les Hanoïens. La capitale de l'Indochine française traversa presque intacte la guerre de décolonisation *(p. 43)* pour devenir en 1954 la capitale du Vietnam indépendant. Dix ans plus tard, elle subit à nouveau des bombardements quand les Américains s'investirent directement dans le conflit entre Nord et Sud. Une fois de plus, le centre-ville échappa pour l'essentiel aux destructions. Hanoi a ainsi pu entrer dans le XXIe siècle en ayant conservé son patrimoine, même s'il était un peu décrépit après de longues années d'austérité économique.

La ville se transforme aujourd'hui en une métropole élégante, cultivée et aisée, fière de sa vie culturelle, de ses musées et de ses édifices rénovés, tels l'Opéra ou l'hôtel Sofitel-Métropole, comme des boutiques chic et des restaurants élégants ouverts depuis la libéralisation des années 1990. Son histoire lui a légué une cuisine sophistiquée marquée par des influences chinoises et françaises.

Bâtiment bien conservé dans le quartier français de Hanoi

◁ **Vue de nuit d'une rue du vieux quartier *(p. 156-157)***

À la découverte de Hanoi

Ce plan montre les zones et les sites les plus intéressants pour un visiteur. Apprécié des amoureux comme des adeptes du tai-chi, le lac Hoan Kiem se prête à toute heure à une agréable flânerie. Au nord, le quartier des 36 rues forme un dédale où les boutiques regorgent de toutes les marchandises imaginables, des chaussures et des soieries aux objets en laque ou en bambou. Au sud, les édifices construits par les Français bordent toujours les larges boulevards du quartier administratif. À l'ouest, le temple de la Littérature offre un havre de paix et le mausolée de Hô Chi Minh rend hommage au père de l'indépendance.

HANOI D'UN COUP D'ŒIL

Lieux de culte
Cathédrale Saint-Joseph ❺
Pagode au Pilier unique ⓱
Pagode des Ambassadeurs ❼
Pagode du Lotus d'or ㉑
Pagode Lien Phai ⓬
Pagode Tay Phuong ㉕
Pagode Thay ㉔
Temple de la Littérature
p. 166-167 ⓭
Temple des Deux Sœurs
Trung ⓫
Temples des rois Hung ㉖
Temple du Cheval blanc ❷

Bâtiments historiques
Citadelle de Co Loa ㉒
Maison sur pilotis
de Hô Chi Minh ⓳

Marché
Marché Dong Xuan ❶

Musées et théâtres
Mausolée de Hô Chi Minh ⓲

Musée de la prison Hoa Lo ⓯
Musée d'Ethnographie ㉓
Musée des Beaux-Arts ⓮
Musée d'Histoire ⓵
Musée d'Histoire militaire ⓯
Opéra ❾
Théâtre de marionnettes
sur eau Thang Long ❸
Musée Hô Chi Minh ⓰

Lacs
Lac de l'Ouest ⓴
Lac Hoan Kiem ❹

Hôtel
Hôtel Sofitel-Métropole ❽

VOIR AUSSI
• *Hébergement* p. 240-243
• *Restaurants* p. 257-259

LÉGENDE

▨	Le vieux quartier pas à pas : *p. 156-157*
✈	Aéroport international
🚉	Gare ferroviaire
🚌	Gare routière
⛴	Embarcadère
▬▬	Route nationale
══	Route secondaire
—	Voie ferrée
– –	Frontière provinciale

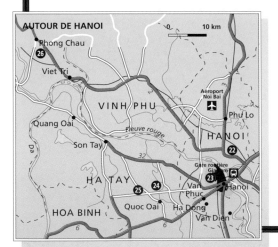

AUTOUR DE HANOI

CIRCULER

Le vieux quartier et les alentours du lac Hoan Kiem sont suffisamment petits pour être découverts à pied.
Le cyclo-pousse offre sinon un mode de transport bon marché. Il n'est pas encore possible de louer une voiture, mais les plus audacieux tenteront leur chance à vélo ou à moto. Hors du centre, mieux vaut prendre un taxi. Les hôtels et les agences de voyages peuvent servir d'intermédiaire pour des excursions en taxi ou en minibus à l'intérieur comme en dehors de la ville.

CARTE DE SITUATION
Voir atlas des rues p. 174-177

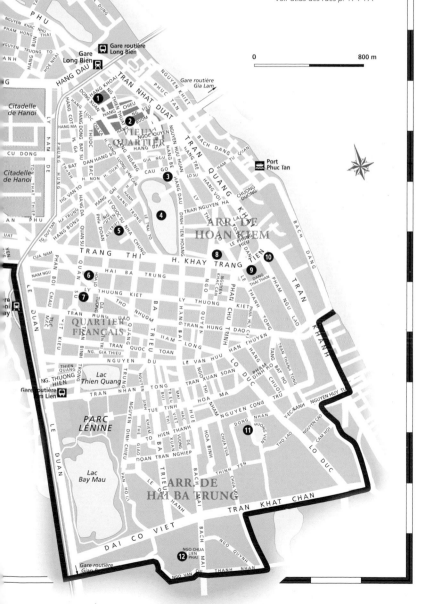

Le vieux quartier pas à pas

Plateau en laque, rue Hang Gai

Vivant et coloré, le plus ancien quartier marchand de Hanoi a commencé à prendre sa forme actuelle au XIIIᵉ siècle, quand des artisans se sont établis sur la rive du fleuve Rouge pour répondre aux besoins de la cour. Leur nombre croissant, ils se sont regroupés par activité. Après l'officialisation, au XVᵉ siècle, de l'existence de 36 corporations occupant chacune une rue, il a pris le nom de « quartier des 36 rues ». Ses venelles bordées de petites boutiques, de restaurants et de maisons-tubes (p. 27) ont conservé un cachet unique.

Longues et étroites maisons-tubes du vieux quartier

★ Marché Dong Xuan ❶

Le plus grand marché couvert de la ville occupe une halle possédant deux étages. Ses éventaires proposent un très large choix de produits.

Rue Hang Ma

Outre des lanternes et des guirlandes, les boutiques de la rue du Papier votif vendent des imitations de richesses matérielles comme des lingots d'or, des billets de banque ou des maisons. Elles sont brûlées en offrande aux esprits des ancêtres.

0   100 m

LÉGENDE

‒ ‒ ‒   Itinéraire conseillé

LÃVONG

À NE PAS MANQUER

★ Marché Dong Xuan

★ Temple du Cheval blanc

Cha Ca La Vong

L'un des plus vieux restaurants de Hanoi sert depuis plus d'un siècle la même spécialité : une cassolette de poisson mariné avec du galanga, du safran et du riz fermenté.

Pour les hôtels et les restaurants de la ville, voir p. 240-243 et p. 257-259

Rue Hang Buom
Les commerces de l'ancienne rue des Voiliers regorgent de friandises vietnamiennes, de diverses variétés de café fraîchement moulu et d'alcools importés, principalement du vin, du whisky et du cognac.

Quan Chuong, la porte du Commandant du régiment, était l'une des 16 portes qui fermaient le quartier. Aucune autre n'a subsisté.

La rue Hang Mam, la rue du Poisson en saumure, renferme maintenant des marbriers souvent spécialisés dans les stèles funéraires.

★ Temple du Cheval blanc ➋
Fondé au XIᵉ siècle, le plus ancien lieu de culte du quartier est dédié à l'esprit gardien de la ville, représenté par un cheval blanc magique.

Vers
Den Ngoc Son

LES NOMS DES RUES DU VIEUX QUARTIER

Les rues du quartier portent pour la plupart des noms liés aux corporations qui les occupaient. Ces noms commencent en général par le mot *hang* qui signifie « marchandise », le mot suivant définissant le type du produit. Il existe, par exemple, une rue de la Soie (Hang Gai), une rue de l'Argent (Hang Bac) et une rue de l'Encens (Hang Huong). De nos jours, nombre de leurs boutiques proposent également des articles sans rapport avec ces spécialités. Ce système de rues corporatives n'en reste pas moins exceptionnel en Asie du Sud-Est.

Instruments, rue Hang Non

Musée de la Maison du patrimoine
Cette maison-tube superbement restaurée offre un aperçu du mode de vie au XIXᵉ siècle des commerçants du vieux quartier.

Autel en hommage au général Ma Vien, temple du Cheval blanc

Marché Dong Xuan ❶

Croisement de Dong Xuan et Hang Chieu, vieux quartier. **Plan** *2 E2.* **Tél.** *(04) 829-5006.* ◯ *t.l.j. 6h-18h.* 🔲 🔳

L'administration coloniale française décida à la fin du XIXe siècle d'édifier une vaste halle à l'endroit où s'était longtemps tenu le marché du pont de l'Est. Ravagé par un incendie en 1994 et reconstruit en 1996, le bâtiment n'a conservé que sa façade d'origine, datant de 1889. Il abrite le plus ancien et le plus important marché couvert de Hanoi, Cho Dong Xuan. Ses éventaires proposent pratiquement de tout, depuis les produits alimentaires jusqu'aux vêtements, articles ménagers, plantes d'intérieur, animaux domestiques et importations bon marché. On y trouve aussi un large choix de souvenirs.

Non loin, le pont Long Bien, jadis baptisé pont Paul-Doumer, resta longtemps le seul ouvrage d'art de la ville à franchir le fleuve Rouge. Son importance stratégique en fit une des cibles privilégiées de l'US Air Force pendant la guerre du Vietnam *(p. 44-45).* Les bombes n'en sont pas venues à bout et piétons et cyclistes s'y pressent de part et d'autre d'une voie ferrée.

Temple du Cheval blanc ❷

76, Hang Buom, vieux quartier. **Plan** *2 E2.* ◯ *t.l.j. 7h30-11h, 13h30-18h.*

Le petit, mais élégant, Den Bach Ma est le plus ancien bâtiment du centre-ville, car sa fondation remonte au début du XIe siècle et à l'établissement de Than Long *(p. 160),* la capitale du premier véritable État viet.

Selon la tradition, après la reconquête de la ville sur les Chinois en 1010, les murailles rebâties par les vainqueurs ne cessèrent de s'effondrer jusqu'à ce qu'un cheval blanc magique apparaisse pour indiquer où les édifier. Pour exprimer sa gratitude, Ly Thai To commanda la construction d'un sanctuaire en son honneur et Bach Ma devint l'esprit protecteur de la cité. La communauté hoa d'origine chinoise installée dans la rue

Hang Buom contribua financièrement à la restauration du temple au XIXe siècle. Un cheval blanc tient toujours la première place à l'intérieur, mais les Hoa en ont fait un lieu de culte de Ma Vien, le général qui rétablit le contrôle de la Chine sur le Vietnam en 43.

Théâtre de marionnettes sur eau Thang Long ❸

57 B, Dinh Tien Hoang, arr. de Hoan Kiem. **Plan** *2 E3.* **Tél.** *(04) 825-5450.* ◯ *spectacles t.l.j. à 17h15, 18h30 et 20h ; séances supp. sam. et dim.* 🎥 *caméras et appareils photo soumis à supplément.* 🔲 🔳

La meilleure salle du Vietnam pour assister à une représentation de *roi nuoc* porte aussi le nom de Théâtre municipal de marionnettes sur eau. La compagnie se distingue par la qualité de l'interprétation, l'entente avec l'orchestre traditionnel qui joue la musique d'accompagnement et la maîtrise d'effets pyrotechniques tels que pétards, fumigènes et dragons cracheurs de feu. À la fin du spectacle, le rideau de bambou barrant le fond du plan d'eau se lève pour révéler les manipulateurs immergés jusqu'aux hanches. Toutes les places ménagent une bonne visibilité, mais mieux vaut être devant si l'on souhaite prendre des photographies.

Façade du Théâtre de marionnettes sur eau Thang Long

Les marionnettes sur eau

Né dans le delta du fleuve Rouge il y a près d'un millier d'années, pense-t-on, le *roi nuoc* compte parmi les expressions les plus authentiques de la culture vietnamienne. Les représentations tiraient jadis parti du décor offert par des rivières, des lacs ou des rizières. Elles se déroulent désormais dans de grands bassins. Dissimulés par un rideau, les manipulateurs diri-

Marionnettes en vente

gent leurs figurines grâce à de longues perches. Ils transmettent leurs techniques de génération en génération. Le répertoire puise dans le fonds légendaire du monde rural. Dans toutes les histoires, un petit personnage espiègle, Chu Teu, sert de meneur de jeu. Les héros affrontent des méchants emblématiques, comme le propriétaire terrien corrompu.

*Le **ty ba** est un instrument à quatre cordes pincées qui entre dans la composition de nombreux orchestres traditionnels.*

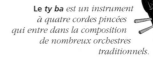

Un orchestre de chanteurs et de musiciens *accompagne le spectacle de bout en bout. Il contribue beaucoup à son rythme et à la tension dramatique.*

THÈMES POPULAIRES
Le répertoire comprend environ 200 scènes et pièces traditionnelles. Des animaux domestiques comme le buffle, ou mythologiques comme le dragon, le Phénix ou la licorne, y tiennent une grande place.

Un riche mandarin, un méchant archétypal, arrive en palanquin.

L'ombrelle symbolise rang et autorité.

Les marionnettes, *taillées dans un bois résistant à l'eau, souvent du sung, une variété de figuier, arborent des couleurs vives.*

Les marionnettistes *sortent de derrière le rideau de fond pour se faire applaudir à la fin du spectacle.*

Un palmier artificiel apporte une touche rurale.

Des villageois *entourent un dragon, une créature mythique bienveillante qui compte parmi les personnages de premier plan.*

Le pont des Rayons du soleil levant sur le lac Hoan Kiem

Lac Hoan Kiem ❹

Arr. de Hoan Kiem. **Plan** 2 E3.
◻ t.l.j. 24h/24. 🍴 ▯ ⬚
Den Ngoc Son Lac Hoan Kiem.
◻ t.l.j. 7h30-19h. 📷

Le charmant plan d'eau entouré de flamboyants au cœur de la capitale du Vietnam occupe une place particulière dans l'affection de ses habitants à plus d'un titre. En effet, selon la tradition, une tortue dorée en émergea au début du XVe siècle pour remettre au leader nationaliste Le Loi une épée magique qui lui permit de chasser les Chinois, alors maîtres du pays et de Than Long. Quand il organisa une parade nautique pour fêter sa victoire sur les soldats des Ming, la tortue apparut à nouveau pour lui reprendre l'arme, d'où le nom du lac, Ho Hoan Kiem,

qui signifie « lac de l'Épée restituée ». Le glaive avait rempli sa mission et Le Loi pouvait maintenant se détourner de la guerre pour se consacrer à la paix en fondant la dynastie des Le postérieurs sous le nom de Le Thai To (p. 40). Depuis le milieu du XIXe siècle, **Thap Rua**, la petite tour de la Tortue, commémore l'événement mythique sur un îlot au centre du lac.

Le **temple de la Montagne de Jade** (Den Ngoc Son) se dresse sur une île proche de la rive nord. Gracieux arc de bois peint en rouge, le **pont des Rayons du soleil levant** (The Huc) permet de le rejoindre. Bâti sous les Nguyen au début du XIXe siècle à l'emplacement d'un palais de leurs vieux

ennemis, les Trinh, le sanctuaire a conservé l'aspect que lui donnèrent les restaurations effectuées en 1864 par le mandarin Nguyen Van Sieu. Un bâton d'encre stylisé décore le sommet de son portail. Non loin, un pilier de pierre pointu représente un pinceau à calligraphie. Les idéogrammes sur la stèle signifient « écrire sur le ciel bleu ». L'antichambre du temple renferme la dépouille naturalisée d'une grosse tortue retrouvée dans le lac en 1968. Den Ngoc Son est dédié à trois personnages historiques déifiés : Tran Hung Dao, vainqueur des Mongols au XIIIe siècle (p. 40), le lettré Van Xuong et le précurseur de la médecine vietnamienne La To.

À l'est du plan d'eau, la **statue en bronze de Ly Thai To**, le fondateur de Than Long, fait elle aussi l'objet d'un culte.

Particulièrement apprécié par les adeptes du tai-chi le matin, les joueurs d'échecs dans la journée et les couples en soirée, le lac Hoan Kiem offre à tout moment un cadre romantique à une promenade. Il joue un rôle de premier plan lors des célébrations du Têt (p. 28-29). Des scènes dressées en plein air accueillent alors des concerts, et un grand feu d'artifice, clou des festivités, attire une foule enthousiaste.

LA FONDATION DE THANG LONG

Marionnettes de dragons, une créature mythique de bon augure

En 968, Tien Hoang De, le premier souverain viet de la dynastie des Dinh, déplaça sa capitale alors située à Dai Lai, tout près du site de la Hanoi moderne, pour l'établir à Hoa Lu, 80 km plus au sud dans la province de Nin Binh. Il se mettait ainsi à la plus grande distance possible de son puissant voisin du Nord. Cette nouvelle localisation ne présentait pas toutefois que des avantages et, 42 ans plus tard, Ly Thai To, le fondateur de la dynastie Ly, las de cette position excentrée, prit la décision de regagner Dai Lai, au cœur du delta du fleuve Rouge. En 1010, il infligea une cuisante défaite aux Chinois au terme d'une violente bataille et reprit la ville. Selon la légende, quand il y fit son entrée, un dragon doré s'élança depuis le sommet de la citadelle et disparut dans les cieux. L'empereur considéra cet événement comme un auspice favorable et rebaptisa sa capitale Thang Long, ce qui signifie « le dragon prenant son essor ».

La tour de la Tortue, ou Thap Rua, au centre du lac Hoan Kiem

Statue de la Vierge devant la cathédrale Saint-Joseph néogothique

Cathédrale Saint-Joseph ❺

Rue Nha Tho, arr. de Hoan Kiem. **Plan** 2 E3. **Tél.** (04) 828 5967. ◯ t.l.j. 5h-19h. **Chua Ba Da** 3, Nha Tho, arr. de Hoan Kiem. ◯ t.l.j. du lever au coucher du soleil.

Une congrégation de fidèles très pratiquants fréquente la plus grande église de la ville, baptisée Nha Tho en vietnamien. Les autorités coloniales décidèrent de raser l'un des sanctuaires les plus fréquentés de Hanoi, la pagode Bao Thien, pour permettre la construction, entre 1883 et 1891, de ce monument néogothique plus ambitieux que réellement harmonieux, avec sa façade alourdie par deux tours massives. L'intérieur présente davantage d'intérêt avec son autel ouvragé, ses vitraux d'origine française et, sur le mur du fond, un bas-relief peint représentant les Rois mages. La cathédrale est en général bondée le dimanche et lors des grandes célébrations catholiques comme Noël et Pâques. Certains offices sont dits en français. Si vous trouvez le portail principal fermé, essayez la porte latérale.

Située au sud de Saint-Joseph, **Chua Ba Da**, la pagode de la Dame de pierre, portait à l'origine le nom de Linh Quang, ou « lumière sacrée ». Fondée au XVe siècle et reconstruite au XVIIIe, elle fut rebaptisée lors de la découverte d'un rocher dont la forme évoquait une divinité féminine. Une sculpture en bois l'a aujourd'hui remplacé. Une venelle conduit à cette oasis de sérénité au cœur du vieux Hanoi. Le sanctuaire renferme plusieurs images de Thich Ca, le bouddha Sakyamuni, ainsi que de grosses cloches anciennes en bronze.

Musée de la prison Hoa Lo ❻

1, Hoa Lo, arr. de Hoan Kiem. **Plan** 2 D4. **Tél.** (04) 934 2253. ◯ t.l.j. 8h-11h30, 13h30-16h30. 📷 📷

En plein centre de la capitale vietnamienne, l'ancienne prison centrale a conservé son portail d'origine. L'administration française entreprit sa construction en 1886. Prévue pour accueillir

Bas-relief dénonçant les sévices des coloniaux, musée de la prison Hoa Lo

450 détenus, elle finit par en renfermer près de 2 000 dans les années 1930. La majorité d'entre eux étaient des prisonniers politiques. Pendant la guerre du Vietnam, la prison Hoa Lo acquit une notoriété mondiale en servant de cadre aux premières « confessions » de pilotes américains. Leur présence dans le vieux quartier explique qu'elle échappa aux bombardements. En 1997, une grande partie du corps de bâtiment a cédé la place aux Hanoi Towers. Seul un espace a été gardé pour aménager un musée.

L'exposition traite des mauvais traitements infligés aux militants nationalistes pendant la période coloniale. Les objets présentés comprennent fers, fouets et autres instruments de torture. Parmi les éléments préservés figurent des cachots et une

partie du réseau d'égouts qu'empruntèrent plus de 100 évadés en août 1945.

La section plus petite consacrée aux prisonniers de guerre américains montre qu'ils étaient bien traités, une version des faits très différente des témoignages des intéressés. La cour abrite une guillotine.

Pagode des Ambassadeurs ❼

73, Quan Su, arr. de Hoan Kiem. **Plan** 2 D4. **Tél.** (04) 942 4633. ◯ t.l.j. 7h30-11h30, 13h30-17h30. 📷

Cha Quan Su doit son nom à sa proximité avec une maison d'hôtes du XVIIe siècle qui servait à l'accueil des ambassadeurs venus de pays bouddhiques. Fondée au XVe siècle, elle a pris sa forme actuelle lors d'une reconstruction en 1936 puis d'une restauration en 1942. Siège officiel du bouddhisme Mahayana à Hanoi, elle attire de nombreux fidèles, en particulier lors des célébrations importantes comme la fête du Têt. Elle possède un mobilier harmonieux, notamment des images d'A Di Da, ou Amithaba, le bouddha du passé, Thich Ca, ou Sakyamuni, le bouddha du présent, et Di Lac, ou Maitreya, le bouddha du futur. Une petite boutique, près de l'entrée, vend des objets rituels.

Image aux bras multiples de Quan Am, pagode des Ambassadeurs

Hôtel Sofitel-Métropole ❽

15, Ngo Quyen, arr. de Hoan Kiem. **Plan** 2 F4. **Tél.** *(04) 826 6919.* ☐ *24 h/24.* ♿ 🍴 📷 🅿 www.sofitel.com
Maison des hôtes du gouvernement 10, Ngo Quyen, arr. de Hoan Kiem. 📷 *au public.*

Ouvert en 1901 sous le nom de Grand Métropole Palace, le plus prestigieux et le plus ancien des hôtels de luxe de Hanoi possède un style Belle Époque caractéristique du tournant du XIXᵉ siècle. Haut lieu de la vie sociale et intellectuelle de la capitale de l'Indochine française, il a accueilli tout au long de son histoire de nombreuses célébrités de la littérature, du cinéma et de la politique, dont Somerset Maugham (1874-1965), Charlie Chaplin (1889-1977), Graham Greene *(p. 58)*, Noel Coward (1899-1973), Michael Caine (1933) et Vladimir Poutine (1952). Après une longue période de décrépitude entre 1954 et 1986, sous le régime austère du socialisme d'État, il a retrouvé toute sa somptuosité et tout son confort grace à une récente restauration. Son jardin offre un cadre agréable et calme où boire un verre. À quelques pas au nord, l'ancienne résidence supérieure du Tonkin, édifiée en 1919 dans le style néoclassique, abrite désormais la maison des hôtes du gouvernement.

Opéra ❾

1, Trang Tien, arr. de Hoan Kiem. **Plan** 2 F4. **Tél.** *(04) 933 0132.* ☐ *pendant les représentations.* 📷 ♿ 🅿

Construit entre 1901 et 1911, le premier opéra de style européen d'Extrême-Orient, baptisé localement Nha Hat Long, soit « la maison du grand chant », évoque une version plus sobre de l'Opéra de Paris dessiné par Charles Garnier. Après avoir longtemps fait office de lieu de parade à la bourgeoisie coloniale, il entra dans l'histoire révolutionnaire du pays le 16 août 1945, quand le Comité

Restaurant et bar du jardin de l'hôtel Sofitel-Métropole

des citoyens annonça de son balcon la libération de la ville.

Après la partition du Vietnam en 1954, il souffrit d'un manque d'entretien chronique, et, pendant des années, sa programmation se limita presque exclusivement à des spectacles comme *Le Détachement rouge de femmes*, un classique du répertoire de ballet de la Chine maoïste, ou des concerts de musiciens venus d'URSS. Au milieu des années 1980, même ces maigres échanges culturels cessèrent.

Les autorités ont décidé en 1994 de restaurer et de rouvrir cette institution emblématique. L'opération a duré trois ans et coûté des millions de dollars, mais l'édifice a retrouvé ses miroirs dorés et le faste de ses escaliers d'apparat. La salle de 600 places, équipée du dernier cri en matière de sonorisation et d'éclairage, accueille des opérettes vietnamiennes, des ballets et des coproductions internationales. L'Orchestre symphonique de Hanoi y a son siège.

Musée d'Histoire ❿

1, Pham Ngu Lao, arr. de Hoan Kiem. **Plan** 2 F4. **Tél.** *(04) 825 2853.* ☐ *mar.-dim. 8h-11h30, 13h30-16h.* 🎫 📷 *sur rendez-vous.* 🚫 📷 📷

En dessinant le bâtiment de l'ancienne École française d'Extrême-Orient en 1925, Ernest Hébrard s'inscrivait dans une démarche architecturale propre à l'Indochine et qui se distinguait par l'association d'éléments européens, khmers et vietnamiens. Le bâtiment possède à la fois une sobriété et une élégance asiatiques et il ne manque pas de charme. Récemment restauré, il abrite le musée d'Histoire, ou Bao Tang Lich Su.

La collection illustre le passé du pays depuis la préhistoire, et comprend des pièces laissées par ses plus anciennes civilisations connues : la culture de Dong

Céramique du XVIIIᵉ siècle, musée d'Histoire

Son dans le delta du fleuve Rouge, la culture de Sa Huynh sur la côte centrale *(p. 119)* et la culture d'Oc-èo dans le delta du Mékong *(p. 98)*. Les tambours de bronze sont particulièrement remarquables. De la bataille de Bach Dang (1288) subsistent certains des pieux de bois qui servirent à couler la flotte mongole. L'étage de la rotonde renferme

Façade de l'Opéra

Jardin du musée d'Histoire à l'élégante architecture métissée

une splendide sélection de sculptures du royaume du Champa. Céramiques, meubles et objets incrustés de nacre évoquent le faste de la cour des empereurs vietnamiens.

Temple des Deux Sœurs Trung ⓫

Rue Dong Nhan, arr. de Hai Ba Trung.
◯ seulement pendant les fêtes.
🎏 fête de Hai Ba Trung (déb. mars).

Dans un quartier du sud de la ville, ce petit sanctuaire se dresse sur la rive occidentale du lac Huong Vien. Deux hautes colonnes blanches encadrent son large portail. Couronnées par des fleurs de lotus stylisées, elles portent des inscriptions de bon augure en caractères chinois. Fondé par l'empereur Ly Anh Ton en 1142, Den Hai Ba Trung est dédié aux sœurs Trung, les premières héroïnes des luttes d'indépendance du peuple viet (p. 38). Il renfermerait leurs dépouilles pétrifiées, retrouvées au bord de la rivière où elles se seraient suicidées après la reconquête de la région par les Chinois.

Le temple est en général fermé au public, mais les dévots s'y pressent par centaines pour la fête annuelle (p. 30). À cette occasion, les effigies des deux sœurs sont lavées avec de l'eau puisée dans le fleuve Rouge avant d'être revêtues de robes.

Pagode Lien Phai ⓬

Rue Ngo Chua Lien Phai, arr. de Hai Ba Trung. **Tél.** (04) 863 2562.
◯ t.l.j. 7h-11h, 13h30-17h30.

La pagode de la Secte du lotus est l'un des rares souvenirs des seigneurs Trinh (p. 41) visibles à Hanoi. Selon l'inscription de la stèle centrale, le seigneur Trinh Thap avait un palais dans les environs. Un jour, ses ouvriers déterrèrent dans le jardin un énorme rocher en forme de racine de lotus. Leur maître interpréta cette découverte comme un message du Bouddha l'invitant à renoncer à sa vie privilégiée et à se faire moine. Il ordonna en 1726 la construction d'un temple à l'endroit où la pierre avait été mise au jour, et il y passa les dernières années de sa vie. Des exemples de sa calligraphie sont accrochés près de l'autel principal.
Le bâtiment le plus imposant, la tour de la Lumière miraculeuse, ou Dieu Quang, possède neuf étages.

La secte du Lotus fondée par Trinh Trap suit la doctrine de la Terre Pure, très populaire en Chine et au Vietnam : le dévot s'efforce d'échapper au cycle des réincarnations en psalmodiant le nom du bouddha Amithaba et en se libérant de tout désir. Il accède alors au paradis occidental de la béatitude pour y vivre une éternité de lumière et de félicité.

Esprit gardien, Den Hai Ba Trung

LES SŒURS TRUNG

Pour assurer leur contrôle sur le Vietnam à partir de 111 av. J.-C., les empereurs chinois envoyèrent des émissaires pour occuper les postes les plus élevés, mais laissèrent en place les seigneurs féodaux locaux. Selon la tradition, le gouverneur Chiao Chi décida en 39 apr. J.-C. d'affirmer son autorité en assassinant l'un d'eux. Il s'agissait du mari de Trung Trac. Avec l'aide de sa sœur Trung Nhi, celle-ci obtint l'assistance des aristocrates menacés et réussit à chasser les occupants. Les deux femmes fondèrent alors leur propre royaume à Me Linh, dans le delta du fleuve Rouge. Les Chinois revinrent cependant en force en 43. Pour leur échapper, les sœurs Trung se jetèrent dans la rivière Hat. Leurs restes pétrifiés auraient été repêchés sous la dynastie des Ly.

Autel dédié au culte des sœurs Trung

Temple de la Littérature ⑬

Voir p. 166-167.

Image de Quan Am aux 1 000 bras, musée des Beaux-Arts

Musée des Beaux-Arts ⑭

66, Nguyen Thai Hoc, arr. de Ba Dinh. **Plan** 1 C3. **Tél.** *(04) 733 2136.* ⚪ *mar.-dim. 8h30-17h30.*

Installé dans un ancien pensionnat de jeunes filles de l'époque coloniale, le musée des Beaux-Arts (Bao Tang My Thuat) propose sur trois niveaux une intéressante exposition organisée par ordre chronologique. Elle commence par un bel ensemble de bronzes du Dong Son. Les sculptures sur bois et en pierre offrent un riche aperçu de l'art vietnamien entre le XIe et le XVIIIe siècle, notamment une image de Quan Am, le bodhisattva de la Compassion, représenté sous sa forme aux 1 000 bras.

Le premier étage accorde une large place aux peintures sur laque. Consacré à la période moderne, le reste de la collection comporte des œuvres aux supports très variés, des peintures sur soie et des aquarelles notamment. Beaucoup ont pour thème les luttes anticoloniales ou les réalisations du socialisme. La section d'arts populaires abrite, entre autres, des costumes traditionnels et des sculptures des hauts plateaux du centre.

Musée d'Histoire militaire ⑮

28A, Dien Bien Phu, arr. de Ba Dinh. **Plan** 1 C3. **Tél.** *(04) 823 4264.* ⚪ *mar.-jeu. et sam.-dim. 8h-11h30, 13h-16h.*

À l'extrémité sud de la citadelle, d'anciennes casernes françaises offrent 30 galeries d'exposition au musée d'Histoire militaire (Bao Tang Quan Doi). Il retrace l'évolution des forces armées vietnamiennes au fil des siècles et évoque les premières batailles livrées contre des occupants étrangers, les Chinois et les Mongols. Toutefois, les conflits du XXe siècle sont les plus développés. Des documents et archives variés illustrent les combats menés contre les colonisateurs français, puis contre les Américains et leurs alliés du Sud, et enfin contre d'anciens alliés communistes : les Khmers rouges cambodgiens et les Chinois. Commenté en français, le diorama de la bataille de Diên Biên Phu *(p. 195)* justifie à lui seul la visite.

La cour renferme de l'équipement militaire et de l'armement français, soviétiques et américains, dont un Mig-21 bien conservé. À côté du musée, la tour du Drapeau (Cot Co) de plan hexagonal date de 1812. Haute de 60 m, elle reste le dernier témoin des fortifications édifiées par l'empereur Gia Long, et l'armée vietnamienne l'a élevée au rang de symbole. Contrairement à la majeure partie du reste de la citadelle, considérée comme une zone militaire, elle est accessible au public. L'un des plus beaux panoramas de la ville s'ouvre du sommet.

Fronton à la gloire du communisme du musée Hô Chi Minh

Musée Hô Chi Minh ⑯

19, Ngoc Ha, arr. de Ba Dinh. **Plan** 1 B2. **Tél.** *(04) 823 0899.* ⚪ *mar.-jeu. et sam.-dim. 7h30-11h30, 13h30-16h30.*

Inauguré en 1990, un siècle après la mort du libérateur du Vietnam *(p. 169)*, ce musée cofinancé par l'URSS retrace le parcours du chef révolutionnaire. Un assortiment éclectique de souvenirs personnels et de photographies en noir et blanc illustre sa jeunesse et la longue période d'exil qu'il passa en Europe et en Chine. Des documents évoquent aussi le militant indépendantiste qui participa à la création du Parti communiste indochinois et combattit près de 30 ans la colonisation française et l'intervention américaine. Ouvertement partisane, l'exposition se révèle tout de même instructive. Des partis pris étranges lui confèrent une originalité kitsch.

Blindé du Front national de libération, musée d'Histoire militaire

Pour les hôtels et les restaurants de la ville, voir p. 240-243 et p. 257-259

Escalier menant à la charmante
petite pagode au Pilier unique

Pagode au Pilier unique ⑰

8, Chua Mot, arr. de Ba Dinh. **Plan**
1 B2. *Tél. (04) 843 6299.* ⬜ *t.l.j.*

Autre grand emblème de la
ville, avec la tour du Drapeau,
la pagode au Pilier unique
(Chua Mot Cot) s'élève au-
dessus d'un bassin aux lotus
situé à l'intérieur de la pagode
Dien Huu. Selon la légende,
l'empereur Ly Thai Thong
commanda sa construction
en 1049 à la suite d'un rêve.
Désespéré de ne pas avoir
de descendant mâle, il vit une
nuit dans son sommeil Quan
Am qui lui tendait un garçon,
assise sur un lotus. Peu après,
Ly Thai Thong prit une
nouvelle épouse, une jeune
femme qui lui donna un fils.
Pour exprimer sa gratitude,
il fit construire ce petit temple
dont la forme évoque la fleur
sur lequel était apparue
la déesse de la Compassion.
Le petit sanctuaire est resté

Drapeau
vietnamien
au-dessus
de la citadelle

FOUILLES À LA CITADELLE DE HANOI

Jusqu'à l'établissement de la capitale à
Huê en 1802 par l'empereur Gia Long,
la citadelle de Hanoi renferma à la fois
la Cité royale et la Cité interdite d'une
série de souverains remontant à Ly Thai
To en 1010. Fermée au public, elle
fait aujourd'hui l'objet des fouilles
archéologiques les plus exhaustives et
jamais effectuées au Vietnam. Certains des
trésors mis au jour ont été présentés en
2004. Ils datent de l'apogée culturelle
de la ville aux XIᵉ-XVᵉ siècles.
Les célébrations du millénaire de la
fondation de Hanoi en 2010 devraient
donner lieu à une exposition.

un modèle unique en dehors
d'une copie bâtie à Saigon,
quand Hanoi passa sous
contrôle communiste *(p. 72)*.
Il se dressait à l'origine
sur un poteau en bois,
remplacé par un pilier en
béton après sa démolition par
les Français au moment où
ils quittèrent la ville en 1954.

Mausolée de Hô Chi Minh ⑱

Place Ba Dinh, arr. de Ba Dinh.
Plan 1 B2. ⬜ *mar.-jeu. et sam.-dim.
7h30-10h30.* ⬤ *deux mois par an,
oct. et nov., pour la maintenance
de l'embaumement.* 🚫📷 📷

Chu Tich Hô Chi Minh, le lieu
de dernier repos du père de
l'indépendance vietnamienne,
domine de sa silhouette
massive le côté ouest de la
place Ba Dinh. Construit en
pierre extraite des montagnes
de Marbre proches de Da
Nang *(p. 134)*, le monument

ne possède rien de la légèreté
de la fleur de lotus que ses
architectes prétendent avoir
voulu évoquer.
    Connu pour sa modestie et
sa réserve, et le peu de cas
qu'il faisait des privilèges, Hô
Chi Minh avait demandé par
testament à être incinéré. Il
voulait que ses cendres soient
dispersées au sommet de trois
collines, l'une dans le nord,
l'une dans le centre et la
dernière dans le sud du pays,
en un symbole de l'unité
nationale à laquelle il avait
consacré sa vie. Dans le même
esprit, il s'était opposé à la
construction d'un musée à sa
mémoire dans son hameau
natal proche de Kim Lien
(p. 151). Il estimait que les
fonds seraient mieux utilisés
s'ils servaient à bâtir une
école. Cependant, à sa mort
en 1969, la direction du Parti
communiste prétexta que le
Sud n'était pas encore libéré
pour remettre la crémation
à une date ultérieure. Depuis
1975, un mausolée expose
la dépouille du grand homme,
embaumée avec l'aide
de spécialistes soviétiques.
    La visite suit des règles
strictes : tenir une tenue
correcte, laisser en consigne
sacs, appareils photo et
couvre-chefs, ne pas mettre les
mains dans les poches, rester
silencieux et ne pas s'attarder.
Venir se recueillir devant
le corps brillamment éclairé
dans un cercueil transparent
correspond à une forme de
pèlerinage pour de nombreux
Vietnamiens ; de longues files
se forment avant l'ouverture,
en particulier le dimanche.

L'imposant mausolée de Hô Chi Minh

Temple de la Littérature ⓭

Un portail monumental marque l'entrée du temple de la Littérature

Construit en 1070 pendant le règne de Ly Thanh Tong, le plus ancien et le plus beau corps de bâtiment de Hanoi, le temple de Littérature (Van Mieu), a fait fonction d'établissement d'enseignement supérieur pendant plus de sept siècles. C'était là qu'étaient formés les mandarins. Le complexe s'inspire du temple de Confucius bâti dans la ville natale du philosophe, Qufu, et s'organise autour de cinq cours. Des murs et des portails ornementaux les séparent. Les édifices se répartissent de façon symétrique. Dans les deux premières cours agrémentées de pelouses, une allée suit cet axe jusqu'à Khue Van Cac.

Gardien de porte

Échecs humains

Pendant les fêtes du Têt, des parties d'échecs aux pièces remplacées par des personnages en costume ont lieu dans la quatrième cour.

Puits de la Clarté céleste

Le bassin carré appelé Thien Quang Tinh occupe le centre de la troisième cour. De part et d'autre, des pavillons protègent 82 stèles dédiées aux lettrés qui avaient réussi les examens donnant accès aux plus hautes fonctions de l'État.

★ Khue Van Cac

Le pavillon de la Constellation de la littérature date de 1805. À l'étage supérieur, quatre soleils rayonnants font face aux points cardinaux.

À NE PAS MANQUER

★ Autel de Confucius

★ Khue Van Cac

★ Stèles des tortues

★ Temple de Confucius

Bonzes traversant la première cour

Salle de musique
*Un petit orchestre de chanteuses et
de musiciennes jouant d'instruments
traditionnels (p. 24-25) donne
régulièrement des concerts près
de l'autel de Confucius.*

La tour abritant une cloche
dans la cinquième cour date
d'une récente restauration.

Grand tambour
*Conformément à la
tradition architecturale
chinoise, le clocher a
pour pendant, de
l'autre côté du Collège
national, une tour
renfermant
un tambour.*

**Dans l'ancien Collège
national** (Quoc Tu Giam),
les effigies de trois
empereurs de la dynastie
Ly veillent sur des
manuels historiques.

**★ Temple
de Confucius**
*Le rouge et l'or dominent
dans le bâtiment situé
derrière la maison des
Cérémonies. Les statues de Confucius
et de 4 de ses principaux disciples
y arborent des robes somptueuses.*

**★ Stèles
des tortues**
*Dressées
chacune sur
la carapace
d'une tortue,
support du monde dans la
mythologie extrême-orientale,
82 hautes stèles datant du XVᵉ
au XVIIIᵉ siècle dressent des listes
de lauréats aux concours
annuels. Selon les annales,
elles étaient 112 à l'origine.*

★ Autel de Confucius
*Dans la maison des Cérémonies (Bai Duong),
deux grues, oiseaux censés transporter l'âme
au ciel, encadrent l'autel où le souverain
et ses mandarins venaient faire des offrandes
devant une tablette votive de Confucius.*

Embarcations à pédales en forme de cygne au bord du lac de l'Ouest

Maison sur pilotis de Hô Chi Minh ⑲

1, Bach Thao, palais présidentiel, arr. de Ba Dinh. **Plan** 1 B2.
☐ *mar.-jeu. et sam.-dim. 7h30-11h30, 14h-16h.* 🎫 🅿️ **Jardin botanique** rue Hoang Hoa Tham.
☐ *t.l.j. 7h30-22h.* ♿ 🅿️

Quand il devint président de la République démocratique du Vietnam en 1955, Hô Chi Minh décida que l'ancien palais du gouverneur de l'Indochine était trop pompeux pour lui, et il se fit construire dans le parc une demeure en bois plus modeste. S'inspirant des habitations sur pilotis de minorités ethniques, il conçut lui-même l'élégant pavillon Nha Bac Ho, la « maison de l'oncle Hô ». Les tables et les chaises au milieu des plantes, près des pilotis, servaient à ses réunions avec le bureau politique.

Statue du Jardin botanique

Un escalier à l'arrière de l'édifice conduit aux deux pièces spartiates où il vivait : un bureau et une chambre, conservés tous deux en l'état. Le bureau abrite une vieille machine à écrire et une bibliothèque remplie de livres en de nombreuses langues. Dans la chambre, les seules concessions au confort consistent en un lit, un réveil électrique, un téléphone et un poste de radio. Hô Chi Minh habita la maison de 1958 à 1969, se chargeant lui-même d'arroser son jardin et de nourrir les poissons du bassin.

Lac de l'Ouest ⑳

Plan 1 A1. ♿ 🍴 🖼️ 🅿️
Pagode de la Défense du pays
île Kim Ngu, chaussée Thanh Nien.
☐ *t.l.j. du lever au coucher du soleil.*
Temple Quan Thanh croisement de la chaussée Thanh Nien et de la rue Quan Thanh. ☐ *t.l.j. du lever au coucher du soleil.*

Au nord du mausolée de Hô Chi Minh, une grande digue isole du fleuve Rouge le vaste lac de l'Ouest (Ho Tay) où le club nautique de Hanoi a son siège. Les palais et pavillons édifiés sur ses rives par les seigneurs Trinh ont disparu, remplacés par des hôtels de luxe et les villas de la nouvelle élite du Vietnam. En revanche, de nombreux temples subsistent. Les deux plus intéressants bordent la chaussée qui sépare le plan d'eau du petit lac de la Soie blanche (Truch Bach). Celui-ci devrait son nom à une

demeure où les concubines en disgrâce tuaient jadis le temps en tissant. L'empereur Ly Thai To (r. 1010-1028) aurait fréquenté le **temple Quan Thanh**. Reconstruit en 1893, il est dédié au gardien du Nord (Tran Vo), une divinité taoïste dont une impressionnante statue en bronze domine l'autel. Fondue en 1677, elle mesure près de 4 m. Selon la tradition, la fondation de la vénérable **pagode de la Défense du pays** (Chua Tran Quoc) remonterait au règne du seigneur Ly Nam De (544-548). Bâtie à l'origine sur la berge du fleuve Rouge, elle dut être déplacée au XVIIᵉ siècle après un glissement de terrain. Elle a pris son aspect actuel lors d'une restauration en 1815.

Plus au nord, de nombreux restaurants ont pour spécialité la viande de chien *(thit cho)*.

Pagode du Lotus d'or ㉑

Ho Tay, arr. de Tu Liem.
Tél. *(04) 852 9962.*
☐ *t.l.j. du lever au coucher du soleil.*

Cette très jolie pagode justifie l'effort de s'y rendre sur la rive nord du lac de l'Ouest. Selon la tradition, une fille de l'empereur Ly Than Tong (r. 1128-1138), Tu Hoa, vint s'installer dans ce qui était alors le village de Nghi Tam pour apprendre à ses habitantes à élever les vers à soie et à tisser leur fil. Au XVIIᵉ siècle, les villageois bâtirent un temple bouddhique sur les fondations de son palais. Le seigneur Trinh Sam ordonna sa restauration en 1771, lui donnant alors le nom de pagode du Lotus d'or (Chua Kim Lien) en l'honneur de la princesse. Un imposant portail à la toiture sophistiquée commande l'entrée de l'enceinte. À l'intérieur, trois pavillons sont disposés en trois lignes supposées reproduire le caractère chinois *san*, correspondant au chiffre trois.

Bouddha de la pagode de la Défense du pays

Hô Chi Minh

L'« oncle Hô » est né en 1890 sous le nom de Nguyen Sinh Cung dans le village de Hoang Tru, près de Kim Lien. Il fit ses études à Huê puis quitta le Vietnam en 1911 et s'installa à Paris en 1917. Il participa à la fondation du Parti communiste français, travailla pour le Komintern à Moscou et milita en Chine. À son retour au pays en 1941, il créa le Front pour l'indépendance du Vietnam, ou Viêt-minh, sous le pseudonyme de Hô Chi Minh, « celui qui éclaire ». Au terme d'une longue guerre de libération contre la France, il devint en 1955 le président de la République démocratique du Vietnam. Sa mort six ans avant la fin du conflit avec le Sud l'empêcha de voir son pays réunifié. Il n'en est pas moins universellement considéré comme le père de son indépendance.

Emblèmes communistes, musée de Hô Chi Minh

La prestigieuse école Quoc Hoc de Huê *compta non seulement Hô Chi Minh parmi ses élèves, mais également le futur général Vo Nguyen Giap et Pham Van Dong, qui deviendra Premier ministre.*

Nguyen Ai Quoc, *qui signifie « Nguyen le Patriote », est le nom qu'adopta Hô Chi Minh à 25 ans. Profondément marxiste, il associa tout au long de sa vie combat de libération nationale et lutte des classes. En 1930, il créa en Chine le Parti communiste indochinois.*

Une photographie de 1945 *montre Hô Chi Minh en combattant. Le conflit entre le Viêt-minh et la puissance coloniale française devint une véritable guerre à compter à de 1946. Elle dura huit longues années.*

Vivant dans la clandestinité, *Hô Chi Minh passa des heures à peaufiner ses stratégies militaires et politiques. Avec des groupes de résistants, il réussit à créer une force capable de vaincre les Français en 1954.*

Homme doux et discret *apprécié des enfants comme des adultes, Hô Chi Minh, grâce à ses voyages, parlait couramment plusieurs langues, dont le chinois, le russe, le français et l'anglais.*

Révéré comme le père du Vietnam moderne, *et incarnation de son unité retrouvée, Hô Chi Minh reste une figure partout présente dans le pays sous forme de statues et de portraits. Kim Lien (p. 151), son village d'enfance, est devenu un lieu de pèlerinage national.*

Le pont des Rayons du soleil levant, ou The Huc, sur le lac Hoan Kiem de Hanoi (*p. 160*) ▷

Reconstructions d'édifices des hauts plateaux centraux, musée d'Ethnographie

Citadelle de Co Loa ㉒

16 km au N. de Hanoi, arr. de Dong Anh. 🚗 🅿 t.l.j. 8h-17h. 🎭 📷 🎪 fête de Co Loa (fév.).

La première capitale connue d'un État viet indépendant appartient à une époque, avant la colonisation chinoise, où l'épopée commençait seulement à évoluer en histoire factuelle. Les récits liés à sa création et à sa chute reposent sur une tradition orale depuis longtemps couchée par écrit, mais qui n'en demeure pas moins impossible à vérifier.

An Duong Vuong *(p. 37)* en aurait été le fondateur en 258 av. J.-C. Selon la légende, la ville tomba aux mains des Chinois parce que sa fille, My Chau, succomba au charme du fils du général ennemi et se laissa convaincre de lui confier l'arbalète magique de son père. Retournée contre le peuple qu'elle avait protégé, l'arme causa sa perte. Réalité ou fiction, le très grand nombre de têtes de flèches en bronze retrouvées sur le site

indique que des combats féroces s'y déroulèrent. Il ne reste que des traces des anciennes fortifications, trois enceintes concentriques en terre battue. Au centre se dressent des temples dédiés à An Duong et à My Chau. Leur bon état de conservation indique que leur construction est postérieure de plusieurs siècles à la destruction de la cité. Deux lions stylisés gardent l'entrée du temple d'An Duong. Une grande fête y rend hommage chaque année au roi légendaire. Une procession accompagne son

effigie, portée en palanquin du sanctuaire jusqu'au *dinh* (maison commune) local.

Les célébrations ont pris une dimension touristique et comprennent des parties d'échecs humains, des combats de coqs et des chants et des danses. Le dernier jour, An Duong retourne dans son temple. Le Département d'architecture et d'urbanisme de Hanoi a entrepris la restauration de la vaste zone qu'occupait la citadelle.

Musée d'Ethnographie ㉓

60, Nguyen Van Huyen, arr. de Cau Giay. **Tél.** *(04) 756 2193.* 🚗 🅿 *mar.-dim 8h30-17h30.* 🎭 📷 🖥 🛍

À l'ouest du centre-ville, le musée d'Ethnographie (Bao Tang Dan Toc Hoc), inauguré en 1997, possède une collection de plusieurs milliers d'objets illustrant la diversité ethnique d'un pays comptant 53 peuples distincts en plus du groupe dominant des Viet, ou Kinh *(p. 20-21)*. On y voit des costumes traditionnels, des tissages, des instruments domestiques, des outils, du matériel de pêche et de chasse et des peintures rituelles. La présentation se poursuit dans le vaste parc, où ont été rassemblés des exemples d'architecture de minorités des hauts plateaux centraux : habitations, maisons communes ou sépultures.

La reconstitution d'une maison typique des Thaïs Noirs est à ne pas manquer.

L'institution est aussi un centre de recherche ethnographique sur ces peuples.

Évocation de la culture de Dong Son, citadelle de Co Loa

Immense image d'un esprit protecteur, pagode Thay

Pagode Thay ㉔

32 km à l'O. de Hanoi, province de Ha Tay. 🚗 ⬜ *t.l.j. du lever au coucher du soleil.* 📷 🎭 *fête de la pagode Thay (5-7 avr.).*

Dédiée à Thich Ca, le bouddha historique, la pagode du Maître s'inscrit dans un cadre idyllique au bord d'un plan d'eau. Elle doit son nom à Tu Dao Hanh, un moine du XIIe siècle, excellent manipulateur de marionnettes. Le sanctuaire abrite plus de 100 statues religieuses, dont deux immenses effigies de génies protecteurs en argile et en papier mâché pesant plusieurs tonnes.

À l'intérieur de la pagode dite « d'en haut », une image du maître se dresse à gauche de l'autel principal. L'empereur représenté de l'autre côté, Ly Than Tong (r. 1128-1138), serait sa réincarnation. La fête annuelle du temple donne lieu à des spectacles de marionnettes sur eau *(p. 159).*

Pagode Tay Phuong ㉕

38 km à l'O. de Hanoi, province de Ha Tay. 🚗 ⬜ *t.l.j. du lever au coucher du soleil.* 📷

Il faut gravir 239 marches pour atteindre ce petit temple perché au sommet d'une colline supposée ressembler à un buffle. Fondé au VIIIe siècle et maintes fois remanié, il se trouve à courte distance à l'ouest de la pagode Thay, d'où son nom qui signifie « pagode occidentale ». Ses bâtiments se distinguent par l'élégance de leurs toits à deux étages aux avant-toits recourbés et aux charpentes abondamment sculptées. Ils ont pris leur aspect actuel en 1794. Le sanctuaire est également réputé pour les quelque 70 statues très expressives en bois laqué qui décorent ses autels. Datant des XVIIe et XVIIIe siècles, elles représentent des incarnations du Bouddha, des disciples de Confucius et divers *arhat*, des sages ayant atteint la libération. La pagode possède aussi une grande cloche fondue en 1796.

Temples des rois Hung ㉖

100 km au N.-O. de Hanoi, arr. de Phong Chau, province de Phu Tho. 🚌 **Musée Tél.** *(021) 860 026.* ⬜ *t.l.j. 8h-11h30, 13h-16h.* 🚫 *dans le musée.* 🏠 🏧 🎭 *fête des temples des rois Hung (avr.).*

Considérés par les Vietnamiens comme des témoignages des origines de leur civilisation, les temples des rois Hung s'étagent sur le mont Nghia Linh. Ils occupent un site qu'avaient consacré au culte les souverains du royaume de Vang Lang entre le VIIe et le IIIe siècle av. J.-C. Bien que beaucoup plus récents, ils font l'objet d'une grande vénération dont témoigne l'état dans lequel ils sont conservés et entretenus.

Un escalier en pierre abrupt grimpe à travers les arbres jusqu'à **Den Ha**, le plus bas sur la pente, puis **Den Hung** et enfin **Den Thuong**, proche du sommet. Les alentours recèlent en abondance pagodes, bassins couverts de lotus et petits sanctuaires. Des bougies et des bâtonnets d'encens brûlent devant le plus important, baptisé **Lang Hung** et situé en dessous de Den Thuong. Ce monument du XXe siècle est censé symboliser le tombeau du premier roi Hung.

Le point culminant offert par le mont Nghia Linh ménage un panorama spectaculaire sur la campagne de la province de Phu Tho. Au pied de la montagne, un petit **musée** expose une collection éclectique de pièces archéologiques – tambours en bronze de la culture de Dong Son, fragments de poterie et têtes de flèches.

Statue en bois laqué, pagode Tay Phuong

Les temples des rois Hung se nichent dans une végétation touffue

ATLAS DES RUES DE HANOI

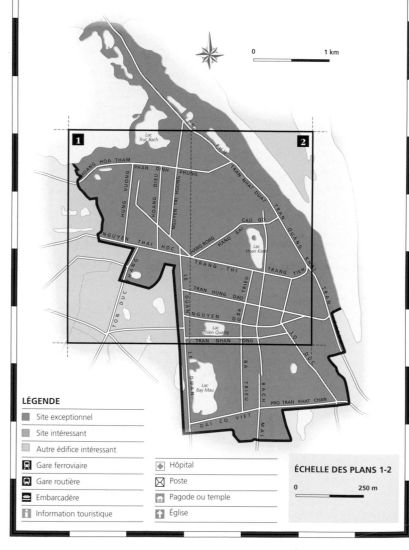

L a capitale administrative du Vietnam compte quatre principaux arrondissements : Hoan Kiem, Hai Ba Trung, Ba Dinh et Dong Da. Le premier, baptisé d'après le lac au cœur de la ville, est celui qui offre le plus d'intérêt pour les visiteurs. Il renferme dans sa partie nord le vieux quartier aux rues jadis spécialisées par activité commerciale *(p. 156)*, tandis qu'au sud, l'ancienne concession française conserve son élégance surannée. Ba Dinh contient plusieurs musées et monuments. Sur les panneaux, c'est le mot *pho* et non *duong*, comme dans le Sud, qui précède les noms propres des rues. Certains noms courants ont été abrégés sur les plans, notamment Nguyen (Ng) et Hang (H). La liste ci-dessous explicite les symboles signalant les sites et édifices.

Déplacement en cyclo-pousse

0 _____ 1 km

LÉGENDE

◼ Site exceptionnel

◼ Site intéressant

◻ Autre édifice intéressant

🚃 Gare ferroviaire

🚌 Gare routière

⛴ Embarcadère

ℹ Information touristique

✚ Hôpital

⊠ Poste

卍 Pagode ou temple

✝ Église

ÉCHELLE DES PLANS 1-2

0 _____ 250 m

Index des rues

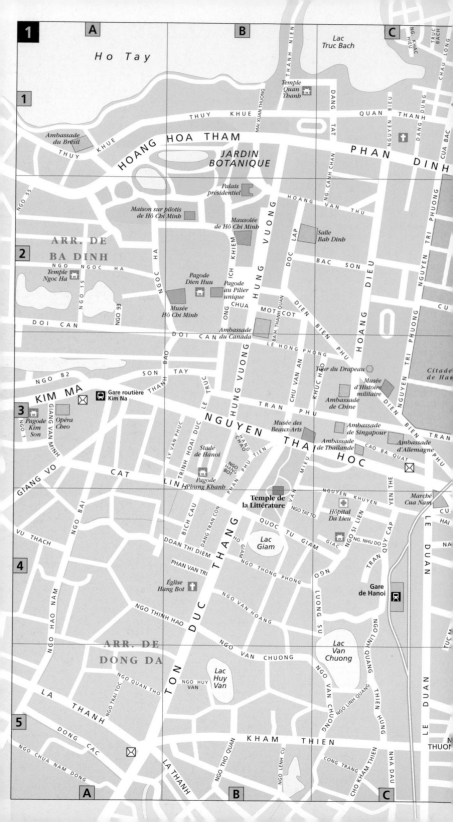

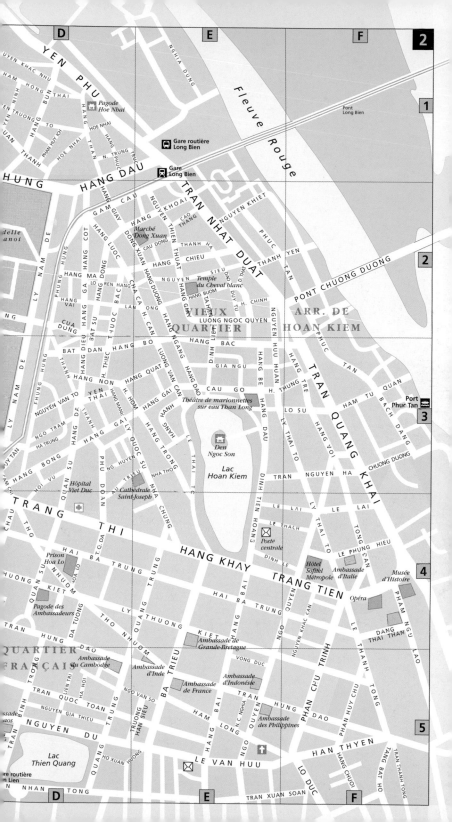

LE VIETNAM DU NORD

C'est dans le delta du fleuve Rouge et dans les montagnes qui l'entourent que s'est développée la culture viet. La région est riche en beautés naturelles, depuis les hauts sommets et les gorges profondes de l'Ouest jusqu'aux féeriques îlots karstiques de la baie de Ha Long. Elle abrite de nombreuses ethnies minoritaires.

Dominé par les cimes dentelées de la chaîne de Hoang Lien Son, le Vietnam du Nord a gardé une grande authenticité dans ses paysages comme dans sa diversité culturelle. Les reliefs couverts de forêts et les vallées profondes des provinces du Nord et du Nord-Ouest abritent des dizaines de minorités ethniques, comme les Hmong, les Thaïs, les Dao et les Nung. Avec leurs maisons souvent sur pilotis au milieu de terrasses cultivées, leurs villages autour de Son La, Lai Chau, Bac Ha et Sapa fournissent des buts de promenade. Plus à l'ouest, la cuvette de Diên Biên Phu attire davantage les visiteurs pour son passé que pour sa beauté. Un musée, des monuments et des vestiges évoquent la bataille qui s'y déroula en 1954.

Le Nord-Est possède de superbes sites karstiques hérissés de centaines d'éperons rocheux. Si la baie de Ha Long est le site le plus connu, la baie de Bai Tu Long et l'île de Cat Ba sont presque aussi spectaculaires mais moins fréquentées. Sur les fonds peu profonds de l'île se sont développés de somptueux récifs de coraux. Haiphong, le grand port de la région, possède une atmosphère plus détendue que ne le laisserait présager sa vocation industrielle.

Au sud s'étendent les riches terres agricoles du delta du fleuve Rouge. Ninh Binh y constitue une bonne base d'où partir à la découverte des curiosités des alentours et des sanctuaires bouddhiques de la pagode des Parfums. Les fidèles s'y pressent par milliers pendant les trois mois de la période de pèlerinage. Autre destination proche de la ville, le parc national de Cuc Phuong protège une forêt primaire dont la dense végétation offre un cadre luxuriant à la promenade.

Hameau rustique entouré de rizières près de Sapa

◁ Hmong Fleurs au marché dominical de Bac Ha *(p. 197)*

À la découverte du Vietnam du Nord

La région d'où le peuple viet s'est lancé dans sa « marche vers le sud » possède une histoire particulièrement riche et les plaines fertiles du fleuve Rouge renferment de nombreux temples et pagodes, ainsi que de vénérables maisons communes. Les sites de pèlerinage comprennent le mont Yên Tu, à la fois proche du port industriel de Haiphong et de la baie de Ha Long, le site naturel du pays le plus visité. En remontant vers le nord, les champs cèdent la place aux reliefs du massif de Hoang Lien Son, où la station climatique de Sapa permet de rayonner dans une région où vivent de nombreuses minorités ethniques. Plus à l'est dans les montagnes, le parc national de Ba Be renferme un vaste lac à découvrir en barque.

Cascade d'Argent (Thac Bac), près de Sapa *(p. 196-197)*

LE NORD D'UN COUP D'ŒIL

Localités
Bac Ha ⑯
Cao Bang ⑱
Diên Biên Phu ⑭
Haiphong ⑤
Halong City ②
Hoa Binh ⑩
Moc Chau ⑫
Ninh Binh ⑦
Sapa ⑮
Son La ⑬
Tam Dao ⑲

Beautés naturelles
Baie de Bai Tu Long ④
Baie de Ha Long p. 182-184 ①
Vallée de Mai Chau ⑪

Parcs nationaux
Parc national de Ba Be ⑰
Parc national de Cuc Phuong ⑨

Île
Île de Cat Ba ⑥

Sites religieux
Pagode des Parfums p. 192-193 ⑧
Sites de pèlerinage du Yên Tu ③

Jeunes Hmong Fleurs en tenue traditionnelle au marché de Bac Ha, près de Sapa *(p. 197)*

VOIR AUSSI

0   50 km

Symboles de la carte voir rabat arrière de couverture

Îlots karstiques de la baie de Ha Long (p. 182-184)

LÉGENDE

— Route principale

===== Route secondaire

~~~~ Voie ferrée

▬ Frontière internationale

▬ Frontière provinciale

△ Sommet

CIRCULER

La construction de routes desservant Haiphong, Halong City et la frontière chinoise a rendu les déplacements plus faciles dans le Nord-Est. La situation n'est pas aussi brillante dans le Nord-Ouest et mieux vaut prendre le train de nuit jusqu'à Lao Cai, ou l'avion jusqu'à Diên Biên Phu, plutôt que d'affronter le trajet par la route. Une voiture avec chauffeur offre ensuite le meilleur moyen de se déplacer. Des bus circulent également. Les hôtels et agences de voyages de Hanoi, Ninh Binh et Sapa vous faciliteront l'achat d'un billet. Des bateliers proposent leurs services au quai de Bai Chay pour des promenades dans la baie de Ha Long. Un service régulier d'hydroptères relie Haiphong à l'île de Cat Ba.

Baie de Ha Long ❶

Inscrit par l'Unesco au patrimoine mondial de l'humanité, le plus vaste site karstique marin du monde possède une superficie de 1 500 km². Le cinéma a rendu célèbre le paysage fantastique créé par ses

Monticole bleu, baie de Ha Long

quelque 2 000 îles et pitons calcaires, dont les parois abruptes dominent une eau étale *(p. 184)*. Ha Long signifie « descente du dragon » et, selon la légende, c'est l'un de ces animaux mythiques qui creusa la baie, découpant les rochers avec les battements de sa queue. Les géologues donnent une explication moins poétique à leur formation : l'érosion d'un épais plateau sous-marin remonté à la surface.

CARTE DE SITUATION

▨ Zone illustrée

--- Aire du patrimoine mondial

Bateaux-dragons

Signe de bon augure partout visible au Vietnam, le dragon fait aussi référence à la légende sur les origines de la baie de Ha Long.

Hang Thien Cung, ou la grotte du Palais céleste, renferme des stalactites et des stalagmites mises en relief par un éclairage artificiel.

Tuan Chau

Dao Tuan Chau est devenue un centre de loisirs. Hô Chi Minh avait sa résidence d'été sur cette grande île au sud-ouest de Bai Chay.

Dau Go

★ Hang Dau Go

Sur l'île des Merveilles, selon le nom que lui donnèrent les Français au XIXᵉ siècle, la grotte des Bouts de Bois abrite d'étranges concrétions calcaires. On y a retrouvé des pieux de la bataille du Bach Dang (p. 40).

CAT BA

LA FORMATION DU KARST

Dans la région du golfe de Tonkin, en mer dans la baie de Ha Long et sur terre à Tam Coc, des aiguilles de calcaire dressent des parois presque verticales. Elles ont pour origine un dépôt de sédiments fossilisés sur le plancher océanique. Soulevé et fracturé par des mouvements de la croûte terrestre, il s'est retrouvé exposé à la dissolution provoquée par des pluies acides. Les eaux de ruissellement ont alors creusé de profondes tranchées, de vastes cavernes et des gouffres, sculptant dans le rocher d'étranges reliefs.

Relief sculpté dans le rocher par des pluies acides

À NE PAS MANQUER

★ Hang Bo Nau

★ Hang Dau Go

★ Hang Sung Sot

Villages flottants
Les habitations flottantes proches du port de Hong Gai possèdent leurs niches à chien, leurs jardins d'aromates et même des abris à cochons.

MODE D'EMPLOI

Carte routière C1. 165 km à l'E. de Hanoi ; 60 km au N.-E. de Haiphong. 🚌 *depuis Hanoi.* 🚢 *depuis Haiphong.* 🚢 *depuis le quai de Bai Chay,* 🚌 *depuis Hanoi et Haiphong.* 🛶 *pour certains îlots et grottes.* 🛥 *à engager à Hanoi ou Halong City.* 🏨 *Halong City.*

Hong Gai

long City

Jonques
Les jonques traditionnelles sont devenues rares. Taillées dans un épais coton et cousues à la main, les voiles doivent leur couleur au bain végétal utilisé pour les renforcer.

Les bacs de Halong City
effectuent en permanence des allers-retours entre Bai Chay, à l'ouest, et Hong Gai, à l'est.

Dao Titop possède une petite plage. Il est aussi possible de grimper jusqu'au sommet de l'îlot.

Dong Tam Cung, découverte au milieu des années 1990, compte parmi les grottes les plus impressionnantes de la baie.

★ **Hang Bo Nau**
La grotte du Pélican ménage depuis son entrée en voûte une vue de la baie appréciée des photographes.

Bo Hon

Hang Trong, la grotte du Tambour, émet un bruit qui ressemble à un lointain roulement de tambour quand le vent la traverse.

0   2 km

★ **Hang Sung Sot**
La grotte de la Surprise, la grotte la plus visitée de la baie, abrite dans sa chambre intérieure des concrétions calcaires censées évoquer des sentinelles en train de bavarder.

À la découverte de la baie de Ha Long

Se promener en bateau entre les étranges îlots sculptés par l'érosion peut faire vivre un grand moment comme se révéler décevant tant ils attirent de monde. Ils justifient néanmoins qu'on leur consacre au moins une journée. Les sites les plus connus se situent pour la plupart à l'ouest de la baie. Si vous souhaitez une approche plus paisible d'un paysage unique, nous vous conseillons de louer un bateau privé, d'engager un guide informé et de vous aventurer dans des zones moins fréquentées.

🎌 Hang Dau Go 🖼

Étape sur le trajet pour l'île Cat Ba *(p. 189)*, l'île des Merveilles, selon le nom que lui donnèrent les Français au XIXe siècle, renferme une des cavernes les plus connues de la baie de Ha Long. Riche en stalactites et en stalagmites, la grotte des Bouts de Bois (Hang Dau Go) aurait servi au général Tran Hung Dao *(p. 189)* à cacher les pieux armés de fer qui lui permirent, plantés dans le lit du Bach Dang, de couler une flotte mongole au XIIIe siècle.

🎌 Hang Thien Cung 🖼

Également sur l'île des Merveilles, où île Dau Go pour les Vietnamiens, la grotte du Palais céleste s'ouvre au sommet d'une raide volée de marches. Sa découverte remonte au milieu des années 1990. Des projecteurs teintent de couleur ses stalactites.

🎌 Hang Sung Sot 🖼

Sur l'île Ho Bon, la grotte de la Surprise comporte trois salles. Dans la première, un éclairage rose sans équivoque attire l'attention sur un rocher

Son éclairage teinte de rose le rocher de forme phallique de Hang Sung Sot

évoquant un phallus en érection. Il fait l'objet d'un culte local en tant que symbole de fertilité. Les concrétions calcaires de la vaste caverne intérieure, surnommée le Château serein, présentent davantage d'intérêt. Elles semblent prendre vie quand les reflets de la mer jouent sur elles. À courte distance, **Hang Bo Nau**, la grotte du Pélican, n'a pas été aménagée en profondeur. L'entrée ménage cependant un superbe point de vue de la baie.

🎌 Dong Tam Cung

Comme son nom l'indique, la grotte des Trois Palais comporte elle aussi trois salles, toutes remplies d'étranges et souples formes minérales. Leur éclairage accentue encore la dimension fantastique du décor qu'elles créent. Selon certains avis, Dong Tam Cung est encore plus impressionnante que Hang Dau Go.

🎌 Hang Trong

À courte distance au sud-est de Hang Bo Nau, la petite grotte du Tambour doit son nom au bruit produit par le vent quand il souffle avec force entre ses piliers de calcite. Il donne l'impression de porter un ténu bruit de percussion.

🎌 Dao Tuan Chau

Cette grande île au sud de Bai Chay renferme un centre de loisirs récemment aménagé. Elle conserve quelques villas datant de la colonisation française. Un complexe hôtelier présente des spectacles plutôt ternes d'orques, de dauphins et d'otaries.

🎌 Dao Titop

Le principal attrait de la petite Dao Titop est une plage qui offre de bonnes conditions de baignade. Les amateurs de planche à voile apprécieront égalementde pouvoir s'y livrer à leur passe-temps. Un sentier conduit au sommet de l'îlot rocheux, d'où s'ouvre un panorama spectaculaire de la baie.

Village flottant dans la baie de Ha Long

Bacs assurant les navettes entre Bai Chay et Hon Gai, Halong City

Halong City ❷

Carte routière C1. 165 km de Hanoi sur la route 18 ; 60 km au N.-E. de Haiphong sur la route 10. 🏠 155 000. 🚌 *depuis Haiphong et Hanoi.* 🛥 *depuis Haiphong.* 🚩 *fête de la pagode Long Tien (fin avr.).*

Née officiellement en 1994 de la réunion de deux localités jusqu'ici distinctes, **Bai Chay** et **Hon Gai**, la ville de Halong s'étend de part et d'autre du détroit de Cua Luc. En attendant l'achèvement d'un pont, des bacs effectuent la traversée 24 heures sur 24.

À l'ouest du bras de mer, Bai Chay est une station balnéaire en plein développement. Elle renferme de nombreux hôtels, restaurants et agences de voyages. Les Vietnamiens la fréquentent aussi pour sa vie nocturne, qui a pour pôles des bars à karaoké et des salons de massage de réputation douteuse. Pour les visiteurs étrangers, elle présente toutefois peu d'intérêt, mais elle fournit de bonnes conditions de logement. Les autorités ont bien tenté de construire deux plages artificielles, mais l'eau reste boueuse et le sable rapporté a déjà souffert de la pollution.

À l'est de Cua Luc, la composante la plus ancienne de l'agglomération possède aussi des restaurants et des hôtels, mais la vie n'y tourne pas autour du tourisme. En fait, la prospérité de Hon Gay découle principalement de l'industrie, et en particulier de l'exploitation des immenses mines de charbon à ciel ouvert creusées dans la région depuis l'époque coloniale. Derrière les quais noircis par la poussière s'élève **Nui Bai Tho**, la montagne du Poème. Elle tourne vers la mer une falaise haute de 106 m gravée de l'inscription érodée qui lui vaut son nom. Cette inscription aurait pour origine une poésie composée par le roi Le Thanh Tong en 1468. La pagode Long Tien, le plus intéressant des lieux de culte de Halong City, se dresse sur le versant nord de la colline.

Sites de pèlerinage du Yên Tu ❸

Carte routière B1. 130 km au N.-E. de Hanoi ; 14 km au N. d'Uong Bi. 🚌 *depuis Hanoi, Halong City et Haiphong jusqu'à Uong Bi.* 🍴 🚩 *fête de la pagode du Yên Tu (mi-févr.-fin avr.).*

Plus haut sommet de la chaîne de Dâng Triêu, le mont Yên Tu culmine à 1 060 m d'altitude. Il doit son nom et son statut de montagne sacrée à Yen Ky Sinh, un moine qui y atteignit le nirvana il y a environ 2 000 ans. Son prestige augmenta encore au XIIIᵉ siècle quand l'empereur Tran Nhan Tong (r. 1278-1293) s'y retira pour mener une vie de bonze et fonder Truc Lâm, la secte bouddhique de la Forêt de bambous. Les quelque 800 constructions religieuses attribuées au souverain et à ses successeurs existent toujours. Depuis des siècles, des milliers de pèlerins effectuent à pied la pénible ascension jusqu'au sommet du Yên Tu. Aujourd'hui, un téléphérique facilite une partie du trajet. Il conduit à la pagode Hoa Yen située à mi-pente. De là, il faut tout de même se remettre à marcher pour rejoindre le sommet et le lieu de culte le plus important : **Chua Dong**, la pagode de Bronze. Ce petit temple du XVᵉ siècle en forme de fleur de lotus, entièrement en bronze, vient d'être restauré.

Aux environs : à environ 5 km au nord de Sao Dao, sur la route 18, l'une des plus jolies pagodes du Nord, **Chua Con Son**, se détache contre le versant occidental du massif. Elle est dédiée à Nguyen Van Trai, le poète et lettré qui aida le propriétaire terrien Le Loi à chasser les Chinois du Vietnam au XVᵉ siècle, lui permettant de se proclamer empereur sous le nom de Le Thai To (p. 40). Le sanctuaire est un lieu de culte très actif où des moines et des nonnes psalmodient des soutras presque en permanence.

Non loin se dresse un petit temple : **Den Kiep Bac**. Tous les ans au cours du huitième mois lunaire, il sert de cadre à une fête en l'honneur du héros national déifié Tran Hung Dao, le général de la dynastie Tran qui s'illustra à la bataille du Bach Dang.

Escalier d'accès à Chua Con Son, mont Yên Tu

Îles monolithiques de la baie de Ha Long (p. 182-183) ▷

Village flottant près de Cai Rong, dans la baie de Bai Tu Long

Baie de Bai Tu Long ❹

Carte routière C1. 60 km à l'E. de Halong City. 🚌 *depuis Halong City* 🚤 *depuis Halong City et Cai Rong.*

Recouvrant un plateau continental hérissé de reliefs karstiques, la baie de Bai Tu Long, ou baie des Bébés Dragons, ne jouit pas de la même célébrité que la baie de Ha Long, mais des centaines de pitons rocheux et d'îlots y composent également des paysages spectaculaires. Plusieurs grandes îles, de belles plages, des eaux limpides et l'absence de foule sont ses autres atouts. Elle reste toutefois pauvre en équipements touristiques.

La plus vaste et la plus développée des îles, **Van Don**, est accessible par route et par bateau depuis le port industriel de Cua Ong. Sa ville principale, le port de pêche de

Cai Rong, abrite la majorité des hébergements de la baie. Elle offre une bonne base d'où rayonner. Sur la côte sud-ouest de Van Don, des plages de sable et des forêts de mangroves invitent au farniente et à la promenade.

Pour les visiteurs rebutés par l'isolement d'une région située au-delà de la zone d'extraction minière entre Hon Gai et le petit bourg de Cham Pa, la baie peut faire le but d'une excursion d'une journée. Il est possible de la découvrir en bateau en partant du quai de Bai Chay à Halong City. Une autre option consiste à effectuer le trajet en voiture depuis Hon Gai, en passant par Cam Pha et Cua Ong, et à louer une embarcation en arrivant sur place. La route permet de voir d'impressionnantes mines de charbon à ciel ouvert.

Aux environs : Quan Lan, la plus éloignée des trois îles au sud de Van Don, possède une splendide plage de sable blanc : Bai Dien. C'est l'un des rares endroits, au-delà de Cai Rong, où il est possible de trouver où passer la nuit.

Il faut compter cinq heures de bateau pour rejoindre **Co To** située nettement plus au large. Avec sa petite plage et son village abritant une pension sans prétention, l'île offre un havre de paix.

À environ 20 km de Cai Rong, le **parc national de Bai Tu Long** possède une superficie de 16 000 ha. Créé en 2001, il protège trois îles et une vingtaine d'îlots aux forêts encore vierges.

Éperons karstiques près de l'île Van Don, baie de Bai Tu Long

Haiphong ❺

Carte routière B1. 100 km à l'E. de Hanoi sur la route 5. 🚹 *1 710 000.* ✈ *depuis Hô Chi Minh-Ville et Da-Nang.* 🚉 *depuis Hanoi.* 🚌 *depuis Hanoi et Halong City.* 🚤 *depuis l'île de Cat Ba.* 🛈 *Vietnam Tourism, 55, Diên Biên Phu, (031) 374 7216.* **www**.haiphong.gov.vn

La troisième ville du pays après Hô Chi Minh-Ville et Hanoi est aussi le plus grand port du Nord. Son bombardement en 1946 par la marine française causa la mort de milliers de civils et marqua le début de la guerre d'Indochine *(p. 43)*. Son importance stratégique lui valut aussi de subir les attaques de l'aviation américaine. La cité s'est rétablie des dommages causés par les guerres pour devenir une métropole industrielle spécialisée dans la cimenterie, le raffinage du pétrole et le transport du charbon. Elle attire peu de touristes.

Les bâtiments les plus remarquables du centre sont les monuments datant de l'époque coloniale, dont la cathédrale du XIXe siècle au bord de la rivière Tam Bac, l'**Opéra** sur la rue Quang Trung et le **musée de Haiphong**. Au sud du centre, la **pagode Du Hang** borde la rue Chua Hang. Fondée au Xe siècle, elle a connu plusieurs remaniements et abrite de nombreuses statues. Sur Nguyen Cong Tru, **Dinh Hang Kenh** est une belle maison commune de 1781.

🏛 **Musée de Haiphong**
11, Dien Tien Hoang. ⏰ *mar. et jeu. 8h-11h30, mer. et dim. 7h30-21h30.* 📷

Entrée de la pagode Du Hang dans un quartier sud de Haiphong

Île de Cat Ba ❻

Carte routière C1. 45 km à l'E.
de Haiphong ; 22 km au S.
de Halong City.
🏯 *22 000.*
🚤 *hydroptère depuis
Haiphong, bateaux de
location depuis Halong
City et Bai Chay.*

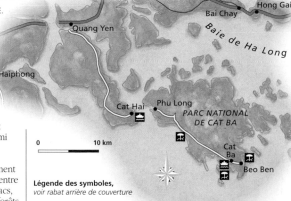

Légende des symboles,
voir rabat arrière de couverture

La plus grande île
d'un archipel qui en
compte plus de 350 à l'est
de Haiphong compte parmi
les lieux de visite les plus
séduisants du nord du
Vietnam. Son relatif isolement
et ses beautés naturelles, entre
autres des cascades, des lacs,
des collines boisées, des forêts
de mangroves et des récifs
coralliens, attirent de
nombreux visiteurs.

Le **village de Cat Ba**,
où arrivent la majorité des
bateaux, est le seul endroit
de l'île où l'on peut dormir
dans de bonnes conditions
de confort. Il a toutefois perdu
de son charme avec
l'ouverture de bars à karaoké,
de discothèques bruyantes
et de salons de massage peu
engageants. Sur le marché,
des pêcheurs viennent vendre
des limules, crustacés
reconnaissables à leur épaisse
carapace et leur longue queue.
Les Vietnamiens y voient
le crabe des amoureux
car le mâle reste longuement
accroché à la femelle en
période de reproduction.
Il est d'usage de le manger
par couple et en couple.
Deux jolies plages payantes,
Cat Co I et **Cat Cot II**, se
trouvent au nord-est du centre.

La fondation du **parc national
de Cat Ba** date de 1986. Il
protège environ 10 000 ha de
collines calcaires et 4 000 ha
de fonds marins. Parmi les
800 espèces végétales de la
flore, 160 sont considérées
comme médicinales. La faune
compte plus de 70 oiseaux
différents ainsi que des
sangliers, des cerfs, des singes,
des porcs-épics et des loutres.
Un programme international
veille sur le langur de Cat Ba,
un primate dont il n'existe
plus que 150 spécimens
dans le monde.
Le parc ne possède aucun
équipement d'hébergement

ou de restauration. On peut
toutefois y camper à condition
d'apporter son propre matériel.
Les randonneurs apprécieront
ses sentiers. Le plus court
et le plus populaire grimpe
jusqu'au sommet du mont Ngu
Lam, haut de 200 m, où une
tour d'observation ménage
une vue exceptionnelle.
Une promenade plus longue,
qui demande de 4 à 6 heures
de marche, conduit à travers
la forêt jusqu'au vaste lac Ech,
le lac aux Grenouilles,
puis au hameau de Viet Hai
d'où on peut louer un bateau
pour rentrer à Cat Ba Town.
Mieux vaut s'assurer
les services d'un guide.

Depuis Cat Ba, il est
également possible d'affréter
une embarcation pour partir à
la découverte de la baie de Ha
Long *(p. 182-184),* située à
courte distance au nord, ou de
la plus petite et moins connue
baie de Lan Ha, qui s'étend

**Lotus d'or, une variété de bananier,
dans le parc national de Cat Ba**

au nord-est. En acquittant
un modeste droit d'accès,
vous profiterez de petites
plages très agréables.

🦋 **Parc national de Cat Ba**
20 km au N. O. de Cat Ba Town.
⏰ *t.l.j. du lever au coucher du
soleil.* 💶 *petit droit d'entrée.* 🎫

Hôtels et pensions dominant le front de mer, Cat Ba Town

Récifs de coraux et faune marine au Vietnam

Longue de 3 260 km entre le tropique du Cancer et l'équateur, la côte du Vietnam et ses nombreuses îles offrent des conditions propices au développement du corail, qui a besoin d'une mer propre et peu profonde. Des récifs embellissent les fonds marins depuis les eaux relativement fraîches de la baie de Ha Long, dans le Nord, jusqu'à celles plus tièdes de Nha Trang, de Phu Quoc et des parages des îles de Con Dao, dans le Sud. Formés de près de 280 espèces de coraux, sur les quelque 800 connues dans le monde, ils procurent un habitat adapté à une faune encore plus variée. La pêche à la dynamite et le réchauffement planétaire mettent en danger ces écosystèmes fragiles, mais plusieurs organisations travaillent activement à leur préservation.

La rascasse est l'un des habitants du récif

Corail dur   Corail mou   Banc de petits poissons

La tortue verte,
la plus grande des tortues de mer à carapace dure, peut atteindre 1,50 m de longueur et peser jusqu'à 200 kg.

ÉCOSYSTÈME DU RÉCIF

Les récifs coralliens se construisent à partir des squelettes calcaires de millions de petites créatures qui ne peuvent vivre que dans des eaux chaudes, claires et peu profondes. Elles forment des colonies aux formes très diverses où prospèrent des hôtes d'une infinie variété de taille et de couleurs.

Les murènes *sont des prédateurs voraces qui se cachent dans les crevasses pour guetter leurs proies. Elles vivent jusqu'à 200 m de profondeur.*

La seiche *appartient à la famille des céphalopodes, comme la pieuvre. Elle possède 8 bras et 2 tentacules qui lui servent à attraper ses proies.*

Les raies pastenagues *dissimulent un dard venimeux dans leur queue. Leurs grandes nageoires pectorales donnent l'impression qu'elles se déplacent en volant.*

Le dugong *est un pacifique mammifère qui peut atteindre 3 m de longueur. Il vit dans des eaux peu profondes où il se nourrit d'algues.*

LES MAMMIFÈRES MARINS DU VIETNAM

Le grand dauphin aime jouer

De nombreuses espèces de grands mammifères marins fréquentent les parages du Vietnam. Menacé de disparition, le dauphin de l'Irrawaddy vit près des côtes et dans les estuaires. Il remonte parfois le Mékong jusqu'à 1 500 km à l'intérieur des terres. Plus au large, des rorquals à bosse et des baleines franches australes font parfois des apparitions, tandis que les ébats joueurs du grand dauphin restent un spectacle courant.

Rorqual à bosse

Baleine franche australe

Cultivateurs de Kenh Ga irriguant un champ avec des seaux

Ninh Binh ❼

Carte routière B2. 95 km au S. de Hanoi sur la route 1. 🏠 55 000. 🚆 train de la Réunification entre Hanoi et Hô Chi Minh-Ville. 🚌 Hanoi. 🛈 Ninh Binh Tourist, Tran Hung Dao, arr. de Hoa Lu, (030) 871 263.

La petite ville de Ninh Binh offre une base idéale à la découverte du sud du delta du fleuve Rouge. Elle ne possède pas d'intérêt particulier en elle-même, mais les sites de visite des alentours en ont fait une destination touristique.

À 12 km au nord-ouest, il ne reste pratiquement plus rien du palais et de la citadelle construits par l'empereur Tien Hoang De, le fondateur de la dynastie Dinh (968-980), après avoir établi sa capitale à **Hoa Lu** en 968. Sur son emplacement se dresse néanmoins un imposant temple du XVIIe siècle dédié au souverain. Au bout d'une longue allée, deux piliers sculptés marquent l'entrée de la cour qui renferme en son centre, devant le sanctuaire, le piédestal en pierre du trône royal. Au fond de la salle, des statues représentent Tien Hoang et ses trois fils. Un long

escalier mène jusqu'à son tombeau au sommet de la plus proche colline. Un superbe panorama récompense de l'ascension. Un peu plus loin, un deuxième temple est consacré à Le Dai Hanh, premier représentant de la dynastie des Le antérieurs (980-1009). L'histoire leur attribue le remplacement de la monnaie chinoise par des pièces vietnamiennes.

À 10 km au sud-ouest de Ninh Binh, le site de **Tam Coc**, dont le nom signifie « les Trois grottes », est souvent présenté comme « la baie de Ha Long terrestre ». Les reliefs karstiques dominent ici non pas une étendue marine, mais des rizières et les méandres de la rivière Ngo Dong. La promenade en bateau dure environ 3 heures. Elle passe par trois longues cavernes par endroits si basses que les passagers doivent se baisser. À 3 km au nord de Tam Coc, **Bich Dong**, la grotte de Jade, est un sanctuaire bouddhique en partie taillé dans le rocher.

Non loin, le charmant village de pêcheurs de **Kenh Ga**, accessible uniquement par voie d'eau depuis Tran Me, à 7 km au sud de Ninh Binh,

mérite également une visite. Au pied des collines rocheuses déchiquetées, ses maisons flottantes entourent une petite île. La promenade sur la rivière Hoang Long dure aussi à peu près 3 heures. Elle passe par la grotte Van Trinh. À environ 1,5 km à l'est de Tran Me, les marais envahis de roseaux de la **réserve naturelle de Van Long** s'étendent. Elle protège une communauté de langurs de Delacour, primates menacés de disparition.

À une trentaine de kilomètres au sud de Ninh Binh, la **cathédrale de Phat Diem** fournit un excellent prétexte à une très agréable excursion. C'est un prêtre local, Tran Luc, le « père Six », qui entreprit sa construction en 1875. Achevé en 1898, le bâtiment possède un style sino-vietnamien qui le rend unique. Sans les anges et les croix qui les dominent, les toits aux angles recourbés de son clocher évoqueraient davantage l'entrée d'un temple bouddhique ou taoïste qu'un élément d'un sanctuaire chrétien. Le mobilier de la longue et haute nef ne laisse toutefois aucun doute. Un retable richement ouvragé domine le maître-autel sous une voûte soutenue par 48 colonnes taillées d'une pièce dans du bois de fer. Un bombardement faillit détruire la cathédrale en 1972. Des réparations la sauvèrent de l'effondrement malgré une inclinaison de 20°

🍽 **Réserve naturelle de Van Long** Arr. de Gia Vien, province de Ninh Binh. ⏰ t.l.j. 📷 📹 sur r.-v.
⛪ **Cathédrale de Phat Diem** **Tél.** (030) 862 058. ⏰ t.l.j. 7h30-11h30, 14h30-17h.

Au débouché d'une des grottes de Tam Coc

Pour les hôtels et les restaurants de la région, voir p. 243-244 et p. 259-260

La pagode des Parfums ❽

Au sein d'un splendide paysage karstique où la jungle s'accroche au rocher sur des pentes escarpées, le site de pèlerinage bouddhique de Chua Huong domine la rivière Suoi Yen, sur le flanc de Nui Huong Tich, la montagne de l'Empreinte parfumée. Uniquement accessible en bateau, il compte une trentaine de sanctuaires. Le plus impressionnant, la pagode Huong Tich, occupe une vaste grotte. Chaque année au printemps *(p. 30)*, une foule fervente vient s'y recueillir et prier Quan Am, la déesse de la Miséricorde, de bien vouloir accorder à tous de bonnes récoltes et aux couples stériles la joie d'avoir des enfants.

Statue, pagode Thien Tru

La pagode **Thien Tru** s'inscrit dans la luxuriante végétation

La pagode **Tien Son** renferme dans une grotte des statues rubis de Quan Am et de ses sœurs.

★ Pagode Huong Tich

Cent vingt marches mènent à la pagode de l'Empreinte parfumée, située dans la « plus belle caverne sous le ciel méridional » selon une inscription gravée près de l'entrée. Des autels occupent les moindres replis des concrétions calcaires.

Cua Vong

Thanh Son

Huong

Escalier menant à Huong Tich

En période de pèlerinage, il faut compter au moins une heure pour rejoindre la pagode de l'Empreinte parfumée, au milieu de milliers de personnes qui se saluent d'un pieux « nam mo A Di Da phat », « loué soit le bouddha Amitabha ».

La pagode de l'**Absolution** (Giai Oan Chua) attire les pèlerins en quête de purification et de justice.

★ Pagode Thien Tru

Également connu sous le nom de Cuisine céleste, ce sanctuaire du XVIIIᵉ siècle s'étage sur trois niveaux au flanc de la montagne. Un élégant clocher à triple toiture se dresse devant le sanctuaire qui abrite une image de Quan Am.

Pour les hôtels et les restaurants de la région, voir p. 243-244 et p. 259-260

★ **Rivière Suoi Yen**

*Une myriade de barques en
métal, toutes menées par des
femmes, conduit les visiteurs
jusqu'au site de pèlerinage.
La promenade au milieu
des rizières, dans un silence
seulement brisé par les rames,
dure une heure et demie.*

MODE D'EMPLOI

Carte routière B1. 65 km au
S.-O. de Hanoi sur la route 21,
faubourg de My Duc.
🚌 depuis Hanoi et Ninh Binh.
🚻 🚻 🚻 t.l.j. 📷 🚻 🚻 🚻
*une télécabine relie la pagode
Thien Tru à la pagode Huong
Tich. Le billet n'est pas compris
dans le prix d'entrée.*

**Dans le temple de la
Présentation** (Den Trinh),
premier arrêt sur la
montagne, les fidèles
se purifient une dernière
fois avant d'entrer
en territoire sacré.

À NE PAS MANQUER

★ Pagode Huong Tich

★ Pagode Thien Tru

★ Rivière Suoi Yen

Rivière Suoi Yen

Cerfs sika *(Cervus nippon)* dans le
parc national de Cuc Phuong

Parc national
de Cuc Phuong ❾

Carte routière B2. arr. de Nho
Quan, 45 km à l'O. de Ninh Binh ;
140 km au S.-O. de Hanoi
Tél. (030) 848 006. 🚌 minibus
depuis Ninh Binh. 🚌 🚻 t.l.j. 8h-
17h30. 📷 🚻 par arrangement avec
les autorités du parc. 🚻 🚻 🚻

Créé en 1962, le plus ancien
parc national du Vietnam
possède une superficie
de 222 km² principalement
couverte de forêt tropicale
primaire. La faune y compte
près de 100 espèces de
mammifères, une quarantaine
de reptiles et plus de
300 oiseaux. Les scientifiques
ont dénombré environ deux
milliers de plantes différentes
et un millier d'insectes,
dont de nombreux papillons.
Un centre international,
l'**Endangered Primate Rescue
Center**, a ouvert en 1993.
Il soigne des singes blessés
par des chasseurs, anime des
programmes de reproduction
et de préservation et prépare
les membres d'espèces
menacées à un retour à la vie
sauvage. Il abrite de nombreux
langurs, gibbons et entelles
et offre une occasion rare
de voir ces animaux de près.
Les sentiers du parc permettent
des randonnées de durée
variée *(p. 273)*. Les visiteurs
peuvent loger sur place
ou dans des villages muong
des environs.

🦅 **Endangered Primate
Rescue Center**
🕐 t.l.j. 9h-11h, 13h30-16h.
www.primatecenter.org

Embarcadères de départ
*Depuis le faubourg de My Duc, des barques
métalliques assurent le transport des pèlerins
jusqu'à la pagode des Parfums.*

Hoa Binh ⑩

Carte routière B3. 75 km au S.-O. de Hanoi. 🐾 75 000. 🚌 *Hanoi.* 🛈 *Hoa Binh Tourist, 54, Phuong Lam, (018) 854 372.* **www.**hoabinhtourism.com

Dans une région à forte population muong, cette petite ville moderne porte un nom qui signifie « la Paix ». Ironie de l'histoire, sa situation stratégique près de la vallée de la rivière Noire (Song Da) lui valut d'être l'enjeu de nombreux combats pendant la guerre d'Indochine *(p. 43)*. Ses restaurants en font une bonne étape lors d'une excursion à Moc Chau ou dans la vallée de Mai Chau depuis Hanoi. Le **musée de Hoa Binh** possède quelques reliques des guerres de libération, comme une épave de char français, mais il présente surtout de l'intérêt pour ses collections préhistoriques. À quelques kilomètres au nord-ouest, la construction du plus grand barrage hydroélectrique du Vietnam a créé un lac long de 230 km. On peut y faire des promenades en bateau.

🏛 **Musée de Hoa Binh**
6, An Duong Vuong. **Tél.** *(018) 852 177.* 🕐 *t.l.j. 7h-11h, 13h30-16h30.* 📷

Épave de blindé français, musée de Hoa Binh

Vallée de Mai Chau ⑪

Carte routière B2. 140 km au S.-O. de Hanoi ; 70 km au S.-E. de Moc Chau sur la route 6. 🐾 45 000. 🚌 *depuis Hanoi et Son La.*

Au pied des contreforts de la cordillère de Truong Son, vertes rizières et petits groupes de maisons sur pilotis donnent un grand charme à cette vallée fertile. Dans des villages comme Ban Lac et Ban Van,

Jeunes danseuses en costumes traditionnels des Thaïs Blancs, Mai Chau

pour la plupart peuplés de Thaïs Blancs, des familles proposent un hébergement chez l'habitant *(p. 229)*. Le logement en chambre commune est rustique, mais l'expérience offre un bon aperçu de la vie quotidienne. Certaines des maisons d'hôtes les plus touristiques organisent des spectacles de musique et de danse folkloriques.

Les visiteurs peuvent participer à une dégustation d'alcool de riz, bu en commun avec une paille de roseau. Les sentiers qui parcourent les rizières permettent de belles randonnées.

Moc Chau ⑫

Carte routière B1. 200 km au S.-O de Hanoi ; 120 km au S.-E. de Son La sur la route 6. 🐾 110 000. 🚌 *depuis Hanoi et Son La.*

Moc Chau est le plus important marché de ce plateau réputé pour l'élevage bovin et l'industrie laitière qui y sont en pleine croissance : ses entreprises approvisionnent quotidiennement Hanoi en lait frais, en yaourts crémeux et en sucreries. Dans la mesure où Moc Chau ne se prête pas mieux que Mai Chau à une longue étape, on ne s'y arrête souvent que le temps de prendre un rafraîchissement entre Hanoi et Son La. Les environs renferment toutefois des hameaux de Thaïs et de Hmong *(p. 198-199)*, entre autres minorités ethniques, qui méritent une visite.

Son La ⑬

Carte routière A1. 1 320 km au N.-O. de Hanoi sur la route 6 ; 150 km à l'E. de Diên Biên Phu sur la route 6. 🐾 60 000. ✈ *Hanoi.* 🚌 *depuis Hanoi et Diên Biên Phu.*

La dynamique petite capitale de la province de Son La s'étend de part et d'autre de l'étroite rivière Nam La. Elle porta un temps le surnom de « Sibérie du Vietnam » à cause du pénitencier, baptisé **Nha Tu Cu Cua Phap**, bâti sur une colline boisée du centre-ville. Les Français l'édifièrent en 1908 quand les Hmong de la région se révoltèrent contre les conditions imposées par les autorités coloniales qu'ils fournissaient en opium. Il servit ensuite à l'incarcération de militants de la Ligue révolutionnaire pour l'indépendance *(p. 43)*. Malgré la dureté des conditions de détention, il remplit l'office de centre de formation

Vendeuses de la minorité des Thaïs Noirs au marché de Son La

idéologique. Des responsables politiques comme Truong Chinh et Le Duan, deux futurs secrétaires du Parti communiste, purent en effet y diffuser leurs théories marxistes et nationalistes. Les bombardements ont détruit une partie des cellules, mais les cachots sont ouverts à la visite. Une petite exposition comprend divers documents et photographies. Dans les anciens locaux administratifs, un musée présente des costumes traditionnels et des objets de la vie quotidienne de diverses minorités ethniques de la région.

Sur la rive orientale de la rivière, le marché constitue une attraction plus souriante. Les visiteurs apprécieront de pouvoir y trouver de l'artisanat et des tissages des Thaïs Noirs et Blancs. De petits stands vendent des spécialités culinaires locales, dont la viande de chèvre *(thit de)* et le *tiet canh*, du sang coagulé garni d'échalotes et d'éclats de cacahouètes.

À 5 km au sud de la ville, il suffit d'acquitter un modeste droit d'entrée pour se baigner dans les sources chaudes de Suoi Nuoc Nong. La route qui mène à Diên Biên Phu traverse de beaux paysages ponctués de hameaux et de maisons isolées.

🏛 Nha Tu Cu Cua Phap
Dai Khao Ca. **Tél.** *(022) 852 022.*
⏱ t.l.j. 7h30-11h, 13h30-16h30. 📷

Diên Biên Phu ⑭

Carte routière A1. 470 km au N.-O de Hanoi ; 150 km à l'O. de Son La. 🏔 *30 000.* ✈ *Hanoi.* 🚌 *depuis Hanoi, Son La et Lai Chau.* **www.**dienbienphu.org

Dans une vallée fertile près de la frontière laotienne, la petite ville de Diên Biên Phu doit à la victoire remportée par le Viêt-minh en 1954 *(p. 43)* d'être entrée dans l'histoire. Après des mois de préparation de la part du général Vo Nguyen Giap, le camp retranché du corps expéditionnaire français ne résista pas à l'assaut frontal

Maisons traditionnelles dominant des rizières près de Son La

qu'il était justement supposé provoquer, pour renverser le cours d'un conflit où les forces coloniales ne cessaient de perdre du terrain. Il tomba le 1er mai. Dix mille soldats issus des diverses nations de l'Empire furent capturés. Un tiers seulement survécut à la détention.

Jusqu'à récemment, la vallée faisait partie de la province de Lai Chau, dont une partie doit disparaître sous le lac créé par le barrage de Son La. La constitution de la province de Diên Biên Phu a entraîné

Pierre tombale du cimetière des martyrs de Diên Biên Phu

la construction de bâtiments administratifs et d'habitations destinées aux populations déplacées. Cette expansion urbaine empiète sur le site du principal champ de bataille, sur la rive orientale de la Nam La, où gisent toujours les épaves rouillées de blindés. Non loin se dresse un monument aux morts français.

Le **musée de Diên Biên Phu** illustre en détail le déroulement des combats et présente des armes et des possessions personnelles de soldats. En face, le **cimetière des martyrs de Diên Biên Phu** renferme les tombes des Viêt-minh tombés pendant l'assaut.

Au nord, au sommet de la **colline A1**, subsistent les vestiges d'un bunker. Un monument rend hommage aux héros vietnamiens.

Plus au nord, un monument en bronze de 120 t commémore le 50e anniversaire de la victoire. C'est le plus grand monument de l'ensemble du pays.

🏛 Musée de Diên Biên Phu
1, Muong Thanh. **Tél.** *(023) 831 341 / 830 870.* ⏱ t.l.j. 7h30-11h, 13h30-16h30. 📷

Le spectaculaire col de Tram Ton, sur le versant nord du mont Fan Si Pan, Sapa

Sapa ⑮

Carte routière A1. 380 km au N.-O. de Hanoi. 🏔 *30 000.* 🚆 *depuis Hanoi jusqu'à Lao Cai.* 🚌 *Lao Cai.* ℹ️ *Sapa Tourism, rue Cau May, (020) 871 975.* 🛒 *sam. et dim.*

En 1912, peu après l'inauguration de la ligne de chemin de fer qui traverse la région entre Haiphong et le Yunnan, l'armée française construisit un sanatorium et une station météorologique sur un balcon montagneux situé à 1 650 m d'altitude, sur le flanc oriental de la chaîne de Hoang Lien Son, près du Fan Si Pan, le point culminant du Vietnam. La fraîcheur du climat et la beauté de ces « Alpes tonkinoises » séduisirent les hauts fonctionnaires coloniaux, et Sapa devint en 1922 une station de villégiature où l'élite locale menait dans les hôtels et les villas une vie digne de la métropole, mangeant des fraises, buvant du vin et jouant au tennis.

La Seconde Guerre mondiale et l'invasion japonaise de 1941 mirent un terme à ces réjouissances. Victimes de démolition ou de décrépitude, peu de bâtiments de cette époque ont survécu aux trois décennies marquées par la guerre d'Indochine, puis par celle du Vietnam *(p. 43-45).* La ville subit en outre des bombardements aériens pendant le conflit sino-vietnamien de 1979.

Elle est revenue à la vie depuis que les réformes économiques entamées dans les années 1990 ont rouvert le pays au tourisme, et elle possède à nouveau de nombreux établissements d'hébergement. Leurs prix augmentent beaucoup pendant les mois d'été, où affluent des citadins vietnamiens.

Sapa s'étage sur trois niveaux reliés par d'étroites rues en pente et de raides volées de marches. Des édifices administratifs entourent un petit lac artificiel. Sur la grand-place se tient le marché. Ouvert tous les jours de la semaine, il est particulièrement important le week-end, notamment le dimanche. Les membres de minorités ethniques de la région, principalement des Hmong Noirs et des Dao Rouges, y affluent pour vendre leurs produits agricoles et artisanaux. Les jeunes femmes se parent de leurs plus beaux atours : tuniques et vestes brodées, lourds bijoux d'argent et coiffes élaborées. Le parvis de la petite église élevée en 1930 est très fréquenté les jours de fête.

Les environs se prêtent à de splendides randonnées. Plusieurs agences permettent d'engager un guide, ce qui est devenu obligatoire. Il facilitera

Hôtels à flanc de colline de Sapa

Jeune fille et enfant dao noirs en tenues traditionnelles

les contacts avec les habitants des hameaux traversés.

Au sud-est de la ville, la **colline de la Gueule du Dragon** (Ham Rong) permet une agréable et facile promenade à travers des rocailles fleuries. Son sommet ménage un somptueux panorama des trois vallées en dessous. Les minorités ethniques y donnent aussi des spectacles de danse.

Aux environs : située à une quarantaine de kilomètres au nord-est, **Lao Cai** se présente comme la « porte de Sapa ». La route pour l'atteindre traverse de superbes paysages, mais cette ville frontière est surtout une étape pour les voyageurs se rendant en Chine, ou faisant étape en direction de Sapa et Bac Ha.

Désormais protégé par une réserve naturelle, le mont Fan Si Pan (3 143 m), le point culminant du Vietnam, s'élève à environ 8 km de Sapa. Beaucoup d'hôtels proposent son ascension avec l'assistance de porteurs. Même ainsi, les conditions climatiques et la difficulté du terrain réservent la randonnée à des marcheurs chevronnés et équipés de vêtements chauds et de solides chaussures *(p. 273)*. Disposer de son propre sac de couchage est recommandé. La dense végétation tropicale à la base de la montagne cède la place en montant à une forêt tempérée.

Accessoires brodés par des Dao Rouges

À 3 km de Sapa s'élève le charmant village hmong noir *(p. 198)* de **Cat Cat**. Ses habitants vivent dans des maisons en argile, en clayonnage, en bambou et en chaume. De grandes cuves d'indigo servent à la teinture des vêtements. Des moto-taxis permettent d'éviter la remontée à pied. À 4 km de Cat Cat se trouve un autre village hmong moins touristique : **Sin Chai**. Le village dao rouge *(p. 21)* de **Ta Phin** se trouve à environ 10 km au nord de Sapa. Le chemin qui y conduit emprunte une vallée peu profonde ponctuée de rizières en terrasses. Il traverse les ruines d'un monastère français construit en 1942.

À environ 15 km au nord-ouest de Sapa, sur la route du col de Tram Ton, la **cascade d'Argent** (Thac Bac) dévale la paroi rocheuse d'une hauteur de 100 m. La chute d'eau attire de nombreux visiteurs. Des vendeuses viet, hmong noir et dao rouge y dressent des éventaires pour proposer des fruits.

Bac Ha ⑯

Carte routière A1. 330 km au nord-ouest de Hanoi, 70 km à l'est de Lao Cai. 🚶 7 000. 🚌 *depuis Lao Cai et Sapa.* 🚐 *dim.*

Il règne en semaine une atmosphère assoupie dans ce village situé à 900 m d'altitude dans le massif de la rivière Chay, mais il s'anime le dimanche matin pour la foire hebdomadaire, quand affluent de toute la région les membres de tribus montagnardes comme les Dao, les Tay, les Thaïs et, surtout, les Hmong Fleurs. Tenant en longe de petits chevaux chargés de bois de chauffage, ils viennent vendre, entre autres, des aromates, des fruits, des légumes, des orchidées sauvages, du gibier, des animaux d'élevage et de splendides objets brodés.

Le marché leur fournit l'occasion de se procurer des biens de première nécessité, ou de luxe pour ces régions

Femmes hmong vêtues de costumes colorés au marché de Bac Ha

très isolées, notamment des articles de toilette, des bâtonnets d'encens et des objets servant au culte, ainsi que des aiguilles, du fil et des tissus à broder.

Aux environs : un séjour à Bac Ha fournit l'occasion de découvrir un deuxième marché, celui qui se tient le samedi au village de **Can Cau**, situé 20 km plus au nord. Extrêmement coloré, il rassemble dans un amphithéâtre de rizières en terrasses les membres de diverses minorités ethniques, des Hmong Fleurs notamment. La route pour l'atteindre traverse des paysages spectaculaires. La région compte parmi ses spécialités l'alcool de maïs distillé, entre autres, dans le hameau hmong fleurs de **Ban Pho**. Situé à 4 km à l'ouest de Bac Ha, il offre un joli but de promenade avec ses maisons entourées de vergers.

Marché dominical de Bac Ha

Les Hmong du Vietnam du Nord

Les Hmong, ou Méo, forment l'une des minorités ethniques les plus importantes du Vietnam. À l'origine nomades, ils ont migré de Chine au début du XIXe siècle pour se fixer dans les montagnes du Nord. Connus pour leur esprit d'indépendance – *hmong* signifie « libre » dans leur langue –, ils ont toujours résisté à l'assimilation, restant attachés à leurs coutumes et à leur religion chamanique. Ils ont néanmoins renoncé à une vie itinérante et à leur mode traditionnel de culture sur brûlis. Ils tirent leur subsistance de l'élevage et de maigres récoltes. Ils sont divisés en cinq grands groupes distingués par la tenue des femmes : les Hmong Fleurs, Noirs, Verts, Rouges et Blancs.

En l'absence d'une écriture hmong, les enfants apprennent le vietnamien

Le village hmong, *ou* giao, *est une petite communauté d'habitations en bois et à toit de chaume reposant sur le sol et non sur pilotis. Leur construction obéit à des rites anciens et elles doivent occuper un terrain béni par des ancêtres.*

Les célébrations *incluent souvent le sacrifice rituel de buffles, dont la viande apaisera les esprits gardiens de la région. Les instruments de musique utilisés lors de ces cérémonies comprennent de grands tambours, des cornes de buffles et le* queej *ressemblant à une guimbarde.*

Des bandes de couleurs vives, brodées de fleurs, d'oiseaux et de motifs géométriques, parent les tuniques des femmes.

Les Hmong Noirs *aux vêtements sombres teints à l'indigo vivent en majorité autour de Sapa. Les hommes portent une culotte ample, une tunique courte et une calotte, les femmes une robe sur des jambières. Elles serrent leurs cheveux dans des coiffes ouvertes.*

La riziculture sèche *en zone montagneuse est une survivance de la technique traditionnelle de culture sur brûlis. Les autres productions comprennent le maïs, le seigle, le chanvre et le coton. Certaines zones isolées restent plantées de pavot destiné à la fabrication d'opium.*

Les éventaires de textiles *des Hmong comptent parmi les valeurs sûres des marchés dominicaux des montagnes du Nord. Leurs travaux de broderie et de couture ont beaucoup de succès auprès des étrangers.*

L'indigo *sert à la teinture des pantalons, tuniques et ceintures en chanvre tissé à la main des Hmong Noirs et Verts. Des réserves à la cire créent un décor plus clair.*

Des porte-bébés permettent aux mères de garder les mains libres pour d'autres tâches.

Au marché de Hac Ba, *des Hmong Fleurs viennent vendre du miel, des bambous et des aromates, et acheter des articles de première nécessité comme des allumettes, des aiguilles et du fil.*

Les motifs brodés sur les sacs et les tabliers indiquent la situation conjugale et sociale.

LES HMONG FLEURS

Également appelés Hmong Bariolés pour l'exubérance colorée de leur tenue, les Hmong Fleurs forment le sous-groupe le plus nombreux La tenue des femmes se compose d'un foulard, d'une tunique et d'une jupe plissée, ainsi que de bijoux en argent ou en étain. Elles se chargent elles-mêmes de la vente de leurs travaux de couture, de broderie et de batik.

Chez les Hmong Rouges, *les femmes conservent précieusement les cheveux qu'elles perdent pour qu'ils étoffent d'énormes chignons formés autour d'une coiffe. Elles intègrent parfois à ces coiffures les chevelures de parentes décédées.*

Les lourdes parures d'argent *sont aussi une marque de statut. Un serpent apparaît souvent dans le décor des boucles d'oreilles, colliers et bracelets, car il s'agit d'un talisman protecteur. Les bijoux sont censés lier l'esprit au corps, et les hommes et les enfants en portent aussi.*

Premières lueurs de l'aube sur le lac du parc national de Ba Be

Parc national de Ba Be ⑰

Carte routière B1. 240 km au N. de Hanoi ; 60 km au N. de Bac Kan. **Tél.** (0281) 894 014. 🚌 Hanoi. 🖼 🌐 par arrangement avec les autorités du parc. 🏨 www.babenationalpark.org

Dans une magnifique région isolée, ce parc créé en 1992 a pour cœur le plus grand plan d'eau douce du pays, le lac Ba Be, dont la forme a inspiré son nom qui signifie « Trois Baies ». D'une superficie de 23 000 ha, la réserve naturelle protège une zone hérissée de reliefs karstiques, couverts d'une dense forêt tropicale. La faune comprend notamment le langur de François et le rhinopithèque du Tonkin, un primate menacé de disparition.

Des bateliers proposent des promenades sur le lac. À son extrémité nord-ouest coule la **cascade de Dau Dang**, haute de 53 m. **Hang Puong**, une grotte qui traverse une colline de part en part, se trouve à environ 12 km en amont sur la rivière Nang. La balade en barque dure près d'une journée. Des minorités ethniques peuplent les montagnes des environs.

Au sud du lac, **Pag Ngoi** est un charmant village tay aux maisons sur pilotis. Il est possible d'y loger chez l'habitant. Le parc abrite un hôtel moderne (p. 243).

Cao Bang ⑱

Carte routière B1. 270 km au N. de Hanoi sur la route 3. 🏠 45 000. 🚌 Hanoi et Lang Son.

Hors des sentiers battus dans les hautes montagnes à la frontière chinoise, la petite ville de Cao Bang sert de point de ralliement aux membres des minorités ethniques des environs, des Tay, des Dao et des Nung notamment. Les vendeuses de produits agricoles qui s'installent à l'extérieur du marché présentent plus d'intérêt que celles qui vendent de la pacotille chinoise dans la halle. La région a joué un rôle essentiel dans l'histoire récente du pays, car c'est de là que Hô Chi Minh (p. 169) a lancé sa campagne de libération après son retour d'exil en 1941.

Jeune fille nung à Cao Bang

Aux environs : à 60 km environ, au nord-ouest de la ville, **Hang Pac Bo**, la grotte de la Roue à eau, servit de camp de base à Hô Chi Minh pour diriger les premiers maquis du Viêt-minh. Il y séjourna jusqu'en 1945, l'année où il déclara l'indépendance du pays (p. 43).

À environ 90 km au nord-est de Cao Bang, **Thac Ban Gioc**, la plus grande chute d'eau du Vietnam, d'une hauteur d'environ 60 m, coule à la frontière avec la Chine, dans une région qui n'est accessible qu'avec un permis de la police de Cao Bang.

Tam Dao ⑲

Carte routière B1. 85 km au N.-O. de Hanoi. 🚌 Hanoi.

Ancienne station climatique créée par les Français en 1907 à courte distance de Hanoi, Tam Dao doit son nom aux « trois îles », les plus hauts sommets de sa chaîne montagneuse. Ils atteignent tous les trois une altitude d'environ 1 400 m et, quand les conditions climatiques sont favorables, ils paraissent émerger des nuages comme d'une mer de brume. La route entre Vinh Yen et Tam Dao traverse les forêts de résineux et emprunte d'étroites vallées qui offrent de beaux panoramas. Si la campagne alentour a du charme, le bourg lui-même est peu engageant, de sinistres hôtels de style soviétique y côtoyant des maisons coloniales décrépites. Les reconstructions et rénovations partout entreprises laissent espérer une amélioration.

La principale attraction de la région est le **parc national de Tam Dao**. Apprécié des amoureux de la nature vivant à Hanoi, il abrite de nombreux oiseaux, ainsi que près de 70 espèces de mammifères. Tous les hôtels fournissent des informations sur les possibilités de randonnée à l'intérieur de la réserve.

🦋 **Parc national de Tam Dao** Commune de Ho Son, arr. de Tam Duong. **Tél.** (0211) 896 710. 🕐 t.l.j. 7h-11h30, 13h30-16h30. 🖼

Les « trois îles » de Tam Dao émergeant de la brume

Flore et faune du Vietnam du Nord

Sous le dais épais de forêts à feuillage persistant, l'intérieur montagneux du nord du pays abrite une biosphère exceptionnelle. De nombreuses espèces d'oiseaux, de mammifères et de reptiles y prospèrent dans un monde végétal luxuriant comprenant près de 1 000 plantes différentes. Des graves menaces pèsent cependant sur nombre de ces animaux. Les animaux qui sont

Jeunes pousses de fougère dans une forêt

les plus menacés de disparition comprennent un bovidé, le kouprey, et un primate, le rhinopithèque du Tonkin. L'éléphant d'Asie et le langur de Delacour sont aussi en grand danger. Les autorités s'efforcent de lutter contre les plantations commerciales et le braconnage. Des mesures de protection et de reboisement visent à rendre à la région son équilibre écologique.

FLORE

De denses forêts poussent dans les vallées et couvrent les reliefs. Leur végétation tropicale et subtropicale comprend aussi bien des arbres gigantesques que des bambous nains, des lianes envahissantes que de délicates orchidées et de chatoyants rhododendrons.

Les formations karstiques dominent autour de Tam Coc, de Cao Bang et de la baie de Ha Long.

Le faisan d'Annam *vit sur les pentes de la cordillère de Truong Son et de la chaîne de Hoang Lien Son. Sa crête noire et ses pattes et sa tête rouges rehaussent son plumage.*

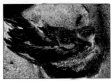

Des millions de salanganes, *de petits insectivores habitant les cavernes calcaires du Nord, quittent leur nid à l'aube pour ne rentrer qu'au crépuscule.*

Les orchidées *comptent 19 variétés endémiques, dont 18 qui poussent sur le mont Fan Si Pan (p. 197).*

FAUNE

Les scientifiques ont découvert à la fin du XXe siècle dans la cordillère de Truong Son plusieurs grands mammifères jusqu'ici inconnus. Ils comprennent le saola, le muntjac géant et le muntjac de Truong Son. Des cerfs, des sangliers et de nombreux primates peuplent la forêt, notamment à Cuc Phuong (p. 193).

Le douc *vit dans les forêts primaires et secondaires de basse altitude. Sa longue queue lui donne une grande agilité dans les arbres.*

Le saola *est un bovidé d'habitat forestier dont les zoologues ont pour la première fois constaté l'existence en 1992 dans la réserve naturelle de Vu Quang. Il pèse environ 90 kg à l'âge adulte. Les deux sexes portent de longues cornes.*

Le tigre d'Indochine *souffre du braconnage suscité par son utilisation dans la médecine traditionnelle chinoise. L'espèce ne compterait plus qu'une centaine de représentants au Vietnam.*

EXCURSION
À ANGKOR

PRÉSENTATION D'ANGKOR

L'ancienne capitale de l'Empire khmer qui compte des sites archéologiques d'une importance exceptionnelle, est l'une des merveilles du monde. Au milieu de la dense végétation des plaines tropicales du Cambodge occidental, ses temples-montagnes emportent le visiteur dans un monde mystérieux empreint de la mélancolie de la grandeur déchue.

Pays de plaine d'une superficie d'environ 180 000 km², le Cambodge s'étend entre le Vietnam, à l'est, le Laos et la Thaïlande, au nord et à l'ouest, et le golfe de Thaïlande, au sud. Depuis 1434, sa capitale est Phnom Penh, au confluent du Mékong et du Tonlé Sap, issu de l'immense lac situé au sud de Siem Reap *(p. 208)*. Le pays a toutefois connu son âge d'or à une époque antérieure, au temps du grand Empire khmer, qui s'étendit un temps de la mer de Chine méridionale presque jusqu'au golfe du Bengale. Pendant près de six siècles, de 802 à 1432, Angkor en resta le centre politique et religieux. Ses rois dieux en firent une somptueuse métropole dont les ruines s'étendent sur 200 km². Leurs sujets construisaient en bois les bâtiments destinés aux hommes – ces derniers ont disparu –, mais les temples de pierre et de brique édifiés en l'honneur des dieux hindous et du Bouddha témoignent toujours de leur génie. Angkor Vat, le plus impressionnant de ces temples, est le plus grand monument d'Asie du Sud-Est.

Danseuse classique, Ballet royal cambodgien

RELIGION

La religion officielle du Cambodge du haut Moyen Âge était l'hindouisme, et ses souverains révéraient les dieux Shiva et Vishnou. À partir du Xe siècle, le bouddhisme Mahayana se répandit progressivement dans tout l'Empire khmer. Son influence, qui s'accrut pendant le règne de Jayavarman VII (r. 1181-1215), eut des effets spectaculaires sur l'architecture d'Angkor. Après un retour au brahmanisme, ce fut finalement le bouddhisme Theravada, la « doctrine des Anciens », qui devint, comme en Thaïlande et au Laos, la religion dominante du pays.

HISTOIRE

Les historiens situent la fondation de l'Empire khmer au début du IXe siècle quand Jayavarman II (r. 802-850) se proclama *devajara*, ou dieu-roi. Adorateur de Shiva, il commanda la construction d'un temple-montagne pyramidal à l'image du mont Meru, axe

Méandre de la rivière près de Siem Reap *(p. 208)*, **porte des temples d'Angkor**

Bonzes traversant les douves d'Angkor Vat

de l'univers, donnant au pays un centre où le temporel ne se distinguait pas du sacré. Ses successeurs développeront ce modèle *(p. 214-215)*. Indravarman Ier (r. 877-889) étendit l'empire, puis Yasovarman Ier (889-910) déplaça la capitale de Roluos à Angkor. Il sacralisa le nouveau site de son pouvoir en édifiant un superbe sanctuaire sur la colline de Phnom Bakheng et un autre dans le vaste réservoir du Baray oriental. Suryavarman II (r. 1113-1150) et Jayavarman VII construisirent les deux plus majestueux ensembles architecturaux : les villes-temples d'Angkor Vat et d'Angkor Thom. Le pays entra ensuite dans une période de déclin marquée par plusieurs invasions thaïes, puis l'abandon d'Angkor en 1431. La colonisation de l'Indochine ouvrit la voie à des explorateurs européens. Un naturaliste, Henri Mouhot, découvrit en 1860 ces ruines envahies par la jungle, et il en fit des dessins qui enflammèrent l'imagination des Français. Des archéologues passionnés se succédèrent pour faire revivre les bâtiments jusqu'au début des années 1970.

Si les édifices n'ont pas directement souffert des combats liés à l'extension de la guerre du Vietnam *(p. 44-45)* au Cambodge puis à la prise du pouvoir par les Khmers rouges, des pilleurs ont commis des ravages jusqu'au début des années 1980.

ANGKOR AUJOURD'HUI

Depuis les accords de paix signés en 1991, Angkor a progressivement rouvert au public. Ses monuments ont traversé sans dommages excessifs la période extrêmement dévastatrice pour le reste du pays. Après un minutieux déminage de la zone, les travaux de restauration et d'entretien ont pu reprendre. Inscrit au patrimoine mondial de l'humanité, le site archéologique attire chaque année des millions de visiteurs. Il procure au Cambodge en pleine reconstruction une importante source de devises.

DATES CLÉS

802 Établissement de l'Empire khmer

900 Déplacement de la capitale de Roluos à Angkor

1113-1150 Suyavarman II construit Angkor Vat

1181-1201 Jayavarman VII construit le Bayon et Angkor Thom

1352-1431 Le Siam attaque Angkor à quatre reprises

1863 Le Cambodge devient un protectorat français

1953 Le roi Norodom Sihanouk obtient la pleine indépendance du Cambodge

1970 Premiers bombardements américains dans le nord et l'est du Cambodge

1975 Les Khmers rouges s'emparent du pouvoir

1979 L'armée vietnamienne renverse les Khmers rouges

1998 Mort de Pol Pot, le chef des Khmers rouges

2005 L'ONU donne son accord au jugement des dirigeants Khmers rouges survivants

À la découverte d'Angkor

Dans une région de denses forêts et de rizières soigneusement entretenues, les imposants monuments de l'ancienne capitale de l'Empire khmer sont sans doute les plus grands chefs-d'œuvre historiques de l'Asie du Sud-Est. Au nord de Siem Reap, le visiteur découvre tout d'abord les hautes tours du temple-montagne d'Angkor Vat, puis la vaste cité d'Angkor Thom, où d'immenses visages affichent depuis des siècles un sourire mystérieux. Bien que plus modestes, les temples de Preah Khan et Preah Neak Pean situés plus au nord ne manquent pas d'intérêt. À l'est d'Angkor Thom, Ta Prohm reste pris dans les racines de fromager et offre un spectacle très romantique. Les sites plus éloignés de la ville comprennent, au nord-est, les joyaux en grès rose de Banteay Srei et, au sud-est, le groupe de Roluos aux édifices plus anciens.

Apsaras dansant, bas-relief du Bayon, Angkor Thom

ANGKOR D'UN COUP D'ŒIL

Monuments historiques

Angkor Thom *p. 216-219* ❹
Angkor Vat *p. 212-213* ❷
Banteay Srei ❾
Groupe de Roluos ❿
Phnom Bakheng ❸

Prasat Kravan ❽
Preah Khan ❺
Preah Neak Pean ❻
Ta Prohm ❼

Ville
Siem Reap ❶

VOIR AUSSI

• *Hébergement* p. 244-245

• *Restaurants* p. 260-261

0 _____ 3 km

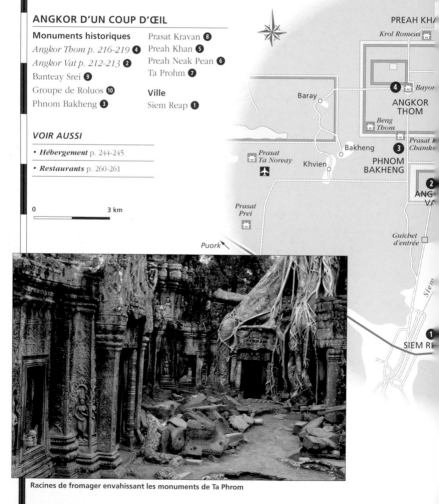

Racines de fromager envahissant les monuments de Ta Phrom

CIRCULER

Il faut à la fois du temps et un moyen de transport motorisé pour visiter Angkor. Une motocyclette peut convenir, mais la chaleur qui règne dans la région rend une voiture climatisée avec chauffeur nettement plus confortable. Au départ d'Angkor Vat, les Français ont défini deux circuits qui restent d'actualité. Le « petit circuit » de 18 km demande au moins une journée. Il inclut les monuments les plus centraux, puis Tha Prom et enfin Banteay Srei. Le « grand circuit » de 27 km passe en outre par Preah Neak Pean, puis continue jusqu'à Ta Som, avant de rejoindre Pre Rup au sud. Il exige au moins deux journées complètes.

CARTE DE SITUATION

LÉGENDE

- ☐ Zone urbaine
- ✈ Aéroport international
- 🏛 Temple
- ━ Site archéologique
- ━ Route principale
- ═ Route secondaire

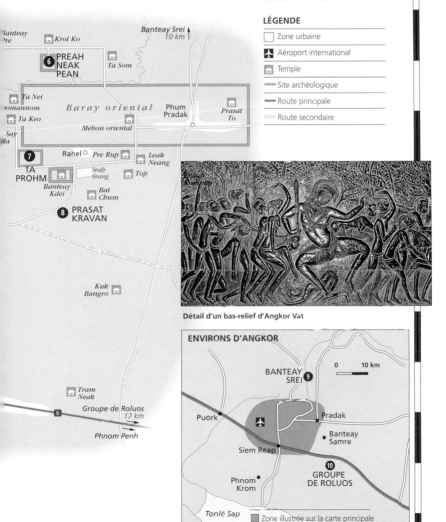

Détail d'un bas-relief d'Angkor Vat

Siem Reap ❶

Le chef-lieu de la province de Siem Reap porte un nom qui signifie littéralement « le Siam vaincu », en souvenir de la victoire des Khmers sur le royaume thaï d'Ayutthaya au XVIIᵉ siècle. Située dans le nord-ouest du Cambodge, la ville doit sa prospérité actuelle à la proximité des temples d'Angkor et de Ruolos. Centre touristique en pleine croissance depuis l'ouverture d'un aéroport, elle conserve un paisible quartier colonial et abrite de nombreux hôtels et restaurants récents.

MODE D'EMPLOI

250 km au N.-O. de Phnom Penh. ✈ ✕ 🚤 *depuis Battambang et Phnom Penh.* 🛈 *Khmer Angkor Tour Guide, av. Pokambor, (063) 964 347.*

Façade du Grand Hôtel d'Angkor *(p. 245)*, Siem Reap

À la découverte de Siem Reap
Malgré l'afflux de touristes – près de 2 millions de visiteurs par an –, le centre-ville a conservé son cachet et une atmosphère reposante. Ses bars, ses commerces et ses restaurants en font un lieu agréable où se détendre après une journée de visite.

Au nord, le **Grand Hôtel d'Angkor** récemment restauré compte parmi les souvenirs emblématiques de l'époque coloniale. Il domine le Jardin royal, non loin du **palais royal** rarement occupé par Sihamoni, le souverain régnant.

Au sud d'une statue de Vishnou, l'avenue Pokambor suit la rive droite de la rivière Siem Reap en longeant le quartier français. Elle conduit au **Psar Chaa**, le vieux marché riche en boutiques d'artisanat

où se procurer souvenirs et cadeaux. Bordée de maisons sur pilotis peintes en bleu et de norias en bambou, la berge de la rivière invite à la flânerie.

À 10 km au sud de la ville s'étend le **Tonlé Sap**, le plus vaste lac d'eau douce d'Asie du Sud-Est. Classé réserve de la biosphère par l'Unesco, le lac, caractéristique unique au monde, quadruple de surface à la saison des pluies. Sur la route des temples, au nord de Siem Reap, l'ONG Krousar Thmey propose l'exposition **« Le lac Tonlé Sap, source de vie »**.

Les principaux monuments d'Angkor, la billetterie et le conservatoire se trouvent à environ 5 km plus loin. À peu près à mi-chemin, le **Wat Thmei** renferme un stupa vitré contenant les ossements de victimes des Khmers rouges.

🏛 **« Le lac Tonlé Sap, source de vie »**
Sur la route d'Angkor Vat. **Tél.** *(063) 964 694.* ⬤ *t.l.j. 8h-18h.* ⬤ *12h-14h.*

Aéroport
5 km

Grand Hôtel d' Angkor ①

Angkor Var,
Wat Thmey,
le Tonlé Sap, source de vie

ROUTE NATIONALE 6 (route de l'aéroport)

Jardin
royal

Salle
de spectacle

Palais royal ②

McDermott Gallery
& Beyond Gallery

Étal de fruits

Marché
d'Angkor

SIVATHA STREET

ACHASTAR STREET

POKAMBOR AVENUE

A CHAMEAN STREET

WAT BO STREET

PUB STREET

HOSPITAL STREET

Psar Chaa ③

Rivière Siem Reap

Phnom Krom,
embarcadère,
Tonlé Sap

SIEM REAP

Grand Hôtel d'Angkor ①
Psar Chaa ③
Palais royal ②

LÉGENDE

◻ Quartier français

0   500 m

Légende des symboles, *voir rabat arrière de couverture*

Sommet du Phnom Bakheng au coucher du soleil

Angkor Vat ❷

Voir p. 212-213.

Phnom Bakheng ❸

Au S. d'Angkor Thom.
⬜ *t.l.j. du lever au coucher du soleil.*
🎫 *billet général.*

Lorsqu'il établit sa capitale sur le site d'Angkor, Yasovarman Ier (r. 889-910), le roi « protégé par la gloire », fit construire l'un des tout premiers temples-montagnes *(p. 214),* typiques de l'architecture religieuse khmère. Ses vestiges dominent la plaine depuis une colline haute de 67 m.

Dédié à Shiva, le monument en forme de pyramide à cinq gradins comportait à l'origine 109 tours. Beaucoup ont disparu, mais des lions assis gardent toujours l'escalier. Sur la terrasse supérieure, quatre tours d'angle entourent le sanctuaire principal en ruine. Il a conservé de beaux portails sculptés et les représentations de divinités féminines et de *makara,* une créature marine mythique *(p. 135).* Sur le versant oriental de la colline, des marches de pierre conduisent au sommet. Le sentier qui serpente sur le côté sud est plus sûr. En haute saison, on peut le gravir à dos d'éléphant. Le point de vue ménage un panorama spectaculaire d'Angkor et du Baray occidental, surtout au crépuscule, quand le soleil couchant illumine le Tonlé Sap et nimbe les flèches d'Angkor Vat d'une lueur éthérée.

Angkor Thom ❹

Voir p. 216-219.

Preah Khan ❺

1,6 km au N-E d'Angkor Thom.
⬜ *t.l.j. du lever au coucher du soleil.*
🎫 *billet général.*

Fermée par un mur de latérite long de 3 km, l'enceinte de Preah Khan possède une superficie de 57 ha. Elle abritait un monastère, une université religieuse et un *baray,* vaste bassin à la fois rituel et réservoir pour l'irrigation. Le roi Jayavarman VII (r. 1181-1215) y aurait temporairement établi sa capitale pendant la restauration d'Angkor Thom, dévastée par le royaume du Champa en 1177. Selon une stèle gravée retrouvée en 1939, la construction du lieu de culte, consacré au bouddhisme Mahayana, date de 1191. Son nom, qui signifie « épée sacrée » en khmer, rappelle qu'il occupait le centre d'une ancienne cité baptisée Nagarajayacri, la « ville de l'épée sacrée » en siamois, une référence à l'arme mythique de Jayavarman II, le fondateur de l'empire au IXe siècle.

Le sanctuaire principal possède un plan en croix. Ses quatre portes font face aux points cardinaux. Il faut entrer à l'est pour respecter la logique rituelle. Les hindouistes ont détruit au XIIIe siècle la majorité des bouddhas qui ornaient à l'origine le temple. Ils ont aussi remanié des bas-reliefs pour leur donner l'aspect d'ascètes en prière. Des sculptures d'apsaras décorent la salle des Danseuses. Les habitants de la région continuent de faire des offrandes de fleurs et d'encens à la Dame blanche, une effigie féminine, épouse de Jayavarman VII. Le bâtiment le plus remarquable porte sur sa tour centrale quatre visages du bodhisattva Lokeçvara.

Comme Ta Prohm *(p. 220),* Preah Khan subit les assauts d'une végétation luxuriante, et les racines de grands arbres couvrent, et par endroits perforent, les édifices en latérite et en grès sur lesquels ils poussent.

Ascète en prière, Preah Khan

Contrairement à Ta Prohm, le temple est en cours de restauration, et plusieurs de ces arbres ont déjà été abattus pour permettre de remonter les murs.

Frise d'apsaras de la salle des Danseuses, Preah Khan

Bonzes en méditation devant la tour des Visages du Bayon, Angkor Thom ▷

Angkor Vat ❷

« Angkor Vat » signifie littéralement « la ville qui est un temple ». Dédié à Vishnou, le protecteur de la création, le sanctuaire offre une image terrestre du cosmos hindou. Ses cinq tours en forme de bouton de fleur de lotus s'organisent en une pyramide figurant le mont Meru, séjour des dieux. L'enceinte et ses douves représentent les limites du monde baigné par l'océan sacré, source de toute vie. Le roi Suryavarman II (r. 1113-1150) qui en commanda la construction y voyait probablement un monument funéraire, car l'enceinte sacrée s'écarte de la tradition religieuse khmère pour faire face au soleil couchant, un symbole de mort. Remarquablement bien conservées, ses sculptures forment le plus long bas-relief existant. Elles comprennent quelque 2 000 représentations d'apsaras, les nymphes du paradis d'Indra aux danses et aux chants envoûtants.

Sculptures raffinées d'un mur extérieur du sanctuaire central

★ Sanctuaire central
Au sein de l'enceinte intérieure, le sanctuaire central possède quatre entrées tournées vers les points cardinaux et ornées d'images du Bouddha postérieures à sa construction.

★ Apsaras
Malgré leur nombre, les danseuses célestes présentent toutes de légères différences, notamment dans leurs parures et leurs coiffures d'une extraordinaire variété.

MODE D'EMPLOI

6 km au nord de Siem Reap.
🛫 jusqu'à Siem Reap. 🚌 🚗
ℹ️ Khmer Angkor Tour Guide,
av. Pokambor, Siem Reap,
(063) 964 347.
⭕ t.l.j. 5h-18h.
💳 billet général.
www.angkorvat.org

Vue des tours
*Le temple s'étage sur trois niveaux
entre l'enceinte extérieure
et la chambre de la tour centrale.
Son reflet dans la douve ajoute
une dimension immatérielle.*

**Les bas-reliefs de la galerie
sud** montrent le roi
Suryavaram II, qui entreprit
la construction
d'Angkor Vat.

★ **Galerie des bas-reliefs**
*Dans la moitié sud de la
galerie ouest, de grands
panneaux sculptés illustrent
la bataille de Kurukshetra,
un épisode de l'épopée
indienne du
Mahabharata.
Elle met en scène
des centaines
de guerriers.*

Chaussée
*Depuis le pont franchissant
la douve, une chaussée longue
de 350 m offre une vue saisissante
du temple auquel elle donne
accès. Ses balustrades de pierre
représentent un naga, génie
protecteur à corps de cobra.*

À NE PAS MANQUER

★ Apsaras

★ Galerie des bas-reliefs

★ Sanctuaire central

Architecture

Les historiens d'art datent les styles architecturaux d'Angkor (cinq principaux) à compter de l'établissement par Jayavarman II de sa capitale près de Roluos *(p. 221)*, au début du IXᵉ siècle. Le plus ancien, le style de Preah Ko, s'inscrit dans les traditions préangkoriennes de Sambor Prei Kuk (600-650), à l'est d'Angkor, et de Kompong Preah (706-800) dont les vestiges de Prasat Ak Yum, près du Baray occidental, offrent un exemple. L'architecture khmère atteignit son apogée pendant la construction d'Angkor Vat, puis déclina.

**Devada,
sculpture
d'Angkor Thom**

**Bibliothèque en grès rose de
l'enceinte intérieure de Banteay Srei**

PREAH KO (875-890)

Les temples de l'époque de Preah Ko gardent un plan relativement simple, avec une ou plusieurs tours de brique sur un socle de latérite. Ils sont les premiers à abriter des

« bibliothèques », qui servaient peut-être à protéger un feu sacré, à l'intérieur d'enceintes concentriques à l'entrée commandée par un gopura, un pavillon pyramidal.

Cette image en grès bien conservée *d'un esprit gardien décore le mur en brique d'une tour-sanctuaire du temple de Lolei (IXᵉ siècle), du groupe de Roluos.*

La chaussée orientale de Bakong *relie le principal gopura à la pyramide carrée censée évoquer le massif montagneux renfermant le mont Meru, représenté par la tour centrale.*

DE BAKHENG À PRE RUP (890-965)

Phnom Bakheng *(p. 209)*, Phnom Krom et Phnom Bok possédaient déjà l'organisation classique du temple-montagne inspiré du mont Meru, avec quatre tours disposées en quinconce autour du sanctuaire principal sur une plate-forme au sommet de la pyramide. Le style de Pre Rup évolua pendant le règne de Rajendravarman II (r. 944-968). Les tours devinrent plus hautes, avec des gradins plus nombreux accentuant les pentes.

Phnom Bakheng, *temple d'État de la première capitale khmère à Angkor, date de la fin du IXᵉ siècle. Soixante petites tours se dressaient sur les versants de la pyramide à 5 étages qu'entouraient au sol 44 sanctuaires plus importants.*

Pre Rup *se distingue par ses dimensions et la pente marquée de la pyramide soutenant le sanctuaire principal. Les linteaux portent des sculptures plus détaillées que les styles antérieurs. Les archéologues supposent qu'il s'agissait d'un crématorium royal, car son nom signifie « retourner le corps ».*

DE BANTEAY SREI AU BAPHUON (965-1080)

Le style auquel Banteay Srei *(p. 220)* a donné son nom est caractérisé par l'importance et la finesse des sculptures, notamment de devada, des divinités féminines, et d'apsaras, des nymphes sensuelles souvent représentées en train de danser. Au XIe siècle, les sculpteurs du Baphuon donnèrent encore plus de réalisme à leurs œuvres et développèrent les séquences narratives. Le temple prit davantage d'ampleur et acquit des galeries voûtées.

Le Baphuon à cinq étages, *temple d'État du roi Udayadityavarman II (r. 1050-1066), suscita au XIIIe siècle cette description du voyageur chinois Zhou Daguan : « un spectacle réellement impressionnant avec plus de dix salles à sa base ».*

Banteay Srei, *construit entre 967 et 1000, est l'un des plus beaux temples khmers pour la délicatesse de ses bas-reliefs et de ses linteaux sculptés.*

ANGKOR VAT (1080-1175)

Avec Angkor Vat *(p. 212-213)*, le plus majestueux des temples-montagnes, l'art khmer atteignit son sommet. Cette magnifique réussite architecturale abrite aussi les plus beaux récits en bas reliefs. Le décor des linteaux possède un raffinement qui ne sera plus égalé.

Les bas-reliefs de Suryavarman II, *dans la section occidentale de la galerie sud, montrent le roi assis sur son trône au milieu de courtisans tenant des éventails et des ombrelles. En dessous de lui, des femmes de la cour se déplacent en palanquin. Dans une autre scène, il monte un grand éléphant de guerre.*

Une vue aérienne d'Angkor Vat *rend manifestes les dimensions du complexe. Son plan obéit à des règles symboliques. La plus haute tour représente le mont Meru, axe de l'univers, mais également le centre du royaume dont le souverain est d'essence divine.*

LE BAYON (1175-1240)

L'esthétique du Bayon, le dernier des grands temples construits à Angkor, offre une synthèse des styles précédents, mais révèle aussi un déclin de la qualité d'exécution. La latérite est privilégiée aux dépens du grès. Les sculptures associent les imageries hindouistes et bouddhistes.

Les scènes de bataille *ornant le temple du Bayon à Angkor Thom (p. 216-219) constituent une chronique de la guerre entre l'Empire khmer et le royaume du Champa. Elle se conclut par la victoire du roi Jayavarman VII en 1181.*

La porte sud d'Angkor Thom *s'ouvre sous quatre grands visages de Jayavarman VII, le dieu-roi, ou devaraja, représenté en bodhisattva Avalokitesvara. Il fixe pour l'éternité les points cardinaux avec une expression indéchiffrable.*

Angkor Thom ❹

Remarquable par ses dimensions, la « grande ville royale » fondée par le roi Jayavarman VII (1181-1220) après l'incursion cham de 1177 possède une enceinte fortifiée haute de 8 m et longue de 12 km protégée par des douves larges de 100 m. Des chaussées encadrées de géants portant le *naga* sacré franchissent le fossé jusqu'aux cinq portes monumentales surmontées d'une tiare de pierre. À l'intérieur de la ville ne subsistent que les résidences des dieux, dont le Bayon, le grand temple central aux visages sereins tournés à jamais vers les points cardinaux.

Géants bordant la chaussée menant à la porte sud d'Angkor Thom

★ **Visages énigmatiques**
Les tours du temple, qui en possédait 54, le nombre de provinces de l'Empire, arborent des visages qui représenteraient le bodhisattva Avalokitesvara sous les traits de Jayavarman VII. Ils symboliseraient les quatre vertus illimitées du bouddhisme.

Tour centrale

Enceinte extérieure

Galerie ouest
Une fidèle fait brûler de l'encens devant une statue de Vishnou, le dieu indien protecteur de l'univers. Située dans la partie sud de la galerie ouest, elle daterait de la fondation du temple.

Porte sud

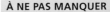

0   25 m

★ **Bas-reliefs de la galerie sud**
Ces sculptures représentent des scènes de la vie quotidienne à Angkor au XIIᵉ siècle, notamment un combat de coqs, la préparation de repas, des festivités, des scènes de marché et même un accouchement.

À NE PAS MANQUER

★ Bas-reliefs
   de la galerie sud

★ Visages énigmatiques

★ Vue sud du Bayon

Pour les hôtels et les restaurants de la région, voir p. 244-245 et p. 260-261

★ Vue sud du Bayon

De loin, le temple ressemble presque à un chaos de pierre. De plus près, la disposition de ses tours sculptées d'étranges sourires devient un peu plus intelligible, mais l'atmosphère du lieu n'en reste pas moins empreinte de mystère.

MODE D'EMPLOI

1 km au N. d'Angkor Vat ; 7 km au N. de Siem Reap

Khmer Angkor Tour Guide, av. Pokambor.

t.l.j. 5h-18h.

billet général.

Détails de *devada*

Le terme devada désigne une divinité masculine ou féminine. Elle peut être représentée en danseuse, mais sans la volupté attribuée aux apsaras (p. 212).

Bas-reliefs
d'un cirque khmer

Enceinte
intérieure

Porte est

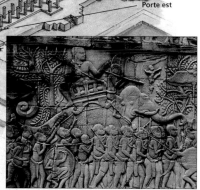

LE BAYON

Le sanctuaire au cœur d'Angkor Thom ressemble à un dédale où ombre et lumière jouent sur les traits d'immenses visages empreints d'un insondable mystère. Huit pavillons donnent accès à l'enceinte extérieure, dont les galeries, jadis couvertes et en cours de restauration, abritent de remarquables bas-reliefs, entre autres des scènes de bataille et de la vie quotidienne. Le temple-montagne s'étage sur trois niveaux. Au centre de la plate-forme circulaire reposant sur les deux premiers étages carrés, la tour centrale s'élève jusqu'à une hauteur de 43 m.

Armée khmère en marche

Les sculptures de la galerie est offrent un récit mythologique des combats qui opposèrent les deux grands royaumes hindous de la péninsule indochinoise. Ici, le roi khmer, montant un éléphant, conduit ses troupes à la bataille contre les Cham.

À la découverte d'Angkor Thom

Sculpture de la terrasse du Roi lépreux

La cité fortifiée occupe une superficie de près de 10 km². À son apogée, elle eut une population d'environ un million d'habitants. Il ne reste aucune trace de leurs habitations. Depuis la porte sud, la plus utilisée des cinq ouvertures dans les remparts, une allée mène tout droit au Bayon. Les vestiges d'autres monuments, dont le Baphuon et Phimeanakas, s'élèvent au-delà. Malgré leur état délabré, ces ruines ornées de nombreuses sculptures et de délicats bas-reliefs offrent un reflet de la splendeur et de la puissance de l'Empire khmer.

Visage énigmatique au regard perdu dans le lointain, porte sud

Porte sud
Angkor Thom possède quatre portes situées sur les axes cardinaux de la ville. Une cinquième, la porte de la Victoire, s'ouvre à l'est dans le prolongement de l'ancien palais royal. Il faut passer entre deux longues rangées de dieux, à gauche, et de démons, à droite, chacune portant un *naga* géant, pour atteindre la porte sud, la mieux conservé des cinq entrées. Haute de 23 m, elle s'ouvre sous une triple tour sculptée de quatre visages d'Avalokitesvara.

Bayon
Le grand temple entrepris par Jayavarman VII à la fin du XIIe siècle associe des éléments bouddhiques et hindouistes, ce qui lui confère une place particulière dans l'art khmer. Ses bas-reliefs offrent une vision pleine de vie du peuple, qui est à l'origine de tous ces chefs-d'œuvre (p. 216-217).

Baphuon
Une chaussée sur colonnettes longue de 200 m mène au monument commandé par le roi Udayadityavarman II au XIe siècle, avant la fondation d'Angkor Thom. D'élégants bas-reliefs décorent les quatre portes. Ils illustrent par petits tableaux des épisodes des épopées indiennes du *Mahabharata*, du *Ramayana* (*Reamker* en khmer) et de la légende de Krishna. À l'intérieur, un grand bouddha couché, datant probablement du XVe ou XVIe siècle, s'étend au deuxième étage sur la face ouest du temple-montagne. Celui-ci, rempli de sable, a beaucoup souffert des injures du temps.

Phimeanakas
Construit au Xe siècle par Rajendravarman II et agrandi par Jayavarman VII, le « Palais céleste », se trouve à l'intérieur de l'enceinte de l'ancienne résidence royale. Fermée par un mur de latérite de 5 m de hauteur, elle possède une superficie de 15 ha. Rien

ne subsiste des édifices d'habitation bâtis en bois. Selon la légende rapportée par un émissaire chinois du XIIIe siècle, seul le souverain pouvait pénétrer dans le sanctuaire, décrit comme une « tour d'or » où vivait un serpent sacré. La créature prenait tous les soirs la forme d'une femme, avec qui l'empereur avait pour obligation de s'accoupler s'il voulait préserver son royaume.

Quatre escaliers gardés par des lions assis courent au milieu des côtés du temple-montagne. Aux angles des trois gradins leur répondent des statues d'éléphants. Il ne subsiste pratiquement rien de la tour centrale en grès, mais la terrasse supérieure ménage une vue superbe du Baphuon.

Preah Palilay et Tep Pranam
À courte distance au nord-est de la terrasse du Roi lépreux se trouvent les vestiges de deux lieux de culte bouddhiques.

Preah Palilay date du XIIIe ou du XIVe siècle et se dresse à l'intérieur d'une enceinte carrée en latérite de 50 m de côté. Elle est percée d'un pavillon d'entrée à triple passage. Du temple très endommagé a principalement survécu une haute tour en forme de cheminée reposant sur un soubassement à trois gradins où poussent de hauts fromagers. Une chaussée longue de 33 m conduit à l'est à une terrasse cruciforme bordée de beaux *naga* formant balustrades.

À sa construction au XVIe siècle, Tep Pranam, situé un peu plus loin à l'est, était sans doute dédié à l'école

Phimeanakas, temple-montagne à trois gradins

Pour les hôtels et les restaurants de la région, voir p. 244-245 et p. 260-261

Terrasse des Éléphants

Mahayana. C'est aujourd'hui un sanctuaire Theravada. Son fleuron est une grande image du « Bouddha prenant la terre à témoin », assis la main droite tournée vers le sol.

Terrasse du Roi lépreux
À quelques pas au sud-est de Tep Pranam, cette petite plate-

Bas-reliefs en cours de restauration de la terrasse des Rois lépreux

forme remonte à la fin du XIIe siècle. Elle doit son nom à une statue sans tête dont on a longtemps cru qu'elle représentait Jayavarman VII. Le roi, selon la légende, souffrait en effet de la lèpre. Il s'agirait en réalité d'une représentation de Yama, le seigneur de la Mort selon les mythes hindouistes. La sculpture est une réplique, les autorités ont préféré mettre l'original à l'abri au Musée national de Phnom Penh.

La terrasse possède deux murs parés de ravissants bas-reliefs. Ils font l'objet d'une restauration. Le mur intérieur est le plus remarquable. Les personnages qui le couvrent comprennent des créatures du monde souterrain, des divinités, des rois, des *naga* à

cinq, sept et neuf capuchons, des *devada*, des apsaras, des génies à l'épée tirée et d'étranges créatures marines.

La fonction exacte du site, qui semble être une extension de la terrasse des Éléphants, reste un sujet d'interrogation. Il servait peut-être de lieu de crémation.

Terrasse des Éléphants
Construite par Jayavarman VII, cette terrasse longue de 300 m s'étend du Baphuon à la terrasse du Roi lépreux. Elle doit son nom aux représentations presque grandeur nature d'éléphants marchant en procession avec leurs cornacs. Elle comporte trois plates-formes principales et deux plus petites. Proches du palais royal, elles accueillaient la cour lors des défilés militaires et autres parades. Les sculptures

comptent aussi des images de tigres, de lions, de serpents, d'oies sacrées et de Garuda, la monture de Vishnou.

Khleang nord et Khleang sud
À l'est de la grande allée passant devant la terrasse des Éléphants, ces édifices possèdent une similitude profonde malgré des dates de construction différentes. Le premier remonte au règne du roi Jayaviravarman et le second à celui de son successeur, Suryavarman Ier (r. 1002-1050). Admirez leurs imposants linteaux en grès et les pignons sculptés qui soutenaient jadis des toitures de tuiles. Leurs fonctions restent inconnues.

Le terme *khleang* désigne un entrepôt, mais cette dénomination moderne est trompeuse selon les archéologues.

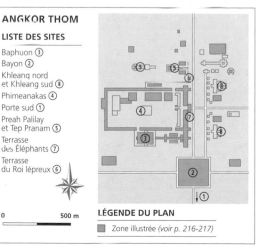

ANGKOR THOM

LISTE DES SITES

Baphuon ③
Bayon ②
Khleang nord et Khleang sud ⑧
Phimeanakas ④
Porte sud ①
Preah Palilay et Tep Pranam ⑤
Terrasse des Éléphants ⑦
Terrasse du Roi lépreux ⑥

0   500 m

LÉGENDE DU PLAN

◼ Zone illustrée (*voir p. 216-217*)

Preah Neak Pean ❻

3 km au N.-E. d'Angkor Thom.
◯ t.l.j. du lever au coucher du soleil.
🎟 billet général. 📷 📱

Le temple des Serpents enroulés est unique à Angkor. Fondé à la fin du XIIᵉ siècle, il est attribué à Jayavarman VII. De culte bouddhique, il occupe le centre du Baray nord, un vaste lac artificiel aujourd'hui asséché.

Sa visite présente surtout de l'intérêt pendant la saison des pluies tant l'eau y joue un rôle essentiel. Des gradins entourent une grande piscine qui renferme en son centre une petite île circulaire portant une tour-sanctuaire dédiée au bodhisattva Avalokitesvara. Le site doit son nom au couple de *naga* entrelacés qui ceinture sa base. À l'est se dresse une sculpture du cheval Balaha, une manifestation d'Avalokitesvara qui aurait pris cette forme pour sauver des naufragés d'une créature marine. Le plan d'eau symbolise le lac sacré Anavatapta, où les quatre grands fleuves de la mythologie hindoue prennent leur source dans l'Himalaya. À chacun correspond une tête, à l'est d'homme, au sud de cheval, à l'ouest de lion et au nord d'éléphant. Elles servent de déversoirs et alimentent quatre bassins extérieurs plus petits. À l'époque où le temple était en activité, les dévots venaient demander conseil aux bonzes, puis se purifiaient en se baignant dans l'eau coulant de la bouche que le religieux leur avait attribuée.

Déversoir en forme de tête humaine, Preah Neak Pean

Ta Prohm ❼

1 km à l'E. d'Angkor Thom.
◯ t.l.j. du lever au coucher du soleil.
🎟 billet général. 🍴 📱

Le plus évocateur et le plus romantique des temples d'Angkor porte un nom qui signifie « ancêtre de Brahma », mais il s'agissait à l'origine d'un monastère et d'une université bouddhique construits pendant le règne du roi Jayavarman VII. Une stèle de pierre décrit la puissance conférée à l'établissement religieux. À son zénith, plus de 3 000 villages étaient affectés à son entretien et plus de 12 000 personnes vivaient dans l'enceinte, dont 18 grands prêtres et 615 danseuses. L'inscription indique aussi la richesse en pierres précieuses de l'institution et de son fondateur royal : plus de 35 diamants et 40 000 perles. La restauration commença pendant la période coloniale

et l'École française d'Extrême-Orient prit la décision de préserver autant que possible l'apparence qu'avait le site au moment de sa redécouverte au début du XXᵉ siècle. Les travaux effectués pour stabiliser les ruines restent donc invisibles, et elles semblent toujours soumises aux effets destructeurs de la jungle, d'immenses racines de fromager paraissant couler sur les pierres pour les étreindre comme de monstrueux tentacules.

Longue de 1 000 m et large de 600, environ, l'enceinte rectangulaire en latérite couronne le sommet d'une colline. De grands arbres procurent une ombre rafraîchissante dans les étroits passages reliant des galeries sombres et sentant le renfermé. Des images du Bouddha retrouvées parmi les ruines décorent l'entrée principale. À l'intérieur, la salle des Danseuses repose sur des piliers carrés. Ornée de fausses portes, elle doit son nom aux frises d'apsaras à la parent.

À l'ouest, le sanctuaire principal est un édifice en pierre envahi par la végétation.

Prasat Kravan ❽

À l'E. d'Angkor Vat.
◯ t.l.j. du lever au coucher du soleil.
🎟 billet général.

Fondé par Harshavarman Iᵉʳ (r. 915-923), ce petit temple hindou dédié à Vishnou se compose de cinq tours de brique disposées sur un axe nord-sud et ouvertes à l'est. Son nom signifie sanctuaire du Cardamome.

Il conserve de remarquables bas-reliefs. Dans l'édifice central, une pierre dressée au milieu de la salle recevait l'eau lustrale lors des cérémonies de purification. Vishnou apparaît au fond sous sa forme à huit bras et, sur le mur de droite, chevauchant Garuda, son véhicule à corps d'aigle et à tête et membres d'homme. Le linteau en grès de la tour la plus au sud reprend le motif du dieu sur sa monture. La tour la plus au nord abrite

Racines de fromager intimement mêlées aux ruines de Ta Prohm

Pour les hôtels et les restaurants de la région, voir p. 244-245 et p. 260-261

une image sculptée de Lakshmi, sa parèdre, déesse de la Beauté et de la Prospérité.

Banteay Srei ❾

30 km au N.-E. de Siem Reap.
◯ *t.l.j. du lever au coucher du soleil.*
🎟 *billet général.*

La citadelle des Femmes, entreprise en 967, se distingue des autres monuments d'Angkor à plus d'un titre. Très isolée, elle n'a pas été fondée par un souverain, mais par un prêtre « guru du roi ». Surtout, le temple se présente comme une véritable miniature formée de bâtiments de taille très réduite puisque leurs portes mesurent moins de 1,30 m de hauteur. Cette particularité, la teinte rosée des blocs de grès et la finesse des bas-reliefs lui ont valu le surnom de « joyau de l'art khmer ». À l'intérieur d'une enceinte close par trois murs et le vestige d'un fossé, le sanctuaire central contient des autels dédiés à Shiva, le dieu de la destruction et de la régénération. Les linteaux délicatement sculptés illustrent des épisodes de l'épopée indienne du *Ramayana*. Les images de Shiva, de sa parèdre Parvati, du roi singe Hanuman, de Krishna le divin

Déesse du sanctuaire central, enceinte intérieure, Banteay Srei

Sanctuaire central de Lolei, groupe de Roluos

chevrier et du démon Ravana sont d'un tracé remarquable. Des niches renferment les sculptures d'êtres divins. Avec leurs longs cheveux noués en chignon et en tresses et les lourds bijoux parant des tenues amples à l'indienne, les déesses tranchent par leur sophistication sur la simplicité de leurs équivalents masculins.

Statue de Banteay Srei

Groupe de Roluos ❿

12 km au S.-E. de Siem Reap.
◯ *t.l.j. du lever au coucher du soleil.*
🎟 *billet général.*

Nommés d'après la petite ville de Roluos, ces monuments, les plus anciens d'Angkor, marquent l'emplacement de Hariharalaya, la toute première capitale khmère établie par Indravarman Ier (r. 877-889). Trois principaux temples ont survécu.
　Fondé par Yasovarman Ier (r. 889-910), **Lolei** se trouve au nord de la route 6, en direction de Phnom Penh depuis Siem Reap. Il occupe le centre d'un *baray* aujourd'hui asséché, l'un de ces vastes réservoirs construits à des fins à la fois religieuses et d'irrigation. Rectangulaire, le bassin mesure 3 800 m de long sur

750 de large. Quatre hautes tours de brique reposent sur un large soubassement à deux étages. Leurs fausses portes et leurs inscriptions surprennent par leur bon état de conservation. Les sculptures comprennent des images de Ganesh, le dieu à tête d'éléphant, et de gracieuses divinités féminines.
　Au sud de Lolei, **Preah Ko**, le bœuf sacré, date du règne d'Indravarman Ier. Dédié au culte de Shiva, c'était aussi le temple funéraire de Jayavarman II et de ses ancêtres. Une chaussée dallée mène aux vestiges d'une salle où les dévots pouvaient se reposer. Derrière, trois statues d'un bœuf couché représentent Nandi, le véhicule de Shiva. Elles ont donné son nom au site. Le sanctuaire est formé d'une plate-forme de latérite où se dressent six tours. Des motifs en excellent état parent les fausses portes, les linteaux et les colonnes. Ils montrent, entre autres, Garuda, la monture ailée de Vishnou. Des *makara* (p. 135) entourent Kala, une créature à la large bouche et aux yeux protubérants, maîtresse du temps.
　En poursuivant vers le sud, la masse imposante de **Bakong** ne peut être manquée. Fondé au IXe siècle par Indravarman Ier et également dédié à Shiva, il est le premier temple-montagne connu. Un *naga* à sept têtes protège la chaussée d'accès, flanquée de maisons d'hôtes pour les pèlerins. Cinq terrasses superposées, décorées pour les trois premières d'éléphants de pierre, symbolisent la chaîne où s'élève le mont Meru, axe du monde et résidence des dieux, figuré par la tour centrale en forme de fleur de lotus. Huit tours de brique massives entourent l'éminence. Comme les autres bâtiments du groupe de Roluos, elles possèdent de superbes décors en grès sculpté.

Aller à Angkor

Vélo électrique de location à Siem Reap

La plupart des visiteurs d'Angkor arrivent en avion à l'aéroport de Siem Reap, qui est desservi par plusieurs compagnies nationales et internationales. C'est le mode de transport le plus facile. Une autre solution, plus économique, est le bus longue distance au départ du Vietnam ou de Thaïlande, mais le très mauvais état des routes, à l'exception du tronçon Phnom Penh-Siem Reap, rend le voyage long et éprouvant. Le voyage en bateau depuis Phnom Penh ou Chau Doc au Vietnam *(p. 100)* est plus spectaculaire (des hydroglisseurs assurent une liaison régulière). Sur place à Angkor, il existe plusieurs moyens de transport bon marché.

Avion Bangkok Airways à l'aéroport international de Siem Reap

Avec la récente ouverture des frontières, il est possible aujourd'hui d'emprunter la route depuis le Vietnam et la Thaïlande. Les voyageurs en provenance du Vietnam peuvent aller en bus de Hô Chi Minh-Ville à Phnom Penh (plusieurs bus par jour ; durée du trajet : 7 h ; prix : environ 6 $), de Chau Doc à Phnom Penh ou de Moc Bai à Bavet.

Les voyageurs peuvent aussi emprunter la voie fluviale depuis le Vietnam ou Phnom Penh jusqu'à Siem Reap. Des bateaux réguliers partent de Chau Doc (durée : 3-4 h ; prix : 15 à 35 $).

Des hydroglisseurs relient quotidiennement Phnom Penh à Siem Reap en 5 à 6 heures.

Des agences de voyages comme Pandaw Cruises et Victoria Hotels proposent également des croisières au départ de Hô Chi Minh-Ville à destination de Siem Reap – les tarifs sont plus élevés que ceux des liaisons régulières.

QUAND PARTIR

Le meilleur moment pour visiter Angkor est la saison froide (de novembre à février), même si, pour la majorité des touristes, les températures sont encore élevées. À la saison humide (de juin à octobre), le site d'Angkor est verdoyant et la température relativement basse, mais il pleut. À cette période, les *baraya* (réservoirs d'eau) débordent et certains temples comme Preah Neak *(p. 220)* sont inondés. Mieux vaut éviter la saison chaude (de mars à mai), quand les températures sont très élevées.

MODE DE TRANSPORT

Les aéroports internationaux de Phnom Penh et de Siem Reap sont desservis par plusieurs compagnies internationales et nationales. Vietnam Airlines, Lao Airlines, Malaysia Airlines, Silkair, Thai Airways, Bangkok Airways

et China Southern Airlines proposent des vols pour Siem Reap au départ de Hanoi, Hô Chi Minh-Ville, Kuala Lumpur, Bangkok et Singapour (vols avec escale pour Thai Airways et China Southern).

Siem Reap Airways et Air Asia assurent une liaison quotidienne entre Siem Reap et Phnom Penh. Sachez que les horaires des vols peuvent changer à la dernière minute et les compagnies nationales disparaître du jour au lendemain. Consultez votre agence de voyages pour avoir les dernières informations sur le tarif, l'itinéraire et l'heure de votre vol.

VISAS ET PASSEPORTS

L'obtention d'un visa pour le Cambodge est relativement simple. Un visa d'un mois vous sera délivré sur présentation de votre passeport aux aéroports internationaux de Phnom Penh et de Siem Reap, ainsi qu'aux postes-frontières terrestres et fluviaux.

Le visa touristique coûte 20 $ et le visa affaires 35 $, tous deux payables en espèces et en dollars. Il peut être prolongé à Phnom Penh. Si vous dépassez la durée de séjour autorisée, vous devrez payer 5 $ par jour supplémentaire.

Un des nombreux bus touristiques à destination de Siem Reap

AU DÉPART DU VIETNAM

Plusieurs agences de Hanoi et de Hô Chi Minh-Ville jouissant d'une bonne réputation proposent des circuits pour Angkor, mais elles peuvent aussi vous organiser un itinéraire personnalisé. Le prix inclut habituellement le transport et le guide ; en revanche, visa, taxe d'aéroport et billet d'entrée pour le site d'Angkor ne sont généralement pas compris.

CIRCULER À ANGKOR

Entre le cyclo-pousse, la moto-taxi *(moto)*, le minibus et l'éléphant, vous aurez l'embarras du choix pour vous déplacer à Siem Reap et Angkor. Les tarifs varient entre 1 et 40 $ selon que vous les prenez pour quelques heures ou pour la journée entière. Le vélo (à louer à votre hôtel ou chez un loueur) est un mode

Les motos-taxis sont un mode de transport très répandu à Siem Reap

de transport sympathique pour découvrir Angkor, mais la voiture de location est plus confortable.

Vous en trouverez dans les hôtels du centre-ville. Une voiture climatisée avec chauffeur coûte environ 30 $ par jour.

DOUANE

La réglementation douanière est stricte. Pornographie et drogue sont interdites à l'importation, ainsi que les explosifs, comme l'indiquent certains panneaux.

Si vous transportez plus de 3 000 $, il se peut que vous soyez obligé de les déclarer. L'interdiction la plus rigoureuse concerne le trafic d'antiquités datant de la période angkorienne (ou avant).

TAXE D'AÉROPORT

La taxe d'aéroport est de 25 $ par personne (plus chère que le visa d'entrée) pour les vols internationaux et de 6 $ pour les vols nationaux, toutes deux payables en espèces et en dollars.

ADRESSES

AMBASSADES ET CONSULATS

Belgique
Phnom Penh Centre, Sihanouk Building, entrée F, 7e étage, Phnom Penh.
Tél. (023) 949 405.

Canada
9, rue 254, Phnom Penh.
Tél. (023) 728 000.

France
1, bd Monivong, Phnom Penh.
Tél. (023) 430 020.

Suisse
53D, rue 242, Phnom Penh.
Tél. (023) 219 045.

Vietnam
436, bd Monivong, Phnom Penh.
Tél. (023) 362 531.

AÉROPORTS

Phnom Penh International Airport
www.cambodia-airports.com/phnompenh/en

Siem Reap International Airport
www.cambodia-airports.com/siemreap/en

COMPAGNIES AÉRIENNES

Air Asia
66, bd Mao Tsé-tung, Phnom Penh.
Tél. (023) 356 011.
www.airsia.com

Bangkok Airways
571, route 6, Phum Salakan Seng, Siem Reap.
Tél. (063) 380 191.
www.bangkokair.com

China Southern Airlines
www.cs-air.com/en

Jetstar Asia
Quartier de Psaar Chas (vieux marché), Siem Reap.
Tél. (063) 964 388.
www.jetstarasia.com

Lao Airlines
114, route 6, Siem Reap.
Tél. (063) 963 283
www.laoairlines.com

Malaysia Airlines
Mezzanine, Diamond Hotel, 172, bd Monivong, Phnom Penh.
Tél. (023) 426 688.
www.malaysiaairlines.com

Siem Reap Airways
571, route 6, Phum Salakan Seng, Siem Reap.
Tél. (063) 380 191.
www.siemreapairways.com

SilkAir
313, quai Sisowath, Phnom Penh.
Tél. (023) 426 807.
www.silkair.com

Thai Airways
294, bd Mao Tsé-tung, Phnom Penh.
Tél. (023) 890 292.
www.thaiair.com

Vietnam Airlines
342, route 6, Siem Reap.
Tél. (023) 356 011.
www.vietnamairlines.com

CROISIÈRES

Pandaw Cruises
www.pandaw.com

Victoria Hotels
32, rue Le Loi, Chaud Doc, Vietnam.
Tél. (076) 865 010.
www.victoriahotels-asia.com

VOYAGISTES

Destination Asia
143, Nguyen Van Troi, Hô Chi Minh-Ville.
Tél. (08) 844 8071.
www.destination-asia.com

Phoenix Voyages
52, Nguyen Khac Heu, Hanoi.
Tél. (04) 716 1956.
www.phoenixvoyages.com

Hanuman Tourism
310, rue 12, Phnom Penh.
Tél. (023) 218 396.
www.hanumantourism.com

Angkor mode d'emploi

Enseigne de pharmacie

Après des années de troubles sanglants, le Cambodge connaît aujourd'hui une phase de renouveau économique dû en grande partie au boom de l'industrie touristique. Le riche patrimoine culturel d'Angkor attire chaque année des millions de visiteurs. Le village autrefois assoupi de Siem Reap, porte d'accès au parc archéologique d'Angkor, est devenu un centre touristique actif, avec des hébergements et des restaurants pour tous les budgets. Le système de billet unique pour la visite du site, la commodité des transports et des communications contribueront à vous faciliter la vie pendant votre séjour.

Entrée du Victoria Angkor Hotel à Siem Reap *(p. 245)*

DROITS D'ENTRÉE ET HEURES D'OUVERTURE

Pour accéder à l'ensemble du site d'Angkor, les visiteurs doivent s'acquitter d'un droit d'entrée à la billetterie, située à l'entrée principale du parc archéologique, ouverte tous les jours de 5 h à 18 h. Le prix du billet peut vous paraître cher, mais sachez que cet argent sert à la sauvegarde de nombreux monuments d'Angkor.

Il y a trois sortes de laissez-passer pour l'ensemble du site : celui d'une journée à 20 $ est idéal pour une visite rapide des principaux temples, celui de trois jours à 40 $ est suffisant pour découvrir les temples les plus connus, et celui de sept jours à 60 $ permet une visite détaillée de tout le parc archéologique.

Une photo d'identité est obligatoire (que vous pouvez faire faire sur place à la billetterie, mais cela peut prendre un peu de temps). Le laissez-passer doit être montré à l'entrée de chaque monument.

INFOS TOURISTIQUES

Le **Tourism Information Office** de Siem Reap est un organisme privé situé dans Pokambor Avenue qui vous sera utile uniquement pour vos réservations.

Dans le même bâtiment se trouve la Khmer Angkor Tour Guide Association, où vous pourrez louer une voiture avec chauffeur bien

informé et parlant anglais.

La publication trimestrielle *Siem Reap Angkor Visitors Guide* donne des informations récentes et notamment des adresses de magasins, de services de transport et une liste d'hôtels et de restaurants. Elle est gratuite et disponible dans de nombreux hôtels.

OÙ DORMIR

Si autrefois les hôtels étaient rares à Siem Reap et peu attrayants, de nouveaux s'ouvrent tous les mois à l'heure actuelle, de toutes les sortes et pour tous les budgets, depuis les hôtels cinq étoiles comme le Grand Hôtel d'Angkor *(p. 245)* aux petits hôtels familiaux et *guest-houses* à prix très raisonnables.

Ceux qui ne sont pas en voyage organisé trouveront de nombreuses adresses d'hébergement à l'aéroport, mais aussi de nombreux rabatteurs, avec qui il faut être prudent car les arnaqueurs ne sont pas rares. La plupart des établissements, même les *guest-houses* les

plus modestes, enverront une voiture pour vous chercher à l'aéroport. Une solution plus simple et souvent nettement plus économique consiste à réserver votre chambre en ligne. Sachez que les tarifs hôteliers varient entre la haute saison (novembre à mars) et la basse saison (mai à octobre).

OÙ MANGER

Siem Reap propose un grand choix de restaurants de cuisine thaïe, cambodgienne, vietnamienne, chinoise, française, indienne et italienne *(p. 260-261)*. Les prix sont généralement raisonnables, notamment autour de Psar Chas (vieux marché). Des cantines de rue proposent des plats locaux, mais on trouve aussi des baguettes de pain, du bon café et du pâté à presque tous les coins de rue.

La plupart des *guest-houses* ont un petit café et les hôtels de beaux restaurants. Certains établissements peuvent vous préparer un panier de pique-nique.

Terrasse du restaurant Red Piano *(p. 261)* à Siem Reap

SANTÉ ET SÉCURITÉ DES PERSONNES

Le Cambodge est un pays pauvre, aussi n'est-il pas très avancé en matière de services médicaux. Dans les cas graves, nous vous conseillons d'aller vous faire soigner à Bangkok, mais, si vous suivez scrupuleusement quelques règles d'hygiène simples, vous devriez éviter tout problème.

Consommez uniquement de l'eau en bouteille cachetée et des aliments bien cuits, évitez les glaçons et lavez-vous les mains avant de manger.

Contre la déshydratation, l'épuisement dû à la chaleur ou les coups de chaleur pendant les visites, emportez une bouteille d'eau et un chapeau et ne sortez pas aux heures les plus chaudes.

Les visiteurs peuvent prendre un prophylactique contre le paludisme et consulteront leur médecin pour une éventuelle vaccination contre l'hépatite et la rage. Les MST et le sida sévissent aussi au Cambodge.

La présence des mines étant un problème bien réel à Siem Reap, il ne faut jamais sortir des sentiers. En matière de sécurité, il convient de prendre les précautions d'usage : éviter de circuler dans les endroits isolés à la nuit noire, ne pas porter de bijoux voyants ni de tenues suggestives (pour les femmes), laisser les objets de valeur au coffre de l'hôtel. La police touristique et des gardes sont postés en de nombreux points du parc archéologique.

BANQUES ET MONNAIE

L'unité monétaire cambodgienne est le *riel* (KHR). Les billets vont de 50 000 à 100 000 *riel*. Un euro vaut 6 200 *riel*, mais la devise la plus utilisée est le dollar (1 \$= 3 900 *riel*) ou le *bhat* thaïlandais. Les petites coupures en *riel* sont utiles pour les pourboires

et les menus achats. Les banques de Siem Reap changent les devises étrangères et les chèques de voyage.

Elles sont ouvertes du lundi au vendredi de 9 h à 16 h. Les principales cartes bancaires sont acceptées dans les hôtels et restaurants de catégorie supérieure et dans les boutiques de luxe. Elles permettent de retirer facilement des espèces aux guichets des banques et aux DAB de l'ANZ Royal Bank.

Une des nombreuses banques de Siem Reap avec un guichet de change

COMMUNICATIONS

Le réseau de communications d'Angkor est assez bien développé. Il est facile d'appeler à l'international avec une carte téléphonique prépayée depuis une cabine publique ou via Internet depuis la plupart des cybercafés.

Les communications depuis l'hôtel sont plus chères. L'indicatif de Siem Reap est 063.

Les cybercafés sont nombreux et leurs tarifs abordables. Pour les services postaux et de messagerie, il faut aller à la poste ou dans une agence telle que DHL et FedEx.

VOYAGEURS HANDICAPÉS

À l'heure actuelle, les équipements pour les personnes à mobilité réduite sont pratiquement inexistants, mais bon nombre des nouveaux hôtels de luxe font des efforts pour mieux répondre à leurs besoins.

ADRESSES

INFORMATION TOURISTIQUE

Khmer Angkor Tour Guide Association
Voir p. 208.

URGENCES

Pompiers
Oum Chhay, vieux quartier français, Siem Reap.
Tél. (063) 760 133, (012) 784 464.

Police touristique
En face du guichet de vente principal des billets d'entrée pour Angkor.
Tél. (012) 402 424, (012) 969 991.

CENTRES MÉDICAUX

Angkor Hospital for Children
PO Box 50, Siem Reap.
Tél. (063) 963 409.

Jin Hua International Hospital
Route 6, Airport Road, Siem Reap.
Tél. (063) 963 299.

Naga International Clinic
Route 6, Airport Road, Siem Reap.
Tél. (063) 964 500.

BANQUES

ANZ Royal Bank
566-570, Tep Vong, Siem Reap.
Tél. (023) 726 900
Aéroport de Siem Reap.
Tél. (023) 726 900.

Cambodia Asia Bank
Angkor Holiday Hotel, angle bd Sivutha et Airport Road, Siem Reap. **Tél.** (063) 964 7412.

Cambodia Commercial Bank
130, Sivatha, Siem Reap.
Tél. (063) 965 315.
Aéroport de Siem Reap.
Tél. (063) 963 152.

SERVICES DE MESSAGERIE

DHL Express
15A, Sivatha St, Siem Reap.
Tél. (063) 964 949.

FedEx
12304, Preah Monivong, Phnom Penh. **Tél.** (023) 216 708.

LES BONNES ADRESSES

HÉBERGEMENT

Des hôtels de charme ou de villégiature aux *guest-houses* ou mini-hôtels, l'hôtellerie vietnamienne offre un large choix. Si les établissements de luxe sont limités aux grandes villes, vous trouverez ailleurs un hébergement plus économique et néanmoins confortable. Les grands hôtels possèdent piscines, salles de gym, restaurants et boîtes de nuit. Les hôtels de villégiature, situés le plus souvent sur le littoral de la région du Centre, ont

Serveur de l'hôtel Continental

aussi des équipements de loisirs. Bien que simples, tous les hôtels économiques et *guest-houses*, hormis les moins chers, sont dotés de la climatisation, de toilettes à l'occidentale et d'eau chaude. Campings et dortoirs sont pratiquement inexistants, mais on trouve depuis peu dans les villages des chambres chez l'habitant, qui donnent un aperçu de la vie quotidienne dans le Vietnam rural et des spécialités culinaires authentiques.

CATÉGORIES D'HÔTELS

Les hôtels ne faisant l'objet d'aucune classification officielle, seuls les prix peuvent vous indiquer leur niveau de confort. D'une manière générale, les établissements où la nuitée dépasse 100 $ sont l'équivalent des cinq étoiles européens. Sachez que dans un même hôtel, les chambres peuvent aller de la somptueuse suite à la chambre de type motel. Rappelez-vous aussi qu'à la différence d'un hôtel *(khach san)*, une *guest-house (nha khach)* ne propose aucun service en chambre et possède un nombre restreint d'équipements.

HÔTELS DE LUXE

Jusqu'à ces dernières années, les hôtels de luxe étaient peu nombreux au

Façade de l'hôtel Continental d'Hô Chi Minh-Ville *(p. 58)*

Vietnam, mais la situation évolue rapidement, surtout à Hô Chi Minh-Ville et à Hanoi, où les groupes internationaux comme Novotel, Sofitel, Hilton, Sheraton et Marriott ont fait leur apparition. La chaîne Victoria Hotels & Resorts propose des chambres parmi les plus luxueuses du pays, dans des endroits toujours pittoresques, et répond aux normes internationales en matière d'équipements et de services (salle de gym, équipements d'affaires et personnel en livrée qui s'efforce de satisfaire toutes les volontés des clients). La plupart de ses établissements ont des salles de conférences avec téléconférence, services Internet

et salles de réunion. Les chambres y sont généralement spacieuses et toujours bien climatisées, avec tout le confort moderne (WIFI, minibar, TV par câble). Pratiquement tous les hôtels cinq étoiles proposent une cuisine signée généralement par de grands chefs internationaux. Certains se font même livrer quotidiennement des produits du marché de Rungis. Vous dégusterez dans leurs restaurants de la haute cuisine française, italienne, chinoise ou japonaise. Le petit déjeuner qui puise aux sources occidentale et vietnamienne est une pure merveille. Quelques hôtels chic sont les meilleurs endroits pour passer une soirée glamour à l'occidentale dans leurs boîtes de nuit ou leurs salons – où il y a de la musique tous les jours.

Toit de l'hôtel Rex de Hô Chi Minh-Ville *(p. 60)*

◁ **Clientes d'une cantine de rue à Hoi An** *(p. 124-129)*

HÔTELS DE VILLÉGIATURE

Le Vietnam possède d'élégants hôtels de villégiature datant de l'époque coloniale. Ces établissements de charme ont souvent été rénovés, comme les Villas de Bao-Dai par exemple à Nha Trang (p. 110).

La tendance actuelle néanmoins est plutôt de construire des complexes hôteliers avec tout le confort moderne, le long du littoral principalement, le plus luxueux et le plus réputé étant l'Ana Mandara à Nha Trang (p. 238). Ce type d'établissement, qui ressemble souvent à n'importe quel autre hôtel de plusieurs étages, doit son appellation au fait qu'il se trouve en dehors de la ville. Nha Trang et Phan Thiet sont devenus des lieux de villégiature appréciés. Tous les établissements du bord de mer sont équipés d'une piscine, de bons restaurants et, bien sûr, d'une plage de sable blanc. La plupart, à l'image du Whale Island Resort (p. 272), proposent des sports d'aventure tels que surf et plongée.

Beaucoup organisent aussi des excursions à prix forfaitaires comme par exemple des treks dans les montagnes habitées par des tribus avec des guides de Sapa. À Huê, le Saigon Morin propose des croisières sur la rivière des Parfums. Le Sun Spa Resort de Dong

Hall de réception de Miss Loi's Guest-house (p. 232) avec son billard

Hoi (p. 239) suit la mode du moment en proposant des programmes de mise en forme et de soins, avec notamment régime alimentaire, yoga, aromathérapie et phytothérapie.

GUEST-HOUSES ET MINI-HÔTELS

Les guest-houses vietnamiennes sont en général des pensions de famille propres et confortables. Elles n'ont rien de luxueux, n'offrant aucun service en chambre ni bien souvent de service de laverie, mais sont d'un bon rapport qualité-prix. Un petit déjeuner ou un repas léger est souvent offert à l'arrivée.

Les guest-houses, hormis celles gérées par l'État, ont plus de charme et de caractère que les grands établissements. Les mini-hôtels doivent leur nom à leur façade très étroite (généralement de la largeur d'une pièce), mais ne sont pas forcément minuscules puisqu'ils peuvent faire plusieurs étages ou la largeur totale d'un immeuble. Il peut s'agir d'une guest-house, d'un hôtel économique ou d'un hôtel de catégorie moyenne avec service en chambre et agence de voyages.

HÔTELS ÉCONOMIQUES

Le Vietnam est un paradis pour les voyageurs à petit budget. Ils trouveront des chambres avec climatisation, TV câble et balcon pour 10 $ la nuit dans les villes de province et pour quelques dollars de plus dans les grandes villes.

Le prix d'une chambre basique avec ventilateur et sans fenêtre peut descendre jusqu'à 4 $, mais la propreté laisse parfois à désirer et le service est minimal.

CHAMBRES D'HÔTES

Le nombre des chambres d'hôtes commence à augmenter rapidement au Vietnam. À l'heure actuelle, elles sont principalement situées dans le delta du Mékong, à Vinh Long (p. 90) par exemple, et dans les montagnes du Nord. Des agences de Hô Chi Minh-Ville et Hanoi en proposent à partir de 10 $.

Innoviet est spécialiste des circuits individuels, avec nuit en chambre d'hôtes. Vous pouvez aussi contacter les offices de tourisme.

Piscine de l'hôtel de l'époque coloniale Saigon Morin (p. 240) à Huê

L'hôtel Majestic *(p. 233)* sur Dong Khoi à Hô Chi Minh-Ville

TARIFS

Les visiteurs trouveront des hôtels à des prix raisonnables dans toutes les catégories. Les établissements les plus luxueux ne sont pas plus chers qu'en Europe. Une chambre simple avec TV et climatisation coûte 15 $ *(p. 229)* dans les grandes villes et un peu moins dans les petites villes. Le prix moyen d'une chambre est de 40 à 50 $ dans la catégorie moyenne et de 100 à 150 $ dans la catégorie luxe.

En dehors des sentiers touristiques, les routards pourront dormir dans les anciens asiles de nuit – le seul hébergement possible – pour un demi-dollar, mais ils devront se contenter d'un confort minimal.

RÉSERVATIONS

En haute saison *(p. 278)*, il est conseillé de réserver sa chambre, surtout dans les grands hôtels. Il faut savoir aussi qu'à Hô Chi Minh-Ville et à Hanoi, les hôtels pour voyageurs d'affaires sont souvent complets, quelle que soit la saison.

Les réservations peuvent se faire auprès d'un voyagiste, mais sachez que tous les hôtels de catégorie supérieure ont un site Web avec un service de réservation, de même que certains hôtels économiques (s'ils n'ont pas de site Web, ils ont en tout cas une adresse e-mail).

Vous pouvez aussi aller sur le site Web d'agences comme **Hotels in Vietnam**, **Vietnam Stay** et **Vietnam Lodging**, qui représentent un certain nombre d'hôtels, de *guesthouses* et de propriétaires d'appartements. Fiables, efficaces et rapides, elles négocient avec les hôtels pour vous obtenir les meilleurs tarifs.

ENREGISTREMENT

À votre arrivée à l'hôtel, vous devrez normalement présenter votre passeport, que l'on gardera peut-être jusqu'à votre départ. Les hôtels étaient tenus autrefois de déclarer leurs clients auprès des autorités locales.

Aujourd'hui, les grands hôtels se contentent de recopier les informations dont ils ont besoin et vous rendent votre passeport. Dans les régions isolées, vous pourrez leur laisser simplement une photocopie. Les petits hôtels des régions rurales demandent le passeport par sécurité et le rendent généralement si la chambre est payée d'avance.

APPARTEMENTS DE LOCATION

Si vous restez dans une région pendant un certain nombre de semaines, vous pouvez louer un appartement avec services et réduire ainsi les dépenses tout en vivant confortablement. L'offre est encore faible, mais de nouvelles agences se créeront probablement pour répondre à la demande. L'une des meilleures adresses à Hanoi et à Hô Chi Minh-Ville est **Sedona Suites**, qui propose d'élégantes suites meublées.

Une autre solution, plus économique mais aussi plus pénible, est de consulter les agences immobilières. Il vous faudra alors remplir de nombreux papiers et vous enregistrer auprès de la police locale. Mieux vaudra louer chez un particulier, ce qui

Piscine et jardins luxuriants de l'Ancient House *(p. 239)* à Hoi An

vous permettra de vivre la vie quotidienne des gens ordinaires. Vous trouverez des petites annonces dans les cafés et restaurants pour routards. Les chauffeurs de taxi sont également une bonne source d'informations.

TAXES

Il faut savoir que les hôtels de catégorie supérieure prélèvent 10 % de taxes et 5 % de service qui viennent s'ajouter au prix de la chambre (mais figurent séparément sur la note). En revanche, dans les hôtels économiques, ces taxes sont déjà incluses dans le prix.

NÉGOCIER LES PRIX

Quand ils ne sont pas complets, les hôtels acceptent de faire des remises. Si vous réservez par Internet ou par téléphone, il sera difficile de négocier les prix, mais vous pouvez le faire à votre arrivée. Les grands hôtels peuvent accorder jusqu'à 30 % de remise si vous acceptez de loger dans une chambre moins agréable ou si votre séjour doit durer plus d'une semaine. Si vous choisissez un hôtel économique, les prix peuvent être baissés de quelques dollars, mais la marge de manœuvre est faible.

POURBOIRES

Si autrefois le pourboire n'était pas de mise, il est en train de devenir la norme avec le tourisme. Il n'est pas obligatoire dans les grands hôtels, qui prélèvent déjà 5 % de service, mais si un employé se montre très obligeant, un pourboire de 1 $ lui semblera généreux.

AVEC DES ENFANTS

Les équipements spéciaux pour les enfants sont quasiment inexistants dans

Villa Bao-Dai *(p. 110)* à Nha Trang

les hôtels *(p. 280)*, hormis ceux de luxe, mais les enfants sont partout les bienvenus. Lorqu'ils ont plus de 12 ans, ils peuvent, moyennant un petit supplément, dormir dans un lit d'appoint dans la chambre de leurs parents. Les hôtels même les plus simples s'efforceront de rendre leur séjour agréable et partout on pourra vous trouver, si besoin est, une baby-sitter expérimentée pour un prix raisonnable.

ÉQUIPEMENTS POUR PERSONNES À MOBILITÉ RÉDUITE

Les équipements pour les personnes à mobilité réduite sont malheureusement restreints dans les hôtels vietnamiens *(p. 280)*. Les rampes, les grands ascenseurs et autres équipements existent presque uniquement dans les grands hôtels de luxe. Dans les hôtels de l'époque coloniale, les ascenseurs ne sont pas adaptés.

On se fera un plaisir de vous fournir les services d'une personne pour vous assister (mais probablement sans qualification).

ADRESSES

CHAMBRES D'HÔTES

Innoviet
158, Bui Vien, 1er arr., Hô Chi Minh-Ville. **Plan** 2 D5.
Tél. (08) 295 8840.
www.innoviet.com

RÉSERVATIONS

Hotels in Vietnam
Hoa Linh Hotel, 35, Hang Bo, arr. de Hoan Kiem, Hanoi.
Plan 2 E3.
Tél. (04) 825 0034.
www.hotels-in-vietnam.com

Vietnam Lodging
216, arr. de De Tham, 1er arr., Hô Chi Minh-Ville. **Plan** 2 D5.
Tél. (08) 920 5847/920 4767.
www.vietnamlodging.net

Vietnam Stay
RAO IBC Building, 1A, place Melims, 1er arr., Hô Chi Minh-Ville.
Plan 2 F4.
Tél. (08) 823 3771.

37, Ly Nam De, arr. de Hoan Kiem, Hanoi. **Plan** 2 D2.
Tél. (04) 747 2597.
www.vietnamstay.com

APPARTEMENTS À LOUER

Sedona Suites
65, bd Le Loi, 1er arr., Hô Chi Minh-Ville. **Plan** 2 E4.
Tél. (08) 822 9666.

96, To Ngoc Van, Hanoi.
Tél. (04) 718 0888.
www.sedonahotels.com.sg

Intérieur de l'une des Sedona Suites à Hô Chi Minh-Ville

Choisir un hôtel

Les hôtels présentés ici par région et par ville ont été sélectionnés dans un large éventail de prix pour leurs équipements, leur situation, leur caractère et leur bon rapport qualité-prix. Sont indiqués ici les prix officiels, mais une remise est possible hors saison ou par l'intermédiaire d'un voyagiste.

CATÉGORIES DE PRIX
Les prix sont indiqués par nuitée en haute saison pour une chambre double standard, petit déjeuner, taxes et service compris.
Ⓢ moins de 20 $
ⓈⓈ entre 20 et 50 $
ⓈⓈⓈ entre 50 et 100 $
ⓈⓈⓈⓈ entre 100 et 150 $
ⓈⓈⓈⓈⓈ plus de 150 $

HÔ CHI MINH-VILLE

CHOLON Arc en Ciel
52, Tan Da **Tél.** *(08) 855 2550* **Fax** *(08) 855 2424* **Chambres** *86*

ⓈⓈⓈ

Plan *4 E4*

Cet hôtel historique à l'imposante façade Art déco a été rendu célèbre par le roman *Un Américain bien tranquille* de Graham Greene. La décoration intérieure est à tonalité chinoise, les chambres sont petites mais bien équipées. Bar sur le toit et discothèque karaoké au 2e étage. **www.arcenciel-hotel.com**

CHOLON Équatorial
242, Tran Binh Trong **Tél.** *(08) 839 7777* **Fax** *(08) 839 0011* **Chambres** *333*

ⓈⓈⓈ

Plan *4 F3*

Situé à la limite du 1er et du 5e arrondissement, ce luxueux hôtel est proche à la fois du quartier chinois et de Pham Ngu Lao. Plusieurs étages non-fumeurs. Les chambres sont spacieuses et élégantes. Les restaurants chinois et japonais sont toujours pleins et le Spa très bien équipé. **www.equatorial.com/hcm**

CHOLON Windsor Plaza
18, An Duong Vuong **Tél.** *(08) 833 6888* **Fax** *(08) 833 6888* **Chambres** *405*

ⓈⓈⓈⓈⓈ

Plan *4 F4*

Un cinq étoiles ultra moderne au milieu de l'agitation chaotique de Cholon, avec restaurants gourmets, galerie marchande, Spa et le plus grand dancing du Vietnam, l'America Discotheque. Très belles chambres (certaines sont aménagées pour les personnes à mobilité réduite). **www.windsorplazahotel.com**

1er ARRONDISSEMENT Huong Duong
265/3, Pham Ngu Lao **Tél.** *(08) 836 4442* **Chambres** *8*

Ⓢ

Plan *2 D5*

Situé au milieu d'un dédale de ruelles bordées de petits hôtels et de boutiques, le sympathique Huong Duong est à l'écart de la grouillance de Pham Ngu Lao. Chambres simples mais propres avec balcon pour certaines. Pas d'accès pour les voitures mais les chauffeurs de taxi vous aident en général à porter les bagages.

1er ARRONDISSEMENT Miss Loi's Guest-house
178/20, Co Giang **Tél.** *(08) 837 9589* **Chambres** *20*

Ⓢ

Plan *2 E5*

C'est l'une des adresses les plus courues dans sa catégorie. La *guest-house* est située dans une sorte de villa tranquille à 5 min à pied de l'animation du 1er arrondissement. Couleurs chaudes et bassin à poissons rouges dans le hall. Les chambres sont confortables et gaies et le personnel toujours aimable.

1er ARRONDISSEMENT Hôtel Phoenix 74
74, Bui Vien **Tél.** *(08) 837 0538* **Fax** *(08) 836 9591* **Chambres** *20*

Ⓢ

Plan *2 D5*

Mini-hôtel tenu par une famille chaleureuse qui veille au confort de ses hôtes. Les chambres sont petites et sommairement décorées, mais celles sur la rue ont de larges fenêtres avec vue sur l'animation environnante. Petit déjeuner simple mais authentique. **www.vietnamtourism.com/phoenix74hotel**

1er ARRONDISSEMENT Hôtel An An
40, Bui Vien **Tél.** *(08) 837 8087* **Fax** *(08) 837 8088* **Chambres** *20*

ⓈⓈ

Situé au cœur de la ville, cet hôtel propose des chambres spacieuses avec le confort moderne (TV câblée, téléphone international direct). Pas de service en chambre, mais le ménage est fait tous les jours. Le petit déjeuner n'est pas inclus dans le prix. **www.ananhotel.com**

1er ARRONDISSEMENT Huong Sen
66, Dong Khoi **Tél.** *(08) 829 1415* **Fax** *(08) 829 0916* **Chambres** *76*

ⓈⓈ

Plan *2 F4*

Le principal atout du Huong Sen est sa situation centrale à côté des boutiques et des restaurants et ses principaux attraits la piscine et le bar sur le toit. Façade de style vaguement colonial à tonalité asiatique et intérieur somptueux. Le restaurant sert un bon petit déjeuner. **www.vietnamtourism.com/huongsen**

1er ARRONDISSEMENT Lac Vien
28/12-14, Bui Vien **Tél.** *(08) 920 4899* **Fax** *(08) 204900* **Chambres** *8*

ⓈⓈ

À 10 km de l'aéroport international. Les chambres sont joliment décorées et bien équipées avec un service 24h/24. Service de navette depuis l'aéroport. Le restaurant de spécialités vietnamiennes (de tous les pays) est aussi connu pour sa cuisine occidentale et asiatique.

Légende des symboles, *voir rabat arrière de couverture*

1er ARRONDISSEMENT Hôtel Le Le

171, Pham Ngu Lao **Tél.** *(08) 836 8686* **Fax** *(08) 836 8787* **Chambres** *30* **Plan** *2 D5*

Le bâtiment se remarque de loin. Excellent rapport qualité-prix. Décoration sommaire mais chambres propres, confortables et bien équipées. Également un service de baby-sitting, l'accès Internet et un restaurant correct. Possibilité de louer une voiture pour les excursions à l'agence de voyages dans le hall.

1er ARRONDISSEMENT Liberty 3

187, Pham Ngu Lao. **Tél.** *(08) 836 9522* **Fax** *(08) 886 4557* **Chambres** *60* **Plan** *2 D5*

Établissement moderne de la chaîne Que Huong d'un bon rapport qualité-prix, le Liberty est l'épicentre du quartier routard. Chambres spacieuses avec tout le confort moderne. Le restaurant-bar est un endroit agréable pour prendre tranquillement un verre ou un repas léger. **www.libertyhotels.com.vn**

1er ARRONDISSEMENT Hôtel Linh Linh

175/ 14, Pham Ngu Lao **Tél.** *(08) 837 3004* **Fax** *(08) 836 1851* **Chambres** *12* **Plan** *2 D5*

Situé dans une rue transversale, cet hôtel est plus tranquille et plus décontracté que d'autres hôtels du secteur. Uniquement des suites avec coin salon, salle de bains spacieuse et grand balcon plein de verdure. Idéal pour les familles – les enfants sont les bienvenus – avec un petit budget.

1er ARRONDISSEMENT Madame Cuc

64, Bui Vien **Tél.** *(08) 836 5073* **Fax** *(08) 836 0658* **Chambres** *16* **Plan** *2 D5*

Madame Cuc a fait des adeptes au fil des années et le n° 54 n'est que l'une des cinq excellentes *guest-houses* qu'elle possède aujourd'hui. La décoration est sobre, le service remarquable et l'atmosphère conviviale. Repas fait maison inclus dans le prix. Thé et en-cas servis gracieusement à toute heure.

1er ARRONDISSEMENT Hôtel Mogambo

20 Bis, Thi Sach **Tél.** *(08) 825 1311* **Fax** *(08) 822 6031* **Chambres** *10* **Plan** *2 F3*

Connu dans tout le Vietnam pour sa salle à manger et son bar à l'américaine du rez-de-chaussée, le Mogambo propose des chambres abordables très bien équipées (les salles de bains sont bien mieux que dans beaucoup d'autres endroits). Ambiance décontractée et personnel sympathique.

1er ARRONDISSEMENT Hôtel Continental

132-134, Dong Khoi **Tél.** *(08) 829 9203* **Fax** *(08) 829 0936* **Chambres** *83* **Plan** *2 F3*

Cet hôtel d'atmosphère – parmi les meilleurs de sa catégorie – est une curiosité en soi avec son architecture coloniale. Il est surtout connu aujourd'hui pour son restaurant et son bar installés dans un jardin intérieur. La plupart des chambres sont grandes et somptueusement décorées. **www.continentalvietnam.com**

1er ARRONDISSEMENT Grand Hôtel

8, Dong Khoi **Tél.** *(08) 823 0163* **Fax** *(08) 823 5781* **Chambres** *107* **Plan** *2 F4*

Ce splendide hôtel historique des années 1930 est facilement reconnaissable à sa coupole. L'intérieur en marbre est frais, clair et spacieux. Les chambres spacieuses ont le charme d'antan. Piscine entourée de somptueuses plantations dans un patio ombragé. **www.grandsaigon.com**

1er ARRONDISSEMENT Hôtel Rex

141, Nguyen Hue **Tél.** *(08) 829 2185* **Fax** *(08) 829 6536* **Chambres** *217* **Plan** *2 E4*

Avec son style et son décor intemporels, le Rex *(p. 60)* est l'un des endroits marquants de la ville. Les chambres sont de dimensions modestes mais le service de grande qualité. Le soir, le bar sur le toit offre de splendides vues. **www.rexhotelvietnam.com**

1er ARRONDISSEMENT Hôtel Caravelle

19, pl. Lam Son **Tél.** *(08) 823 4999* **Fax** *(08) 824 3999* **Chambres** *336* **Plan** *2 F3*

Cet hôtel historique *(p. 58)* domine la place Lam Son de toute sa hauteur. À l'intérieur, le marbre poli côtoie les riches lapis. Les chambres spacieuses sont décorées avec goût et dotées de tout le confort. La cuisine est superbe et le service de haute volée. **www.caravellehotel.com**

1er ARRONDISSEMENT Majestic

1, Dong Khoi **Tél.** *(08) 829 5514* **Fax** *(08) 829 5510* **Chambres** *176* **Plan** *2 F4*

Situé au bord de la rivière de Saigon, le Majestic est un bel exemple d'architecture coloniale du début du XXe siècle avec un intérieur Arts déco. Au dernier étage de l'aile ancienne et de l'aile nouvelle se trouve un bar : le premier a plus de charme et le second une vue plus large sur la rivière. **www.majesticsaigon.com.vn**

1er ARRONDISSEMENT New World

76 Le Lai **Tél.** *(08) 822 8888* **Fax** *(08) 823 0170* **Chambres** *552* **Plan** *2 E4*

Le plus vaste hôtel de la ville avec un grand espace intérieur, de hauts plafonds et des boutiques. Les chambres sont spacieuses et confortables, le petit déjeuner superbe et le service efficace et sympathique. Le restaurant est réputé pour être le meilleur restaurant chinois de la ville. **www.newworldvietnam.com**

1er ARRONDISSEMENT Renaissance Riverside

8, Ton Duc Thang **Tél.** *(08) 822 0033* **Fax** *(08) 823 5666* **Chambres** *329* **Plan** *2 F4*

Cet hôtel du groupe Marriott est à 1 min à pied de Dong Khoi. Superbes vues sur la rivière. Chambres spacieuses et bien équipées répondant aux normes internationales. Le bar sur le toit est spectaculaire et le grand salon connu pour ses concerts de jazz donnés par des ensembles étrangers. **www.renaissancehotels.com**

1er ARRONDISSEMENT Sofitel Plaza
17, Le Duan **Tél.** *(08) 824 1555* **Fax** *(08) 824 1666* **Chambres** *278*   **Plan** *2 E2*

La tour du Sofitel est facile à repérer au milieu du quartier des ambassades. Les chambres modernes joliment décorées sont à la fois élégantes et douillettes. Les restaurants ont une excellente réputation et la piscine sur le toit offre l'une des plus belles vues sur la ville. **www.sofitel.com**

1er ARRONDISSEMENT Park Hyatt
2, Lam Son Sq **Tél.** *(08) 824 1234* **Fax** *(08) 823 7569* **Chambres** *252*   **Plan** *2 E3*

Une façade harmonieuse dépourvue du métal et du chrome que l'on voit habituellement dans les hôtels en forme de tour. La décoration intérieure est élégante et il règne une atmosphère coloniale. Le service est excellent et le restaurant italien sublime. **www.saigon.park.hyatt.com**

1er ARRONDISSEMENT Sheraton Towers
88, Dong Khoi **Tél.** *(08) 827 2828* **Fax** *(08) 827 2929* **Chambres** *280*   **Plan** *2 F4*

Les tours jumelles du Sheraton s'élèvent majestueusement au cœur du quartier des affaires. Ici, tout est gigantesque, du hall aux salles de bal, salons ou chambres (cossues). La boîte de nuit chic du 22e étage est le rendez-vous des autochtones et des expatriés. **www.starwoodhotels.com/sheraton**

1er ARRONDISSEMENT Chancery Saigon
196, Nguyen Thi Minh Khai **Tél.** *(08) 930 4088* **Fax** *(08) 930 3988* **Chambres** *96*   **Plan** *2 D4*

Cet hôtel Best Western a une atmosphère typiquement américaine. Les chambres ne sont pas très grandes mais confortables avec TV, mini-bar, balcon et bonne literie. Deux restaurants, un salon à cocktails et une boulangerie qui fait des pains, des pâtisseries et des biscuits. **www.chancerysaigonhotel.com**

ARRONDISSEMENT DE PHU NHUAN Omni Saigon
253, Nguyen Van Troi **Tél.** *(08) 844 9222* **Fax** *(08) 844 9198* **Chambres** *248*   **Plan** *1 A1*

Cet hôtel qui était le QG de la CIA pendant la guerre du Vietnam ressemble un peu à une caserne, mais à l'intérieur il a tout d'une luxueuse demeure. Situé à proximité de l'aéroport, il propose de belles chambres, de superbes restaurants chinois et japonais et un authentique pub irlandais. **www.saigon.marcopolohotels.com**

ARRONDISSEMENT DE TAN BINH Novotel Garden Plaza
309B, Nguyen Van Troi **Tél.** *(08) 842 1111* **Fax** *(08) 842 4370* **Chambres** *191*   **Plan** *1 A1*

Idéal pour les voyageurs d'affaires, cet hôtel moderne se trouve à 5 min en taxi de l'aéroport et loin de la bousculade du centre-ville. Les chambres spacieuses et attrayantes ont tout le confort moderne. Personnel aimable et efficace. Le restaurant et le salon sont des endroits courus. **www.novotel.com**

LES ENVIRONS DE HÔ CHI MINH-VILLE

LONG HAI Hôtel Palace
11, Nguyen Trai **Tél.** *(064) 868 364* **Chambres** *120*

Haute bâtisse blanche près de l'extrémité de la péninsule. Récemment rénové, cet hôtel est l'une des adresses les plus courues et les moins chères de la région. Les chambres sont vastes, lumineuses et bien équipées. Salon agréable pour prendre un cocktail le soir.

LONG HAI Anoasis Beach Resort
Domain Ky Van **Tél.** *(064) 868 227* **Fax** *(064) 868 229* **Chambres** *46*

L'ancien domaine de l'empereur Bao-Dai a été récemment primé. Il comporte 30 bungalows de charme au milieu de jardins luxuriants avec des chambres gaies meublées en bambou et dotées d'une grande salle de bains. Également une plage privée, des terrains de tennis et des aires de jeux. **www.anoasisresort.com.vn**

VUNG TAU Hôtel Palace I
1, Nguyen Trai **Tél.** *(064) 856 411* **Fax** *(064) 856 878* **Chambres** *110*

Le Palace Hotel, à quelques minutes à pied de l'embarcadère des hydroglisseurs, est l'une des plus grandes constructions de la ville. L'intérieur est clair et spacieux. Chambres bien équipées et service de qualité. Également un court de tennis et des concerts de musique populaire.

VUNG TAU Petro House
63, Tran Hung Dao **Tél.** *(064) 852 014* **Fax** *(064) 852 015* **Chambres** *71*

Cet hôtel-boutique est installé dans une bâtisse restaurée de l'époque coloniale, avec fenêtres cintrées et galeries à colonnades. Vous avez le choix entre des chambres bien équipées décorées avec goût et des appartements avec services. Le restaurant français réputé sert aussi de la cuisine vietnamienne.

VUNG TAU Son Thuy Resort
165C, Thuy Van **Tél.** *(064) 523 460* **Fax** *(064) 524 169* **Chambres** *44*

Le complexe est composé de bâtiments en forme de A faisant cercle autour d'une piscine ronde. Ambiance balnéaire. La plage Bai Sau (ou Back Beach) est juste de l'autre côté de la rue. Les chambres sont idéales pour les familles. **www.bariavungtautourism.com.vn**

Catégories de prix, *voir p. 232.* **Légende des symboles,** *voir rabat arrière de couverture.*

LE DELTA DU MÉKONG ET LE VIETNAM DU SUD

BAC LIEU Thong Nhat Guest-house

50 Thong Nhat **Tél.** *(0781) 821 085* **Chambres** *6*

Située près du pont principal de Bac Lieu, en retrait de la rue, cette petite *guest-house* familiale est un endroit tranquille. Les chambres sont fonctionnelles et confortables. La galerie à colonnades du 1er étage est agréable pour prendre le thé l'après-midi. Service de laverie gratuit.

BAC LIEU Hôtel Bac Lieu

4-6, Hoang Van Thu **Tél.** *(0781) 822 437* **Fax** *(0781) 823 655* **Chambres** *36*

Cet hôtel à la haute façade en verre est sans doute le meilleur de Bac Lieu. Malgré ses trois étoiles, le niveau des chambres est inégal, allant de la chambre basique avec ventilateur à la chambre spacieuse avec tout le confort. Possibilité de louer une voiture ou une moto. L'office de tourisme est à côté.

BEN TRE Hung Vuong

166, Hung Vuong Rd **Tél.** *(075) 822 408* **Fax** *(075) 810 911* **Chambres** *26*

L'hôtel le mieux situé de Ben Tre, au bord du fleuve et à proximité du centre, et d'un excellent rapport qualité-prix. Les chambres à plafond haut sont modernes et spacieuses, beaucoup donnent sur le fleuve. Courts de tennis ouverts jusque tard dans la nuit.

CAN THO Phuong Dong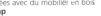

62, 30 Thang 4 **Tél.** *(071) 812 199* **Fax** *(071) 820 133* **Chambres** *46*

L'hôtel, central, est assez récent et le premier de la ville à se déclarer de classe internationale. Il accueille une clientèle de voyageurs d'affaires et de touristes. Pratiquement tout le confort d'un trois étoiles, même si l'endroit manque un peu de caractère. Les meilleures chambres sont spacieuses et modernes à l'européenne.

CAN THO Saigon-Can Tho

55, Phan Dinh Phung **Tél.** *(071) 825 831* **Fax** *(071) 823 288* **Chambres** *46*

À proximité du grand marché et d'une série de restaurants qui bordent le fleuve. Les chambres sont simples mais bien décorées avec TV, minibar, DVD et musique. Tables de ping-pong et de billard, bar sur le toit spécialisé dans la musique vietnamienne traditionnelle. **www.saigoncantho.com.vn**

CAN THO Victoria Can Tho

Cai Khe Ward **Tél.** *(071) 810 111* **Fax** *(071) 829 259* **Chambres** *92*

Ce complexe chic de classe internationale est situé sur la péninsule de Cai Khe, face à la ville. Le bel édifice de style colonial est entouré de jardins luxuriants. Les chambres spacieuses sont joliment décorées avec du mobilier en bois et ont vue sur la verdure. **www.victoriahotels-asia.com/txt/hotels/cantho/index.php**

CHAU DOC Nui Sam

Vinh Te Village **Tél.** *(076) 861 666* **Fax** *(076) 861 600* **Chambres** *21*

Situé au pied du mont Sam *(p. 100)*, cet hôtel, sur deux niveaux, propose des chambres quadruples pour les familles d'un bon rapport qualité-prix. Balcons, TV et minibar dans toutes les chambres. Restaurant de spécialités locales, bar et parking fermé en sous-sol.

CHAU DOC Song Sao

12, Nguyen Huu Canh **Tél.** *(076) 561 777* **Fax** *(076) 868 820* **Chambres** *25*

Dans une rue tranquille, un mini-hôtel plutôt chic et néanmoins bon marché dans un cadre extrême-oriental moderne avec plantes et rotin. Les chambres (avec balcon pour beaucoup) sont décorées de manière simple mais agréable, avec TV et mini-bar. Restaurant réputé pour sa bonne cuisine vietnamienne.

CHAU DOC Victoria Chau Doc

32, Le Loi **Tél.** *(076) 865 010* **Fax** *(076) 865 020* **Chambres** *93*

Une grande bâtisse au bord du fleuve à la périphérie sud de la ville. Intérieur clair et spacieux avec de hauts plafonds et un beau mobilier. Les chambres sont élégantes et certaines ont vue sur le fleuve. Possibilités de forfait séjour de luxe et d'excursions. **www.victoriahotels-asia.com/txt/hotels/chaudoc/index.php**

CON DAO, ARCHIPEL DE Saigon-Con Dao

18, Ton Duc Thang **Tél.** *(064) 830 336* **Fax** *(064) 830 335* **Chambres** *33*

Cet ensemble de 7 villas françaises rénovées est situé sur Con Son, l'île principale de l'archipel, près de la plage. Les chambres sont simples mais de bon goût et dotées de tout le confort. Le parc où se trouvent deux courts de tennis est très bien entretenu. **www.saigoncondao.com**

CON DAO, ÎLE DE ATC Hotel

16B, Ton Duc Thang **Tél.** *(064) 830 666* **Fax** *(064) 830 111* **Chambres** *8*

Dans une ancienne villa française du début du XXe siècle. Aujourd'hui, l'ATC propose des bungalows au milieu d'un beau jardin. Chambres sommairement mais correctement équipées avec des éléments de décoration en bois exotique, en osier et en rotin. La famille qui tient l'hôtel est très hospitalière.

HA TIEN Hôtel Kim Du I

14, Phuong Thanh **Tél.** *(077) 581 929* **Fax** *(077) 852 119* **Chambres** *30*

À quelques pas du fleuve, le bâtiment sans caractère a quatre étages. L'intérieur en revanche est lumineux et spacieux, avec un beau mobilier en bois. Chambres dans le même style, avec minibar et TV ; celles sur rue ont un balcon et une belle vue. Grand parking fermé.

ÎLE DE PHU QUOC Hong Tuyet

14, Bach Dang **Tél.** *(077) 848 879* **Fax** *(077) 846 248* **Chambres** *10*

Hôtel sans prétention construit sur quatre niveaux dans le style d'un mini-hôtel, à quelques mètres seulement de l'aéroport. Les chambres sont sobres et néanmoins spacieuses et fonctionnelles avec TV satellite et minibar ; celles sur la rue ont un balcon. Excellents services (dont une garderie).

ÎLE DE PHU QUOC Tropicana Resort

Duong To, Long Beach **Tél.** *(077) 847 127* **Fax** *(077) 847 128* **Chambres** *30*

Le long d'une plage isolée, de charmants bungalows à toit de chaume auxquels on accède par un sentier pavé de briques au milieu d'une belle pelouse. Chambres spacieuses et confortables. L'hôtel organise des excursions de plongée sous-marine (avec bouteille ou masque et tuba) et de pêche. **www.tropicanaphuquoc.com**

ÎLE DE PHU QUOC Saigon Phu Quoc Resort

1, Tran Hung Dao Beachside Blvd **Tél.** *(077) 848 625* **Fax** *(077) 847 163* **Chambres** *95*

Ce luxueux complexe balnéaire est composé de villas à arcades de plain-pied, entourant une piscine. Un endroit idyllique situé à seulement 10 min de l'aéroport. Belles chambres, équipements de loisirs, bons services et superbes plages. Possibilités d'excursions et d'activités sportives. **www.sgphuquocresort.com.vn**

MY THO Hôtel Chuong Duong I

10, 30 Thang 4 **Tél.** *(073) 870 875* **Fax** *(073) 874 250* **Chambres** *27*

Un élégant bâtiment avec murs chaulés, arcades et toits de tuiles aux accents méditerranéens. L'hôtel, situé au bord du fleuve, propose de grandes chambres à la décoration sobre sans être austère, d'une propreté immaculée et d'un confort standard. Bons restaurants *(p. 253)*. **www.chuongduonghotel.com**

RACH GIA Phuong Hoang

6, Nguyen Trung Truc **Tél.** *(077) 866 525* **Fax** *(077) 866 525* **Chambres** *20*

Situé face à la rive sud de la rivière Cai Lon, l'hôtel est proche du centre et néanmoins au calme. Architecture et décoration simples mais plaisantes. Les chambres, relativement petites, sont propres et bien équipées avec une literie confortable et une belle salle de bains. Personnel très sympathique.

RACH GIA Hung Tai

E11, Thu Khoa Huan **Tél.** *(077) 877 508* **Fax** *(077) 877 508* **Chambres** *15*

Cette bâtisse rose de deux étages est située à l'angle du marché central et donc proche de l'animation. Les chambres sont fonctionnelles et bien équipées, même si les matelas ne sont pas très épais comme le veut la coutume dans cette région du delta.

SOC TRANG Phong Lan I

124, Dong Khoi **Tél.** *(079) 821 619* **Fax** *(079) 823 817* **Chambres** *15*

L'hôtel bénéficie d'une situation centrale avec vue sur le fleuve. Les chambres sont quelconques mais d'un bon rapport qualité-prix. Restaurant de spécialités locales de poisson telles que fritures et soupes. Également un petit bar karaoké avec piste de danse.

SOC TRANG Phong Lan II

133, Nguyen Chi Thanh **Tél.** *(079) 821 757* **Fax** *(079) 823 451* **Chambres** *25*

L'édifice qui date de l'époque coloniale est doté de grandes arcades et au dernier étage d'une *penthouse*. Si l'aspect extérieur est resté imposant, ses chambres en revanche sont médiocres. Le restaurant est correct et le sauna largement au-dessus de la moyenne.

TRA VINH Cuu Long

999, Nguyen Thi Minh Khai **Tél.** *(074) 862 615* **Fax** *(074) 866 027* **Chambres** *52*

Situé dans un quartier paisible à la périphérie de Tra Vinh, le Cuu Long est un hôtel d'aspect banal, mais c'est le plus confortable de la ville. Chambres bien équipées avec TV, minibar et meubles simples en bambou ; les plus grandes ont une baignoire et une douche, celles sur la rue possèdent un balcon.

VINH LONG An Binh

3, Hoang Thai Hieu **Tél.** *(070) 823 190* **Fax** *(070) 822 231* **Chambres** *30*

Beaucoup de voyageurs choisissent ce vieil hôtel pour sa situation un peu à l'écart – même s'il est un peu loin du fleuve, mais la plupart des curiosités touristiques sont assez proches –, pour son bon restaurant et son court de tennis. Chambres ordinaires mais spacieuses et dotées d'un mobilier confortable.

VINH LONG Cuu Long

1, 1 Thang 5 **Tél.** *(070) 823 656* **Fax** *(070) 823 848* **Chambres** *54*

Cette tour en verre de sept étages est flanquée de deux ailes avec chacune sa galerie à colonnades. L'intérieur est lumineux et spacieux, avec un mobilier moderne minimaliste. Grandes chambres simples avec TV, minibar et corbeille de fruits offerte gracieusement. Courts de tennis, billards et bar karaoké.

Catégories de prix, *voir p. 232.* **Légende des symboles,** *voir rabat arrière de couverture.*

LA CÔTE ET LES HAUTS PLATEAUX DU SUD

BUON MA THUOT Thang Loi
1, Phan Chu Trinh **Tél.** *(050) 857 616* **Fax** *(050) 857 622* **Chambres** *40*

Situé en plein centre de Buon Ma Thuot, à côté de l'office de tourisme et du DAB en service 24h/24, cet hôtel propose des chambres peu attrayantes mais spacieuses avec salle de bains et TV satellite. Restaurant très fréquenté par la population locale ; quelques plats internationaux.

BUON MA THUOT Hôtel White Horse I
9-11, Nguyen Duc Canh **Tél.** *(050) 815 211* **Fax** *(050) 815 588* **Chambres** *40*

L'hôtel propre et sympathique dispose de l'un des meilleurs rapports qualité-prix de la ville. Bon restaurant vietnamien, billards et salles karaoké. À 2 min à pied des boutiques de détaillants en café qui font la renommée de Buon Ma Thuot. **www.bachmahotel.com**

DALAT Hôtel Dreams
151, Phan Dinh Phung **Tél.** *(063) 833 748* **Fax** *(063) 837 108* **Chambres** *20*

Cette pension de famille ouverte de longue date propose des chambres petites mais propres, bien équipées et joyeusement décorées. Le personnel anglophone est sympathique et très serviable. Le petit déjeuner est bon et copieux à la fois. Accès Internet gratuit dans le hall. Réservez longtemps à l'avance.

DALAT Novotel Dalat
7, Tran Phu **Tél.** *(063) 825 777* **Fax** *(063) 825 666* **Chambres** *144*

Dans l'ancien Hôtel du Parc ouvert par les Français dans les années 1930. L'atmosphère de l'époque coloniale y est toujours présente. Un des meilleurs établissements de la ville avec de belles chambres bien équipées et propres (sans climatisation vu le climat). Excellent restaurant. **www.accorhotels-asia.com/2037**

DALAT Hôtel Empress I

5, Nguyen Thai Hoc **Tél.** *(063) 833 888* **Fax** *(063) 829 399* **Chambres** *20*

Cet excellent hôtel, face au lac Xuan Huong, est installé dans une villa fort élégante dotée de tout le confort. Chambres très bien équipées et somptueuses suites avec Jacuzzi. Également un très bon restaurant, un salon de beauté, un barbier et un service de baby-sitting.

DALAT Sofitel Dalat Palace

12, Tran Phu **Tél.** *(063) 825 444* **Fax** *(063) 825 666* **Chambres** *43*

C'est l'un des plus somptueux hôtels du Vietnam. Construit en 1922, il allie la splendeur de l'époque coloniale à l'hospitalité de l'Asie du Sud-Est. Chambres décorées avec cheminée, antiquités et lourdes tentures. Tarifs très raisonnables pour la qualité proposée. Un terrain de golf juste à côté. **www.sofitel.com**

KONTUM Hôtel Dakbla
2, Phan Dinh Phung **Tél.** *(060) 863 333* **Fax** *(060) 863 336* **Chambres** *42*

L'un des meilleurs hôtels de la ville. Son architecture bahnar typique de la région lui donne son caractère. Chambres propres avec tous les équipements basiques. Le personnel est sympathique et efficace. Restaurant passable et office de tourisme compétent dans le hall.

MUI NE, PLAGE DE Ken
72, Nguyen Dinh Chieu **Tél.** *(062) 847 015* **Chambres** *18*

Les jolis bungalows individuels avec salle de bains, situés face à la mer de Chine méridionale, sont proposés à des prix très raisonnables. Le restaurant sur la plage sert une cuisine vietnamienne et internationale à base notamment de produits de la pêche locale. Club de surf, bar et boutiques de cadeaux.

MUI NE, PLAGE DE Sea Breeze Resort

14 km depuis Ham Tien; 15 km depuis Phan Thiet **Tél.** *(062) 847 373* **Fax** *(062) 847 430* **Chambres** *16*

Un complexe balnéaire sympathique et décontracté dans un jardin tropical proposant des bungalows confortables et bien équipés. Surf, planche à voile, voile et pêche. Possibilité d'excursion aux tours cham de Po Nagar. Le restaurant sert des produits de la pêche locale. **www.muineseabreeze.com**

MUI NE, PLAGE DE Coco Beach

58, Nguyen Dinh Chieu **Tél.** *(062) 847 111* **Fax** *(062) 847 115* **Chambres** *34*

L'un des complexes les plus attrayants et les plus confortables de Mui Ne, composé de cabanons en bois et de villas deux pièces. Les chambres, lumineuses, sont équipées de tout le confort moderne, excepté la TV. Également une bibliothèque, une aire de jeux et une agence de voyages. **www.cocobeach.net**

NHA TRANG Dong Phuong 2
96, Tran Phu **Tél.** *(058) 814 580* **Fax** *(058) 825 986* **Chambres** *90*

C'est l'un des meilleurs hôtels économiques de la ville. Les chambres avec TV câblée sont propres. Belles vues et bonne cuisine à prix raisonnables. Personnel sympathique. À deux pas de la plage municipale et suffisamment près des restaurants du front de mer pour passer une soirée agréable.

NHA TRANG Nha Trang Lodge $$$

42, Tran Phu **Tél.** *(058) 521 900* **Fax** *(058) 521 800* **Chambres** *120*

Ce bon établissement de catégorie moyenne est situé sur le boulevard de la mer, avec les îles au large. Chambres agréables avec confort standard ; beaucoup ont de superbes vues sur la mer. Centre d'affaires avec Internet gratuit pendant 1 h. Agence de voyages pour la réservation et confirmation de vols. **www.nhatranglodge.com**

NHA TRANG Sofitel Vinpearl Resort & Spa $$$

7, Tran Phu, Vinh Nguyen **Tél.** *(058) 598 188* **Fax** *(058) 598 147* **Chambres** *230*

Le plus récent, le plus grand et le plus luxueux complexe hôtelier de Nha Trang avec tous les équipements d'affaires et de loisirs imaginables. Le Sofitel Vinpearl se trouve sur l'île des Bambous (Hon Tre), à 10 min en bateau de Nha Trang. Belle décoration avec mobilier en bois et en rotin. **www.accorhotels-asia.com**

NHA TRANG Sunrise Beach Resort $$$$

12, Tran Phu **Tél.** *(058) 820 999* **Fax** *(058) 822 866* **Chambres** *120*

Dans un somptueux bâtiment qui domine le boulevard de la mer, à deux pas de la plage. Intérieur chic de marbre et de verre avec des lustres sophistiqués et une grande piscine ornementale. La plupart des chambres élégantes ont une vue spectaculaire sur la mer. Plusieurs restaurants de qualité. **www.sunrisenhatrang.com.vn**

NHA TRANG Evason Ana Mandara Spa $$$$$

Tran Phu Bd **Tél.** *(058) 522 222* **Fax** *(058) 525 828* **Chambres** *74*

Ce luxueux complexe est composé de 17 villas au milieu d'un jardin tropical et de fontaines, avec sa plage privée. Le Six Senses Spa est réputé. Les deux restaurants proposent de la haute cuisine vietnamienne et internationale. **www.sixsenses.com/evason-anamandara**

NINH HOA Evason Hideaway & Spa à Ana Mandara $$$$$

Baie de Ninh Vanh **Tél.** *(058) 728 222* **Fax** *(058) 728 223* **Chambres** *55*

L'hôtel est situé au nord de Nha Trang, dans un endroit protégé seulement accessible en bateau (20 min) depuis Ninh Hoa, avec les montagnes en arrière-plan. Ce complexe hôtelier de style boutique qui offre tout le luxe imaginable fait face à une plage de sable blanc proche d'un récif corallien. **www.sixsenses.com**

PHAN RANG-THAP CHAM Ninh Thuan $$

2, rue du 21 août **Tél.** *(068) 827 100* **Fax** *(068) 822 142* **Chambres** *24*

L'un des rares hôtels corrects de la ville. Propre et sympathique, le Ninh Thuan offre des chambres agréables réparties sur deux niveaux, avec TV câblée, à prix raisonnables. Service efficace. Non loin se trouve un parc rempli de bonsaïs, de fleurs et d'arbustes. Le restaurant sert une bonne cuisine locale.

PHAN THIET Princess d'Annam Resort and Spa $$$$$

Baie de Ke Ga **Tél.** *(062) 739 073* **Fax** *(062) 739 078* **Chambres** *57*

Dans un domaine de plus de 18 ha en bord de mer, au sud de la ville. Plage privée, piscines et grand Spa. Chaque chambre élégamment meublée et décorée se trouve dans une villa individuelle. Service de maître d'hôtel 24h/24. **www.princessannam.com**

QUANG NGAI My Khe Resort $

Tinh Khe **Tél.** *(055) 686 111* **Fax** *(055) 686 064* **Chambres** *20*

Ce complexe est une base idéale pour visiter Quang Ngai, à 17 km plus au sud. L'endroit est tranquille et la plage de My Khe souvent déserte. Les chambres sont propres et lumineuses et le personnel sympathique. Le restaurant propose divers plats vietnamiens et de superbes produits de la mer.

QUY NHON Quy Nhon Hotel $$

8, Nguyen Hue **Tél.** *(056) 892 401* **Fax** *(056) 891 162* **Chambres** *74*

Peut-être le meilleur hébergement de la ville. L'hôtel est propre, spacieux, relativement calme et bien situé près de la plage municipale. Les chambres sont banales mais correctes. Le restaurant en revanche sert de délicieuses spécialités vietnamiennes. Également un sauna.

QUY NHON Life Resort Quy Nhon $$$

Ghenh Rang, plage de Bai Dai **Tél.** *(056) 840 132* **Fax** *(056) 840 138* **Chambres** *63*

Situé sur la plage, à 16 km au sud de Quy Nhon, ce complexe est la meilleure adresse de la région avec une belle architecture rappelant celle des temples cham et tout le luxe possible. Le Spa propose divers soins ainsi que des cours de tai-chi, yoga et relaxation. **www.life-resorts.com**

LE VIETNAM CENTRAL

BA NA Ba Na Resort $

100, Bach Dang **Tél.** *(0511) 818 054* **Fax** *(0511) 834 515* **Chambres** *70*

Complexe situé tout en haut de la station climatique de Ba Na, avec de belles vues et l'air frais de la montagne. Chambres et bungalows individuels correctement équipés. Le restaurant sert une cuisine vietnamienne appréciée même des autochtones.

Catégories de prix, *voir p. 232.* **Légende des symboles,** *voir rabat arrière de couverture.*

CHINA BEACH Hôtel My Khe

$$

233-241, Nguyen Van Thoai St, Danang **Tél.** *(0511) 836 125* **Fax** *(0511) 836 123* **Chambres** *45*

L'hôtel récemment rénové dispose d'un accès direct à la plage. Les chambres ne sont pas luxueuses mais sont agréables, surtout celles avec vue sur la mer, et les prix sont raisonnables. Bon restaurant de cuisine vietnamienne et internationale. Sauna, courts de tennis et de badminton, sports nautiques et agence de voyages.

CHINA BEACH Furama Resort Danang
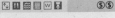
$$$$$

68, Ho Xuan Huong **Tél.** *(0511) 847 333* **Fax** *(0511) 847 220* **Chambres** *198*

C'est l'un des plus luxueux complexes balnéaires du pays, à 10 min en voiture du centre de Da Nang, avec de belles chambres offrant de superbes vues. Cet endroit chic et tranquille possède sa plage privée, un restaurant à recommander et des équipement de loisirs (des sports nautiques au billard). **www.furamavietnam.com**

DA NANG Hôtel Modern
$$

186, Bach Dang **Tél.** *(0511) 820 113* **Fax** *(0511) 821 842* **Chambres** *40*

Un hôtel économique confortable d'une propreté immaculée située en plein centre-ville. Chambres avec TV câblée et salle de bains. Le restaurant propose une cuisine vietnamienne, chinoise et internationale. Également un comptoir de réservation de billets de train et d'avion, un sauna et un bar karaoké.

DA NANG Hôtel Royal

$$

17, Quang Trung **Tél.** *(0511) 823 295* **Fax** *(0511) 827 279* **Chambres** *40*

L'hôtel du niveau d'un trois étoiles dispose de grandes chambres dotées de bons équipements, notamment l'Internet ADSL. Le restaurant de qualité propose une carte très éclectique. Bar karaoké, boîte de nuit, agence de voyages et location de voiture. **www.royaldananghotel.com.vn**

DA NANG Saigon Tourage

$$$

5, Dong Da **Tél.** *(0511) 821 021* **Fax** *(0511) 895 285* **Chambres** *82*

L'un des hôtels avec la plus grande capacité et le meilleur équipement de Danang, au bord de la rivière Han. Les chambres spacieuses et bien décorées ont tout le confort moderne, y compris la TV câblée. Le restaurant sur le toit propose une cuisine vietnamienne et internationale. **www.saigontourage.com.vn**

DONG HA Hieu Giang

$$

138, Le Duan **Tél.** *(053) 856 856* **Fax** *(053) 856 859* **Chambres** *31*

Dong Ha n'étant pas touristique, sa capacité hôtelière est réduite. Le Hieu Giang passe pour être le meilleur établissement. Bien qu'un peu tristes, les chambres propres avec TV câblée font parfaitement l'affaire pour une nuit. Le restaurant sert une bonne cuisine sans apprêt à prix raisonnables.

DONG HOI Cosevco Nhat Le

$$$

16, Quach Xuan Ky **Tél.** *(052) 840 088* **Fax** *(052) 840 392* **Chambres** *47*

Le plus grand et le meilleur hôtel du centre-ville – assez restreint à Dong Hoi – est situé au bord de la rivière. Un endroit plutôt quelconque avec des chambres simples mais propres et dotées de tout le confort moderne, dont la TV câblée. Cuisine vietnamienne (bonne) et internationale (passable). Sauna et courts de tennis.

DONG HOI Sun Spa Resort

$$$

My Canh, Bao Ninh **Tél.** *(052) 842 999* **Fax** *(052) 842 555* **Chambres** *234*

Situé dans un cadre agréable, avec de l'eau sur trois côtés, ce nouvel établissement est le plus luxueux que l'on puisse trouver entre Huê et Hanoi. Chambres de charme lumineuses avec un équipement haut de gamme, y compris Jacuzzi, TV câblée et ordinateur portable. **www.sunsparesortvietnam.com**

HOI AN Hôtel Cua Dai
$$

18A, Cua Dai **Tél.** *(0510) 862 231* **Fax** *(0510) 862 232* **Chambres** *27*

Un hôtel économique sur la route de la plage de Cua Dai avec de belles chambres de style colonial à prix très raisonnables. Personnel sympathique. Les jardins luxuriants qui abritent quelques belles espèces rares incitent à la détente. Vélos à la disposition des clients qui veulent explorer les environs.

HOI AN Thanh Xuan
$$

30, Ba Trieu **Tél.** *(0510) 916 696* **Fax** *(0510) 916 697* **Chambres** *20*

Ce bel hôtel moderne, situé au nord de Hoi An, offre les meilleurs tarifs de la ville pour la qualité proposée. Chambres gaies, lumineuses et spacieuses, personnel serviable et excellent service de restauration. Agence de voyages et location de voiture et mise à disposition de vélos. **www.thanhxuanhotel.com**

HOI AN Ancient House
$$$

377, Cua Dai **Tél.** *(0510) 923 377* **Fax** *(0510) 923 477* **Chambres** *42*

Les chambres aménagées dans des villas neuves dans le style architectural traditionnel de Hoi An, au milieu d'un jardin agrémenté de bassins, sont agréables. Boîte de nuit, salon de beauté, sauna et Spa ajoutent encore au charme de l'endroit. Mise à disposition de vélos et d'une navette pour le centre historique. **www.ancienthouseresort.com**

HOI AN Hoi An Riverside Resort
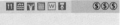
$$$

175, Cua Dai **Tél.** *(0510) 864 800* **Fax** *(0510) 864 900* **Chambres** *62*

Composé de villas neuves de style colonial, cet hôtel boutique situé au bord d'un cours d'eau est l'un des plus attrayants de la région. Il dispose également d'un Spa, d'une salle de billard, d'une galerie d'art, de boutiques, d'un service de baby-sitting et d'un concierge. Un bel endroit loin de tout. **www.hoianriverresort.com**

HOI AN Life Resort Hoi An $$$

1, Pham Hong Thai **Tél.** *(0510) 914 555* **Fax** *(0510) 914 515* **Chambres** *94*

Ce complexe de luxe à 5 min à pied du centre historique propose de somptueuses chambres et une cuisine raffinée. Une grande piscine borde la rivière. Service de demande de visa, de confirmation de vols, de change et de garderie, agence de voyages et presse quotidienne offerte gracieusement. **www.life-resorts.com**

HOI AN Victoria Hoi An Beach Resort and Spa $$$$

Plage de Cam An **Tél.** *(0510) 927 040* **Fax** *(0510) 927 041* **Chambres** *105*

Un complexe haut de gamme avec tous les équipements, beaucoup de charme et les services d'un cinq étoiles. Également une bibliothèque, une navette gratuite pour le centre historique, des terrains de volley-ball et de badminton, des attractions et des équipements nautiques. **www.victoriahotels-asia.com**

HUÊ Hôtel Le Loi $$

2, Le Loi **Tél.** *(054) 824 668* **Fax** *(054) 824 527* **Chambres** *199*

L'hôtel ouvert récemment, proche de la gare ferroviaire, est d'un bon rapport qualité-prix vu la qualité des prestations proposées. Chambres standard avec douche et tout le confort, suites avec baignoire et balcon. Le restaurant sert une cuisine vietnamienne et internationale soignée.

HUÊ Thuan Hoa $$

7, Nguyen Tri Phuong **Tél.** *(054) 823 340* **Fax** *(054) 822 470* **Chambres** *80*

Situé au cœur du quartier français, le Thuan Hoa n'a pas le charme colonial, mais compense par un service sympathique et des prix raisonnables. Chambres agréables bien équipées et beau jardin. Service de baby-sitting, sauna, court de tennis, agence de voyages et de location de voiture et de vélo.

HUÊ Century Riverside $$$

49, Le Loi **Tél.** *(054) 823 390* **Fax** *(054) 823 394* **Chambres** *138*

Cet imposant bâtiment sur la rive sud de la rivière des Parfums a de belles vues sur la citadelle. Chambres richement décorées où vous trouverez fruits, thé et café en guise de bienvenue. À l'Imperial Restaurant, des spectacles traditionnels accompagnent les dîners (spécialités royales de Huê). **www.centuryriversidehue.com**

HUÊ La Residence  $$$$

5, Le Loi **Tél.** *(054) 837 475* **Fax** *(054) 837 476* **Chambres** *122*

Sans doute le meilleur hôtel de Huê dans l'ancienne résidence du gouverneur français, avec vue sur la rivière et la citadelle. Chambres avec lit à baldaquin et meubles anciens et suites thématiques (des oiseaux à l'Égypte). Les équipements sont du dernier cri mais l'atmosphère est d'époque. **www.la-residence-hue.com**

HUÊ Saigon Morin $$$$

30, Le Loi **Tél.** *(054) 823 526* **Fax** *(054) 825 155* **Chambres** *180*

Cette grande dame de l'hôtellerie de Huê date de 1901. Jardin intérieur arboré. Vastes chambres de l'époque coloniale et luxueuses salles de bains (sels de bain offerts gracieusement). On dîne à la terrasse du Royal Cuisine Restaurant avec spectacle de musique et danse traditionnelles. **www.morinhotel.com.vn**

LANG CO BEACH Lang Co Beach Resort $$$

Commune de Loc Hai, Lang Co **Tél.** *(054) 873 555* **Fax** *(054) 873 504* **Chambres** *84*

Construit dans le style architectural de Huê en bordure de l'une des plus belles plages du Vietnam, ce complexe comprend 57 villas avec balcons et 27 chambres classiques, toutes avec de belles vues et tout le confort. Également un salon de beauté, un sauna et des courts de tennis. **www.langcobeachresort.com.vn**

VINH Phu Nguyen Hai $$

81, Le Loi **Tél.** *(038) 384 8429* **Chambres** *17*

Réputé comme le meilleur hôtel économique de Vinh, avec de grandes chambres propres et bien équipées. Le personnel est serviable et la cuisine vietnamienne de qualité – et à prix très raisonnables. Situation centrale à quelques mètres seulement de la grande poste et de la gare routière principale.

HANOI

À L'OUEST DU LAC HOAN KIEM Hôtel Spring $

38, Pho Au Trieu **Tél.** *(04) 826 8500* **Fax** *(04) 826 0038* **Chambres** *12*   **Plan** *2 D3*

Beaucoup de cachet, une atmosphère chaleureuse et la vue sur la cathédrale Saint-Joseph. Les boutiques et restaurants branchés de Nha Tho et du Vieux Hanoi ne sont pas loin. Équipements un peu restreints mais chambres très propres, bien meublées, avec balcon. Personnel anglophone serviable.

À L'OUEST DU LAC HOAN KIEM Thu Giang $

5A, Tam Thuong **Tél.** *(04) 828 5734* **Chambres** *14*

L'un des plus anciens hôtels économiques de Hanoi. Le Thu Giang propose des chambres avec ventilateur ou climatisation à des prix allant de 3 à 16 $. Accès Internet gratuit, location de DVD, transfert aéroport sur demande et personnel expérimenté. Une annexe au 35A Huang Dieu. **www.tgguesthouse.com**

À L'OUEST DU LAC HOAN KIEM Hôtel Church 〓 w $$

9, Nha Tho **Tél.** *(04) 928 8118* **Fax** *(04) 828 5793* **Chambres** *20*   **Plan** *2 E3*

Ce nouveau petit hôtel s'adresse surtout à une clientèle occidentale. Simple, propre, sympathique et joliment décoré, il est également proche de la cathédrale, à deux pas du lac et à quelques minutes à pied du Vieux Hanoi. Quelques-uns des meilleurs restaurants, boutiques et galeries d'art de la ville aux alentours.

À L'OUEST DU LAC HOAN KIEM Hôtel Dragon ⑪ 〓 w ⚑ $$

48, Xuan Dieu **Tél.** *(04) 829 2954* **Fax** *(04) 829 4745* **Chambres** *30*

Façade et décoration flamboyantes pour ce sympathique hôtel qui propose des chambres à l'abondante ornementation chinoise ainsi que des appartements et des suites pour les longs séjours. Bassins de poissons, beau jardin intérieur et restaurant de cuisine vietnamienne et internationale à ciel ouvert.

À L'OUEST DU LAC HOAN KIEM Hanoi Daewoo ▦ ⑪ ≈ ⛱ 〓 w ⚑ $$$

360, Kim Ma **Tél.** *(04) 831 5000* **Fax** *(04) 831 5010* **Chambres** *411*   **Plan** *1 A3*

Façade en marbre de 14 étages. Dans ce nouvel hôtel parfaitement équipé, tout est luxueux, à l'image de l'impressionnante collection de tableaux et de la piscine – la plus grande de Hanoi. Superbe cuisine française, italienne, française, chinoise et japonaise. **www.hanoi-daewoohotel.com**

À L'OUEST DU LAC HOAN KIEM Hanoi Horison ▦ ⑪ ≈ ⛱ 〓 w ⚑ $$$

40, Cat Linh **Tél.** *(04) 733 0808* **Fax** *(04) 733 0888* **Chambres** *250*   **Plan** *1 A3*

Nouvel et luxueux hôtel proche du temple de la Littérature *(p. 166-167)* et de plusieurs des meilleurs musées de Hanoi. Excellentes prestations telles qu'accès Internet dans les chambres, médecin sur appel, restaurants vietnamien, français et chinois, bar dans le hall et casino. **www.swiss-belhotel.com**

À L'OUEST DU LAC HOAN KIEM Sofitel Plaza ▦ ⑪ ≈ ⛱ 〓 w ⚑ $$$

1, Thanh Nien **Tél.** *(04) 823 8888* **Fax** *(04) 829 4283* **Chambres** *322*   **Plan** *1 B1*

Ce bâtiment élevé, au bord du lac de l'Ouest, offre tout le luxe et tous les services de la chaîne Sofitel. Chambres avec une large baie vitrée et tout le confort moderne. Un excellent restaurant, trois bars cossus et une boîte de nuit. **www.sofitel.com**

À L'OUEST DU LAC HOAN KIEM Sheraton Hanoi Hilton ▦ ⑪ ≈ ⛱ 〓 w ⚑ $$$$

K5, Nghi Tam, 11, Xuan Dieu Rd **Tél.** *(04) 719 9000* **Fax** *(04) 719 9001* **Chambres** *299*

À 15 min en voiture du centre-ville, sur une petite péninsule isolée qui borde le lac de l'Ouest. Les chambres dotées de tout le luxe imaginable ont des vues panoramiques. Restaurants raffinés de cuisine vietnamienne et internationale. Équipements spéciaux pour les personnes à mobilité réduite. **www.sheraton.com/hanoi**

À L'OUEST DU LAC HOAN KIEM Nikko Hanoi ▦ ⑪ ≈ ⛱ 〓 w ⚑ $$$$$

84, Tran Nhan Tong **Tél.** *(04) 822 3535* **Fax** *(04) 822 3555* **Chambres** *255*

Cet hôtel select de la chaîne japonaise éponyme s'adresse avant tout à une clientèle d'affaires qui trouve ici l'un des meilleurs centres d'affaires de la ville. Chambres luxueuses avec tous les aménagements, Spa dernier cri et sauna. Le restaurant japonais est peut-être le meilleur de Hanoi. **www.hotelnikkohanoi.com.vn**

QUARTIER FRANÇAIS Lotus Guest-house ▦ ⑪ 〓 w $

42V, Ly Thuong Kiet **Tél.** *(04) 826 8642* **Fax** *(04) 934 4197* **Chambres** *12*   **Plan** *2 E4*

Le nombre de prestations offertes pour un prix aussi raisonnable explique le succès de cette douillette *guest-house* auprès des routards du monde entier. Chambres avec réfrigérateur et TV câblée. La situation géographique est bonne, le personnel serviable et le café agréable pour rencontrer d'autres voyageurs.

QUARTIER FRANÇAIS De Syloia ▦ ⑪ ⛱ 〓 w ⚑ $$$

17A, Tran Hung Dao **Tél.** *(04) 824 5346* **Fax** *(04) 824 1083* **Chambres** *33*   **Plan** *2 F5*

Un établissement agréable de taille moyenne au centre de Hanoi, accessible à pied depuis bon nombre des principaux sites. Belles chambres spacieuses avec tout le confort moderne et lecteur de DVD. Service de baby-sitting. Le Cay Cau Restaurant *(p. 257)* sert un grand choix de plats savoureux. **www.desyloia.com**

QUARTIER FRANÇAIS Hôtel Guoman ▦ ⑪ ⛱ 〓 w ⚑ $$$

83A, Ly Thuong Kiet **Tél.** *(04) 822 2800* **Fax** *(04) 822 2800* **Chambres** *152*   **Plan** *2 D4*

Une adresse très courue, à juste titre : la clientèle se compose essentiellement de voyageurs d'affaires. Chambres très bien équipées avec notamment un Jacuzzi. Personnel anglophone sympathique. Quatre restaurants. Les commerces et la gare routière sont proches. **www.guomanhotels.com**

QUARTIER FRANÇAIS Hôtel Zéphyr ▦ ⑪ ⛱ 〓 w ⚑ $$$

4, Ba Trieu **Tél.** *(04) 934 1256* **Fax** *(04) 934 1262* **Chambres** *38*   **Plan** *2 E4*

Un agréable hôtel-boutique, à proximité du centre-ville. L'atmosphère est familiale, le personnel sympathique et efficace. Le bar et le salon du 7e étage offrent une vue fantastique sur le lac Hoan Kiem. Bonne cuisine vietnamienne. **www.zephyrhotel.com.vn**

QUARTIER FRANÇAIS Hilton Hanoi Opera ▦ ⑪ ⛱ 〓 w ⚑ $$$$

1, Le Thanh Tong **Tél.** *(04) 933 0500* **Fax** *(04) 933 0530* **Chambres** *269*   **Plan** *2 F5*

L'hôtel est doté d'une très élégante façade où se reflète l'Opéra voisin. Il offre toutes les prestations possibles et un service superbe. Chambres somptueuses, décorées pour un grand nombre de tentures en soie et d'œuvres d'artistes locaux, avec mobilier de style vietnamien et splendide vue sur la ville. **www.hanoi.hilton.com**

QUARTIER FRANÇAIS Melia Hotel
44B, Ly Thuong Kiet **Tél.** *(04) 934 3343* **Fax** *(04) 934 3344* **Chambres** *306*
$$$$ **Plan** *2 E4*

Établissement de grande classe. Les chambres sont élégantes et le petit déjeuner exceptionnel. Héliport sur le toit, piscine à ciel ouvert au 3e étage, orchestre dans le hall tous les soirs. Bons restaurants de cuisine vietnamienne et méditerranéenne. **www.meliahanoi.com**

QUARTIER FRANÇAIS Sofitel-Métropole
15, Ngo Quyen **Tél.** *(04) 826 6919* **Fax** *(04) 826 6920* **Chambres** *232*
$$$$ **Plan** *2 F4*

Le Métropole (p. 162), qui a retrouvé sa splendeur d'autrefois, est l'un des meilleurs hôtels d'atmosphère de la ville. Chambres insonorisées et superbement équipées avec une grande baignoire dans la salle de bains. Le Beaulieu (p. 259) est sans doute le meilleur restaurant français de Hanoi. **www.accorhotels.com/asia**

VIEILLE VILLE Anh Dao
3,7 Ma May **Tél.** *(04) 826 7151* **Fax** *(04) 828 2008* **Chambres** *33*
$ **Plan** *2 E2*

Ce mini-hôtel au cœur du quartier historique récemment rénové propose aujourd'hui des chambres confortables avec de bons équipements à prix raisonnables. Il est conseillé de prendre une chambre de catégorie supérieure afin de profiter au mieux de son séjour.

VIEILLE VILLE Hôtel Venus
10, Hang Can **Tél.** *(04) 826 1212* **Fax** *(04) 824 6010* **Chambres** *10*
$ **Plan** *2 E2*

Les prix les plus bas du Vieux Hanoi et néanmoins raisonnables pour la qualité proposée. Chambres propres avec TV, climatisation et mini réfrigérateur. Points faibles : le bâtiment est laid et les chambres à l'arrière n'ont pas de fenêtre. Point fort : le petit déjeuner substantiel est compris.

VIEILLE VILLE Camellia Hotel II
13, Luong Ngoc Quyen **Tél.** *(04) 828 3583* **Fax** *(04) 824 4277* **Chambres** *35*
$$ **Plan** *2 E2*

Le Camellia fait partie d'un groupe de quatre mini-hôtels. S'il est complet, vous serez orienté vers une succursale. Le personnel est sympathique et efficace et les chambres sont correctes. Agence de voyages proposant des circuits dans tout le pays à prix plancher. Accès Internet gratuit.

VIEILLE VILLE Classic I Hotel
22A, Ta Hien **Tél.** *(04) 826 6224* **Fax** *(04) 828 1727* **Chambres** *37*
$$ **Plan** *2 E2*

Un hôtel propre et confortable avec les équipements standard ; personnel anglophone sympathique et serviable. Accès Internet gratuit. Le restaurant sert principalement le petit déjeuner. Agence de voyages dans le hall pouvant organiser des circuits autour de Hanoi et n'importe où dans le Nord. **www.hanoiclassichotel.com**

VIEILLE VILLE Hôtel Classic Street
41, Hang Be **Tél.** *(04) 825 2421* **Fax** *(04) 934 5920* **Chambres** *10*
  Plan *2 E3*

Ce mini-hôtel très couru propose des chambres bien équipées, avec TV câblée et salle de bains. Personnel aimable et serviable. Tarifs très raisonnables pour le niveau de confort offert. La direction aime visiblement l'art kitsch : des peintures sur céramique sont accrochées aux murs des salles de bains.

VIEILLE VILLE Hôtel Hong Ngoc I
39, Hang Bac **Tél.** *(04) 926 0322* **Fax** *(04) 926 1600* **Chambres** *26*
$$ **Plan** *2 E3*

Avec ses lits à impériale et ses chaises en nacre, cet hôtel économique a du chic. Il est entièrement non-fumeur. Le petit restaurant sert une savoureuse cuisine vietnamienne, chinoise et internationale, ce qui est inhabituel pour un hôtel de cette catégorie.

VIEILLE VILLE Lucky I Hôtel
12, Hang Trong **Tél.** *(04) 825 1029* **Fax** *(04) 825 1731* **Chambres** *20*
$$ **Plan** *2 E3*

C'est un endroit plein de charme et bien décoré. Les chambres ont tout le confort moderne et on sert un délicieux petit déjeuner (compris). Bon service. Si l'hôtel est plein, on peut espérer trouver de la place au Lucky II, situé au 46 Fhang Hom. **www.luckyhotel.com.vn**

VIEILLE VILLE Hôtel Prince I
51, Luong Ngoc Quyen **Tél.** *(04) 828 0155* **Fax** *(04) 828 0156* **Chambres** *14*
$$ **Plan** *2 E2*

Le Prince Hotel I et son annexe du 42B Hang Giay s'adressent à une clientèle de voyageurs avisés. Chambres avec téléphone international direct, miniréfrigérateur, TV câblée, WIFI, machine à faire le thé et le café, salle de bains avec sèche-cheveux. Transfert aéroport gratuit à partir de trois nuits. **www.princehotelhanoi.com**

VIEILLE VILLE Hôtel Queen Travel
65, Hang Bac **Tél.** *(04) 826 0860* **Fax** *(04) 826 0300* **Chambres** *10*
$$ **Plan** *2 E3*

Un hôtel économique plutôt sélect qui reste malgré tout d'un bon rapport qualité-prix. Belles antiquités et chambres extrêmement confortables (supplément de 5 $ pour celles avec Jacuzzi). Bassin de poissons rouges et terrasse plantée sur le toit avec vue sur le centre historique. **www.azqueentravel.com**

VIEILLE VILLE Hôtel Sunshine
42, Ma May **Tél.** *(04) 926 2239* **Fax** *(04) 926 1558* **Chambres** *12*
$$ **Plan** *2 E2*

L'un des meilleurs hôtels économiques du Vieux Hanoi. Les chambres sont ordinaires mais spacieuses et confortables avec baignoire. En prime, un restaurant italien et une agence de voyages organisant des circuits dans tout le Vietnam. Accès Internet gratuit. Personnel sympathique. **www.hanoisunshinehotel.com**

Catégories de prix, *voir p. 232.* **Légende des symboles,** *voir rabat arrière de couverture.*

VIEILLE VILLE Hôtel Win
34, Hang Hanh **Tél.** *(04) 828 7371* **Fax** *(04) 824 7448* **Chambres** *10* **Plan 2 E3**

Un mini-hôtel très agréable et tout à fait honnête à 5 min à pied de la rive nord du lac Hoan Kiem. Toutes les chambres ont une salle de bains (avec sèche-cheveux), un minibar, la TV câblée et le téléphone international direct. Si vous venez en hiver, le chauffage est un net avantage.

LE VIETNAM DU NORD

BA BE, PARC NATIONAL DE Hôtel du parc national de Ba Be
Dans le bâtiment administratif du parc national **Tél.** *(0281) 894 126* **Fax** *(0281) 894 026* **Chambres** *50*

Au milieu de pitons rocheux recouverts d'une forêt luxuriante. Ici, l'heure du réveil a quelque chose de magique, surtout au petit déjeuner qui est servi dans la véranda donnant sur le parc. Le restaurant est souvent fermé, mais on peut commander ses repas à l'avance. Chambres calmes et propres.

BAC HA Hôtel Sao Mai
Route de Ban Pho **Tél.** *(020) 880 288* **Fax** *(020) 880 288* **Chambres** *41*

Le meilleur hôtel et le meilleur restaurant de Bac Ha. Les chambres situées dans les ailes modernes en bois sont nettement plus agréables et d'un meilleur rapport qualité-prix que celles de l'ancien bâtiment en béton. Cuisine vietnamienne et européenne et service à toute heure pour la nombreuse clientèle de passage.

CAO BANG Huong Thom
91, Kim Dong **Tél.** *(026) 855 888* **Fax** *(026) 856 228* **Chambres** *11*

Un établissement propre, bien équipé mais sans attrait, même s'il offre le meilleur rapport qualité-prix de Cao Bang. Les chambres à l'arrière donnent sur la rivière et le mémorial de guerre. Climatisation/chauffage très appréciable car cette ville poussiéreuse est aussi l'une des plus froides du Vietnam.

CAT BA-VILLE Noble House
Rue 1-4, Cat Ba-Ville **Tél.** *(031) 388 8363* **Fax** *(031) 388 8570* **Chambres** *5*

Le Noble House, qui bénéficie d'une situation centrale à quelques pas seulement de la jetée, est l'hôtel le plus agréable de la ville. Chambres vastes, propres et bien équipées avec de belles vues sur le port. Très bon restaurant de cuisine vietnamienne et internationale à prix raisonnables.

CAT BA-VILLE Holiday View
Rue 1-4, Cat Ba-Ville **Tél.** *(031) 388 7200* **Fax** *(031) 388 7208* **Chambres** *120*

Ce nouvel hôtel en forme de tour sur le côté est de la marina a vue sur le port. L'endroit manque de charme, mais il est propre et il dispose d'un service efficace – probablement le meilleur que puisse offrir Cat Ba. Le restaurant de spécialités de la mer sert une cuisine vietnamienne et européenne.

DIÊN BIÊN PHU Khach San Cong Ty Bia
17, Ward 28 **Tél.** *(023) 824 635* **Fax** *(023) 825 576* **Chambres** *10*

Connu aussi sous le nom d'hôtel de la Bière (il jouxte une petite brasserie), le Khach San Cong Ty Bia est l'hôtel économique le plus connu de la ville. Chambres propres avec TV et douche chaude. Petit déjeuner uniquement (les autres repas doivent se prendre à l'extérieur).

DIÊN BIÊN PHU Muong Thanh
25, Him Lam **Tél.** *(023) 810 043* **Fax** *(023) 810 713* **Chambres** *60*

Peut-être le meilleur hôtel de la ville, propre, bien équipé et sympathique. La décoration est à base de sculptures d'animaux en bois et de tableaux kitsch. Également une salle de karaoké, un sauna et surtout un excellent restaurant qui propose la plus grande et la meilleure carte de Diên Biên Phu.

HAIPHONG Harbour View
4, Tran Phu **Tél.** *(031) 382 7827* **Fax** *(031) 382 7828* **Chambres** *122*

Cet établissement chic et élégant à l'atmosphère coloniale est le meilleur de Haiphong avec un excellent rapport qualité-prix. Les chambres ne donnent pas vraiment sur le port, mais elle sont cossues et d'une propreté immaculée. Service impeccable et excellente cuisine. **www.harbourviewvietnam.com**

HALONG CITY Heritage Halong
88, Halong St, Bai Chay **Tél.** *(033) 846 888* **Fax** *(033) 846 999* **Chambres** *101*

L'un des hôtels les plus chic de la ville. Les chambres raffinées et meublées avec goût sont dotées de tout le confort – avec une splendide vue sur la baie pour certaines. L'agence de voyages peut organiser des croisières. Médecin sur appel. Également une discothèque. **www.heritagehalong.com**

HALONG CITY Saigon Halong Hotel
Halong, Bai Chay **Tél.** *(033) 845 845* **Fax** *(033) 845 849* **Chambres** *228*

Élégant hôtel avec six catégories de chambres et de suites pour voyageurs d'affaires et touristes à la fois. Deux bars et trois restaurants servant une cuisine vietnamienne, chinoise et internationale. Le Panorama se dit le restaurant le plus haut de la ville avec des vues grandioses sur toute la baie. **www.saigonhalonghotel.com**

HALONG CITY Huong Hai Junk

1, Vuon Dao, Bai Chay **Tél.** *(033) 845 042* **Fax** *(033) 846 263* **Chambres** *59*

Ces neuf luxueuses jonques dans la baie de Ha Long *(p. 182-184)* quittent Halong City tous les jours vers midi et jettent l'ancre au milieu des pitons rocheux à l'heure du coucher de soleil. Dîner de spécialités de la mer à bord. Chambres très bien équipées avec des vues exceptionnelles.

MAI CHAU, VALLÉE DE Mai Chau Guest-house

Dans la rue principale du village de Mai Chau **Tél.** *(018) 851 812* **Chambres** *4*

Maison en bois à l'équipement spartiate, mais la famille de Thaïs Blancs qui vous accueille est sympathique. Vous dormirez sur une natte de couchage sous une moustiquaire et prendrez votre repas (sur commande) seul ou avec vos hôtes. Les lumières s'éteignent tôt mais l'alcool blanc local est un bon soporifique !

NINH BINH Hôtel Viet Hung

150, Tran Hung Dao **Tél.** *(030) 872 002* **Fax** *(030) 880 247* **Chambres** *15*

Agréable pension de famille située près du marché. Le personnel ne parle que quelques mots d'anglais mais il est serviable. Le restaurant sert des petits déjeuners à l'occidentale et une bonne cuisine vietnamienne bon marché. Possibilité d'excursions dans les environs.

NINH BINH Thuy Anh Hotel

55A, Truong Han Sieu **Tél.** *(030) 871 602* **Fax** *(030) 876 934* **Chambres** *37*

Une base idéale pour visiter les environs. L'hôtel est d'une propreté immaculée et bien tenu mais sans charme particulier, à l'image de la ville. La cuisine vietnamienne est bonne et les prix sont raisonnables.
www.thuyanhhotel.com

SAPA Son Ha Guesthouse

25, route de Fan Si Pan **Tél.** *(020) 871 273* **Chambres** *15*

Hôtel économique agréable proposant de grandes chambres confortablement meublées à l'étage, avec de belles vues sur la vallée qui mène au mont Fan Si Pan *(p. 196)* et surtout une cheminée très appréciable en hiver. Restaurant de cuisine vietnamienne et occidentale au rez-de-chaussée.

SAPA Sapa Goldsea

58, route de Fan Si Pan **Tél.** *(020) 871 869* **Fax** *(020) 872 185* **Chambres** *46*

Cet hôtel douillet, ouvert depuis peu, surplombe la vallée. Il propose des chambres avec chauffage (appréciable en hiver) et TV câblée – qui fonctionne, ce qui n'est pas évident à Sapa. Personnel anglophone serviable. Des guides appartenant aux minorités ethniques sont à votre disposition. **www.sapagoldsea-hotel.com.vn**

SAPA Topas Ecolodge

24, Muong Hoa, Cau May **Tél.** *(020) 871 331* **Fax** *(020) 872 405* **Chambres** *25*

Beau complexe de 25 bungalows en granite sur une colline à la sortie de Sapa, avec de superbes vues sur la vallée et la rivière. Les chambres sont bien aménagées, avec une véranda privative pour admirer le panorama. Le restaurant sur pilotis sert une bonne cuisine vietnamienne et occidentale. **www.topas-eco-lodge.com**

SAPA Victoria Sapa

Hoang Dieu **Tél.** *(020) 871 522* **Fax** *(020) 871 539* **Chambres** *77*

Construit sur le modèle d'un chalet suisse, le Victoria Sapa est de loin l'établissement le plus luxueux de la région. Le train privé Victoria-Express, qui rappelle l'Orient-Express, vous amène ici depuis Hanoi (prix AR à partir de 90 $). Le restaurant propose une superbe cuisine. **www.victoriahotels-asia.com**

SON LA Hôtel Trade Union

4, rue 28-8 **Tél.** *(022) 852 804* **Fax** *(022) 855 312* **Chambres** *100*

Cet hôtel d'État à l'ancienne est probablement le meilleur de Son La. Les grandes chambres propres disposent d'une salle de bains avec de l'eau chaude en abondance. Excellent restaurant de cuisine vietnamienne ; aucun plat international. Le personnel en habit traditionnel des Thaïs Blancs ajoute encore à l'atmosphère.

ANGKOR

SIEM REAP Hôtel Angkor Thom

Route de Wat Bo **Tél.** *(063) 963 721* **Fax** *(063) 964 862* **Chambres** *12*

Un excellent hôtel économique dans une bâtisse kitsch avec éclairage au néon. Toutes les chambres ont une salle de bains avec eau chaude, TV câblée, accès Internet et minibar. Le restaurant sert une cuisine coréenne et internationale. Le personnel parle un anglais correct.

SIEM REAP Dead Fish Tower Inn

Bd Sivatha, au niveau de Dead Fish Plaza **Tél.** *(063) 963 060* **Chambres** *15*

Un nom étrange pour cette adresse bien connue des routards. Les chambres sont propres et confortables. Ce qui fait le charme de l'endroit, c'est le rituel de bienvenue (massage du cuir chevelu et rasage) et le bassin des crocodiles. Spectacles de danse cambodgienne au restaurant de cuisine khmère et thaïe.

Catégories de prix, *voir p. 232.* **Légende des symboles,** *voir rabat arrière de couverture.*

SIEM REAP Angkor Silk Thmey

Route d'Angkor Wat **Tél.** *(063) 963 373* **Fax** *(063) 969 002* **Chambres** *20*

Un hôtel économique relativement récent dans une bâtisse agréable. Les chambres sont dotées d'un minibar, d'une TV câblée et d'un téléphone international direct. Transfert aéroport gratuit et si vous réservez pour trois nuits, la 4e vous est offerte. Bon restaurant de spécialités thaïes. **www.angkorsilkthmey.com**

SIEM REAP Bopha Angkor

Rive est de la rivière Siem Reap **Tél.** *(063) 964 928* **Fax** *(063) 964 446* **Chambres** *19*

Cet édifice colonial est agrémenté d'une belle piscine et d'un jardin tropical. Les chambres aménagées dans d'élégants bungalows sont décorées d'œuvres d'art cambodgiennes et équipées d'une moustiquaire et de tout le confort moderne : TV câblée, minibar. Dîners-spectacles au restaurant. **www.bopha-angkor.com**

SIEM REAP Borann

Derrière le restaurant Sawasdee **Tél.** *(063) 964740* **Chambres** *20*

Cinq bungalows au charme rustique au milieu d'un jardin luxuriant, dans un quartier tranquille de Siem Reap. Les chambres bien équipées ont un balcon donnant sur la verdure. Personnel anglophone sympathique. Le beau restaurant sert une cuisine cambodgienne et internationale. **www.borann.com**

SIEM REAP Chez Om

À 200 m de Build Bright University (BBU) **Tél.** *(012) 587 045* **Chambres** *12*

Chambres bien équipées dans de petites villas entourées d'un magnifique jardin à l'écart du monde. Le service en chambre est assuré par le restaurant Baray Petit Garden, qui se targue de faire une cuisine cambodgienne traditionnelle à base uniquement de produits naturels. Personnel serviable. **www.chezom.com**

SIEM REAP Angkor Village

Route de Wat Bo, à l'est de la rivière, derrière l'hôtel Bayon **Tél.** *(063) 963 561* **Fax** *(063) 963 363* **Chambres** *52*

Un complexe tout simplement superbe composé de maisons dans le style khmer traditionnel entourées de bassins remplis de lotus et dotées de tout le luxe imaginable. Cuisine cambodgienne, thaïe et occidentale au restaurant et spectacle de danses khmères tous les soirs à l'Apsara Theatre. **www.angkorvillage.com**

SIEM REAP Hanumanalaya

2 Phoum Treang, près de la Conservation d'Angkor **Tél.** *(063) 760 582* **Fax** *(063) 380 328* **Chambres** *13*

Un endroit accueillant loin du monde parfait après la visite des temples. Chambres de style cambodgien traditionnel ornées d'éléments en bois et dotées de tout le confort moderne. Le Sita Spa permet de se faire dorloter. Équipement spécial pour les personnes à mobilité réduite. **www.hanumanalaya.com**

SIEM REAP Princess Angkor Hotel

Route 6 (route de l'aéroport) **Tél.** *(063) 760 056* **Fax** *(063) 963 668* **Chambres** *89*

Établissement de catégorie supérieure à prix plutôt raisonnables vu le niveau incroyable de confort proposé. Tous les équipements haut de gamme habituels, notamment un Spa et un salon de beauté. À l'arrière se trouvent un jardin luxuriant et une belle piscine. Médecin sur appel 24h/24. **www.princessangkor.com**

SIEM REAP Shinta Mani

Ancien quartier français **Tél.** *(063) 761 998* **Fax** *(063) 761 999* **Chambres** *25*

Situé au cœur de l'ancien quartier français dans une demeure coloniale, ce merveilleux hôtel propose en plus des prestations de luxe habituelles des expositions d'art. Il s'occupe aussi de la formation professionnelle de jeunes défavorisés. Le restaurant est un ravissement pour les gourmets. **www.shintamani.com**

SIEM REAP Apsara Angkor

Route 6, (route de l'aéroport) **Tél.** *(063) 964 999* **Fax** *(063) 964 567* **Chambres** *144*

L'hôtel propose toutes les prestations dont on peut rêver : chambres avec beau plancher, soieries khmères colorées et tout le confort moderne. Accès Internet au bord de la piscine, médecin sur appel 24h/24, baby-sitting, équipements pour personnes à mobilité réduite et transfert aéroport gratuit. **www.apsaraangkor.com**

SIEM REAP Grand Hôtel d'Angkor

1, Vithei Charles de Gaulle **Tél.** *(063) 963 888* **Fax** *(063) 963 168* **Chambres** *131*

Le plus ancien et le plus élégant hôtel de Siem Reap, maintes fois primé comme l'un des meilleurs hôtels d'Asie. Ce chef-d'œuvre d'architecture coloniale restauré a été magnifiquement restauré. Bonne situation dans un quartier central agréable. **www.siemreap.raffles.com**

SIEM REAP Sofitel Royal Angkor

Vithei Charles de Gaulle **Tél.** *(063) 964 600* **Fax** *(063) 964 610* **Chambres** *238*

Un hôtel de luxe offrant de nombreuses prestations : chambres modernes et bien équipées alliant le style khmer et le style français. Luxueux Spa, golf 18 trous, dîners-buffet particulièrement savoureux (avec toutes sortes de desserts qui vous mettent vraiment l'eau à la bouche) **www.accorhotels.com/asia**

SIEM REAP Hôtel Victoria Angkor

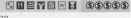

Parc central **Tél.** *(063) 760-428* **Fax** *(063) 760-350* **Chambres** *92*

Établissement assez récent superbement décoré. Les chambres sont bien équipées, mais le véritable attrait du Victoria Angkor est l'intérieur paysager et l'incroyable piscine. L'Escale est très prisé des connaisseurs en gastronomie française. Endroit calme malgré la proximité des marchés. **www.victoriahotels-asia.com**

RESTAURANTS

Ayant eux-mêmes une grande passion pour la nourriture, les Vietnamiens veilleront à offrir aux visiteurs la meilleure cuisine possible, et ce dans les endroits les plus divers : cantines ambulantes, gargotes du bord de la route, cafés improvisés sur les trottoirs, pizzerias et restaurants gourmets pour manger sur le pouce ou prendre un repas complet, avec du thé ou de la bière en guise de boisson. Les prix sont très raisonnables car la cuisine vietna-mienne – éclectique et toujours créative – offre un large éventail de plats pour toutes les bourses. Jusqu'alors les fast-foods occidentaux étaient rares, mais les restaurants italiens, indiens et américains commencent à faire leur apparition dans les grandes villes. Si les restaurants haut de gamme sont les endroits les plus sûrs pour manger une cuisine internationale soignée, la bonne cuisine vietnamienne se trouve partout.

Deux mets délicats

Terrasse du café Thuy Ta *(p. 259)* au bord du lac Hoan Kiem à Hanoi

RESTAURANTS

Les restaurants avec des serveurs professionnels, une carte et des nappes sur les tables sont relativement récents au Vietnam. Ils se trouvent aujourd'hui essentiellement dans les grandes villes et les grands hôtels.

Les endroits où l'on peut s'installer à une table ne servent bien souvent qu'un certain type de plat, le plus courant étant le *bo tung xeo*, du bœuf cru émincé et mariné que l'on fait cuire soi-même sur un réchaud. Les *hank xeo* servent en général de délicieuses crêpes géantes farcies aux crevettes, au porc et aux légumes. Les *lau* proposent des bouillons au fumet odorant agrémentés d'herbes aromatiques, de morceaux de légumes et de viande servis dans un récipient commun.

Les restaurants chinois sont également nombreux, de même que les cafés où l'on peut trouver baguettes de pain frais, café et jus de fruits. Les restaurants américains, les pizzerias et les chaînes de fast-food comme KFC sont arrivés à Hanoi et à Hô Chi Minh-Ville.

Les grands hôtels et restaurants servent pour leur part de la haute cuisine européenne.

COM ET PHO

Les *com* (mot désignant le riz) servent de grosses portions de riz agrémenté de viande et de légumes. Ces endroits modestes n'ont en général pas plus d'une demi-douzaine de places assises. Les plats tels que viandes grillées, sautées ou braisées, poissons en sauce, pousses de bambou braisées, aubergines grillées, légumes verts frits et tofu sont présentés dans une vitrine à l'entrée. Il suffit de montrer du doigt ce qui vous tente pour commander.

Les *pho (p. 248)*, du nom du plat national vietnamien, une soupe aux nouilles à l'arôme caractéristique, sont souvent de petites cantines familiales qui proposent sur leur carte 8 à 10 variétés de soupes à base de bœuf (le plus souvent), de poissons ou de légumes.

MANGER DANS LA RUE

Le Vietnam a une longue tradition de cuisine de rue. Dans toutes les villes, des vendeurs déambulent avec des paniers remplis de graines de pastèque et de

Cliente au comptoir d'une cantine de rue à Huê

Terrasse d'une succursale de la chaîne Highland Coffe très populaire au Vietnam

soja, de gousses de tamarin, de pâtisseries et de fruits frais. Certains proposent des *banh (p. 29)* salés ou sucrés enveloppés dans des feuilles de bananier et cuits à la vapeur ou au gril. Ils peuvent aussi transporter une véritable cantine ambulante et vous préparer du *pho*, des nouilles frites, du tofu de diverses façons ou du *chao* à base de riz appelé aussi *congee*. D'autres transportent leur marchandise à l'aide d'une palanche posée sur l'épaule avec un panier à chaque extrémité, où se trouve aussi un petit réchaud pour vous préparer un repas chaud sur-le-champ

BEER GARDENS ET BIA HOI

Particulièrement nombreux dans le sud du pays où il ne fait jamais froid, les *beer gardens* (jardins à bière) sont des restaurants à ciel ouvert qui font toujours une promotion sur une bière (la marque pouvant changer chaque semaine) et qui servent des viandes grillées avec légumes verts et *banh trang (p. 95)* enveloppés dans une crêpe de riz, que l'on trempe dans une sauce piquante.

La *bia hoi* (littéralement bière froide) est brassée localement ou servie selon un processus de pression

artisanale. Très désaltérante et sans conservateurs, elle ne coûte que quelques *dong* le verre et se trouve pratiquement partout. Les bars à *bia hoi* sont légion ; ce sont généralement des endroits minuscules fréquentés surtout par les autochtones. En y allant, les visiteurs étrangers auront une bonne approche de la culture du bar au Vietnam.

CUISINE VÉGÉTARIENNE

Les restaurants exclusivement végétariens sont rares au Vietnam, mais il est facile d'éviter la viande rouge. On trouve partout un grand choix de poissons, volailles et légumes.

Les végétaliens ou les végétariens au sens strict du terme doivent néanmoins savoir que le fameux nuoc-mâm à base de poisson fermenté est présent dans la majorité des plats. Même si en général les restaurateurs savent ce qu'est un régime végétarien, les végétariens doivent êtres explicites dans leurs exigences.

Bouteille de bière Saigon

PRIX

La nourriture représentera une partie mineure de votre budget. Un repas dans un hôtel coûte moins de 20 $ par tête (mais trois fois plus avec

des boissons alcoolisées importées). Si le vin est soumis à une forte taxe, les spiritueux sont plus abordables et la bière importée du Sud-Est asiatique est à un prix raisonnable. En allant dans les petits restaurants et les cantines de rue, vous mangerez somptueusement pour 2 $ par jour (sans alcool).

USAGES DE TABLE

L'usage veut que chacun commande un plat auquel s'ajoute un plat pour la table. Les plats sont servis au fur et à mesure qu'ils sont prêts et tous les convives se servent, le plaisir de partager étant aussi grand que celui de manger. Les manières de table *(p. 281)* sont simples : contentez-vous de savourer votre repas et de faire part de votre joie de goûter les plats en question. Les conversations bruyantes n'ont rien d'inconvénient.

POURBOIRES

Le pourboire n'est pas d'usage chez les Vietnamiens, mais ils ont compris qu'il l'était chez les étrangers et attendent que vous laissiez quelque chose. Dans les bars pour touristes, une gratification de 400 *dong* par tournée est appréciée. Dans les *com, pho* et petits cafés sur le trottoir, les gens n'attendent rien, ni là où une taxe de service est prélevée.

Façade d'un café chic à la française à Hô Chi Minh-Ville

Saveurs du Vietnam

Le Vietnam est un pays où se sont exercées de nombreuses influences au fil du temps, mais qui a su préserver son identité en matière culinaire. De la longue période de domination chinoise, il subsiste l'usage des baguettes, de la sauce de soja et du tofu. À l'époque coloniale française ont été introduits le café et les produits laitiers. L'usage du curry et de la noix de coco dans la cuisine du Sud est dû aux influences indienne, khmère et thaïe.

Brins de menthe, basilic et coriandre

Comptoir de cantine sur un marché de Hanoi

LES PRODUITS

Les deltas fertiles du fleuve Rouge au nord et du Mékong au sud assurent la récolte du riz. Côtes, rivières et lacs constituent une immense réserve de poissons et de fruits de mer et, sous le climat tropical, fruits et légumes poussent en abondance. La cuisine vietnamienne est riche en épices et herbes aromatiques – coriandre, menthe, gingembre, citronnelle et ciboule – et en nuoc-mâm (sauce de poisson fermenté). Mais la nourriture de base est le riz *(p. 95)*, dont l'importance se retrouve dans le langage. Le verbe « manger » en vietnamien signifie littéralement « manger du riz » et beaucoup de mots font référence aux diverses variétés de riz et aux différentes phases de sa culture. Il y a aussi beaucoup d'expressions pour désigner les plats à base de riz. Le riz accompagne chaque repas : le *gao te* pour la consommation courante et le *gao nep* (gluant) pour les occasions spéciales (anniversaires, fêtes et offrandes votives). Une fois moulu, le riz sert à la fabrication de produits dérivés tels que nouilles, gâteaux et papier, une

Citron vert   Durian   Mangoustan   Banane   Pamplemousse   Ramboutan

Sélection de fruits tropicaux du Sud-Est asiatique

SPÉCIALITÉS RÉGIONALES

Garniture de *pho*

La cuisine vietnamienne se répartit en trois régions. Dans le Nord au climat froid, la cuisine est simple, les viandes exotiques (comme le chien) très prisées et l'alcool de serpent largement répandu. Le centre a une longue tradition de cuisine végétarienne et de cuisine impériale élaborée (celle de Huê, capitale royale).

Dans le Sud, la cuisine prend une tonalité tropicale. Le *pho*, soupe aux nouilles, est l'essence même de la cuisine vietnamienne. Ce plat humble originaire du Nord est devenu le plat national. Avec ses lamelles de bœuf qui cuisent au contact du bouillon chaud, il est nourrissant. Les connaisseurs le préfèrent quand le bouillon a cuit longtemps car il a plus de saveur.

Pho *À base de bouillon clair avec nouilles plates et ciboule que l'on verse sur des lamelles de bœuf cru.*

Séchage de poissons pour la fabrication du nuoc-mâm à Nha Trang

fois distillé, à la fabrication de l'alcool de riz et de liqueurs.

La longue tradition bouddhiste du Vietnam a donné naissance à une cuisine végétarienne. Celle de Huê, centre traditionnel du bouddhisme vietnamien, est particulièrement renommée. Les femmes de cette ville élaborent des mets somptueux, qui sont la version végétarienne de plats connus, en remplaçant la viande par du fromage de soja ou des champignons. L'utilisation du serpent, du moineau et de la tortue constitue l'un des aspects les plus insolites de la cuisine vietnamienne. Certains restaurants servent même des espèces sauvages comme le porc-épic, bien que cela soit officiellement interdit.

CUISINE DE RUE

Cette cuisine a pour nom *com binh dan* (« nourriture populaire ») ou *com hui* (« nourriture poussiéreuse »). C'est dans les cantines improvisées remplies de gens assis sur de petits

Vendeuse de baguettes de pain dans une rue de Hô Chi Minh Ville

tabourets en plastique que l'on mange peut-être le mieux. *Pho* (soupe aux nouilles), *banh xeo* (crêpes farcies) et sandwiches-baguette sont très appréciés. Les femmes portant leur palanche avec un panier à chaque extrémité sont une scène de rue typique. Dans ces paniers, elles transportent nouilles, herbes aromatiques, viande, légumes, bols, baguettes et réchaud à charbon de bois : une cuisine portable qui servira à l'élaboration de plats succulents.

À LA CARTE

Nuoc-mâm Sauce relevée à base de poisson salé fermenté.

Nuoc cham Sauce de poisson avec sucre, citron, eau, ail et piment.

Nem ran Rouleaux de printemps frits que l'on trempe dans du *nuoc cham*.

Banh cuon Cylindre de pâte de riz farci à la viande.

Chao tom Pâte de crevette sur canne à sucre.

Canh (chua) Soupe aigre.

Lau Fondue.

Chao Gruau de riz

Banh bao Boulettes farcies aux légumes et à la viande cuites à la vapeur.

Che Gruau sucré servi en dessert.

Cahn Chua Ca *Soupe aigre à base d'ananas, tomates, poisson-chat et piment (en grande quantité).*

Banh Xeo *Crêpe farcie aux porc et crevettes dans une feuille de laitue avec sauce au piment et citron vert.*

Cha Ca *Plat originaire de Hanoi à base de poisson frit, nouilles, aneth, cacahuètes grillées et nuoc-mâm.*

Choisir un restaurant

Classés par région, les restaurants de ce guide ont été sélectionnés autant que possible pour la qualité de leur cuisine, leur atmosphère et leur situation. Dans les régions reculées néanmoins, les établissements répondant à ces critères étant rares, nous avons sélectionné des adresses pratiques offrant tout au moins un bon rapport qualité-prix.

CATÉGORIES DE PRIX
Prix moyen pour un repas pour deux personnes composé d'un assortiment de plats, avec service compris mais sans alcool.

⑤ moins de 5 $
⑤⑤ entre 5 et 10 $
⑤⑤⑤ entre 10 et 20 $
⑤⑤⑤⑤ entre 20 et 30 $
⑤⑤⑤⑤⑤ plus de 30 $

HÔ CHI MINH-VILLE

CHOLON Café Central An Dong   ▣ V   ⑤⑤⑤⑤

Windsor Plaza Hotel, 18, An Duong Voung **Tél.** *(08) 833 6688* **Fax** *(08) 833 6888*   **Plan** *4 F4*

Installé dans l'hôtel Windsor Plaza (p. 232), ce café-bar est l'un des rares endroits de la ville où l'on vous sert 24h/24. Vous lui pardonnerez son décor de *coffee shop* quand vous aurez vu le superbe buffet (plus de 50 plats). Formule déjeuner à seulement 5 $. Les prix baissent le week-end.

1er ARRONDISSEMENT Bun Cha Hanoi   ▣   ⑤

26/1, Le Thanh Ton **Tél.** *(08) 827 5843*   **Plan** *2 F3*

Le *bun cha* est une spécialité de Hanoi à base de porc grillé servi avec des légumes tels que laitue, pousses de soja et concombre et une portion de vermicelles de riz. Ce petit restaurant typique, fréquenté par les locaux, est toujours bondé.

1er ARRONDISSEMENT Mi Keo Soi Trung Hoa   ▣   ⑤

86, Bis Le Thanh Ton **Tél.** *(08) 827 4407* **Fax** *(08) 827 4408*   **Plan** *2 E4*

Autochtones et expatriés se retrouvent nombreux ici pour le déjeuner et le dîner. Les nouilles sont faites à la main devant vous et servies avec du porc grillé et un bol de bouillon. En accompagnement, vous avez le choix entre rouleaux de printemps, boulettes farcies à la vapeur et *dim sum*. Cadre simple.

1er ARRONDISSEMENT Original Bodhi Tree   ▣ V   ⑤

175/4, Pham Ngu Lao **Tél.** *(08) 837 1910* **Fax** *(08) 837 1238*   **Plan** *2 D5*

Dans une transversale surnommée « ruelle de la Pagode », l'un des restaurants végétariens les plus connus de la ville. La clientèle est étrangère mais la carte vietnamienne – avec quelques plats italiens et mexicains. Les tableaux aux murs sont à vendre ; l'argent est versé aux enfants pauvres.

1er ARRONDISSEMENT Pho 24   ▣ ▤ V   ⑤

5, Nguyen Thiep **Tél.** *(08) 822 6278* **Fax** *(08) 821 7244*   **Plan** *2 F4*

La cuisine de rue typique du Vietnam a pris ses quartiers dans la salle rénovée et climatisée du Pho 24, dont le nom fait référence aux « 24 ingrédients et 24 heures de préparation du bœuf de 1er choix » nécessaires à l'élaboration du *pho*, qui peut être aussi végétarien, ou bien au poulet ou au poisson. **www.pho24.com.vn**

1er ARRONDISSEMENT Sozo   ▣ V   ⑤

176, Bui Vien **Tél.** *(08) 836 0176*   **Plan** *2 D5*

Pourvoyeur de pâtisseries européennes, de bagels, de cookies et de café, le Sozo est aussi un centre de formation des jeunes de la rue pour les aider à sortir de la misère et leur apprendre la boulangerie et la pâtisserie, à tenir les comptes et à gérer une affaire. Accès Wifi gratuit.

1er ARRONDISSEMENT Asian Kitchen   ▣ ▥ V   ⑤⑤

185/22, Pham Ngu Lao **Tél.** *(08) 836 7397*   **Plan** *2 D5*

Dans une ruelle transversale et un cadre balnéaire, un petit restaurant à prix raisonnables. Grand choix de plats vietnamiens. Le porc cuit dans son pot en terre est la spécialité maison. Également des plats végétariens. Excellente musique américaine des années 1950 et 1960.

1er ARRONDISSEMENT Black Cat   ▣ ▤ V   ⑤⑤

13, Phan Van Dat **Tél.** *(08) 829 2055*   **Plan** *2 F4*

Tenu par un expatrié américain et sa femme vietnamienne, le Black Cat allie parfaitement les deux traditions culinaires et propose soupes et sandwiches à l'occidentale et plats vietnamiens épicés. Au bar, le plus grand gin tonic de Hô Chi Minh-Ville et aux murs des photos de villes vietnamiennes.

1er ARRONDISSEMENT Bo Tung Xeo   ▣ V   ⑤⑤

31, Ly Tu Trong **Tél.** *(08) 825 1330*   **Plan** *2 E3*

L'un des restaurants les plus anciens et l'ambiance la plus festive de Hô Chi Minh-Ville. Il doit son nom à la spécialité maison : le *bo tung xeo* (bœuf au barbecue). Les clients font cuire leur viande sur un brasero. Il y a aussi le *cha ca* (p. 249) à la mode de Hanoi (poisson frit à l'aneth).

Légende des symboles, *voir rabat arrière de couverture*

1er ARRONDISSEMENT Red Dot

$$

15/17, Phan Van Dat **Tél.** (08) 822 6178 **Plan** 2 F4

L'un des rares restaurants climatisés du quartier dans un décor évoquant une piazza italienne (avec une fontaine dansante pour compléter le tableau) et l'une des rares cuisines mexicaines authentiques de la ville. Les *tortillas, enchiladas* et *burritos* sont superbes et les *tacos* au poisson remarquables.

1er ARRONDISSEMENT Tan Hai Van

$$

162, Nguyen Trai **Tél.** (08) 839 9617 **Plan** 2 D5

Ce restaurant chinois branché attire la jeunesse dans le vent de Hô Chi Minh-Ville avec ses exceptionnels *dim sum*. On y mange aussi des plats plus exotiques tels que langues de canard frites et soupe d'ailerons de requin. Quand la plupart des autres endroits sont fermés, ici, la terrasse est encore pleine.

1er ARRONDISSEMENT Wrap and Roll

$$

62, Hai Ba Trung **Tél.** (08) 823 4030 **Fax** (08) 823 4029 **Plan** 2 F3

Ici, les clients préparent eux-mêmes leurs plats (hormis les soupes). On leur apporte tous les ingrédients de leur choix (viande, poisson, légumes et herbes aromatiques) qu'ils enveloppent dans une crêpe de riz. Des sauces pour tremper les rouleaux obtenus et de bons vins pour compléter le tout.

1er ARRONDISSEMENT Bourbon Street

$$$

123, Le Loi **Tél.** (08) 914 2184 **Fax** (08) 914 2183 **Plan** 2 E4

Un petit coin de La Nouvelle-Orléans sommairement décoré qui rend hommage à la cuisine du delta du Mississippi. Carte à dominante cajun et tex mex avec *jambalaya*, soupe aux gombos, travers de porc, steaks, *fajitas*, ailes de poulet Buffalo, et bar à salades à volonté. Bonne sélection de bières étrangères.

1er ARRONDISSEMENT Cool Saigon

$$$

30, Dong Khoi **Tél.** (08) 829 1364 **Fax** (08) 824 7708 **Plan** 2 F4

Le Cool Saigon veut se montrer digne de son nom en servant une cuisine vietnamienne classique. Le décor évoque un village vietnamien avec son ruisseau et sa roue à eau. À l'étage, la salle est plus conventionnelle. Somptueux rouleaux de printemps, viandes grillées et divers plats de nouilles.

1er ARRONDISSEMENT Pepperoni's

$$$

111, Bui Vien **Tél.** (08) 920 4989 **Fax** (08) 836 0568 **Plan** 2 D5

L'un des rares endroits de Pham Ngu Lao qui propose une cuisine occidentale authentique. Ses pizzas, pâtes et côtes grillées passent pour être les meilleures de la ville. Également un buffet de spécialités italiennes, des salades, des hamburgers, des plats légers vietnamiens et même des vins corrects.

1er ARRONDISSEMENT Vietnam House

$$$

93-9,5 Dong Khoi **Tél.** (08) 829 1623 **Fax** (08) 829 7286 **Plan** 2 F4

On vient ici pour la succulente cuisine vietnamienne traditionnelle et l'atmosphère élégante à la française. Trois étages, les meilleures tables étant celles du bas où l'on peut observer les passants en dégustant un rouleau de printemps délicieusement craquant. Cocktails et excellente musique de fond. **www.hotelbongsen.com**

1er ARRONDISSEMENT Xu Restaurant and Lounge

 $$$

71-75, Hai Ba Trung **Tél.** (08) 824 8468 **Fax** (08) 824 8469 **Plan** 2 F3

Restaurant ultramoderne avec bar-salon attenant, sièges bas et éclairage discret proposant des cocktails exotiques et une « nouvelle cuisine » vietnamienne, c'est-à-dire des classiques tels que rouleaux et papillotes avec une touche européenne ou californienne. Excellent service et grand choix de vins. **www.xusaigon.com**

1er ARRONDISSEMENT Bonsai Cruises

$$$$$

Bach Dang Pier, au bout de Nguyen Hue **Tél.** (090) 880 0775 **Plan** 2 F4

Des quatre restaurants flottants qui proposent des dîners-croisières sur la rivière Saigon, le Bonsai Cruises est le meilleur et le plus récent. Buffet de poissons, à la mode vietnamienne et occidentale, de nouilles vietnamiennes et de saucisses allemandes. Belle carte des vins. Soirée dansante avec orchestre.

1er ARRONDISSEMENT Camargue

$$$$$

16, Cao Ba Quat **Tél.** (08) 824 3148 **Fax** (08) 823 2828 **Plan** 2 F3

Élégant restaurant dans une villa coloniale dotée d'une belle terrasse pour les repas. Huîtres, fromages et vins arrivent tous les jours en avion de Paris. Carte à dominante de steaks, rôtis et produits de la mer. Suivant la tradition française, les plats mettent en évidence l'art du maître saucier.

1er ARRONDISSEMENT Maxim's

 $$$$$

13-17, Dong Khoi **Tél.** (08) 829 6676 **Plan** 2 F4

L'un des plus anciens restaurants de la ville (p. 269). L'élégante et solennelle salle à manger borde les trois côtés d'une scène où joue un quatuor à cordes et où ont lieu parfois des spectacles de théâtre occidental et de cabaret. Essentiellement des classiques vietnamiens servis avec style.

3e ARRONDISSEMENT Tandoor

$$

103, Vo Van Tan **Tél.** (08) 930 4839 **Fax** (08) 930 4125 **Plan** 1 C4

Succursale d'une chaîne indienne au succès grandissant implantée à Hô Cho Minh-Ville et Hanoi. Les incontournables de la cuisine du nord de l'Inde tels que *nan*, brochettes de viandes, au four *tandoor* et plats végétariens figurent à la carte. Et pour arroser le tout, une bière bien fraîche. **www.tandoorvietnam.com.vn**

3e ARRONDISSEMENT Mai Thai $$$

13, Ton That Thiep **Tél.** *(08) 821 2920*   **Plan** *2 F4*

Des quelques restaurants thaïs de la ville, le Mai Thai est le plus couru. La décoration à base d'étoffes thaïes colorées ajoute encore à la joyeuse atmosphère. La carte est l'une des moins chères du 3e arrondissement et le menu déjeuner très avantageux. Service sympathique d'une qualité rare.

3e ARRONDISSEMENT Texas Barbecue $$$$

206, Pasteur **Tél.** *(08) 825 1142* **Fax** *(08) 823 1468*   **Plan** *2 D3*

Ce restaurant fréquenté par les expatriés est à la hauteur de sa réputation. Les portions de travers de porc, steak et combo de bœuf sont généreuses et les accompagnements (épis de maïs grillés, frites, chou cru et haricots sauce barbecue) font un repas à eux seuls. Ambiance festive dans le patio.

3e ARRONDISSEMENT Au Lac Do Brazil $$$$$

238, Pasteur **Tél.** *(08) 820 7157* **Fax** *(08) 820 7682*   **Plan** *1 C2*

Hauts plafonds, carrelages et nappes blanches ajoutent à la tonalité brésilienne de ce restaurant de viande rouge. Pour le *churrasco* composé de viandes rôties à la broche et de brochettes grillées, les serveurs officient avec des couteaux aux allures de sabres. **www.aulacdobrazil.com**

10e ARRONDISSEMENT Anh Thien $

251, Dao Duy Tu **Tél.** *(08) 853 2182*   **Plan** *4 E3*

Façade anonyme, loin de l'agitation urbaine. L'Anh Thien prétend servir les steaks les plus juteux de la ville. La viande est d'abord cuite en cuisine puis saisie sur une plaque avec des oignons grillés et du beurre sur votre table. Simple mais délicieux.

LES ENVIRONS DE HÔ CHI MINH-VILLE

LONG HAI Le Belvédere $$

Anoasis Beach Resort, domaine de Ky Van **Tél.** *(064) 868 227*

Sur une colline qui surplombe l'hôtel Anoasis et la plage. Carte internationale avec pâtes italiennes, salade grecque, sandwiches garnis et classiques vietnamiens tels que porc grillé et légumes braisés. La plupart des tables sont installées dans un patio couvert où souffle une agréable brise marine.

VUNG TAU Quan Tre Bamboo $$

7, Tran Phu **Tél.** *(064) 836 157*

Construit sur deux niveaux, avec une terrasse au 1er étage et la vue sur la célèbre statue géante de la Vierge à l'Enfant, ce restaurant propose des produits de la mer (homard et palourdes rouges notamment). Le barman concocte de superbes cocktails rafraîchissants. Également des vins vietnamiens.

VUNG TAU Plein Sud $$$$

152A, route de Ha Long **Tél.** *(064) 511 570*

Un petit coin du sud de la France avec une belle terrasse périphérique au milieu des arbres à proximité de la plage. Les pains, pizzas, viandes et poissons sont tous cuits dans le four à bois. Sélection de vins correcte.

LE DELTA DU MÉKONG ET LE VIETNAM DU SUD

BAC LIEU Bac Lieu Restaurant $$

Bac Lieu Hotel, 4-6, Hoang Van Thu **Tél.** *(0781) 822 437* **Fax** *(0781) 823 655*

Installé au rez-de-chaussée de l'hôtel éponyme (p. 235), ce restaurant au décor chinois sert des plats vietnamiens traditionnels cuits dans leur pot en terre, des sautés qui craquent sous la dent, des préparations de la mer et des nouilles en tout genre. Service sympathique. L'endroit ferme tôt en général.

CAN THO Nam Bo $$

50, Hai Ba Trung **Tél.** *(071) 823 908* **Fax** *(071) 812 024*

Dans une villa de l'époque coloniale entourée d'un jardin avec ventilateurs au plafond. Tables dans plusieurs salles et sur la terrasse par beau temps. En plus des classiques vietnamiens, le restaurant propose des standards de la cuisine internationale tels que pizzas, salades, soupes et sandwiches.

CAN THO Spices $$$$

Victoria Can Tho Hotel, Cai Khe Ward **Tél.** *(071) 810 111* **Fax** *(071) 829 259*

Installé dans le luxueux hôtel Victoria (p. 235) et décoré dans le style traditionnel du delta, le Spices propose des tables en salle ou en terrasse face au fleuve. Carte internationale avec plats italiens, buffet barbecue américain et standards vietnamiens tels que poissons frits.

Catégories de prix, *voir p. 250.* **Légende des symboles,** *voir rabat arrière de couverture.*

CAO LANH Tu Hao

À l'angle de Diên Biên Phu et de Nguyen Hue **Tél.** *(067) 852 589*

Situé sur l'autre rive du Tien Giang mais facilement accessible en taxi, le Tu Hao est un restaurant de viandes simple mais confortable et accueillant, tenu par la même famille depuis des générations. Spécialité de grillades en tout genre, y compris de rat et de serpent.

CHAU DOC Lam Hung Ky

71, Chi Lang **Tél.** *(076) 866 745* **Fax** *(076) 561 991*

Restaurant sans prétention et néanmoins agréable pour le déjeuner, face au grand marché, suffisamment proche et néanmoins à l'écart de l'animation grouillante. Cuisine vietnamienne aux tonalités chinoises avec un peu de sauce de soja, beaucoup de gingembre et une cuisson sautée à l'huile. Bonnes soupes.

CHAU DOC Bassac

Victoria Chau Doc Hotel, 32, Le Loi **Tél.** *(076) 865 010* **Fax** *(076) 865 020*

Cet élégant restaurant offre un cadre aux réminiscences coloniales avec serveurs en livrée et atmosphère feutrée. Vous y mangerez du canard fermier de la production locale et des poissons à la mode vietnamienne ainsi que des pizzas, hamburgers et sandwiches. Belles vues depuis la terrasse.

CON DAO, ÎLE DE Poulo Condore

Saigon Con Dao Resort, 18, Ton Duc Thang **Tél.** *(064) 830 366*

Le restaurant le plus raffiné de l'archipel avec un jardin où souffle une agréable brise marine à l'heure du dîner. Les produits de la mer sont la spécialité de la maison. Carte de cuisine régionale du nord, du centre et du sud du Vietnam.

HA TIEN Xuan Thanh

20, Tran Hau **Tél.** *(077) 852 197*

Situé face au marché central, ce petit restaurant honnête et chaleureux sert une cuisine vietnamienne traditionnelle et quelques plats occidentaux tels que pâtes et sandwiches. Goûtez ses spécialités : la fondue ou *lau (p. 249)* à base de produits frais, la friture de poisson-chat et le sauté de calmars, entre autres.

MY THO Chuong Duong Restaurant
10, Duong 30/4 **Tél.** *(073) 870 875* **Fax** *(073) 874 250*

Ce restaurant de 500 couverts se trouve dans l'hôtel Chuong Duong (p. 236), en bordure du fleuve. Grande terrasse sur l'eau. La carte, essentiellement à base de produits de la mer, propose une cuisine vietnamienne et chinoise soignée. Portions généreuses. Clientèle de travailleurs locaux.

PHU QUOC, ÎLE DE An Thai Café
Khu Pho 3, An Thoi **Tél.** *(077) 844 307*

Adresse très courue pour prendre le déjeuner, le dîner, un café ou un cocktail sur une pergola surélevée avec une belle vue et la brise marine. La carte propose surtout des produits de la mer à la mode vietnamienne et plusieurs plats occidentaux de restauration rapide tels que sandwiches et hamburgers.

PHU QUOC, ÎLE DE Minh Tri
DC Tran Hung Dao - Khu 1 **Tél.** *(077) 848 829*

Sur Long Beach et sur deux niveaux. En bas se trouve un jardin arboré avec une petite pergola et en haut une terrasse. Parmi les spécialités de la mer figurent la patelle, l'anguille et le calamar. Également un large choix de viandes et de soupes.

PHU QUOC, ÎLE DE Saigon Restaurant

Saigon Phu Quoc Resort, 1 Tran Hung Dao St, Duong Dong **Tél.** *(077) 846 999* **Fax** *(077) 847 163*

Ce restaurant de 150 couverts, installé sous une pergola qui surplombe la mer, bénéficie d'une agréable brise marine et d'une vue qui fait rêver. Le cadre est simple et chaleureux. Viandes, poissons, nouilles et soupes vietnamiennes sont les spécialités. Également de savoureux *sushi* et *sashimi* frais.

RACH GIA Hai Au

2, Nguyen Trung Truc **Tél.** *(077) 863 740*

Sur deux niveaux, le restaurant propose un grand patio équipé de parasols et de tables de style méditerranéen et de belles vues sur la rivière. La carte des vins (correct) est essentiellement française, mais la cuisine est 100 % vietnamienne (fondues, produits de la mer et poissons d'eau douce).

SOC TRANG Quan Com Hung
Mau Than 74-76 **Tél.** *(079) 822 268*

Cet endroit sans prétention est l'un des plus courus de Soc Trang. Le riz est la spécialité de la maison et la fondue ou « bateau à vapeur » le plat le plus festif : lorsque le bouillon arrive sur la table, chaque convive y plonge les ingrédients de son choix pour obtenir le degré de cuisson souhaité.

VINH LONG Thien Tan
56/1, Pham Thai Buong **Tél.** *(070) 824 001*

Le Thien Tan n'attache guère d'attention à la décoration, mais la cuisine est très soignée. Succulentes viandes au barbecue, même si les clients font généralement l'impasse sur le rôti de mulot… Volailles et poissons cuits dans leur pot de terre et leur panier de bambou sont aussi à recommander.

LA CÔTE ET LES HAUTS PLATEAUX DU SUD

BUON MA THUOT Buon Juin $$
1, Phan Chu Trinh **Tél.** *(050) 817 615*

Sans doute le meilleur restaurant de la ville, au rez-de-chaussée de l'hôtel Thang Loi *(p. 237)*, au centre-ville. Grand choix de plats internationaux et toutes les spécialités vietnamiennes en général et de la région, y compris les « viandes de la jungle » telles que sanglier, faisan et serpent.

DALAT Au Lac $
71, Phan Dinh Phung **Tél.** *(063) 822 025*

Carottes, avocats et salades poussent en abondance à Dalat. Accommodés à la mode occidentale, vietnamienne et chinoise et accompagnés de riz et de nouilles, ils ont la part belle dans ce restaurant végétarien où même le glutamate de sodium et les cigarettes sont mal vus. Les adeptes du bio seront ravis.

DALAT Café V $$
1/1, Bui Xui Thuan **Tél.** *(063) 520 215*

Restaurant économique tenu par un couple américano-vietnamien, où les plats sont à la croisée de la cuisine vietnamienne et mexicaine. La carte propose aussi des plats authentiques tels que *burritos, nachos, chimichangas, tortillas* et *frijoles*. Également du vin de Dalat, de la bière et des *margarita*.

DALAT Long Hoa $$
6, Duong 3/2 **Tél.** *(063) 822 934*

Une adresse ancienne très prisée des autochtones et des touristes qui sert une cuisine vietnamienne de qualité : fondues et sautés du Sud dominent la carte, au côté de quelques plats occidentaux. Plusieurs marques de bière et le café corsé de la production locale sont proposés. Un pianiste joue occasionnellement.

DALAT Nhat Ly $$
88, Phan Dinh Phung **Tél.** *(063) 821 651*

Ce restaurant sans prétention très fréquenté sert une savoureuse cuisine vietnamienne à prix très raisonnables dans un cadre agréable. Les crevettes sauce tamarin sont la spécialité maison, mais les plats végétariens sont aussi à l'honneur. Préférez une bière bien fraîche au vin.

DALAT Le Rabelais $$$$$
Sofitel Dalat Palace, 12, Tran Phu **Tél.** *(063) 825 444*

L'établissement le plus sophistiqué et le plus cher de Dalat. Cuisine française raffinée et grande carte des vins. Le service est très professionnel, la vue sur le lac magnifique et le cadre somptueux. Tenue habillée souhaitée. On peut ensuite prendre un verre dans la salle où joue un pianiste.

KONTUM Dakbla Restaurant $
Hôtel Dakbla, 2, Phan Dinh Phung **Tél.** *(060) 863 333*

Kontum n'est pas vraiment réputée pour sa gastronomie, ce que semble confirmer ce restaurant. L'endroit est propre et doté d'une terrasse agréable. Au petit déjeuner, le sympathique personnel vous servira café, pain, œufs et *pho*. La collection d'objets ethniques ajoute une note colorée.

MUI NE, PLAGE DE Hoang Vu $
Zone 1, 67, Han Tien **Tél.** *(062) 847 525*

Agréable restaurant de style rustique avec un personnel sympathique et courtois. Grand choix de plats vietnamiens à prix raisonnables (délicieux rouleaux de printemps). La nourriture est bien présentée et la mer à quelques mètres seulement. Plusieurs marques de bière locale, servie bien fraîche.

MUI NE, PLAGE DE La Luna d'Autonno (Trang Thu) $$$
Zone 1, Han Tien Ward **Tél.** *(062) 847 591*

Excellent restaurant italien spécialisé dans les pâtes et pizzas au feu de bois. Bonne carte des vins. Comme il se doit à Mui Ne, les produits de la mer occupent une grande place sur la carte, mais il y a aussi du veau, du bœuf, du poulet et des plats végétariens. Barbecue les vendredi et samedi.

MUI NE, PLAGE DE Rung $$$
Zone 1, 67, Han Tien Ward **Tél.** *(062) 847 589*

Honnête cuisine vietnamienne et de la mer dans une atmosphère insolite en bordure de la plage. Le cadre est un jardin rempli d'objets kitsch en tout genre, avec des billots en guise de tables. Groupes de musique traditionnelle en soirée. Les enfants, qui adoreront l'endroit, sont les bienvenus.

MUI NE, PLAGE DE Champa $$$$
Coco Beach Resort, 58, Nguyen Dinh Chieu **Tél.** *(062) 847 111*

Excellent restaurant du Coco Beach Resort *(p. 237)* dirigé par un chef français accompli. On mange au bord d'une piscine entourée d'un jardin tropical. Les produits de la pêche locale comme ceux d'importation sont préparés selon la tradition française. Pâtisseries et desserts remarquables. Fermé le lundi.

Catégories de prix, *voir p. 250.* **Légende des symboles,** *voir rabat arrière de couverture.*

NHA TRANG Hao Van Lai

1D, Biet Thu **Tél.** *(058) 526 292*

Sympathique café de rue pour les petits budgets dans le quartier routard. On y mange de tout, des frites et hamburgers aux sautés chinois, nouilles vietnamiennes, viandes barbecue, poissons et fruits de mer. Une bonne adresse pour le petit déjeuner comme pour le déjeuner, le dîner ou juste un en-cas.

NHA TRANG Thuy Ta

Plage de Dai Lanh **Tél.** *(058) 842 530*

Petit restaurant très fréquenté avec juste 15 tables à l'ombre et vue sur la mer de Chine méridionale. Les produits de la mer, toujours très frais, sont évidemment la spécialité. L'accent est mis sur la simplicité, mais le personnel est sympathique et efficace quelle que soit l'heure.

NHA TRANG Lac Canh

44, Nguyen Binh Khiem **Tél.** *(058) 822 522*

Une institution de Nha Trang avec une clientèle locale très fidèle. Ici, les viandes et les produits de la mer sont grillés à votre table (en plein air). Fumées et fumets vous feront pleurer et saliver à la fois. Une bière locale bien fraîche sera la meilleure boisson. Quelques plats végétariens.

NHA TRANG Nha Trang Seafood

46, Nguyen Thi Minh Khai **Tél.** *(058) 822 664*

Superbe restaurant de la mer avec terrasse et salle climatisée. Dans cet endroit très couru, l'accent est mis davantage sur la cuisine que sur l'atmosphère. Qu'ils soient cuits à la vapeur, à la poêle ou au gril, les poissons et crustacés sont tous succulents. Rapport qualité-prix difficile à égaler.

NHA TRANG Ana Pavilion

Ana Mandara Resort, Tran Phu **Tél.** *(058) 522 222*

Ce restaurant en bord de mer propose des fruits de mer somptueux et une délicieuse cuisine vietnamienne. Ouvert toute la journée, c'est l'endroit idéal pour prendre un copieux petit déjeuner tandis que le buffet du déjeuner à base de fruits de mer est tout simplement somptueux. Dîner à la carte le soir, bonne carte des vins.

QUANG NGAI Mimosa

21, Hung Vuong St **Tél.** *(058) 822 438*

Ce restaurant *com* et *pho* s'adresse surtout à une clientèle locale. Il donne l'occasion de goûter une cuisine authentique qui n'est pas adaptée aux palais étrangers. Le sympathique personnel ne parlant pas l'anglais, le langage des signes sera utile pour commander. Superbes produits de la mer.

QUY NHON Seafood 2000

1, Iran Doc **Tél.** *(056) 812 787*

Le restaurant de la mer le plus couru de Quy Nhon en raison de son ambiance sympathique, sa situation dans la baie et ses prix raisonnables. Crevettes géantes, calamars, homard (selon arrivage), steaks de requin, fondue de la mer genre bouillabaisse, bière fraîche, le tout sans aucune prétention.

LE VIETNAM CENTRAL

BA NA HILL STATION Ba Na Restaurant

100, Bach Dang **Tel.** *(0511) 828 262*

Ce restaurant de 200 couverts s'adresse à une clientèle touristique presque exclusivement vietnamienne. La carte propose un grand choix de plats vietnamiens, mais peu de plats occidentaux. Vin de Dalat et nombreuses bières locales et étrangères. Le barbecue a du succès à l'heure du dîner.

CHINA BEACH Loi Restaurant

Plage de My Khe **Tél.** *(0511) 831 088*

Bel endroit où vous dégusterez votre repas arrosé d'une bière en contemplant la mer de Chine méridionale. Fraîcheur des produits garantie, car les produits destinées aux clients se trouvent dans des bassins. Palourdes grillées sauce piquante (la spécialité), crevettes grillées et superbes homards.

DA NANG Christie's Cool Spot

112, Tran Phu **Tél.** *(0511) 824 040*

Rendez-vous des expatriés occidentaux de Da Nang à l'ambiance décontractée. Bar-télévision en bas et copieuses tourtes à la viande en haut. Australienne à l'origine, la cuisine s'est diversifiée avec des plats japonais, italiens et thaïs. Le petit déjeuner à toute heure est à recommander. *Happy hours* de 17 h à 20 h.

DA NANG Apsara

222, Tran Phu **Tél.** *(0511) 561 409*

Ce beau et grand restaurant se situe près du célèbre Musée cham de Da Nang. La décoration et le jardin s'inspirent de la culture cham. La cuisine, elle, est vietnamienne et vraiment très bonne. La grande carte de la mer attire une clientèle nombreuse.

DA NANG My Hanh
265, Nguyen Van Thoai **Tél.** *(0511) 940 994*

Ce restaurant de 200 couverts semble presque toujours complet. Clientèle essentiellement locale, ce qui est un bon signe. Les produits de la mer sont la spécialité de la maison, qui propose une superbe cuisine. Les prix ne sont pas indiqués car ils changent tous les jours.

DONG HOI Anh Dao
56, Quang Trung **Tél.** *(052) 820 889*

Ce restaurant n'a rien de vraiment remarquable mais c'est le meilleur de la ville. L'endroit est propre, le service poli et le choix des plats (essentiellement du Vietnam-du-Nord et du Centre) est vaste. Le personnel parle peu l'anglais, mais on peut aller en cuisine pour montrer ce que l'on veut.

HOI AN Good Morning Vietnam
34, Le Loi **Tél.** *(510) 910 227*

Dans une vieille maison, succursale d'une chaîne italienne authentique de pizzas au feu de bois installée aussi à Ho Chi Minh-Ville, Mui Ne et Nha Trang. La pizza aux fruits de mer est à recommander. Salades qui croquent sous la dent en entrée. Les desserts au chocolat sont une invitation au péché.

HOI AN Nhu Y
2, Tran Phu **Tél.** *(510) 861 527*

Un des plus anciens et des meilleurs restaurants en terrasse de Hoi An. Spécialités locales de *cao lau* (mélange original de nouilles et de porc) et de *white rose* (boulettes farcies aux crevettes). Personnel sympathique et prévenant, beau mobilier et carte illustrée (très pratique). Cours de cuisine.

HOI AN Tam Tam Cafè & Bar
110, Nguyen Thai Hoc **Tél.** *(510) 862 212*

Un excellent petit restaurant de cuisine française et italienne (aussi quelques plats vietnamiens). Comme il arrive souvent à Hoi An, le cadre est aussi agréable que la cuisine. Cette maison jaune joliment restaurée a gardé son atmosphère coloniale. Tables sur le balcon. Vin (sur demande) et bière fraîche.

HOI AN Thanh
76, Bach Dang **Tél.** *(510) 861 366*

Installé dans une maison sino-vietnamienne qui borde la rivière, cet excellent restaurant propose des plats chinois et des spécialités locales telles que les fameuses nouilles *cao lau* cuites dans l'eau du puits Ba Le et agrémentées de porc éminçé, de pousses de soja et de croûtons. Vin sur demande.

HOI AN Brother's Café
29, Phan Boi Chau **Tél.** *(510) 914 150*

Installé dans une maison coloniale de l'ancien quartier français, en bordure de la rivière, ce restaurant est l'un des meilleurs de Hoi An. Plats vietnamiens délicieux et bien présentés. Excellente carte des vins. Menu différent chaque jour.

HOI AN Mango Room
11,1 Nguyen Thai Hoc **Tél.** *(510) 910 839*

Cuisine fusion sophistiquée élaborée par un Viet Kieu qui est rentré des États-Unis pour ouvrir ce restaurant. Savoureuses spécialités de bœuf, crevettes et poisson aux tonalités vietnamienne, californienne et mexicaine à la fois. Cadre agréable et bonne sélection de vins et cocktails.

HUÊ Dong Tam
47/6/7, Le Loi **Tél.** *(054) 828 403*

Restaurant exclusivement végétarien dans une cour intérieure agréable avec des plantes en pot et des orchidées grimpantes. Il est mal vu de fumer. Cuisine savoureuse, saine et bon marché. Service courtois. Pas d'alcool.

HUÊ Lac Thanh
6A, Dinh Tien Hoang **Tél.** *(054) 524 674*

Ce restaurant presque légendaire est tenu par une charmante famille de muets. La cuisine est tout simplement magnifique, en particulier les nouilles croustillantes au bœuf. Les graffitis laissés par les cohortes de routards gâchent un peu le charme étrange de l'endroit.

HUÊ Ong Tao
134, Ngo Duc Ke **Tél.** *(054) 522 037*

Ici, la spécialité est la cuisine du centre du Vietnam, mais on sert aussi des plats de Hanoi et Hô Chi Minh-Ville. Le propriétaire est une personne cultivée qui vous éclairera sur la cuisine impériale de sa ville. Les produits de la mer et le bœuf sont excellents, mais les poulets parfois un peu coriaces.

HUÊ Le Parfum
Hôtel La Résidence, 5, Le Loi **Tél.** *(054) 837 475*

Le chef allemand qui officie dans ce restaurant en a fait l'un des endroits les plus raffinés de Huê et la meilleure adresse pour la cuisine européenne, et plus particulièrement d'Europe centrale. Les portions sont généreuses. Bonne carte des vins et savoureux desserts. Belles vues sur la citadelle.

Catégories de prix, *voir p. 250.* **Légende des symboles,** *voir rabat arrière de couverture.*

HUÊ Tropical Temple
5, Chu Van An **Tél.** (054) 830 716

Dans cet établissement proche de la rivière des Parfums, vous mangerez dans le jardin tropical ou la salle climatisée. Cuisine fusion franco-vietnamienne flamboyante à dominante de brochettes qui grésillent en arrivant sur votre table. Délicieux desserts à tonalité vietnamienne. Carte des vins acceptable.

LANG CO BEACH Thanh Tam
Thanh Tam Resort, Lang Co **Tél.** (054) 874 456

Ce restaurant du complexe hôtelier est le meilleur de Lang Co. Il accueille des groupes depuis longtemps. La terrasse donne directement sur la mer de Chine méridionale, ce qui explique les spécialités de la mer sur la carte. Quand ils ont commandé, les clients ont accès à la piscine et aux douches.

HANOI

À L'EST DU LAC HOAN KIEM Ly Club
51, Ly Thai To **Tél.** (04) 936 3069   **Plan** 2 F4

Dans une villa coloniale à la décoration originale, cuisine créative où les spécialités françaises et vietnamiennes sont élaborées avec style. Pour commencer, vous aurez le choix entre le caviar sur crêpe de patates douces et les noix de Saint-Jacques aux pommes. Groupe de musique traditionnelle de Huê.

À L'OUEST DU LAC HOAN KIEM Moca
14-16, Nha Tho **Tél.** (04) 825 6334   **Plan** 2 E3

Ce café branché très couru propose un grand choix de plats de cuisine internationale allant des spécialités mexicaines aux spécialités bengali. Bon café de la production locale ou d'importation, bière pression, vins et jus de fruits. La carte des desserts est correcte et à prix raisonnables.

À L'OUEST DU LAC HOAN KIEM Thuy Ta
1, Le Thai To **Tél.** (04) 828 8148   **Plan** 2 F3

Située sur la rive nord-ouest du lac Hoan Kiem, cette institution propose une cuisine internationale, une bonne restauration rapide (hamburgers et sandwiches baguette) et un large choix de gâteaux, pâtisseries et glaces. Bon café. Un endroit agréable pour faire une pause avec de belles vues sur le lac.

À L'OUEST DU LAC HOAN KIEM Brothers
26, Nguyen Thai Hoc **Tél.** (04) 733 3866   **Plan** 1 C3

Le meilleur des nombreux restaurants de la ville installés dans des villas coloniales. Mets délicats à la mode de Hanoi tels que le bun cha (boulettes de viande en sauce au poisson). Déjeuner-buffet en salle ou sous la véranda et dîner-buffet d'un excellent rapport qualité-prix.

À L'OUEST DU LAC HOAN KIEM Meditteraneo
23, Nha Tho **Tél.** (04) 826 6288   **Plan** 2 E3

Savoureuse cuisine méditerranéenne – comme son nom l'indique – dans une ambiance typique de trattoria italienne. À proximité de la cathédrale et des restaurants et galeries d'art branchés du quartier de la rue Nha To. Parmi les spécialités, la moussaka, les pâtes et des pizzas.

À L'OUEST DU LAC HOAN KIEM Vine Wine Boutique Bar and Café
1A, Xuan Dieu **Tél.** (04) 719-8000

Bonne adresse des bords (de plus en plus chic) du lac de l'Ouest. Cuisine vietnamienne, thaïe, japonaise et italienne soignée aux saveurs délicates. Sans doute la plus grande carte des vins de Hanoi – d'ou son nom –, avec les bouteilles présentées dans des casiers le long des murs.

QUARTIER FRANÇAIS Pho 24
26, Ba Trieu **Tél.** (04) 936 1888   **Plan** 2 E4

Comme son nom l'indique, le Pho 24 (p. 250) est le royaume des célèbres nouilles. Le pho, qui se mange dans les cantines de rue tôt le matin ou tard le soir, peut aussi se déguster sur des chaises confortables dans l'atmosphère climatisée de ce restaurant de chaîne à toute heure de la journée.

QUARTIER FRANÇAIS Cay Cau
Hôtel De Syloia, 17A, Tran Hung Dao **Tél.** (04) 933 1010   **Plan** 2 F5

Attenant à l'hôtel De Syloia (p. 241), le Cay Cau est un bon restaurant vietnamien proposant une grande carte à prix étonnamment raisonnables. Également un large choix de desserts – inhabituel dans un établissement vietnamien tels que cheesecakes, tartes et autres. Groupe de musiciens tous les soirs.

QUARTIER FRANÇAIS Hoa Sua
28A, Ha Hoi **Tél.** (04) 942 4448   **Plan** 2 E5

Ce restaurant insolite installé dans une villa coloniale est une école de cuisine dirigée par des Français qui forme bénévolement des orphelins. Délicieuse cuisine française et vietnamienne à prix très raisonnables et menu enfants. Essayez le porc au caramel suivi d'un mille-feuille.

QUARTIER FRANÇAIS Alfresco

23, Hai Ba Trung **Tél.** *(04) 826 7782* **Plan** *2 E4*

Superbe restaurant de cuisine occidentale au cœur de Hanoi. Direction australienne. Les plats sont nombreux et les portions généreuses. Travers de porc, hamburgers, pizzas, steaks, frites, sandwiches baguette, salades mémorables et desserts appétissants. Bière servie bien fraîche et excellent café.

QUARTIER FRANÇAIS Andu

58, Ly Thuong Kiet **Tél.** *(04) 934 9184* **Plan** *2 D4*

Un des restaurants de la mer les plus connus et les plus fréquentés de Hanoi, rempli d'aquariums. Repas à la carte ou menus à prix raisonnables. Cuisine à dominante vietnamienne avec une touche chinoise. Bière ou vin. Musique au piano tous les soirs.

QUARTIER FRANÇAIS Au Lac Café

57, Ly Thai To **Tél.** *(04) 825 7807* **Plan** *2 F4*

Ce charmant café bistrot installé dans le petit jardin d'une villa coloniale sert une bonne cuisine vietnamienne, fusion et internationale. Les plats de la mer sont particulièrement bons. Également des spécialités maison en sauce au tamarin et au piment. Très bon rapport qualité-prix.

QUARTIER FRANÇAIS Emperor

18B, Le Thanh Tong **Tél.** *(04) 826 8801* **Plan** *2 F5*

Dans une villa coloniale et une cour intérieure, on savoure la cuisine impériale de Huê. Parmi les plats joliment préparés et élégamment présentés figurent les « œufs de dragon », la soupe de nids d'hirondelle et les crabes frits au tamarin. Bonne sélection de vins.

QUARTIER FRANÇAIS Il Grillo

116, Ba Trieu **Tél.** *(04) 822 7720* **Plan** *2 E5*

Bonne cuisine italienne traditionnelle. L'Il Grillo propose des classiques italiens qu'on n'a pas l'habitude de trouver au Vietnam : carpaccio de veau, *parma con melone*, champignons *porcini* et riches desserts tels que *zabaglioni* et *tiramisu*. Bonne carte des vins, cadre douillet et service prévenant.

QUARTIER FRANÇAIS Indochine

16, Nam Ngu **Tél.** *(04) 942 4097* **Plan** *1 C4*

Installé dans une villa coloniale dotée d'une cour ombragée, ce beau restaurant est l'une des plus anciennes adresses de Hanoi. La carte vietnamienne propose plus de 100 plats, dont la salade de fleurs de bananier et le calamar farci au porc. Groupe de musique traditionnelle les mardi et jeudi soir.

QUARTIER FRANÇAIS Spices Garden

Hôtel Sofitel-Métropole, 15, Ngo Quyen **Tél.** *(04) 826 6919* **Plan** *2 F4*

Superbe restaurant de l'hôtel Sofitel Métropole (*p. 242*) dirigé par un chef français qui élabore une sublime cuisine vietnamienne, française et fusion. Le buffet du déjeuner ferait honneur aux meilleurs restaurants européens (avec, chose inattendue, un impressionnant plateau de fromages).

QUARTIER FRANÇAIS Bobby Chinn Restaurant

1, Ba Trieu **Tél.** *(04) 934 8577* **Plan** *2 E4*

Suprêmement tendance avec néanmoins du caractère et une cuisine fusion asiatique créative qui a reçu des récompenses internationales. Les combinaisons de cuisine vietnamienne, française, japonaise et moyen-orientale sont sublimes et les cocktails innovants. Grande carte des vins. Prix justifiés.

QUARTIER FRANÇAIS Le Beaulieu

Hôtel Sofitel-Métropole, 15, Ngo Quyen **Tél.** *(04) 826 6919* **Plan** *2 F4*

La meilleure cuisine française et le fleuron de l'art culinaire de Hanoi. Bœuf de premier choix, produits de la mer de première fraîcheur, délicates sauces épicées, desserts veloutés, grande carte des vins et des chariots entiers de fromages européens au déjeuner-buffet. Service professionnel et attentif.

ARRONDISSEMENT DE HAI BA TRUNG Wild Rice

6, Ngo Thi Nham **Tél.** *(04) 943 8896* **Plan** *2 E5*

Décor moderne mais *ao dai* traditionnel pour les serveuses. Le chef décline avec art la cuisine vietnamienne classique en y ajoutant quelques touches françaises, japonaises ou chinoises. Le résultat est insolite : rouleaux de printemps aux crevettes et aux bananes, aubergines braisées au porc, etc.

VIEILLE VILLE Thit Bit Tet

15, Hang Cot **Tél.** *(04) 828 2052* **Plan** *2 D2*

Ce minuscule restaurant sert un seul plat : le *thit bit tet* ou bifteck. Les tabourets sont bancals, les tables trop basses, mais on oublie tout cela quand arrivent les steaks recouverts d'une tranche de pâté ou d'un œuf au plat sur leur plaque grésillante, avec leur garniture de frites. Délicieux.

VIEILLE VILLE Thu Huyen

36, Hang Giay **Plan** *2 D2*

Ici, les autochtones sont nombreux et les Occidentaux plutôt rares. L'endroit est bruyant et sale, mais il y a foule. Grand choix de plats vietnamiens excellents et très bon marché et grands verres de *bia hoi* fraîche (*p. 247*). Cette institution nationale est l'adresse la plus authentique de ce quartier.

Catégories de prix, *voir p. 250.* **Légende des symboles,** *voir rabat arrière de couverture.*

VIEILLE VILLE Cha Ca La Vong

14, Cha Ca **Tél.** *(04) 825 3929*

Plan 2 E2

Ce restaurant légendaire *(p. 156)* sert un seul plat, le *cha ca*, dans une version améliorée. Plongé dans une marinade de *galangal*, safran, riz fermenté et sauce de poisson, le poisson est ensuite frit à l'huile avec de la ciboule et de l'aneth frais et servi sur des nouilles parsemées de cacahuètes.

VIEILLE VILLE Little Hanoi

21-23, Hang Gai **Tél.** *(04) 928 5333*

Plan 2 E3

Sympathique restaurant au cœur de l'animation du vieux Hanoi. Les spécialités sont les sandwiches baguette, le poulet frit, les desserts et les glaces. Le *chon* ou Weasel Cafe *(p. 263)* est préparé avec des baies de caféier qui ont été régurgitées par des belettes (le résultat est savoureux !).

VIEILLE VILLE Tandoor

24, Hang Be **Tél.** *(04) 824 5359*

Plan 2 E3

Bon restaurant d'une chaîne indienne populaire au Vietnam. Curry, brochettes et autres plats du sous-continent. Nombreuse clientèle indienne ; les relations entre Hanoi et l'Inde datent de l'époque où les Tamouls du comptoir de Pondichéry ont émigré au Vietnam pour ouvrir des magasins de confection.

VIEILLE VILLE Green Tangerine

48, Hang Be **Tél.** *(04) 825 1286*

Plan 2 E3

Le Green Tangerine est installé dans un bâtiment insolite qui allie l'architecture coloniale et l'architecture tubulaire. La cuisine française aux tonalités vietnamiennes est un régal pour l'œil et le palais. Saumon fumé farci aux pistaches, noix de Saint-Jacques au cresson, glace au piment.

VIEILLE VILLE Tassili

78, Ma May **Tél.** *(04) 828 0774*

Plan 2 E2

Le propriétaire algérien propose couscous, *hommos*, agneau bien tendre, soupes légèrement épicées, merguez et toutes sortes d'autres spécialités méditerranéennes inspirées par les traditions culinaires libanaise, grecque et italienne. Superbe carte des vins, service attentionné et ambiance décontractée.

LE VIETNAM DU NORD

BAC HA Cong Phu

Près de la gare routière de Bac Ha **Tél.** *(020) 880 254*

Un des rares restaurants de la ville, le Cong Phu accueille une clientèle de routards. Carte en anglais et stylos pour cocher la case correspondante. Les plats sont simples : rouleaux de printemps, porc rôti et riz frit. Le choix n'est peut-être pas grand, mais c'est la meilleure adresse de Bac Ha.

CAT BA-VILLE Flightless Bird Café

Port de Cat Ba **Tél.** *(031) 388 8517*

La direction vietnamienne et néo-zélandaise de ce café-bar explique son nom plutôt étrange. Généralement fermé la journée, l'endroit s'anime le soir. À la carte, bières, cocktails et plats légers de cuisine internationale. Jeux de fléchettes, projections de film et sono.

CAT BA-VILLE The Green Mango

Bloc n° 4, rue 1-4 **Tél.** *(031) 388 7151*

Ce restaurant est de loin le meilleur de cette petite station balnéaire. Décoré avec goût, il propose des plats vietnamiens, européens et de cuisine fusion. Les plats de la mer qui vont des crevettes sur canne à sucre au *fish and chips* à l'anglaise sont succulents. Bière, vin et cocktails.

DIÊN BIÊN PHU Lien Tuoi

27, Muong Thanh **Tél.** *(023) 824 919*

Les bons restaurants sont rares à Diên Biên Phu, mais celui-ci propose quelques plats tout à fait savoureux. Cuisine sino-vietnamienne orientée vers le gibier tel que biche et sanglier, mais également des poissons, des fondues, du poulet à l'aigre-douce et des rouleaux de printemps.

HAIPHONG Com Viet

4, Hoang Van Thu **Tél.** *(031) 384 1698*

Petit restaurant dans une agréable cour intérieure proposant des plats vietnamiens simples (plats de riz et de la mer) et les incontournables nouilles et rouleaux de printemps. Le langage des signes sera peut-être utile pour commander car ici on ne voit pas beaucoup d'étrangers. Ambiance décontractée.

HAIPHONG Thien Nhat Chie

18, Tran Quang Khai **Tél.** *(031) 382 1018*

Un des meilleurs restaurants de la ville proposant un grand choix de plats japonais et des poissons et fruits de mer frais encore plus nombreux. Les *sushi* et *sashimi* ne sont pas mauvais du tout. Commandez de la bière Asahi pour rester sur cette note japonaise.

HALONG CITY Asian Restaurant $$

Vuon Dao, Bai Chay **Tél.** *(033) 640 028*

Un des meilleurs parmi les nombreux restaurants de Vuon Dao (« rue des hôtels ») près du bord de l'eau. Savoureux plats vietnamiens en tout genre à prix raisonnables. Bonne bière fraîche. Le propriétaire parle l'anglais et l'allemand. Carte bilingue.

HALONG CITY Bien Mo Floating Restaurant $$

35, Ben Tau, Hong Gai **Tél.** *(033) 828 951*

Dans ce restaurant flottant chic, homards, crevettes géantes, calamars, seiches, requin et mérou sont de première fraîcheur. La cuisine est soignée et les plats sont élégamment présentés, mais bien sûr un repas sur l'eau dans la baie de Ha Long, ça se paie.

MAI CHAU VALLEY Mai Chau Guesthouse $

Dans le village **Tél.** *(018) 867 262*

Mai Chau se trouve au cœur du territoire des Thaïs Blancs. Ce restaurant qui appartient à la Mai Chau Guest-house *(p. 244)* sert des boulettes de riz gluant agrémentées de condiments épicés et accompagnées d'une sauce au poisson, de poisson séché, de poulet grillé ainsi que des salades de bœuf et de buffle.

NINH BINH Hoang Hai $

36, Truong Han Sieu **Tél.** *(030) 875 177*

Probablement la meilleure adresse de la ville. Ce petit restaurant construit sur pilotis pour profiter de la brise du soir propose des produits de la mer et une fondue à ne manquer sous aucun prétexte. Personnel sympathique parlant quelques mots d'anglais.

SAPA Mimosa $

64, Sapa, Cay Mau **Tél.** *(020) 871 377*

Dans une transversale tout en haut d'un escalier en béton pour vous mettre en appétit. Ce bon restaurant installé dans une vieille maison confortable propose aussi des tables en terrasse et un mélange insolite de plats européens et de plats de gibier vietnamiens.

SAPA Baguette et Chocolat $$

Thac Bac **Tél.** *(020) 871 766*

Cet endroit chic enchantera les palais sucrés. Copieux petits déjeuners, pâtes, pizzas et surtout un large choix de gâteaux et desserts à l'intention des voyageurs en manque de calories, désireux de manger un plat occidental roboratif pour changer un peu de la cuisine vietnamienne saine et légère.

SAPA Bon Appétit $$

25, Xuan Vien **Tél.** *(020) 872 927*

Restaurant confortable à l'atmosphère douillette situé au centre de Sapa s'adressant à une clientèle étrangère. Copieux petits déjeuners européens, hamburgers frites, sandwiches baguette, pâtes et ragoûts roboratifs. Également des plats vietnamiens standard. Service sympathique et rapide.

SAPA Delta $$$

33, Cau May **Tél.** *(020) 871 799*

Probablement le meilleur et le plus ancien restaurant italien de Sapa, proposant pizzas au feu de bois, pâtes en tout genre, veau, blancs de poulet sauce aux champignons, minestrone et autres soupes roboratives. Vous avez le choix pour les boissons : bière, vin, café et cocktails.

SON LA Long Phuong $

Thinh Doi **Tél.** *(022) 852 339*

Les spécialités locales sont la fondue de chèvre *(d'or)* ou de mouton *(lau d'or)* et le délicat *tiet canh* composé de sang de chèvre coagulé parsemé de cacahuètes et d'échalotes vertes hachées. Ici, on parle peu l'anglais et il vous faudra peut-être montrer sur la carte ce que vous voulez manger.

ANGKOR

SIEM REAP Baca Villa $$

Village de Taphul **Tél.** *(063) 965 328*

Situé en dehors des sentiers battus dans un paisible jardin tropical, ce restaurant très correct propose divers plats internationaux, khmers et anglais – y compris de généreux sandwiches, des hamburgers et des *fish and chips*. Boissons non alcoolisées et bière fraîche. Service sympathique et rapide.

SIEM REAP Chivit Thai $$

Wat Bo **Tél.** *(011) 750 801*

Dans une belle maison en bois avec un balcon ; on prend ses repas dans une salle climatisée. Le chef thaï propose un large choix de currys très relevés et de salades épicées, ainsi que des plats végétariens dont il est particulièrement fier. Personnel anglophone et atmosphère très sympathique et décontractée.

Catégories de prix, *voir p. 250.* **Légende des symboles,** *voir rabat arrière de couverture.*

SIEM REAP Karma Sutra

Vieux marché **Tél.** *(0121) 824 474*

Pour les amateurs de cuisine indienne épicée : spécialités du nord et du sud de l'Inde, y compris des plats végétariens. À la carte, de délicieux currys et tandooris et un plat du jour à base de poisson. Également un menu différent chaque jour à un prix modique. Grand choix de boissons.

SIEM REAP Mandalay Inn

Sivatha Bd **Tél.** *(092) 932 837*

Ce restaurant en terrasse sert de la cuisine birmane et khmère. Les spécialités telles qu'aubergines braisées au porc, rouleaux de printemps, travers de porc frits et porc aigre-doux sont à prix raisonnables. Service de qualité. Pour changer de la cuisine vietnamienne.

SIEM REAP Red Piano

Vieux marché **Tél.** *(063) 964 750*

Un endroit très apprécié pour ses balcons à ciel ouvert qui donnent sur la rue du vieux marché et ses nombreux pubs. Cuisine internationale (pâtes, pizzas et steaks) et locale. Bonne sélection de vins et imposante carte de cocktails (notamment le « Tom Raider ») et bières fraîches.

SIEM REAP Sawasdee

Route de Wat Bo **Tél.** *(012) 983 510*

Délicieuse cuisine thaïe qui se veut saine avec des plats végétariens tels que salade de papaye verte et autres préparations à faible teneur en graisse. Vous mangerez dans le jardin. Cet endroit élégant est une bonne adresse si vous recherchez une cuisine plus épicée que la cuisine khmère.

SIEM REAP Temple Bar

Vieux marché **Tél.** *(012) 756 655*

Cet établissement sympathique propose une cuisine internationale et locale à prix raisonnables. On vient ici pour prendre un verre ou pour manger sur la terrasse, le balcon ou dans la salle climatisée à l'étage. Pas de groupe de musique, mais une super sono et une salle de TV en haut pour regarder le sport.

SIEM REAP Balcony Café

Vieux marché **Tél.** *(012) 726 758*

Dans le quartier français de Siem Reap, l'atmosphère coloniale du restaurant rappelle Alger ou Djibouti. Imposante carte internationale et khmère illustrée. Le service est rapide et sympathique. Grand choix de boissons alcoolisées et de jus de fruits frais.

SIEM REAP Borey Sovann

Route d'Angkor Vat **Tél.** *(063) 760 617*

Une des deux succursales Borey Sovann avec une imposante carte de cuisine khmère à prix raisonnables. Vous mangerez sous une pergola et le soir vous pourrez assister à un spectacle de danses cambodgiennes (avec musiciens). Cuisine authentique et bon rapport qualité-prix.

SIEM REAP FCC Angkor

Route de Pokambor **Tél.** *(063) 760 280*

Comme Phnom Penh, Siem Reap a son FCC (Foreign Correspondant's Club), un endroit aéré joliment décoré et plein d'animation qui sert une bonne cuisine locale et internationale. Également une librairie, des galeries de photos (dont les auteurs ont un rapport avec le pays) et de la bière bien fraîche.

SIEM REAP Viroth's

Route de Wat Bo **Tél.** *(012) 826 346*

Du nom du chef, célébrité locale, qui propose une cuisine typiquement khmère. Les spécialités sont le poulet *amok* et le poulet *satay*. Les plats sont élégamment présentés, le service excellent et le chef Viroth toujours prêt à vous expliquer les subtilités de la cuisine khmère.

SIEM REAP Carnets d'Asie

333, Sivatha Bd **Tél.** *(016) 746 701*

La cuisine royale khmère et la cuisine française sont les spécialités de ce restaurant sophistiqué qui sert par ailleurs des classiques de la cuisine internationale. Dîner-spectacle avec musique et danse traditionnelles cambodgiennes. Pour le déjeuner, bar à salades d'un bon rapport qualité-prix.

SIEM REAP La Résidence d'Angkor

Rive est de la rivière de Siem Reap **Tél.** *(063) 963 390*

Carte ou menus. Ici, la cuisine cambodgienne, française et internationale et les clients mangent dehors ou dans la salle climatisée. Spectacles de danse et musique cambodgiennes les mardi, jeudi et samedi soir. Le bar (séparé) sert du vin, de la bière et de nombreux cocktails.

SIEM REAP Restaurant le Grand

Grand Hôtel d'Angkor, 1, Charles de Gaulle **Tél.** *(063) 963 888*

La salle solennelle est de style colonial et la cuisine gastronomique à la française ou bien traditionnelle à la cambodgienne et à la thaïe. Les plats sont servis avec style et élégance, le personnel est attentionné et la carte des vins de qualité. Les prix sont plutôt élevés.

FAIRE DES ACHATS AU VIETNAM

Ce qui frappait le plus dans les magasins vietnamiens il y a encore quelques décennies, c'étaient leurs rayons vides. Aujourd'hui, ils sont remplis de marchandises telles que chapeaux coniques, soieries, vêtements de créateurs, lanternes colorées, céramiques et meubles en bambou à des prix étonnamment bas. Les produits traditionnels comme les broderies, les objets

Peinture évocatrice du Vietnam

d'artisanat et les bijoux ethniques sont peut-être les plus recherchés. Si les grandes villes possèdent désormais leurs centres commerciaux de luxe, les marchés et les rues commerçantes de Hanoi et Hô Chi Minh-Ville restent les meilleurs endroits pour faire des achats. Avec toutes ses boutiques de laques, de vêtements et d'artisanat, Hoi An est pour sa part le paradis du shopping.

Étal de tissus dans le village de Thaïs Blancs de Mai Chau

HEURES D'OUVERTURE

Dans les villes, la majorité des boutiques ouvrent de 8 h à 20 h ou 21 h et les nouveaux grands magasins et centres commerciaux de 10 h à 22 h. Les marchés traditionnels comme celui de Ben Thanh *(p. 66)* à Ho Chi Minh-Ville et de Dong Xuan *(p. 158)* à Hanoi sont généralement ouverts du lever au coucher du soleil, et les marchés nocturnes installés dans la rue jusqu'à

minuit. Les magasins de détail sont ouverts 7 jours/7. Pour le Têt *(p. 28-29)*, certains commerces ferment, d'autres au contraire restent ouverts plus longtemps.

RÈGLEMENT

Le *dong* vietnamien (VND) est la seule monnaie légale, mais personne ne vous refusera des dollars américains. Dans le hall de départ des aéroports internationaux, seuls les dollars sont acceptés. Dans les endroits touristiques, les prix sont affichés en dollars pour la simple raison que le dollar est plus avantageux pour les commerçants que le *dong*, dont le taux de change est fluctuant. Essayez donc toujours de payer en *dong*. Boutiques, hôtels et restaurants chic des grandes villes et des stations balnéaires ou d'altitude acceptent les cartes bancaires. Dans les petites villes,

villages, gares routières, marchés et stands de rue, seules les espèces sont acceptées.

DROIT À REMBOURSEMENT

En règle générale, toute vente est définitive. Même si les grands magasins acceptent les retours, une fois qu'un article ou un service a changé de mains, il n'y a pas de retour possible. Certains articles comme les téléphones portables sont vendus avec une garantie qui ne donne droit qu'au remplacement.

MARCHANDAGE

En dehors des nouveaux magasins et centres commerciaux de luxe, le prix affiché n'est pas définitif, hormis pour la nourriture et les boissons. Il est généralement le double, voire plus, de ce que le commerçant est prêt à accepter. Cela est aussi valable pour les courses en cyclo-pousse ou en *om*.
  Pour marchander efficacement, il y a trois règles à respecter : d'abord et surtout, soyez aimable essayez de faire preuve d'humour (rappelez-vous qu'il ne s'agit pas d'une simple transaction, mais d'une question de relation sociale) ; ensuite, prenez votre temps (comptez au moins 10 min pour passer de 50 à 25 $) ; et enfin, faites semblant de partir, ce qui fait chuter le prix de manière radicale !

Présentoir de sacs à main sur le marché Binh Tay à Ho Chi Minh-Ville

Façade du centre commercial Diamond Plaza à Hô Chi Minh-Ville

CENTRES COMMERCIAUX ET GRANDS MAGASINS

Les centres commerciaux sont encore relativement rares en dehors de Hô Chi Minh-Ville. Le **Diamond Plaza**, dans le 1er arrondissement, est le plus récent, le plus luxueux et le plus grand du pays, avec également un cinéma, un supermarché et un bowling. Non loin de là, le grand magasin chic **Parkson** vend des marques telles que Nike, Guess, Estée Lauder et Mont Blanc sur quatre étages où se trouvent aussi un supermarché et des restaurants. Au centre, le **Tax Trading Center** abrite de nombreuses boutiques souvent moins chères qu'ailleurs et le **Zen Plaza** ne compte pas moins de six étages de cafés et de magasins en tout genre. Le **Saigon Shopping Center**, situé à proximité, est une excellente adresse pour l'électronique.

À Cholon, l'**An Duong Plaza** propose un grand choix de produits asiatiques.

À Hanoi, le **Trang Tien Plaza** de classe internationale abrite plusieurs enseignes locales et étrangères. Le supermarché **Big C Thang Long** vend de l'alimentation de qualité, de l'électroménager, de l'habillement, des objets de décoration et de l'électronique. Les quatre premiers étages des **Vincom City Towers** sont dédiés au commerce et aux loisirs, avec un espace restauration qui sert une cuisine internationale éclectique.

MARCHÉS ET STANDS DE RUE

En dépit du nombre croissant de centres commerciaux modernes, les marchés traditionnels restent les meilleurs endroits pour vos achats. Les produits proposés sont vendus nettement moins chers ; en outre, les marchés permettent aussi de vous imprégner de l'atmosphère de la ville.

Les plus grands marchés de Hô Chi Minh-Ville sont Ben Thanh (*p. 66*) dans le 1er arrondissement et Binh Tay (*p. 71*) à Cholon, qui proposent l'un et l'autre un choix étonnant de marchandises. Le marché de **Cho Cu** (« vieux marché ») mérite aussi une visite.

À Hanoi, le marché Dong Xuan (*p. 158*) attire de nombreux visiteurs. Pour les tissus, allez au marché **Hang Da**, où vous pourrez acheter des vêtements à façon.

Avec ses laques, vêtements, chaussures, céramiques, soieries et objets d'artisanat, le marché de Hoi An (*p. 124-128*) a beaucoup de charme. C'est l'endroit idéal pour trouver des souvenirs à petits prix.

Le marché nocturne quant à lui est un endroit captivant. En plus des marchés locaux, les échoppes de rue vendent souvenirs, ustensiles de cuisine, contrefaçons et vêtements.

Luminaires à Dong Khoi, Hô Chi Minh-Ville

RUES ET QUARTIERS COMMERÇANTS

Les rues du vieux Hanoi (*p. 156-157*) portent le nom des produits qui y étaient vendus autrefois. Hang Ma (« rue du papier ») par exemple est la rue de la papeterie, Hon Gai celle de la soierie, Hang Chieu celle du jonc et du bambou et Hang Thiec celle du fer-blanc et du verre. Leur spécialisation est moins évidente aujourd'hui, mais elles restent extraordinaires pour dénicher des choses à des prix intéressants. Le quartier de Dong Khoi (*p. 56-57*) à Hô Chi Minh-Ville abrite une multitude de boutiques de vêtements, d'antiquités, d'artisanat et de meubles.

CONTREFAÇONS

Les contrefaçons se trouvent à presque tous les coins de rue, les plus vendues étant les copies de montres Rolex, les médailles pour chien de l'armée, les briquets Zippo avec le nom de la compagnie.

CAFÉ ET THÉ

Le café vietnamien est exceptionnel et peut avoir divers arômes tels que vanille, anis ou cacao. Il y a trois variétés de café : l'arabica, le plus riche en arôme et le plus cher, le robusta – moins cher – et le weasel – cher également car fabriqué avec des baies de caféier qui ont été régurgitées par des belettes. Le thé vietnamien est un thé vert parfumé à la fleur de lotus. Les meilleurs endroits pour en acheter sont les marchés Ben Thang à Hô Chi Minh-Ville et Dong Xuan à Hanoi. Il existe des vendeurs de thé dans la rue, mais les prix pratiqués sont plus élevés.

Collection d'objets d'artisanat dans une boutique de Hoi An

ARTISANAT

Broderies, sculptures, lanternes de soie et peintures stylisées sont quelques-uns des produits de l'artisanat traditionnel vietnamien. Les étoffes de soie brodées se trouvent chez Chi Vang à Hanoi. Pour les nappes, les jetés et les courtepointes brodés, allez voir chez **Tan My**. **Lan Hadicrafts** propose des tissages fabriqués par des personnes handicapées à qui revient le montant total des ventes. Un magasin du même type, Hoa-Nhap Handicrafts se trouve à Hoi An. Le quartier de Dong Khoi à Hô Chi Minh-Ville compte de nombreux marchands de soie comme **Bao Nghi**, qui vend aussi du lin et autres.

L'artisanat tribal des minorités ethniques tel que vêtements tissés main, broderies sur soie et chaussures est vendu chez **Sapa** à Hô Chi Minh-Ville. Les magasins **Craft Link**, **Viet Hien** et **Craft Window** à Hanoi et **House of Traditional Handicrafts** et Handicraft Workshop *(p. 128)* à Hoi An ont un grand choix. Pour les poteries, la vaisselle et les lampes en soie, faites un tour dans les échoppes de Hoi An et chez Em Em à Hô Chi Minh-Ville pour les céramiques – services à thé, vases et bols. **Hanoi Gallery** est une belle galerie d'art moderne. À Hô Chi Minh-

Ville, le Hanoi Studio expose des œuvres d'artistes de premier plan. **Dogma** est spécialisé dans l'art politique et **Phuong Dong Orient Gallery** dans la copie de tableaux célèbres. La **Que Noi Gallery** de Hoi An mérite une visite.

Figurine décorative

HABILLEMENT

Hoi An est le meilleur endroit pour les vêtements à façon. On peut vous confectionner un modèle de magazine en quelques heures pour le tiers du prix en France. L'adresse la plus chic, **Yaly Couture**, propose des tissus et des prestations de qualité (ainsi que des chaussures pour femme). Sur le marché aux étoffes, des couturières proposent leurs services. Pour les vêtements en soie, essayez la **Khaisilk Boutique**, et **Bao Khan Tailors** pour les tenues habillées à façon. **VN Colour**, **Gia Thuong** et **Thang** sont aussi de bons magasins.

Couturière et sa cliente dans une boutique de Hoi An

À Hanoi, **Khai Silk** est réputé pour ses modèles habillés. **Ha Noi Silk** fait des costumes en 24 heures. La rue Hang Gia compte d'excellentes boutiques de soie. La **Boutique and The Silk** vend des vêtements traditionnels et des bijoux en argent.

À Hô Chi Minh-Ville, **H & D Tailors** confectionne des vêtements masculins et **Ao Dai Si Hoang** des tuniques pour femme traditionnelles. **Creation** est une autre bonne adresse.

MEUBLES

Souvent en bois dur incrusté de nacre ou finement ciselé, les meubles sont considérés comme des objets d'art au Vietnam. Les magasins prennent volontiers une commande spéciale et s'occupent de l'expédition.

À Hô Chi Minh-Ville, **Furniture Outlet** propose de belles pièces aux meilleurs prix. Tien An est spécialisé dans les chaises et commodes en bambou et les nattes d'herbes tressées. **Do Kim Dung** propose une ligne en fer forgé et **The Lost Art** des meubles anciens et des copies d'ancien. **Viet Hien** est installé à Hanoi.

À Hoi An, **Kim Bong Carpentry** fabrique des pièces sur commande à partir d'une photo.

LAQUES ET CÉRAMIQUES

En laque incrustée de coquille d'œuf ou de nacre et en céramique à l'ornementation élaborée, plateaux, tableaux, objets décoratifs, services à thé, vases, bols et assiettes sont réputés. Les coffrets à bijoux en laque sont des objets courants.

Le **Nga Shop** à Hô Chi Minh-Ville vend des créations de la célèbre designer Michèle de Alberts. À Hanoi, **Quang's Ceramics** présente une superbe collection et la rue Le Duan compte d'autres belles boutiques. De nombreux magasins de Hoi An vendent également ce genre d'objets traditionnels.

ADRESSES

GRANDS MAGASINS ET CENTRES COMMERCIAUX

An Duong Plaza
18, An Duong Vuong,
Cholon, Hô Chi Minh-Ville.
Plan 4 F4.
Tél. *(08) 832 3288.*

Big C Thang Long
222, Tran Duy Hung,
Hanoi.
Tél. *(04) 784 6878.*

Diamond Plaza
34, Le Duan,
1er arr., Hô Chi Minh-Ville.
Plan 2 E3.
Tél. *(08) 822 5500.*

Parkson
130, Le Than Ton,
1er arr., Hô Chi Minh-Ville.
Plan 2 E3.
Tél. *(08) 827 7636.*

Saigon Shopping Center
65, Le Loi,
1er arr., Hô Chi Minh-Ville.
Plan 2 E4.
Tél. *(08) 829 4888.*

Tax Trading Center
39, Le Loi,
1er arr., Hô Chi Minh-Ville.
Plan 2 F4.
Tél. *(08) 821 6475.*

Trang Tien Plaza
24, Hai Ba Trung, Hanoi.
Plan 2 E4.
Tél. *(04) 934 9720.*

Vincom City Towers
191, Ba Trieu, Hanoi.
Plan 2 E5.
Tél. *(04) 974 9999.*
www.vincomjsc.com

Zen Plaza
54, Nguyen Trai,
1er arr., Hô Chi Minh-Ville.
Plan 2 D5.
Tél. *(08) 925 0339.*

MARCHÉS

Hang Da
Angle Hang Da et Duong
Thanh,
Hanoi. **Plan** 2 D2.

Cho Cu
Angle Ham Nghi
et Ton That Dam,
1er arr., Hô Chi Minh-Ville.
Plan 2 F4.

ARTISANAT

Bao Nghi
127, 1er arr., Dong Khoi,
Hô Chi Minh-Ville.
Plan 2 F4.
Tél. *(08) 823 4521.*

Craft Link
43, Van Mieu, Hanoi.
Plan 1 B4.
Tél. *(04) 843 7710.*

Craft Window
97, Nguyen Thai Hoc,
Hanoi.
Plan 1 C3.
Tél. *(04) 733 5286.*

Dogma
43, Ton That Thien,
1er arr., Hô Chi Minh-Ville.
Plan 2 E4.
Tél. *(08) 821 8019.*

Em Em
38, Mac Thi Buoi,
1er arr., Hô Chi Minh-Ville.
Plan 2 F4.
Tél. *(08) 829 4408.*

Hanoi Gallery
110, Hang Bac, Hanoi.
Plan 2 E3.
Tél. *(04) 926 1064*

House of Traditional Handicrafts
41, Le Loi, Hoi An.
Tél. *(0510) 862 164.*

La Gai Handicrafts
103, Nguyen Thai Hoc,
Hoi An.
Tél. *(0510) 910 496.*

Lan Handicrafts
36, Phan Phu Tien,
Hanoi.
Plan 1 B4.
Tél. *(04) 843 8443.*
www.lan-handicrafts.com

Phuong Dong Orient Gallery
44, Nguyen Hue,
1er arr., Hô Chi Minh-Ville.
Plan 2 F4.
Tél. *(08) 824 8514.*

Que Noi Gallery
87, Hung Vuong,
Hoi An.
Tél. *(0510) 861 792.*

Sapa
223, De Tham,
1er arr., Hô Chi Minh-Ville.
Plan 2 D5.
Tél. *(08) 836 5163.*

Tan My
66, Hang Gai,
Hanoi.
Plan 2 E3.
Tél. *(04) 825 1579.*

Viet Hien
8B, Ta Hien, Hanoi.
Plan 2 E2.
Tél. *(04) 826 9769.*

HABILLEMENT

Ao Dai Si Hoang
36-38, Ly Tu Trang,
1er arr., Hô Chi Minh-Ville
Plan 2 E3.
Tél. *(08) 829 9156.*

Bao Khan Tailors
37, Phan Dinh Phung,
Hoi An.
Tél. *(0510) 910 757.*

Creation
105, Dong Khoi,
1er arr., Hô Chi Minh-Ville.
Plan 2 F4.
Tél. *(08) 829 5429.*

Gia Thuong
41, Nguyen Thai Hoc,
Hoi An.
Tél. *(0510) 861 816.*

H & D Tailors
76, Le Lai,
1er arr., Hô Chi Minh-Ville.
Plan 2 D5.
Tél. *(08) 824 3517.*

Ha Noi Silk
77, Hang Bac,
Hanoi.
Plan 2 E3.
Tél. *(04) 926 2134.*
www.hanoisilkvn.com

Marché aux tissus de Hoi An
Angle Tran Phu
et Hoang Dieu, Hoi An.

Khai Silk
121, Nguyen Thai Hoc,
Hanoi.
Plan 1 C3.
Tél. *(04) 747 0583.*

Khaisilk Boutique
Hoi An Riverside Resort,
route de Cua Dai,
Hoi An.
Tél. *(0510) 864 800.*

Boutique and The Silk
40, Hang Trong, Hanoi.
Plan 2 E3.
Tél. *(04) 928 5368.*

Thang
66, Tran Phu,
Hoi An.
Tél. *(0510) 863 173.*

VN Colour
79, Nguyen Thai Hoc,
Hoi An.
Tél. *(0510) 910 827.*

Yaly Couture
75, Tran Phu,
Hoi An.
Tél. *(0510) 861 941.*

MEUBLES

Do Kim Dung
42, Mac Thi Buoi,
1er arr., Hô Chi Minh-Ville.
Plan 2 F4.
Tél. *(08) 822 2539.*

Furniture Outlet
3B, Ton Duc Thang,
1er arr., Hô Chi Minh-Ville.
Plan 2 F2
Tél. *(08) 827 2728.*

Kim Bong Carpentry
108, Nguyen Thai Hoc,
Hoi An.
Tél. *(0510) 862 279.*

The Lost Art
18, Nguyen Hue,
1er arr., Hô Chi Minh Ville.
Plan 2 F4.
Tél. *(08) 827 4649.*

Viet Hien
Voir Artisanat.

LAQUES ET CÉRAMIQUES

Nga Shop
61, Le Thanh Ton,
1er arr., Hô Chi Minh-Ville.
Plan 2 F3.
Tél. *(08) 825 6289.*

Quang's Ceramics
95, Ba Trieu,
Hanoi.
Plan 2 E5.
Tél. *(04) 945 4235.*

Qu'acheter au Vietnam ?

Les grands marchés traditionnels tout comme les centres commerciaux et même les paniers des vendeurs ambulants offrent un large éventail d'objets originaux. Tout ce qui se porte est généralement bon marché, que ce soit les vêtements, les chaussures ou les bijoux. Les objets d'artisanat tels que céramiques,

Sac en soie de Hanoi

vannerie, laques et même peintures d'artistes locaux font de beaux souvenirs, les plus typiques étant les broderies et les bijoux en argent des ethnies montagnardes. Les contrefaçons se trouvent partout, mais attention, les importations de contrefaçons sont interdites et sévèrement pénalisées.

Étoffes de soie des Thaïs Blancs ornées d'un motif distinctif

Vêtements, chaussures et accessoires

En coton, en soie ou en synthétique, le traditionnel ao dai est certainement la plus belle chose à rapporter pour les femmes. T-shirts en coton, robes en soie et modèles de créateurs sont souvent à un prix intéressant par rapport aux prix européens. Chemises et pantalons vietnamiens à façon sont aussi bon marché (délais rapides). Écharpes et étoles brodées ou tissées par les ethnies montagnardes sont plus chères, mais elles sont superbes.

Sacs brodés des Dao Rouges

Étoles finement tissées avec franges perlées

Tongs à motifs colorés

Robe en soie à col mandarin

Laques

Coupelle laquée dorée

Au Vietnam, le latex du sumac se récolte depuis environ 2 000 ans et encore aujourd'hui, c'est dans ce pays que sont fabriqués les plus beaux laques. Coffrets, vases et bijoux même les plus simples se métamorphosent en superbes objets d'art une fois recouverts de laque – une opération qui prend plusieurs mois : le bois est recouvert de couches successives et souvent incrusté de motifs décoratifs.

Pots à épices ornés de motifs traditionnels

Plumier avec incrustations de nacre

Laques avec incrustations de coquille d'œuf

Compas marin avec les signes du zodiaque

Coffret à bijoux en laque à motifs de feuilles et d'oiseaux

Céramiques

*Des grands pots aux minuscules tasses à thé, les céramiques
créées par les potiers vietnamiens sont toujours de beaux objets
usuels. Les plus renommées sont celles des artisans du village de
Bat Trang près de Hanoi, connu pour la qualité de son argile
blanche et ses techniques de vernissage séculaires (« vernis à la
perle antique » et « vernis à la fleur bleu indigo »).*

Éléphants en céramique
peinte à la main

Vase de porcelaine chinoise
bleu et blanc

Grands vases à motifs floraux
sur vernis ivoire

Peintures

*Le Vietnam attire aujourd'hui les
collectionneurs. Peintures à l'huile
et aquarelles se trouvent un peu
partout, mais celles sur laque
et sur soie sont plus originales.
Les plus belles galeries sont
à Hanoi, Hoi An et Huê.*

Bijoux en argent des ethnies montagnardes

*Pour beaucoup de peuples des montagnes,
l'argent est symbole de richesse. Boucles
d'oreilles, bracelets et colliers anciens sont
vendus dans les grandes villes et les villages.
Les ceintures pour les femmes sont
particulièrement belles.*

Peinture signée par
un artiste contemporain

Coiffe traditionnelle
des Dao Rouges

Boucles d'oreilles
en argent

Plateaux de service
en rotin

Corbeilles
à fruits en bois

Chapeau conique
vietnamien traditionnel

Plateau de service
en osier avec poignées
en céramique

Boîte à cosmétiques
peinte

Jonc, herbe, bambou et palmes

*De diverses formes et dimensions, les nattes de jonc et d'herbe
servent de matelas, de siège et de store. Plateaux et corbeilles
en vannerie sont courants, de même que les stores en bambou
tissé et les ustensiles de cuisine. Souvent en palmes séchées,
le traditionnel* non la *(chapeau conique) se voit partout.
À Huê, il est souvent décoré de peintures visibles seulement
dans la lumière.*

Masque du Têt
en osier

SE DISTRAIRE AU VIETNAM

Le climat culturel vietnamien est plus bouillonnant et plus passionnant que jamais. Musique et théâtre traditionnels connaissent un renouveau grâce aux nombreux festivals culturels. Mais à côté du riche patrimoine artistique qui attire un public international, on trouve aussi dans les grandes villes complexes multisalles modernes et boîtes de nuit. De même que les salles de concert ont leurs récitals lyriques, les scènes de fortune ont leurs concerts de musique

Chanteuse pop vietnamienne

pop locale. À Hô Chi Minh-Ville, le couvre-feu de minuit à été levé et quantité de bars et boîtes de nuit accueillant des groupes de musique servent de savants cocktails jusqu'aux premières heures du jour. À Hanoi, marionnettes sur eau et musiciens de jazz se taillent un solide succès. Les petites villes ont toutes leur musique techno. Les jeux d'argent sont autorisés, mais seulement pour les courses de lévriers et de chevaux.

Principaux guides de spectacles et de loisirs en langue anglaise

INFORMATIONS PRATIQUES

La revue *Heritage* de Vietnam Airlines regorge d'informations sur les transports et les loisirs, de même que le quotidien *Le Courrier du Vietnam*, édité par l'Administration nationale du tourisme du Vietnam (VNAT), qui annonce aussi les événements à venir à Hô Chi Minh-Ville et à Hanoi. *The Guide* est un guide complet des spectacles et des loisirs. Dans chaque ville, vous pourrez aussi consulter le *Time Out*. Distribué dans les bars, restaurants et hôtels d'Hô Chi Minh-Ville, le *Saigon Inside Out* donne les dernières informations pour les sorties. Le *Saigon Times* a sa rubrique culturelle.

RÉSERVATIONS

La réservation de billets n'est pas encore chose courante au Vietnam, mais la plupart des hôtels peuvent s'en charger pour vous. L'usage est d'acheter les billets sur place avant le spectacle. Toujours est-il que *Ticket Vietnam* est un service en ligne plein d'avenir.

THÉÂTRE, MUSIQUE ET DANSE TRADITIONNELS

Au Vietnam, théâtre, musique et danse traditionnels sont inextricablement liés. Ils ont connu un renouveau grâce au tourisme et malgré la modernisation du pays sont aujourd'hui florissants. Hanoi est considérée comme le cœur de la culture vietnamienne. C'est ici qu'est né le théâtre de marionnettes sur eau (p. 159), le meilleur endroit pour le voir étant le **théâtre Thang Long** (p. 158). Des spectacles sont également donnés au **théâtre Kim Dong**, toujours à Hanoi, ainsi qu'au musée d'Histoire du Vietnam (p. 61) et au **village touristique de Binh Quoi** à Hô Chi Minh-Ville.

Le théâtre est très populaire au Vietnam. Il existe trois styles de théâtre traditionnel (p. 24-25) : *hat boi, hat cheo* et *cai luong*. Tous trois sont du théâtre chanté (*hat* signifie chanter), mais

avec des formes différentes. Avec ses maquillages et costumes extravagants et le jeu très stylisé des acteurs, le *hat boi* ou *tuong* est visiblement influencé par le théâtre chinois. Le *hat cheo* est la forme simplifiée du *hat boi*. Comme l'opérette, il est axé vers le spectaculaire et le tragique, avec une touche d'humour. Né au début du XXe siècle, le *cai luong* ressemble à une comédie musicale de Broadway. Le décor est très élaboré, chaque scène est un mélodrame et le nombre d'airs traduisant la joie, la tristesse, le soupçon, etc., toujours le même. Les passionnés de *cai luong* connaissent tous ces airs par cœur.

C'est à Hanoi que le théâtre traditionnel est aujourd'hui le plus vivant. Le **Théâtre national Cheo** donne régulièrement des spectacles

Spectacle de marionnettes sur eau du théâtre Thang Long à Hanoi

de *hat cheo* et le **théâtre Chuong Vang** essentiellement des spectacles de *cai huong*. Le week-end au temple Den Ngoc Son *(p. 160)* sont présentés des extraits de pièces de *hat cheo*. Le **théâtre Hoa Binh** à Hô Chi Minh-Ville présente d'excellents spectacles de théâtre traditionnel.

Hormis l'opéra, la musique classique vietnamienne est une musique à la fois vocale et instrumentale. Soumise autrefois aux règles de la cour impériale de Huê, la musique conventionnelle a connu un renouveau à l'époque coloniale française. Deux styles, le *bac* et le *nam* que l'on peut comparer à l'allegro et au lento, ont vu finalement le jour. La musique de chambre utilise les cordes, les percussions et les instruments à vent en bois qui créent une sonorité particulière. Pour le théâtre traditionnel, des cuivres sont intégrés à l'orchestre pour ajouter à l'effet dramatique. Des orchestres se produisent souvent au palais de la Réunification *(p. 61)*. À l'image de Hô Chi Minh-Ville et de Hanoi, la plupart des autres villes possèdent leur centre culturel et leur théâtre. À Hoi An, le **théâtre des Arts traditionnels** présente des récitals de musique et des pièces de théâtre presque tous les soirs. Le **Théâtre Opéra classique** de Da Nang et la Biennale des arts de Huê (en juin) contribuent à sauvegarder la tradition du théâtre, de la danse et de la musique au Vietnam. Le temple Hon Chen *(p. 148)* à Huê donne aussi des spectacles de musique et de danse ainsi que des récitals les 3e et 4e mois lunaires. À Nha Trang, l'**hôtel Vien Dong** propose chaque soir des musiques et des danses des minorités ethniques.

Concert de musique traditionnelle à Hô Chi Minh-Ville

MUSIQUES ACTUELLES

L'Opéra de Hanoi *(p. 162)* et le théâtre municipal de Hô Chi Minh-Ville *(p. 58)*, les deux salles les plus réputées, donnent des concerts de musique symphonique, des opéras européens et asiatiques et des concerts de musique pop. Le **Conservatoire de musique** de Hô Chi Minh-Ville présente régulièrement des récitals de musique classique et lyrique et de jazz.

Le climat doux du Vietnam est propice aux concerts en plein air. Au **parc Van Hoa** de Hô Chi Minh-Ville et sur les bords du lac Hoan Kiem de Hanoi *(p. 160)* ont lieu des concerts de musique pop vietnamienne et parfois des spectacles musicaux avec des femmes en *ao dai*. Même si ce genre de spectacle n'est pas nouveau pour les étrangers, l'ambiance festive est extrêmement contagieuse. Les stades comme le **stade de la 7e région militaire** de Hô Chi Minh-Ville accueillent aussi souvent des concerts. De nombreux jeunes Vietnamiens viennent écouter les stars nationales. Certains restaurants, bars et boutiques de mode de Hô Chi Minh-Ville et Hanoi organisent également des concerts

Acteur en costume du théâtre *cai luong*

qui sont annoncés par les médias locaux, mais les concierges d'hôtel sont aussi une bonne source d'information. Le **théâtre du restaurant Maxim's** de Hô Chi Minh-Ville propose des dîners spectacles en tout genre (quatuor à cordes ; musique pop, chansons populaires et concerts rock).

THÉÂTRE MODERNE

Le Vietnam compte un bon nombre de dramaturges intéressants, mais le théâtre moderne reste un domaine exclusivement réservé aux connaisseurs. Les pièces sont jouées dans de petits théâtres obscurs et peu confortables.

Si vous êtes amateur de théâtre, vous pouvez vous rendre au **Théâtre dramatique de Hô Chi Minh-Ville**, où les pièces sont sous-titrées en anglais. Le **théâtre de la Jeunesse** de Hanoi est l'un des meilleurs de tout le pays ; son directeur, Le Hung, a étudié son art à Moscou ; il y a découvert Stanislavsky et Brecht, dont il intègre les enseignements dans ses propres œuvres. Le répertoire de la compagnie comprend également des œuvres d'autres dramaturges vietnamiens et étrangers. Les pièces les plus intéressantes, celles du théâtre *hat cheo* dans sa version moderne, ne sont jouées qu'occasionnellement.

Façade du Q Bar à Hô Chi Minh-Ville

CINÉMA

Si les films vietnamiens projetés sont rarement sous-titrés, on peut voir des films étrangers à la **Cinémathèque** et au **Cinéma Théâtre national** de Hanoi, ainsi qu'au **cinéma Galaxy** et au cinéma de Diamond Plaza *(p. 263)*. Dans des petites villes, les films étrangers ont aussi beaucoup de succès grâce à la lecture par une femme, munie d'un micro et du script, des dialogues en vietnamien – une manière insolite d'abolir la barrière de la langue !

BARS, BOÎTES DE NUIT ET DISCOTHÈQUES

Même au début des réformes économiques, ou *doi moi*, le seul plaisir que les habitants de Hô Chi Minh-Ville semblaient pouvoir s'octroyer, c'était de boire une bière tiède dans un bar pour routards. La vie nocturne reprend ses droits depuis et l'un des plus vieux bars, **Hien and Bob's Place**, a fait des émules. L'**Apocalypse Now**, la boîte de nuit la plus connue du Vietnam, avec une succursale à Hanoi, est toujours en place, alors que d'autres endroits ouvrent et ferment chaque semaine. Le **163 Cyclo Bar** est le plus chic du quartier routard de Hô Chi Minh-Ville. Le **Bach Duong** passe de la musique vietnamienne. Le **California Pizza Works** et le **Red Dot** servent des bières et des en-cas roboratifs. Ouvert plus récemment, le **Blue Gecko** a du succès avec son billard et ses fléchettes. Au **Lucky Café** se trouve un grand écran pour les retransmissions de sport. Le **Car Men Bar** est célèbre pour sa musique flamenco. Comme son nom l'indique, la **discothèque Rainforest** a un décor « tropical humide ».

Les bars sur le toit des hôtels de luxe sont nettement plus sophistiqués : il y a le Rooftop Garden du Rex *(p. 60)*, le Saigon Saigon Bar du Caravelle *(p. 58)*, le **Bellevue Bar** du Majestic et le **Saigon Pearl** du Palace ; tous accueillent des groupes de musique. Le **Q Bar** est un endroit branché et le **Sax n Art** un bar d'atmosphère où passent des groupes de jazz doux.

Hanoi n'a peut-être pas le côté glamour de Hô Chi Minh-Ville, mais les gens ici savent s'amuser. Les endroits minuscules où la *bia hoi (p. 247)* coule à flots sont bondés. Il y a aussi les bars à vin comme le **Bobby Chinn**, l'**O.V. Club** où on peut écouter de la musique classique au piano et au violon et le **Relax Bar** pour la détente. Les amateurs de Far West iront au **Seventeen Saloon**. Mais à Hanoi, il y a surtout le jazz avec tout un réseau de clubs (voir la liste dans les journaux locaux), le plus haut lieu étant le **Jazz Club**, où le maître du saxo Quyen Van Minh fait une jam session presque tous les soirs.

À Hoi An, le **Tam Café and Bar** *(p. 256)* a un décor évoquant l'ancienne Indochine et un DJ à la pointe de l'audionumérique. À l'**Amsterdam Bar**, les spécialités sont le dry gin et les casse-graines.

À Nha Trang, l'**El Coyote Mexican Bar** est un endroit amusant pour bien commencer une soirée, et **La Bella Napoli** le seul bar où l'on sert de la grappa. Tranquille le jour, le **Sailing Club** se métamorphose la nuit en boîte à la mode.

À Huê, le **DMZ Bar** a le charme du Vieux Continent, et le **Why Not Bar** est le paradis des cocktails. Mieux vaut éviter les clubs de karaoké car ils servent en général de couverture à la prostitution, d'autant plus que le gouvernement prend actuellement des mesures de répression contre ce genre d'établissement.

SPORTS SPECTACLE

Le football est incontestablement une passion nationale au Vietnam. Lors de la Coupe du monde, le pays tout entier s'arrête et les Vietnamiens ne parlent plus que de foot. Les grands matchs ont lieu au **stade de Thong Nhat** à Hô Chi Minh-Ville et au **stade national de My Dinh** à Hanoi. Arrive juste derrière le badminton, que les Vietnamiens pratiquent avec passion. Les jeux d'argent font partie intégrante de la culture vietnamienne, mais ils sont illicites à l'exception des courses de chevaux du **Saigon Racing Club** et celles de lévriers au **stade de Lam Son**.

Course hippique au célèbre Saigon Racing Club

ADRESSES

RÉSERVATIONS

Ticket Vietnam
www.ticketvn.com

THÉÂTRE, MUSIQUE ET DANSE

Village touristique de Binh Quo
1147, Xo Viet Nghe Tinh, arr. de Binh Thanh, Hô Chi Minh-Ville.
Tél. (08) 898 8599.

Théâtre Chuong Vang
72, Hang Bac, Hanoi.
Plan 2 E3.
Tél. (04) 826 0374.

Théâtre Opéra classique
155, Phan Chu Trinh, Da Nang.
Tél. (0511) 561 291.

Théâtre Hoa Binh
240, arr. de Ba Thang Hai.
10, Hô Chi Minh-Ville.
Plan 1 A5.
Tél. (08) 865 5215.

Théâtre Kim Dong
57, Dinh Tien Hoang, Hanoi. **Plan** 2 E3.
Tél. (04) 824 9494.

Théâtre national Cheo
Khu Van Cong Mai Dich Tu Liem, Hanoi.
Tél. (04) 764 3280.

Théâtre des Arts traditionnels
75, Nguyen Thai Hoc, Hoi An.
Tél. (0510) 861 159.

Hôtel Vien Dong
1, Tran Hung Dao, Nha Trang.
Tél. (058) 523 608.

MUSIQUES ACTUELLES

Conservatoire de musique
112, Nguyen Du, 1er arr., Hô Chi Minh-Ville.
Plan 2 D4.
Tél. (08) 824 3774.

Théâtre du restaurant Maxim's
13-15-17, Dong Khoi, 1er arr., Hô Chi Minh-Ville.
Plan 2 F4.
Tél. (08) 829 6676.

Stade de la 7e région militaire
2, Pho Quang, Tan Binh, Hô Chi Minh-Ville.

Parc Van Hoa
115, Nguyen Du, 1er arr., Hô Chi Minh-Ville.
Plan 2 D3.

THÉÂTRE MODERNE

Théâtre dramatique de Hô Chi Minh-Ville
30, Tran Hung Dao, 1er arr., Hô Chi Minh-Ville.
Plan 2 E5.
Tél. (08) 836 9556.

Théâtre de la Jeunesse
11, Ngo Thi Nham, Hanoi.
Plan 2 E5.
Tél. (04) 943 4673.

CINÉMA

Cinémathèque
22A, Hai Ba Trung, Hanoi.
Plan 2 E4.
Tél. (04) 936 2648.

Cinéma Galaxy
116, Nguyen Du, 1er arr., Hô Chi Minh-Ville. **Plan** 2 D3.
Tél. (08) 822 8533.

Cinéma Théâtre national
87, Lang Ha, Hanoi.
Plan 1 A3.
Tél. (04) 514 1791.

BARS, BOÎTES DE NUIT ET DISCOTHÈQUES

163 Cyclo Bar
163, Pham Ngu Lao, 1er arr., Hô Chi Minh-Ville.
Plan 2 D5.
Tél. (08) 920 1567.

Amsterdam Bar
Life Resort, 1, Pham Hong Thai, Hoi An.
Tél. (0510) 914 555.

Apocalypse Now
2C, Thi Sach, 1er arr., Hô Chi Minh-Ville. **Plan** 2 F3.
Tél. (08) 825 6124.
25C, Hoa Ma, Hanoi.
Tél. (04) 971 2783.

Bach Duong
28, Phan Dinh Phung, Hanoi.
Tél. (04) 733 8255.

Bellevue Bar
Hôtel Majestic, 1, Dong Khoi, 1er arr., Hô Chi Minh-Ville. **Plan** 2 F4.
Tél. (08) 829 5514.
www.majesticsaigon.com

Blue Gecko
31, Ly Tu Trong, 1er arr., Hô Chi Minh-Ville.
Plan 2 E3.
Tél. (08) 824 3483.

Bobby Chinn
1, Ba Trieu, Hanoi.
Plan 2 E5.
Tél. (04) 934 8577.

California Pizza Works
25B, Tran Cao Van, 1er arr., Hô Chi Minh-Ville.
Plan 2 D2.
Tél. (08) 827 9682.

Car Men Bar
8, Ly Iu Irong, 1er arr., Hô Chi Minh-Ville.
Tél. (08) 829 7699.

Discothèque Rainforest
5-15, Ho Huan Nghiep, 1er arr., Hô Chi Minh-Ville.
Plan 2 F3.
Tél. (08) 821 8753.

DMZ Bar
1, Pham Ngu Lao, Huê.
Tél. (054) 823 414.

El Coyote Mexican Bar
76, Hung Vuong, Nha Trang. *Tél.* (058) 526 076.

Hien and Bob's Place
43, Hai Ba Trung, 1er arr., Hô Chi Minh-Ville.
Plan 2 F3.
Tél. (08) 823 0661.

Jazz Club
31, Luong Van Cam, Hanoi. **Plan** 2 E3.
Tél. (04) 828 7890.

La Bella Napoli
60, Hung Vuong, Nha Trang.
Tél. (058) 527 299.

Lucky Café
224, De Tham, 1er arr., Hô Chi Minh-Ville. **Plan** 2 D5.
Tél. (08) 836 7277.

O. V. Club
15, Ngo Quyen, Hoi An.
Tél. (04) 733 0808.

Q Bar
7, place Lam Son, 1er arr., Hô Chi Minh-Ville. **Plan** 2 F3.
Tél. (08) 823 3479.

Red Dot
15-17, Phan Van Dat, 1er arr., Hô Chi Minh-Ville.
Plan 2 F4.
Tél. (08) 822 6178.

Relax Bar
60, Ly Thuong Kiet, Hanoi.
Tél. (04) 942 4409.

Saigon Pearl
Hôtel Palace, 56, Nguyen Hue, 1er arr., Hô Chi Minh-Ville.
Plan 2 F4.
Tél. (08) 829 2860.
www.palacesaigon.com

Sailing Club
72, Tran Phu, Nha Trang.
Tél. (058) 826 528.

Sax n Art
28, Le Loi, 1er arr., Hô Chi Minh Ville. **Plan** 2 E3.
Tél. (08) 822 8472.
www.saxnart.com

Seventeen Saloon
98B, Tran Hung Dao, Hanoi. **Plan** 2 D4.
Tél. (04) 942 6822.

Tam Tam Café
110, Nguyen Thai Hoc, Hoi An. *Tél.* (0510) 862 212.

Why Not Bar
21, Vo Thi Sau, Hue.
Tél. (054) 824 793.

SPORTS SPECTACLES

Stades de Lam Son
15, Le Loi, Vung Tau.
Tél. (064) 807 309.

Stade national de My Dinh
Hoa Lac, arr. de Tu Liem, Hanoi.

Saigon Racing Club
2, Le Dai Hanh, 1er arr., Hô Chi Minh-Ville. **Plan** 3 C2.
Tél. (08) 962 4319.

Stade de Thong Nhat
138, Dao Duy Tu, 1er arr., Hô Chi Minh-Ville.
Plan 4 E3.
Tél. (08) 855 7865.

ACTIVITÉS DE PLEIN AIR ET AUTRES LOISIRS

Avec ses montagnes nimbées de brume, ses forêts tropicales, ses cours d'eau tumultueux et ses villes de plus en plus cosmopolites, le Vietnam offre aujourd'hui aux visiteurs un large éventail d'activités. Les plages solitaires aux eaux claires qui s'étirent sur des centaines de kilomètres le long d'un littoral relativement peu développé sont le paradis du surf et autres activités nautiques. Les sentiers des massifs montagneux et des parcs nationaux attendent randonneurs et

Joueur de football sur la plage de Vung Tau

amoureux de la nature. Des routes à l'écart de la circulation conduiront les cyclotouristes de Hanoi à Hô Chi Minh-Ville. Pour répondre aux besoins et aux envies de millions de visiteurs, de luxueux golfs se sont construits dans les environs des grandes villes et dans les stations de villégiature. Les gastronomes pourront exercer leur palais en choisissant un circuit culinaire. Chacun pourra donc trouver un thème de séjour correspondant à ses intérêts et à son budget.

Plongeurs sous-marins prêts à entrer en action à Nha Trang

PLONGÉE SOUS-MARINE ET NATATION

Le meilleur spot de plongée au Vietnam est Nha Trang *(p. 108-111)*, où se trouvent plusieurs centres de vrais professionnels proposant matériel, bateaux et instructeurs. **Rainbow Divers** est le plus ancien spécialiste, et aussi le plus renommé, avec des succursales un peu partout dans le pays. Il existe d'autres centres sérieux comme le club **Blue Diving**. À 60 km au nord de Nha Trang, le **Whale Island Resort** est un autre spot de plongée de plus en plus couru. Au sud de la ville, l'île de Phu Quoc *(p. 101)* et l'archipel de Con Dao avec leurs récifs coralliens seront bientôt de sérieux concurrents. Pour le moment, ces îles sont encore relativement préservées et bien meilleur marché que

Nha Trang, avec un seul centre de plongée, celui de Rainbow Divers. Avec ses îles de pêcheurs situées à 1 heure de bateau de la côte, Hoi An *(p. 124-128)* est aussi un bon endroit pour la plongée. **Cham Island Divers** organise des excursions de un, deux ou trois jours dans ces îles.

Entre Nha Trang et Da Nang *(p. 134)*, la majorité des plages sont propices à la natation, la plus sûre étant celle de Mui Ne *(p. 106)* car c'est là que les courants sont les plus faibles. En ville, les hôtels sont généralement équipés d'une piscine ouverte au public moyennant une somme modique. À Hô Chi Minh-Ville, le Grand Hôtel *(p. 233)* propose les tarifs journaliers les plus bas ; à l'International Club, le prix global d'entrée à la piscine, sauna, salles de vapeur et de gym est de moins de 10 $ pour une journée. À Hanoi, les piscines de l'**Army Hotel** et du **Thang Loi** sont ouvertes au public pour un prix abordable. Les parcs aquatiques comme le Dam Sen *(p. 71)* à Hô Chi Minh-Ville, le **Ho Tay** à Hanoi et le **Phu Dong** à Nha Trang sont idéaux pour la baignade.

SURF, PLANCHE À VOILE ET KITE-SURF

Peu de Vietnamiens pratiquent le surf, mais les visiteurs étrangers sont nombreux à profiter des vagues superbes (à défaut d'être gigantesques) de la plage de Mui Ne *(p. 106)* et de China Beach *(p. 133)*, où on peut louer des planches. La planche à voile est devenue très populaire à Mui Ne, où la mer calme et les vents forts offrent les conditions parfaites. Une compétition internationale s'y déroule chaque année. Le succès du kite-surf va également grandissant. Les clubs **Kitepirate**, **Windchimes** et **Jibe's Beach** proposent des forfaits.

Véliplanchistes sur la plage de Mui Ne

KAYAK

Les premiers kayaks que l'on a vus dans la baie de Ha Long *(p. 182-184)* se sont bientôt révélés être le moyen idéal pour explorer îles, criques et grottes de la région. La pratique du kayak est libre, mais il est sage de s'adresser à une agence spécialisée sérieuse comme Sinh Café *(p. 281)* et **Buffalo Tours**, qui proposent des séjours kayak, ainsi que **Handspan Adventure Travel**, qui a ses propres guides et bateaux et qui se limite à de petits groupes. **Green Trail Tours** organise des circuits dans la baie de Ha Long, sur le lac Ba Be *(p. 200)* et dans le delta du Mékong.

Kayak sur les eaux claires de la baie de Ha Long

GOLF

Le golf était considéré par le Parti communiste comme un loisir bourgeois et décadent. Pratiqué au début par les visiteurs et les expatriés, il fait aujourd'hui des adeptes dans la population locale. Si les cartes de membre sont coûteuses, les droits d'entrée temporaires sont moins élevés.

À Hô Chi Minh-Ville, le **Rach Chiec Driving Range**, situé à 10 min en voiture du centre, est relativement bon marché et le **Vietnam Golf and Country Club** possède deux parcours 18 trous éclairés la nuit.

À Hanoi se trouvent le **Lang Ha Driving Range** et le très chic **King's Island Golf Course** (à 1 h de route). Mais c'est Dalat *(p. 114-116)* qui possède les terrains les

Végétation luxuriante du golf Ocean Dunes, qui borde la plage de Phan Thiet

plus courus, notamment celui du **Dalat Palace**, qui date de l'époque coloniale et qui est l'un des deux golfs les plus sélects du Vietnam avec celui de l'**Ocean Dunes** à Phan Thiet, dessiné par Nick Faldo. L'agence **Vietnam Golf Resorts** propose des forfaits séjour dans ces deux clubs.

RANDONNÉE PÉDESTRE

La diversité topographique de Vietnam en fait la Mecque de la randonnée avec ses sentiers en tout genre : réserve naturelle, montagne, forêt et littoral. Les massifs autour de Sapa *(p. 196-197)* dans le Nord attirent étrangers et autochtones. Les agences **Topas Adventure**, **Exotissimo** et **Footprints** fournissent des guides de la région, qui sont de précieux ambassadeurs à l'approche des villages ethniques.

Avec leurs sentiers bien entretenus et leur infrastructure, les parcs nationaux sont aussi des endroits parfaits pour la randonnée. Celui de Cat Ba *(p. 189)* possède l'un des sentiers les plus difficiles : 18 km de montée à travers la jungle jusqu'au sommet de l'un des pitons calcaires les plus hauts de l'île. Prévoyez de bonnes chaussures, un imperméable, beaucoup d'eau et les services d'un guide. N'importe quel hôtel local peut s'occuper de vous organiser une randonnée. Dans le parc national de Cuc Phuong *(p. 193)*, les sentiers sont tous balisés et mieux

vaut donc prendre un guide. Le plus long conduit au village de Kanh (durée 5 h), où l'on peut dormir et faire du rafting le lendemain sur la rivière Buoi. Un autre sentier de 8 km s'enfonce dans la forêt jusqu'à un arbre qui aurait 1 000 ans.

Il y a aussi des sentiers plus courts, comme celui qui traverse le jardin botanique jusqu'au centre de protection des primates ou celui qui mène à une grotte préhistorique.

Les sentiers qui jalonnent le parc national de Bach Ma *(p. 136)* sont particulièrement impressionnants. L'un d'eux monte en haut du mont Bah Ma (mont du Cheval blanc en raison des nappes de nuages blancs qui enveloppent son sommet), d'où la vue est superbe.

Le sentier de la Cascade des cinq lacs, qui abrite une faune et une flore rares, suit une série de belles chutes d'eau. Le bucolique sentier des Rhododendrons est bordé d'arbustes en fleur au printemps.

Sur le sentier de la Cascade des cinq lacs dans le parc national de Bach Ma

VÉLO

La meilleure façon de découvrir le « vrai » Vietnam, c'est à vélo. La route entre Hanoi et Hô Chi Minh-Ville est devenue le Saint-Graal pour beaucoup de cyclotouristes. La route 1 étant aujourd'hui très chargée et susceptible d'être inondée par endroits, mieux vaut prendre la route 14 qui ne longe pas la côte certes, mais qui est pittoresque.

Sur les hauts plateaux du centre, le VTT devient populaire, mais il n'existe pas encore de pistes spéciales. Au sud, le delta du Mékong est une région plate avec de beaux paysages, surtout à la récolte du riz. L'état des routes est aléatoire, mais les nombreux ponts et rivières rendent celles-ci agréables. **Veloasia** et l'excellent **SpiceRoads**, basé à Bangkok, organisent des circuits dans les régions reculées du pays. Évitez toutefois les longs circuits dans les montagnes du Nord en hiver, car les routes sont souvent glissantes et très dangereuses.

Les visiteurs indépendants doivent venir avec leur matériel car les loueurs ne sont pas fiables. En cas d'incident matériel, ils trouveront des réparateurs sur leur route. Ils devront aussi surveiller leurs affaires.

Cyclistes dans les rues de Hoi An

De nombreux professeurs d'arts martiaux pratiquent à l'extérieur

ARTS MARTIAUX

Les arts martiaux occupent une place importante dans la vie culturelle, sportive et sociale des Vietnamiens. Né au Vietnam il y a environ 2 000 ans, le *vo dao* a pour but, comme le judo, de retourner la force de l'adversaire à son désavantage et comporte comme le kung-fu un grand nombre de coups. Bâtons, sabres et haches peuvent être associés. On peut prendre ou seulement regarder un cours à la **pagode Nam Huynh** à Hô Chi Minh-Ville. Également originaire du Vietnam, le *sa long cuong* place l'esprit au-dessus de la matière et la flexibilité au-dessus de la rigidité. Des cours sont dispensés à la **Maison culturelle de la jeunesse de Hô Chi Minh-Ville**.

Judo, kung-fu et aikido peuvent se pratiquer pour un prix minime au **stade Phu Tho**. Ceux qui veulent seulement regarder ne paient rien. Dans certains parcs de la ville, notamment à Cholon, il n'est pas rare de voir des instructeurs donner une classe. À Hanoi, l'art martial le plus populaire est le taekwondo – type de combat sans arme pour l'autodéfense – et le **Club GTC** l'un des meilleurs endroits pour le pratiquer.

OBSERVATION DES OISEAUX

Avant l'apparition de la grippe aviaire, le Vietnam était en passe de devenir une grande destination pour l'observation des oiseaux. En plus des espèces communes, il accueille en effet des espèces migratoires pendant la reproduction. Des agences de voyages avaient commencé à mettre en place des circuits. Aujourd'hui, on peut seulement espérer que la situation sanitaire va aller en s'améliorant et que les amateurs pourront à nouveau s'adonner à leur passion.

Produits frais et épices prêts à être utilisés, Huê

CIRCUITS CULINAIRES

La cuisine vietnamienne est l'une des plus intéressantes au monde. Même si les circuits culinaires peuvent être coûteux, les épicuriens ne jurent en général que par eux. L'agence **Tangka Voyages** propose un circuit gourmet qui va de Hô Chi Minh-Ville à Hanoi via My Tho *(p. 88)*, Da Nang *(p. 134)*, Hoi An *(p. 124-128)*, Huê *(p. 138-144)* et la baie de Ha Long *(p. 182-184)*. En l'espace de 15 jours, vous découvrirez les différents styles de l'art culinaire du Vietnam et suivrez la classe du chef de l'hôtel Sofitel-Métropole *(p. 162)* à Hanoi, avec qui vous ferez également le marché en vue de la préparation de quelques spécialités de la région du Nord. À Hoi An, Miss Vy dispense des cours intéressants dans son école.

SPA

Si les Spa sont rares au Vietnam, ils sont en revanche très courus. Le meilleur est le Six Senses de l'Evason Ana Mandara *(p. 238)* à Nha Trang. Le Victoria Resort *(p. 240)* à Hoi An offre des forfaits soins. Tous proposent des bains d'eau minérale et de boue.

Maisons sur pilotis, Evason Ana Mandara Hideaway & Spa, Nha Trang

ADRESSES

PLONGÉE SOUS-MARINE ET NATATION

Army Hotel
33C, Pham Ngu Lao, Hanoi. **Plan** 2 F4.
Tél. (04) 826 5541.

Blue Diving
66, Tran Phu, Nha Trang.
Tél. (058) 527 034.
www.vietnam-diving.com

Cham Island Divers
98, Bach Dang, Hoi An.
Tél. (0510) 910 782.

Parc aquatique de Ho Tay
614, Lac Long Quan, Hanoi.
Tél. (04) 718 4175.

Parc aquatique de Phu Dong
Tran Phu, Nha Trang.

Rainbow Divers
90A, Hung Vuong, Nha Trang. **Tél.** (058) 525 946.
www.divevietnam.com

Hôtel Thang Loi
Yen Phu, Ho Tay, Hanoi.
Tél. (04) 823 8161.
www.thangloitourhtl.com.vn

Whale Island Resort
2, Me Linh, Nha Trang.
Tél. (058) 513 871.
www.whaleislandresort.com

SURF, PLANCHE À VOILE, KITE-SURF

Club Jibe's Beach
90, Nguyen Dinh Chieu, Mui Ne, Phan Thiet.

Tél. (062) 847 088.
www.windsurf-vietnam.com

Kitepirate
68, Nguyen Dinh Chieu, Mui Ne, Phan Thiet.
Tél. (062) 847 502.

Windchimes
Saigon Mui Ne Resort, 56, Nguyen Dinh Chieu, Phan Thiet. **Tél.** (062) 847 303.

KAYAK

Buffalo Tours
13, Hang Muoi, Hanoi.
Plan 2 F3.
Tél. (04) 934 1816.
www.buffalotours.com

Green Trail Tours
49, Tam Da, Hanoi. **Plan** 1 A1. **Tél.** (04) 847 4765.
www.greentrail-indochina.com

Handspan Adventure Travel
80, Ma May, Hanoi.
Plan 2 E2.
Tél. (04) 926 0581.
www.handspan.com

GOLF

Dalat Palace
Phu Dong Thien Vuong, Dalat.
Tél. (063) 821 201.

Golf de King's Island
Dong Mo Lake, Ha Tay.
Tél. (034) 686 555.

Lang Ha Driving Range
16A Lang Ha, Hanoi.
Tél. (04) 835 0908.

Ocean Dunes
1, Ton Duc Thang, Phan Thiet. **Tél.** (062) 821 995.

Rach Chiec Driving Range
An Phu Village, 9e arr., Hô Chi Minh-Ville.
Tél. (08) 896 756.

Vietnam Golf and Country Club
Long Thanh My Village, Thu Duc, Hô Chi Minh-Ville.
Tél. (061) 351 1812.

Vietnam Golf Resorts
New World Hotel, 76, Le Loi, 1er arr., Hô Chi Minh-Ville.
Plan 2 E5.
Tél. (00) 024 3640.
www.vietnamgolfresorts.com

RANDONNÉE PÉDESTRE

Exotissimo
26, Tran Nhat Duat, Hanoi. **Plan** 2 E2.
Tél. (04) 828 2150.
www.exotissimo.com

Footprints
6, Le Thanh Tong, Hanoi.
Plan 2 F5.
Tél. (04) 933 2844 .
www.footprintsvietnam.com

Topas Adventure
74A, Nguyen Truong To, Hanoi. **Plan** 1 C1.
Tél. (04) 715 1005.
www.topas-adventure-vietnam.com.

VÉLO

SpiceRoads
www.spiceroads.com

Veloasia
283/20, Pham Ngu Lao, 1er arr., Hô Chi Minh-Ville.
Plan 2 D5.
Tél. (08) 837 6766.
www.veloasia.com

ARTS MARTIAUX

Club GTC
A3, Ngoc Khanh, Hanoi.
Tél. (04) 846 3095.

Pagode Nam Huynh
29, Tran Quang Khai, 1er arr., Hô Chi Minh-Ville.
Plan 1 C1.

Stade Phu To
1, Lu' Gia, 11e arr., Hô Chi Minh-Ville. **Plan** 3 C2.
Tél. (08) 866 0156.

Maison culturelle de la jeunesse
4, Pham Ngoc Thach, 1er arr., Hô Chi Minh-Ville.
Plan 2 E3.
Tél. (08) 829 4345.

CIRCUITS CULINAIRES

Tangka Voyages
www.tangka.com

Cours de cuisine de Miss Vy
Club Cargo, 107, Nguyen Thai Hoc, Hoi An.
Tél. (0510) 910 489.
www.hoianhospitality.com

SPA

Evason Ana Mandara Spa
Bg Tran Phu, Nha Trang.
Tél. (058) 522 222.

RENSEIGNEMENTS PRATIQUES

LE VIETNAM MODE D'EMPLC

Le Vietnam est désormais une grande destination touristique qui attire de plus en plus de visiteurs chaque année. Malgré l'ouverture du pays au milieu des années 1990, c'est seulement aujourd'hui que les infrastructures touristiques s'améliorent progressivement. Les grandes villes offrent un hébergement qui va des *guesthouses* pour routards aux hôtels cinq étoiles avec tout le confort moderne. Dans les villes, on trouve en général des restaurants pour tous les goûts et tous les budgets. Une gran partie du littoral, grâce à la beauté de ses plages de sable blanc et de se récifs coraliens, connaît actuellemen un développement touristique. Si les montagnes du Nord sont encore relativement peu développées, elles sont assez faciles d'accès vu le nombre croissant d'agences de voyages. Les organismes d'État ne sont pas réputés pour leur efficacité, mais il y a des voyagistes privés sérieux qui peuvent organiser des circuits dans la plupart des régions de ce beau pays.

Vendeuse ambulante et son client

QUAND PARTIR

Températures et taux de pluviosité varient d'une région à l'autre *(p. 34-35)*. Pour établir votre itinéraire, vous aurez donc soin d'éviter chaque fois la pleine période de la mousson, en sachant que dans le Sud les plus grosses pluies se situent entre mai et novembre et dans le Nord entre mai et août.

Si pendant ces mois pluvieux, les prix sont plus bas, les inondations et le manque de visibilité peuvent être gênants.

Pour ceux qui veulent prendre part aux grandes fêtes comme celle du Têt *(p. 28-29)*, la meilleure période est décembre-février, mais c'est la plus chère. Pour avoir un meilleur temps et moins de monde, le mieux est de partir entre mars et mai.

Après-midi de janvier sous le soleil de Phan Thiet *(p. 106)*

À EMPORTER

On trouve presque tout au Vietnam et à un prix moins élevé qu'en Europe, mais le choix sera plus limité dans les zones isolées. D'une façon générale, il est conseillé d'emporter un grand chapeau, un écran solaire, un antimoustiques, un parapluie pliant, un couteau suisse, une lampe de poche et des piles. Sous le climat tropical du Sud, adoptez une tenue légère en cotonnade ou en soie claire et des chaussures légères pour les longues marches. Dans le Nord, et surtout sur les reliefs, les nuits sont froides et les journées souvent fraîches. Il faudra donc prévoir plusieurs couches de vêtements permettant de garder la chaleur du corps.

RÉSERVATIONS D'AVION

La haute saison pour les vols vers le Vietnam se situe entre décembre et février. Ce sont alors des milliers de Viet Kieu (Vietnamiens d'outre-mer) qui rentrent pour fêter Noël et le Têt en famille. Si vous voulez partir à cette période, réservez vos billets au moins trois mois à l'avance. Certains voyageurs choisissent de transiter par le Laos ou le Cambodge, mais c'est aussi la période

des vacances dans ces pays. Une agence sérieuse peut s'occuper des réservations *(p. 281 et 291)*. Il est sage de réserver aussi les hôtels, surtout en catégorie supérieure. En revanche, les hôtels économiques ne posent en général aucun problème.

Affiche publicitaire d'une agence de voyages

PASSEPORTS ET VISAS

Que vous arriviez par la voie aérienne, terrestre ou fluviale, il vous faut un passeport valide muni d'un visa. À l'heure actuelle, seules les personnes avec un passeport cambodgien ou malais peuvent entrer

Vérification de passeport à la frontière chinoise

au Vietnam sans visa. La demande de visa se fait auprès de l'ambassade du Vietnam ou par le biais d'une agence de voyages. Le visa peut être délivré à l'arrivée au Vietnam, mais les formalités sont longues et compliquées.

Un visa de tourisme ordinaire est valable 30 jours et peut être prolongé pour 30 jours. Pour rester plus de 45 jours, il faut aller à l'ambassade du Vietnam à Phnom Penh au Cambodge pour demander un nouveau visa (délivré en 48 h). Un visa d'affaires est valable 6 mois et renouvelable pour 6 mois. Un visa de tourisme ou d'affaires à entrées multiples coûte plus cher.

VACCINATIONS

L'Organisation mondiale de la santé (OMS) recommande plusieurs vaccinations pour les voyageurs se rendant en Asie du Sud-Est : hépatite A et B, tétanos, rubéole, rougeole, oreillons, diphtérie et fièvre typhoïde. Les protections médicamenteuses contre le paludisme seront différentes suivant la saison, la région et le temps, et même l'espèce de moustique. Mieux vaut donc consulter votre médecin ou l'OMS avant le départ.

Le vaccin contre la fièvre jaune est obligatoire pour ceux qui arrivent dans la semaine suivant leur départ d'un pays affecté. Dans les régions de l'intérieur, les autorités

policières peuvent exiger des voyageurs étrangers qu'ils présentent un certificat de vaccination – d'où qu'ils viennent – au moment de s'enregistrer à l'hôtel, mais cela est rare.

Il faut savoir que les services médicaux peuvent être inexistants, surtout dans les petites villes et les zones rurales *(p. 282-283)*.

DOUANES

Autrefois très stricte et tatillonne, la réglementation douanière est aujourd'hui simplifiée. Les visiteurs arrivant au Vietnam sont autorisés à emporter 1 litre d'alcool et 200 cigarettes et tenus de déclarer les montants au-delà de 3 000 $. À la sortie de l'avion, il faudra remplir une fiche de douane – dont le double jaune vous sera retourné. Rangez-la soigneusement (une photocopie est recommandée), car elle vous sera réclamée au départ (vous risquez une amende en cas de non-présentation). Les fouilles sont rares, mais toute chose considérée comme culturellement offensante ou sensible telle que pornographie, enregistrements sur CD et bandes vidéo ou critique à l'égard du gouvernement peut être saisie. Le site de **Travel to Vietnam** vous fournira les dernières mises à jour sur la réglementation douanière.

Groupe de touristes devant le mausolée de Hô Chi Minh

Enseigne au néon de Saigon Tourist à Hô Chi Minh-Ville

INFORMATION TOURISTIQUE

Le développement des services d'accueil touristique se poursuit. Au départ, il n'y avait que deux organismes officiels, **Saigon Tourist** et **Vietnam Tourism**. Même s'ils se sont beaucoup améliorés ces dernières années et si leur site Internet est très utile, il s'agit là d'entreprises d'État censées faire des bénéfices en gérant des hôtels et en organisant des circuits. Pour les itinéraires individuels et les forfaits séjour, les agences de voyages et les voyagistes indépendants (*voir également p. 291 et 29*) sont sans parti pris et la plupart sont sérieux et compétents.

DROITS D'ENTRÉE

Dans les musées, les zoos et les jardins botaniques, le prix en général ne dépasse pas 1 $. Jusqu'à ces dernières années, il y avait deux tarifs : celui pour les locaux et celui pour les étrangers, qui pouvait être le quintuple. Officiellement, ce système n'a plus cours, mais il subsiste dans certains endroits. L'accès aux pagodes est libre ; une boîte pour les donations se trouve à l'entrée.

PERSONNES À MOBILITÉ RÉDUITE

Les équipements pour les personnes en fauteuil roulant sont malheureusement très rares au Vietnam. Même si les trottoirs sont larges, ils sont encombrés par les installations des vendeurs ambulants et les deux-roues. Chaque immeuble a une rampe d'accès destinée en réalité aux vélomoteurs. Les ascenseurs ne sont pas courants et les toilettes adaptées aux fauteuils roulants sont pratiquement inconnues. Or, même s'ils doivent s'attendre à des désagréments, les visiteurs à mobilité réduite ne doivent pas se laisser dissuader pour autant. Un grand nombre d'hôtels de catégorie supérieure disposent d'équipements pour les accueillir et les agences de voyages peuvent leur proposer une assistance, même si la personne en question n'est pas toujours qualifiée. Avec de l'organisation et l'entremise d'un organisme spécialisé tel que **Access Tourisme Service**, les désagréments peuvent être minimisés.

Panneau multilingue devant un temple

AVEC DES ENFANTS

Les Vietnamiens, qui ont un grand sens de la famille, adorent les enfants et les accueillent à bras ouverts. Ils ont d'ailleurs l'habitude de voir des visiteurs avec des enfants en bas âge. Couches, nourriture pour bébé et autres se trouvent facilement, surtout dans les grandes villes. Tous les restaurants acceptent

Sacred pagoda, please donot wear short clothes **Welcome**

Panneau à l'entrée d'une pagode

les enfants, même s'ils n[...] pas de menu spécial pou[...] eux. Certaines préparatio[...] seront peut-être trop épice[...] pour les jeunes palais, mai[...] il y aura toujours des glaces[...] des yaourts et des fruits frais. Bon nombre d'hôtels ont des chambres triples et quadruples.

LANGUE

Le vietnamien est une langue tonale très difficile, mais beaucoup de Vietnamiens, surtout ceux qui traitent avec les visiteurs étrangers, parlent un peu l'anglais et peuvent écrire ce qu'ils ont à vous dire si vous ne les comprenez pas (le vietnamien utilise les caractères latins). Dans les bureaux des compagnies aériennes, les banques et les hôtels, le personnel parle un anglais correct. Dans les régions rurales en revanche, il est sage d'avoir un guide interprète (10 $ par jour).

SAVOIR-VIVRE

Les règles de savoir-vivre au Vietnam sont strictes mais faciles à respecter : sourire en toute occasion, ne pas hausser le ton et ne jamais montrer une personne du doigt. Pour faire signe à quelqu'un ou attirer son attention, tournez au préalable vos paumes de main vers le sol. Se mettre en colère est contre-productif et il y a plus de chances qu'un Vietnamien réponde à vos doléances si vous lui parlez poliment. La poignée de main est d'usage pour saluer. Ne touchez jamais la tête d'une personne (la tête est le séjour de l'âme). Cela dit, le sens tactile est très développé chez les Vietnamiens, qui se tiennent souvent

Visiteurs à une terrasse de restaurant

par la main, le bras ou l'épaule (entre personnes du même sexe). Si une personne se précipite sur un jeune enfant occidental pour lui pincer la joue, il s'agit d'une démonstration spontanée d'affection. Sur le plan vestimentaire, les femmes s'habillent simplement et les hommes portent souvent un short. Les Vietnamiens sont très attachés aux règles de bienséance, surtout dans les lieux de culte où une tenue correcte (jambes et bras couverts) est de rigueur. À table, l'usage est d'attendre que la personne la plus âgée ait commencé de manger, à moins que l'on ne soit l'invité d'honneur. Ne piquez jamais la nourriture avec les baguettes et ne plantez jamais celles-ci à la verticale dans votre bol, car il s'agit là d'une pratique funéraire. Manger bruyamment signifie que l'on apprécie la nourriture. Si des Vietnamiens vous invitent à manger, l'usage veut qu'ils vous emmènent au restaurant. D'autres conseils pour les manières de table et le pourboire se trouvent à la page 247.

PHOTOS

Le Vietnam est dans l'ensemble un pays photogénique. Accessoires d'appareils photo, pellicules et cartes mémoire se trouvent facilement et à bas prix dans les grandes villes.

Le développement de pellicules est bon marché. Sachez qu'il est interdit de photographier les zones militaires et les commissariats de police. Mieux vaut demander l'autorisation pour photographier un site religieux ou des personnes, notamment celles des minorités ethniques.

Touriste prenant une photo

HEURE LOCALE ET CALENDRIER

Il y a 7 heures de décalage (en plus) entre le Vietnam et le méridien de Greenwich. En hiver, le Vietnam a 6 heures d'avance sur l'Europe occidentale et 12 heures d'avance sur le Québec. Si le calendrier grégorien est utilisé pour les activités officielles et commerciales, les dates des fêtes religieuses, elles, sont fixées en fonction du calendrier lunaire.

UNITÉS DE MESURE

Le système métrique date de l'époque coloniale.

ÉLECTRICITÉ

Le courant est du 220 volts. Les prises sont rondes comme les prises françaises, sauf dans le Sud où il y a des prises américaines et européennes. Un adaptateur pourra vous être fourni à l'hôtel, mais il peut s'acheter dans les magasins d'articles ménagers. Le mieux est de prévoir un adaptateur universel.

Les coupures de courant n'étant pas inhabituelles, surtout dans les petites villes et les régions reculées, il faudra recharger ordinateur et téléphone portables tous les jours.

ADRESSES

INFORMATION TOURISTIQUE

Ann Tours
77, Pham Hong Thai, Hanoi.
Plan 2 D1. **Tél.** (04) 715 0950.

58, Ton That Tung, 1er arr.,
Hô Chi Minh-Ville. **Plan** 1 C5.
Tél. (08) 833 2564.
www.anntours.com

Millennium Travel
161, Pham Ngu Lao, 1er arr.,
Hô Chi Minh-Ville. **Plan** 2 D5.
Tél. (08) 920 5548.
www.tnktravelvietnam.com

Saigon Tourist
23, Le Loi, 1er arr.,
Hô Chi Minh-Ville. **Plan** 2 E4.
Tél. (08) 829 2291.
www.saigon-tourist.com

Sinh Café
52, Luong Ngoc Quyen, Hanoi.
Plan 2 E2. **Tél.** (04) 926 1568.

246, De Tham, 1er arr.,
Hô Chi Minh-Ville.
Plan 2 D5.
Tél. (08) 836 7338.
www.sinhcafe.com

Tuan Travel
130, Bui Vien, 1er arr., Hô Chi
Minh-Ville. **Plan** 2 D5. **Tél.** (08)
920 4974. **www**.tuantravel.com

Vietnam Tourism
80, Quan Su, Hanoi.
Plan 2 D4. **Tél.** (04) 942 3760.
www.vietnamtourism.com

PERSONNES À MOBILITÉ RÉDUITE

Access Tourisme Service
www.access-tourisme.com

Accessible Journeys
www.disabilitytravel.com

Disability World
www.disabilityworld.com

Handivoyages
www.handivoyages.free.fr

ProCap
www. www.procap.ch/f/portrait/
index.html sath.org

Sécurité et santé

Enseigne de pharmacie à Hô Chi Minh-Ville

Le Vietnam est l'une des destinations les plus sûres du globe. Le régime de ce pays est plutôt autoritaire et la population respectueuse des lois. Avec un minimum de bon sens, les visiteurs peuvent se promener la nuit sans crainte car, si la petite délinquance est en augmentation dans les grandes villes, elle reste limitée. La nourriture de la rue est relativement sûre, mais il vaut mieux boire de l'eau minérale en bouteille. En revanche, les services de santé font encore défaut et les services d'urgence bien équipés étant rares, une assurance voyage incluant l'évacuation sanitaire est recommandée.

PRÉCAUTIONS D'USAGE

Même si le Vietnam passe pour être une destination sûre, il y a un minimum de précautions à prendre. Les vols à la tire étant courants à Hô Chi Minh-Ville et à Nha Trang, évitez d'avoir beaucoup d'argent sur vous et de porter des bijoux voyants. Rangez cet argent et la photocopie de votre passeport dans une ceinture portefeuille cachée sous un vêtement et laissez passeport, billets d'avion et autres documents importants au coffre de l'hôtel avec vos objets de valeur.

Faites attention à votre appareil photo et à votre porte-monnaie quand vous êtes à pied ou en cyclo-pousse, car des vols perpétrés par des individus à moto ont été signalés – mais ils sont rares.

Évitez de vous aventurer la nuit dans le quartier de Dong Khoi et les bords de la rivière Saigon à Hô Chi Minh-Ville.

N'oubliez pas de faire une photocopie de votre assurance voyage et de la fiche jaune de sortie du territoire vietnamien.

Le Vietnam est de plus en plus touché par le sida qui se transmet aujourd'hui davantage par voie sexuelle que par voie intraveineuse. En 2000, l'ONUSIDA a estimé à 280 000 le nombre de personnes séropositives dans le pays, et ce chiffre a probablement doublé en huit ans.

Agent de la circulation (à gauche) et agent général de police (à droite)

POLICE TOURISTIQUE

Créée depuis peu, la police touristique a pour mission de protéger les visiteurs des colporteurs, mendiants et faux artistes et de leur fournir les informations dont ils ont besoin. La présence des agents est discrète et, si vous avez affaire à eux, soyez polis. En cas de vol, ils vous aideront à remplir un rapport pour l'assurance. Vous aurez peut-être aussi besoin d'un interprète.

HÔPITAUX ET SERVICES DE SANTÉ

Les services de santé modernes gérés par des Occidentaux se trouvent à Hô Chi Minh-Ville et à Hanoi. Des médecins français habitués aux cas d'urgence y travaillent en permanence, mais l'hospitalisation au Centre médical international de Hô Chi Minh-Ville est aujourd'hui aux normes françaises et les malades ne sont plus forcément évacués d'urgence. Dans les cas très graves néanmoins, une évacuation sanitaire vers Bangkok, Hong Kong ou Singapour est préférable. Les pharmacies de Hô Chi Minh-Ville et Hanoi sont bien approvisionnées, mais vérifiez la date d'expiration des médicaments que vous achetez. Mettez dans vos bagages une quantité suffisante de vos remèdes spécifiques.

ASSURANCE VOYAGE

Pour la plupart des destinations asiatiques, notamment le Vietnam, nous vous conseillons de souscrire une assurance voyage avec une protection globale qui, en plus de la maladie et des accidents, couvre aussi le vol et surtout l'évacuation d'urgence.

MALADIES TRANSMISES PAR LES ALIMENTS ET L'EAU

Les affections dues aux aliments les plus courantes sont la diarrhée, la dysenterie et la giardiase. Elles se traitent

Étal de fruits typique

par antibiotiques, mais quelques règles d'hygiène permettent de les éviter : se laver les mains avant le repas, manger des aliments cuits correctement ou préparés devant les clients dans des endroits propres, peler soi-même les fruits frais. Méfiez-vous des plats servis aux buffets ou en chambre, même dans les hôtels cinq étoiles. La cuisine vietnamienne est souvent épicée et un simple changement d'alimentation peut provoquer des maux de ventre. Ayez toujours sur vous des comprimés de Tums ou de Pepto-Bismol. Pour éviter les maladies dues à l'eau comme la typhoïde et le choléra, buvez exclusivement de l'eau en bouteille cachetée ou de l'eau bien bouillie et évitez les glaçons. Le thé est normalement une boisson sûre (l'eau est portée à ébullition).

CHALEUR

Il peut faire excessivement chaud en été au Vietnam et il est donc important de ne pas vous déshydrater. Ayez toujours de l'eau avec vous et n'oubliez pas de boire à intervalles réguliers. Contre les coups de chaleur, portez chapeau, lunettes solaires et vêtements amples. Un bon écran solaire vous évitera les coups de soleil.

PIQÛRES D'INSECTES ET PLAIES

Le paludisme est une maladie grave qui peut néanmoins être évitée. Les moustiques porteurs de la maladie sont rares dans les chambres avec un ventilateur ou la climatisation, et plus actifs à l'aube et au crépuscule. Un répulsif et une moustiquaire les tiennent éloignés. Les prophylactiques peuvent être utiles dans certaines régions, mais demandez d'abord l'avis de votre médecin. Emportez un désinfectant et des pansements en cas de blessure, car une plaie peut facilement s'infecter sous ce climat.

GRIPPE AVIAIRE

La grippe aviaire, qui a été un problème majeur en 2005, n'est plus une menace depuis l'abattage des élevages infectés et la vaccination de millions d'oiseaux. Les volailles peuvent être consommées sans risque, mais les réserves d'oiseaux restent interdites. Évitez les temples les oiseaux en cage (souvent des espèces sauvages) qui sont destinés à être vendus et libérés en guise de prière.

EXPLOSIFS NON DÉSAMORCÉS

Bombes et obus non explosés posent encore un problème dans l'ancienne zone démilitarisée (DMZ) (p. 149). Les grands secteurs touristiques ont été nettoyés, mais si vous voyez un objet ressemblant à une roquette ou une bombe, prévenez les autorités.

Touriste se promenant en compagnie d'un enfant vietnamien

FEMMES VOYAGEANT SEULES

Il n'est pas rare de voir des étrangères voyageant seules. Dans certaines zones rurales, les autochtones les dévisageront plus par curiosité que par inimitié. Elles seront peut-être invitées à dîner et à dormir dans une famille (les Vietnamiens sont hospitaliers). Elles éviteront de porter des vêtements courts et serrés et la nuit prendront les précautions d'usage.

ADRESSES

URGENCES

Ambulances *Tél. 115.*
Pompiers *Tél. 114.*
Police *Tél. 113.*

HÔPITAUX

HANOI

Clinique familiale de Hanoi
Urgences 0903 40 19 19
www.vietnammedicalpractice.com

Hôpital français de Hanoi
Urgences *574 11 11 / 07 40*

Clinique internationale SOS
Urgences *574 11 11 / 07 40*
www.internationalsos.com

HO CHI MINH-VILLE

Hôpital franco-vietnamien
Urgences *411 33 33/35 00*
www.fvhospital.com

Centre médical international
Urgences *865 40 25*

Columbia-Gia Dinh
Tél. 823 88 88
www.columbiaasia.com

VOYAGEURS HOMOSEXUELS

Utopia
www.utopia-asia.com

VOYAGEURS HOMOSEXUELS

Même si l'homosexualité n'est pas proscrite au Vietnam, la pression sociale est plus forte que n'importe quelle loi écrite. Quand un club gay ouvre, il est aussitôt fermé par la police. Pour plus de détails, consultez le site d'Utopia.

TOILETTES PUBLIQUES

Les W.-C. publics sont rares. Même à Hô Chi Minh-Ville, le centre est le seul quartier équipé de W.-C. payants (1 600 dong). C'est Hoi An qui a le plus grand nombre de W.-C. publics par habitant. Ces W.-C. sont souvent exigus, sordides et sans intimité. Ayez du papier hygiénique avec vous, mais ne le jetez pas dans la cuvette pour ne pas la boucher.

Panneau de toilettes publiques à Hô Chi Minh-Ville

Banque et monnaie

Les visiteurs trouveront des banques dans toutes les grandes villes et les villes moyennes. Ils pourront y encaisser leurs chèques de voyages qui sont également acceptés dans les bons hôtels. Beaucoup de commerçants travaillant avec les touristes acceptent volontiers les dollars, moyennant parfois une commission de 2 %. Les bureaux de change et les distributeurs automatiques de billets sont chose courante dans la plupart des villes, ce qui n'est pas encore le cas dans les régions rurales, où vous devrez arriver avec suffisamment de *dong* – vous ne serez cependant jamais à plus d'une journée de route d'une banque.

Distributeur de billets de la banque ANZ

HEURES D'OUVERTURE

Les grandes banques vietnamiennes sont la Vietcombank et la Sacombank, mais il y a aussi les banques internationales HSBC et ANZ. Elles ont des agences et des distributeurs à travers tout le pays. Leurs heures d'ouverture sont généralement 8 h-18 h, du lundi au vendredi, avec parfois une pause à midi ; celles des bureaux de change privés sont variables. Le retrait d'espèces et le change de devises sont plus longs dans une banque qu'à un distributeur de billets ou un bureau de change.

DISTRIBUTEURS DE BILLETS

En 1999, les DAB étaient au nombre de deux et tous deux se trouvaient à Hanoi. Aujourd'hui, chaque banque a son DAB ouvert 24h/24 avec un affichage en vietnamien ou en anglais. Les billets délivrés sont des *dong* ; leur montant est calculé en fonction du taux de change officiel du dollar. Le nombre de retraits par jour est illimité, mais chaque retrait est limité à 2 000 000 *dong*, avec une commission de 2 à 5 $. Le montant autorisé pour les retraits est plus élevé aux guichets.

Si vous devez séjourner plus de quelques mois, envisagez l'ouverture d'un compte bancaire, qui nécessitera beaucoup de paperasse mais qui facilitera vos transactions.

CHANGE

Les opérations de change ont été simplifiées, mais les files d'attente sont toujours aussi longues. L'opération sera plus rapide dans un bureau de change, mais le taux sera moins favorable. Le meilleur taux est celui des bijouteries (sans garantie contre les escroqueries ou les faux billets). Beaucoup de voyageurs se contentent de retirer des *dong* à un DAB avec leur carte bancaire.

CARTES BANCAIRES

À Hô Chi Minh-Ville et à Hanoi, les cartes bancaires ont le même usage que les dollars ou les *dongs*. L'American Express, la Mastercard et la Visa sont acceptées dans les compagnies aériennes, les agences de voyages, les grands hôtels et restaurants, ainsi que dans les magasins pour touristes. Les banques peuvent aussi vous faire une avance en espèces sur votre carte de paiement.

MONNAIE

Le *dong* (VND) est l'unité monétaire du Vietnam. 1 euro vaut environ 20 000 *dong* et 1 $ environ 16 000 *dong*. Les dollars sont acceptés dans toutes les zones touristiques. L'euro est aussi accepté partout depuis peu. Les billets doivent toujours être en bon état. Il est recommandé d'avoir des *dong* sur soi (des petites coupures et des pièces pour les petits achats de tous les jours). Les *dong* ne sont pas convertibles.

CHÈQUES DE VOYAGE

Les chèques de voyage ne sont pas d'un emploi facile au Vietnam, mais ils peuvent toujours être utiles. Vous pourrez les encaisser dans les grands établissements bancaires, hôtels, bureaux de change et de compagnie aérienne, moyennant une commission. En cas de perte, il faudra aller dans une grande ville pour vous les faire remplacer.

Agence Vietcombank dans laquelle on peut changer des devises

Billets de banque

Les billets en circulation sont de 200, 500, 1000, 2000, 5000, 10000, 20000, 50000, 100000 et 500000 dong, le plus courant étant celui de 50000 dong, soit environ 2,50 € ou 4 $. Tous les billets sont à l'effigie de Hô Chi Minh ; à partir de 50000 dong, ils sont en polymère.

500 000 *dong*

100 000 *dong*

50 000 *dong*

20 000 *dong*

10 000 *dong*

5 000 *dong*

200 *dong*

500 *dong*

1 000 *dong*

Pièces de monnaie

En 2004, le gouvernement vietnamien a mis en circulation des pièces de 200, 500, 1000, 2000 et 5000 dong afin de faciliter le retrait progressif des billets de la même dénomination, une aubaine pour les voyageurs car elles sont beaucoup plus pratiques que les billets.

5 000 *dong*

Communication

Carte SIM VinaPhone

Considéré par le passé comme archaïque, le réseau de communication vietnamien s'est nettement amélioré. On peut aujourd'hui appeler l'international ou envoyer un courriel ou un fax d'un peu partout, mis à part les régions les plus reculées. La plupart des Vietnamiens ont leur téléphone portable, mais les réseaux n'ont pas l'air de suivre et il est parfois difficile d'appeler aux heures de pointe. Le nombre des téléphones publics en revanche est très réduit, mais ils fonctionnent. L'accès à Internet est facile depuis les hôtels et les cafés. La presse internationale se trouve dans toutes les grandes villes et le nombre de publications locales en anglais augmente. La poste est efficace et son personnel aimable, mais pour les urgences les services de messagerie sont plus adaptés.

Un des nombreux cafés Internet de Hô Chi Minh-Ville

Téléphone publique à Hô Chi Minh-Ville

APPELS NATIONAUX ET INTERNATIONAUX

Il est facile d'appeler l'international depuis un hôtel, mais cela coûte généralement très cher, de même que pour appeler à l'intérieur du pays. Le mieux est d'aller à la poste. Il est possible d'appeler en PCV. L'option du téléphone par Internet (IP Voice) est économique. Composez le 1717 + 00 + l'indicatif du pays + l'indicatif de la ville + le numéro du correspondant. Les cartes 1717 prépayées s'achètent dans les boutiques de télécommunications. En revanche, les communications nationales sont beaucoup moins chères. Vous devez composer l'indicatif de la province

+ le numéro du correspondant (7 chiffres pour Hanoi, Hô Chi Minh-Ville, Haiphong et les provinces de Dong Nai et de Nghe An ; 6 chiffres pour le reste du pays). Le téléphone terrestre est fiable, mais les communications longue distance peuvent être mauvaises avec des parasites. On peut téléphoner dans les boutiques signalées par le panneau bleu *dien thoai cong cong* (téléphone public) pour un prix modique. Les téléphones mobiles sont légion au Vietnam et beaucoup moins chers qu'en Europe. Appels et SMS sont également bon marché. Si vous restez plusieurs semaines, achetez une carte SIM dans un Vinaphone ou Mobiphone. La location d'un téléphone portable coûte 1 $ par jour (hors communications). Tous les numéros de téléphone commencent par les trois chiffres de l'opérateur.

INTERNET

Aujourd'hui, même les plus petites villes sont reliées au réseau Internet. Dans les centres touristiques, Internet est omniprésent. Les chambres d'hôtel ont

généralement au moins un ordinateur disponible avec une connexion. L'Internet bas débit cependant est très lent par rapport à l'ADSL. Beaucoup de bars et restaurants sont équipés de la WIFI, très utile pour les ordinateurs portables. Dans les villes, les cafés Internet sont souvent pleins, mais il vous suffira d'aller une ou deux rues plus loin pour trouver une place. Attention : ils n'ont pas tous la climatisation et la chaleur ambiante peut les rendre très inconfortables. Ceux qui sont climatisés se signalent par une affichette à l'entrée.

SERVICES POSTAUX

Où que vous soyez au Vietnam, vous ne serez jamais très loin d'une poste ou d'une boîte aux lettres. Les Vietnamiens envoient beaucoup de lettres et de cadeaux par la poste, qui joue donc un rôle important dans leur vie quotidienne. Les bureaux sont généralement ouverts de 8 h à 21 h, 7jours/7. Les préposés sont très aimables et peuvent vous aider à faire votre paquet, à remplir les formulaires de douane et à coller les timbres (qui ne sont pas toujours autocollants).

Timbres de 800 et 3000 *dong*

Même s'il n'est pas très rapide, le service est fiable. Le délai d'acheminement d'une lettre pour la France ou l'Europe est de 10 à 15 jours au départ de Hanoi et Hô Chi Minh-Ville, et d'un mois au départ d'une petite ville. Comptez un peu plus longtemps pour les colis. L'envoi d'une lettre pour l'Europe coûte environ 12 000 *dong*. Les poste de Hanoi et de Hô Chi Minh-Ville ont un service payant de poste restante.

Les services de messagerie tels que DHL, Federal Express et UPS sont plus rapides. Sachez que les paquets contenant CD, cassettes vidéo et photos sont susceptibles d'être ouverts pour vérification.

JOURNAUX ET MAGAZINES

Vous trouverez la presse internationale dans tous les grands hôtels et les kiosques des grandes villes. *Le Monde, International Herald*

Trois des journaux vietnamiens et étrangers que l'on trouve au Vietnam

Tribune, Bangkok Post, Time et *Newsweek* vous fourniront de nouvelles de la planète. En outre, de nombreux bars de Hô Chi Minh-Ville et de Hanoi mettent des journaux à la disposition de leurs clients. Les publications locales en langue française les plus lues, *Le Courrier du Vietnam* et *Saigon Eco*, ne sont pas très fiables pour les informations politiques – elles se contentent de dire que le gouvernement fait son travail et qu'il le fait bien – mais elles sont en revanche une précieuses source d'informations pour les

manifestations culturelles et leur édition du dimanche comprend un supplément loisirs. *The Guide* et *Saigon Times* sont des guides de loisirs très utiles à consulter pour faire votre choix parmi les nombreuses possibilités de distractions.

RADIO ET TÉLÉVISION

Contrôlées par le gouvernement, *La Voix du Vietnam* et la *Télévision du Vietnam* diffusent des informations, des séries, des émissions de musique pop vietnamienne et des films.

Dans les hôtels, les touristes peuvent avoir accès aux programmes de Cinemax, CNN, HBO, Star TV, MTV, la BBC et Singapore's News Asia. Les chaînes de sport bénéficient d'une grande écoute dans le pays, surtout pour le football, le sport préféré des Vietnamiens.

ADRESSES

Une adresse comporte le numéro et le nom de la rue, suivis de l'arrondissement pour Hô Chi Minh-Ville, et le nom de la ville. Une barre oblique comme dans 120/5, Nguyen Trai signifie qu'il faut aller au n° 120 de la rue Nguyen Trai, puis à l'immeuble n° 5 de la ruelle adjacente. Il faut

savoir que dans une même rue, les numéros changent avec l'arrondissement. La rue se dit *pho* ou *duong* en vietnamien.

ADRESSES

NUMÉROS UTILES

Service téléphonique national longue distance
Tél. 101.

Service téléphonique international
Tél. 110.

Renseignements téléphoniques
Tél. 1080.

COURIER SERVICES

DHL
1, place Cong Xa Paris, 1er arr., Hô Chi Minh-Ville. **Plan** 2 E3.
Tél. (08) 823 1525.

49, Nguyen Thai Hoc, Hanoi. **Plan** 1 C3.
Tél. (04) 733 2086.

Federal Express
146, Route Pasteur, 1er arr., Hô Chi Minh-Ville.
Plan 2 E4. *Tél. (08) 829 0995.*

6C, Dinh Le, Hanoi.
Plan 2 E4. *Tél. (04) 824 9054.*
www.fedex.com

UPS
80, Nguyen Du, 1er arr., Hô Chi Minh-Ville. **Plan** 2 E3.
Tél. (08) 824 3597.

4C, Dinh Le, Hanoi.
Plan 2 E4. *Tél. (04) 514 2888.*
www.ups.com

INDICATIFS TÉLÉPHONIQUES

- Pour les appels internationaux depuis le Vietnam, composer le 00, puis l'indicatif du pays (France : 33, Belgique : 32, Suisse : 41, Canada : 1), l'indicatif de la ville et le numéro du correspondant.
- Pour téléphoner de la France vers le Vietnam, composer le 00 + 84 + indicatif de la ville (Hanoi : 4, Hô Chi Minh-Ville : 8) + numéro du correspondant.
- Pour appeler une opératrice, composer le 00 (international) ou 0 (national, mais ce numéro peut changer suivant votre fournisseur de téléphonie mobile). Le service est en vietnamien et en anglais (avec un temps d'attente).
- Pour les renseignements, composer le 1080.

Carte téléphonique Vinaphone

ALLER AU VIETNAM

L a majorité des visiteurs étrangers arrivent en avion. Le Vietnam possède un bon réseau aérien qui va en s'améliorant, avec un très bon niveau de sécurité des vols, des horaires respectés et de bonnes liaisons avec les principales destinations touristiques. La route fluviale depuis le Cambodge est pittoresque. Depuis l'ouverture des postes-frontières terrestres, beaucoup de

Logo de Vietnam Airlines

voyageurs arrivent en train, en voiture ou en bus depuis la Chine, le Laos ou le Cambodge. À l'intérieur du pays, le mode de transport le moins cher, le plus pratique et souvent le plus rapide est le bus avec la formule Open Tour et Open Ticket. Une voiture de location avec chauffeur est relativement bon marché. Sur place, les cyclo-pousse, les motos-taxis et les taxis sont très prisés.

Hall d'arrivée de l'aéroport de Tan Son à Hô Chi Minh-Ville

LIAISONS AÉRIENNES

Des trois aéroports internationaux du Vietnam, celui de Tan Son Nhat à Hô Chi Minh-Ville est de loin le plus actif. L'aéroport de Noi Bai à Hanoi et l'aéroport international de Da Nang sont également importants. La compagnie nationale Vietnam Airlines propose des vols directs depuis Paris, Siem Reap, Bangkok et Singapour. Les compagnies internationales comme Air France, Cathay Pacific, Thai Airways, Malaysia Airlines, Lufthansa, Singapore Airlines, Korean Air, Aeroflot, Qatar Airways, All Nippon Airways

desservent le Vietnam depuis Paris. Le vol de Paris CDG vers Hô Chi Minh-Ville ou Hanoi dure environ 12 heures.

TARIFS AÉRIENS

Le prix des billets pour le Vietnam varie en fonction de la compagnie, les dates et le voyagiste. Le prix moyen de l'aller-retour est de 900 €. La période la plus chargée et la plus chère se situe entre décembre et février, lorsque les familles reviennent au pays pour la fête du Têt (p. 28-29). On peut trouver des billets moins chers hors saison. Renseignez-vous auprès des voyagistes
    Voyages-sncf.com propose ses meilleurs prix sur les billets d'avion, hôtels, location de voitures, séjours clés en main ou Alacarte®. Vous avez également accès à des services exclusifs : l'envoi gratuit des billets à domicile, Alerte Résa qui signale l'ouverture des réservations, le calendrier des meilleurs

prix, les offres de dernière minute et promotions. www.voyages-sncf.com

À L'ARRIVÉE

Les formalités à l'arrivée à l'aéroport ont été simplifiées. Des fiches d'immigration et de douane vous seront remises à bord de l'avion. Vous devez les remplir et les présenter avec votre passeport au comptoir de l'immigration. Un double de couleur jaune vous sera retourné, que vous devrez présenter le jour du retour. Conservez soigneusement ce papier pour ne pas avoir une amende.

QUITTER L'AÉROPORT

L'aéroport de Tan Son Nhat à Hô Chi Minh-Ville est le plus grand aéroport vietnamien et le mieux équipé. Les arrivées et les départs sont gérés de manière efficace, avec un contrôle de sécurité au départ comme à l'arrivée. L'aérogare est située à 5 km du centre-ville.
    Des taxis agréés disposant d'un compteur se trouvent près du bureau de change. Évitez les chauffeurs

Taxi d'aéroport

AÉROPORTS	INFORMATIONS	DISTANCE DU CENTRE-VILLE	PRIX MOYEN EN TAXI	TEMPS MOYEN DE TRAJET
Tan Son Nhat, Hô Chi Minh-Ville	(08) 848 5383	5 km	6 $	10 min
Aéroport international de Da Nang	(0511) 830 339	1,6 km	1 $	5 min
Noi Bai, Hanoi	(04) 886 6674	35 km	10 $	45-60 min

Taxi jaune de la compagnie Vina chargeant des passagers

qui proposent un prix forfaitaire et notez que le droit de péage sur l'autoroute est à la charge du chauffeur. Vous pouvez aussi prendre l'Airport Bus (pour les quartiers de Pham Ngu Lao et du marché Ben Thanh) ou des minibus. Il y a également les navettes d'hôtel sur demande. Une foule compacte de gens venus attendre des parents – ou simplement regarder les avions et les voyageurs ! – se presse à la sortie du terminal. L'aéroport de Noi Bai à Hanoi est plus éloigné du centre-ville. Le trajet en taxi dure plus de 45 min. Les taxis de l'aéroport (les plus pratiques avec la course prépayée à régler à l'aéroport – environ 150 000 *dong* ou 7 €) et les minibus attendent à la sortie du terminal. Mais la formule la plus économique est le bus n° 7 (départ toutes les 15 min, durée 1 h), qui vous dépose n'importe où sur son parcours jusqu'au lac Hoan Kiem (*p. 160*). La navette Vietnam Airlines va jusqu'à l'agence de la compagnie située rue Trang Thi (le billet coûte 30 000 *dong* ou 1,50 €) et peut vous déposer à votre hôtel. L'aéroport international de

Da Nang est plus petit que ceux de Hô Chi Minh-Ville et de Hanoi. Il comprend un seul terminal avec une zone réservée aux vols internationaux. La course en taxi (prix fixe) se paie au comptoir « Airport Taxis ».

TAXE D'AÉROPORT

À leur départ, les visiteurs doivent s'acquitter d'une taxe (à payer en dollars) qui s'élève à 14 $ à Hô Chi Minh-Ville et à Hanoi, et 8 $ à Da Nang. Elle n'est pas incluse dans le prix du billet retour.

PAR LA VOIE TERRESTRE ET FLUVIALE

Le Vietnam borde trois pays : la Chine, le Laos et le Cambodge. Depuis l'ouverture de nouveaux postes-frontières aux touristes étrangers, les voyageurs indépendants sont plus nombreux à emprunter la voie terrestre.

L'entrée au Vietnam depuis le Cambodge est facile et sans problème (*p. 222-223*). Le poste-frontière de Moc Bai, le plus fréquenté, se trouve à seulement 2 heures de Hô Chi Minh-Ville. De nombreux bus assurent une liaison quotidienne.

Le poste-frontière de Vinh Xuong, près de Chau Doc, accessible en bateau par le Mékong, est plus pittoresque. Ouvert uniquement aux véhicules, le poste de Tinh Bien est peu fréquenté. Les postes-frontières avec le Laos se trouvent à Lao Bao, Cau Treo et Nam Can – les deux derniers sont plus

fréquentés. Ces postes sont ouverts aux véhicules, mais le passage de la frontière peut prendre du temps. L'avion est préférable.

Depuis la Chine, le poste-frontière de la « Porte de l'Amitié » à Dong Dang, ouvert aux véhicules et aux trains, est le plus fréquenté. C'est ici que les passagers du train bihebdomadaire Pékin-Hanoi changent de train.

Les postes-frontières de Lao Cai (*p. 197*) et de Mong Cai, ouverts uniquement aux véhicules, sont moins fréquentés.

ADRESSES

COMPAGNIES AÉRIENNES

Air France
1, Ba Trieu, Hanoi. **Plan** 2 E4.
Tél. (04) 824 7066.
www.airfrance.fr

Cathay Pacific
49, Hai Ba Trung, Hanoi.
Plan 2 D4. *Tél.* (04) 826 7298.
www.cathaypacific.com

Japan Airlines
63, Ly Thai To, Hanoi.
Plan 2 F4. *Tél.* (04) 826 6693.
www.jal.co.jp

Lufthansa
19-25 Nguyen Hue, 1er arr.,
Hô Chi Minh-Ville. **Plan** 2 F4.
Tél. (08) 829 8529.
www.lufthansa.com

Malaysia Airlines
49, Hai Ba Trung, Hanoi.
Plan 2 D4. *Tél.* (04) 826 8820.
www.malaysiaairlines.com

Qantas
4, Pham Ngu Lao, Hanoi.
Plan 2 F4. *Tél.* (04) 933 3026.
www.qantas.com.au

Singapore Airlines
17, Ngo Quyen, Hanoi.
Plan 2 F4. *Tél.* (04) 826 8888.
www.singaporeair.com

Thai Airways
44B, Ly Thuong Kiet, Hanoi.
Plan 2 E4. *Tél.* (04) 826 7921.
www.thaiair.com

Vietnam Airlines
Hanoi
1, Quang Trung.
Plan 2 E4. *Tél.* (04) 943 9660.
Paris
51-53, av. des Champs-Élysées.
Tél. 01 44 55 39 41
www.vietnamairlines.fr

Bus d'aéroport à Hô Chi Minh-Ville

Se déplacer au Vietnam

Avec le développement rapide des infrastructures, les transports s'améliorent au Vietnam. L'avion est bien sûr le plus rapide. La ligne ferroviaire qui relie Hô Chi Minh-Ville à Hanoi dessert plusieurs villes et se prolonge au-delà de la frontière chinoise. Bien que d'un confort correct, le train reste probablement le moyen de transport le plus lent. Les bus longue distance sont plus rapides certes, mais ils peuvent facilement devenir inconfortables – en comparaison, les bus express, qui sont des véhicules relativement récents, sont luxueux. Le système Open Tour, qui permet de faire étape dans les grandes villes, est très pratique. Ferries et hydroglisseurs desservent de nombreux ports. Les visiteurs peuvent également louer une voiture avec chauffeur ou une moto.

Sur le quai de la gare ferroviaire de Hô Chi Minh-Ville

VOLS INTÉRIEURS

Les compagnies publiques Vietnam Airlines *(p. 288-289)* et **Pacific Airlines** sont les seules à assurer les liaisons intérieures. Vietnam Airlines dessert tous les aéroports vietnamiens et Pacific Airlines seulement Hô Chi Minh-Ville, Hanoi et Da Nang. Les avions russes et chinois vieillissants de l'ancienne flotte commerciale de Vietnam Airlines ont été remplacés par des appareils modernes.

BILLETS D'AVION

Vous pouvez acheter des billets dans les agences des compagnies aériennes ou à leur comptoir de réservation dans les aéroports. Le personnel parle généralement l'anglais. Vous trouverez des billets à prix égal dans les agences de voyages. Les grands hôtels et même les clubs de plongée et les boutiques chic de souvenirs peuvent vous vendre des billets. Les tarifs intérieurs dépassent

rarement 100 $ et incluent la taxe d'aéroport (environ 2 $). En haute saison (décembre-février), il est préférable de réserver votre vol à l'avance.

RÉSEAU FERROVIAIRE

Le réseau ferroviaire couvre le territoire sur pratiquement toute sa longueur. La ligne Hô Chi Minh-Ville-Hanoi suit la côte en desservant plusieurs villes sur le parcours.
   Au départ de Hanoi, plusieurs lignes relient la baie de Ha Long *(p. 182-184)*, Sapa *(p. 196-197)* et la Chine. Aucune ligne cependant ne dessert l'intérieur du pays. La durée du voyage de Hô Chi Minh-Ville à Hanoi est variable ; le train le plus rapide met environ 33 heures. Ces trains dits « de la Réunification » portent un matricule pair dans le sens nord-sud et un matricule impair dans le sens sud-nord. Les trains partent fréquemment en retard mais, curieusement, arrivent parfois en avance.

QUATRE CLASSES DE TRAINS

Les trains de voyageurs vietnamiens sont neufs, propres et d'un confort correct à défaut d'être luxueux. Tous les wagons sont climatisés. Il y a quatre classes : siège dur ou *hard seat* (banquette en bois), siège mou ou *soft seat* (en moleskine rembourrée) dans un wagon avec télévision, couchette dure ou *hard sleeper* dans un compartiment sans porte pour six personnes, et couchette molle ou *soft sleeper* dans un compartiment pour quatre personnes avec une porte munie d'un loquet et plateau-repas inclus. Les trains longue distance disposent d'un wagon-restaurant et d'un service ambulant de restauration rapide.

BILLETS DE TRAIN

Vous pouvez acheter votre billet dans les gares, les agences de voyages et les bons hôtels. Il se peut qu'une agence ne puisse vous délivrer de billet allant au-delà d'un certain point. Si c'est le cas, mettez-vous en quête d'une agence capable de vous proposer davantage d'options. Attention, vérifiez à l'avance les horaires dans une gare, une agence de voyages ou sur le site Web des **Chemins de fer du Vietnam**. Les tarifs des billets ne dépassent pas 70 $, sauf pour le train Victoria Hanoi-Sapa. Soyez prudent : réservez longtemps à l'avance si vous avez l'intention de voyager en période de fête.

Bus longue distance à la gare de Mien Dong à Hô Chi Minh-Ville

Guichet de la gare routière de Mien Tay à Hô Chi Minh-Ville

BUS

Les nouveaux bus Express sont le moyen de transport préféré des voyageurs entre les grandes villes. Ils sont plus chers que les bus ordinaires et les minibus locaux, mais ils sont plus rapides, plus sûrs et plus confortables (l'inconvénient majeur étant leur équipement de karaoké !).

Agences de voyages et hôtels proposent aussi des excursions en minibus (maximum 16 personnes). La formule Open Tour, qui permet de se déplacer rapidement d'une ville à l'autre, remporte aussi un grand succès auprès des touristes. Le Sinh Café (p. 281) propose des billets *open ticket* bon marché avec le nombre d'étapes que vous souhaitez.

TARIFS DE BUS

Les tarifs des bus sont bon marché : le trajet le plus long ne coûte pas plus de 25 $. Les billets peuvent s'acheter dans une gare routière, mais le système de billetterie est complexe. Ainsi, telle gare ne pourra vous délivrer des billets que pour telles destinations et les choses se compliquent encore avec les correspondances ! Mieux vaut donc passer par une agence ou un hôtel pour obtenir le bon billet de bus et ne pas perdre de temps.

LOCATION DE VOITURE ET DE MOTO

Une voiture se loue obligatoirement avec un chauffeur ; en effet, le permis international n'est pas suffisant pour les conducteurs étrangers. Cela vous coûtera environ 50 $ par jour, mais sachez que les prix varient selon la distance à parcourir. Pour les locations de plus d'une journée, les repas et l'hôtel du chauffeur sont à la charge de celui-ci. N'importe qui peut louer une moto (curieusement, la présentation du permis est rarement exigée), mais le mieux est de prendre une moto-taxi (*xe om* à Hanoi et Honda *om* à Hô Chi Minh-Ville), qui coûte entre 5 et 10 $ par jour suivant la distance à parcourir.

BATEAUX ET FERRIES

Des bateaux vont de Hô Chi Minh-Ville à Chau Doc (poste-frontière sur le Mékong) en un ou deux jours selon la catégorie. Quelques ferries permettent

Bateau de croisière, rivière Saigon

de gagner l'île de Phu Quoc (p. 101) au départ de Rach Gia et les îles de la superbe baie de Ha Long. Les hydroglisseurs de la compagnie **Vina Express** (compagnie la plus sérieuse) assurent une liaison régulière entre Hô Chi Minh-Ville et Vung Tau (p. 76).

ADRESSES

COMPAGNIES AÉRIENNES

Pacific Airlines
www.pacificairlines.com

TRAINS

Gare de Da Nang
202, Haiphong, Danang.
Tél. (0511) 823 810.

Gare de Hanoi
120, Le Duan, Hanoi.
Plan 1 C4.
Tél. (04) 942 3433.

Gare de Hô Chi Minh-Ville
1, Nguyen Thong, 1er arr., Hô Chi Minh-Ville.
Plan 1 A3.
Tél. (08) 843 6528.

Chemins de fer du Vietnam
www.vr.com.vn/english

GARES ROUTIÈRES

Gare de Cholon
86, Trang Tu, Cholon, Hô Chi Minh-Ville. **Plan** 3 C5.
Tél. (08) 855 7719.

Gare Gia Lam
Gia Thuy Long Bien, Hanoi.
Tél. (04) 873 0083.

Gare Giap Bat
6, Giai Phong, Hanoi.
Tél. (04) 864 1422.

Gare Kim Ma
À l'angle de Nguyen Thai Hoc et Giang Vo, Hanoi.
Plan 1 A3.
Tél. (04) 845 2846.

Gare de Mien Dong
292, Dinh Bo Linh, Binh Thanh Dist, Hô Chi Minh-Ville.
Tél. (08) 899 4056.

Gare de Mien Tay
395, Dinh Duong Vuong, arr. de Binh Chanh, Hô Chi Minh-Ville.
Tél. (08) 877 6593.

BATEAUX ET FERRIES

Port de Da Nang
26, Bach Dang, Da Nang.
Tél. (0511) 822 513.

Port de Haiphong
8A, Tran Phu, Haiphong.
Tél. (031) 383 6109.

Vina Express (quai Bach Dang)
Ton Duc Thang, 1er arr., Hô Chi Minh-Ville. **Plan** 2 F4.
Tél. (08) 829 7892.

AGENCES DE VOYAGES

Kangaroo Café
18, Bao Khanh, Hanoi.
Plan 2 E3.
Tél. (04) 828 9931.

Le Lai Air Ticket Agency
80, Le Lai, 1er arr., Hô Chi Minh-Ville. **Plan** 2 D5.
Tél. (08) 925 3391.
www.lelai-airticket.com

Saigon Tourist
Voir p. 281.

Transports locaux

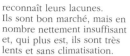

**Moto-taxi
(Honda *om*)**

Les transports publics vietnamiens en sont encore à leurs débuts, même si la situation est différente suivant les villes. Pour les voyageurs, le moyen de transport le plus pratique et le plus sûr est le taxi. La moto-taxi (*xe om* à Hanoi et Honda *om* à Hô Chi Minh-Ville) est le mode de transport le plus rapide et le meilleur marché. Elle a envahi les rues de Hô Chi Minh-Ville. Pour une promenade en ville, le cyclo-pousse est la meilleure formule. On ne peut pas vraiment recommander d'utiliser le réseau de bus : ces derniers ont tendance à être bondés, bruyants, peu sûrs et tout à fait irréguliers.

reconnaît leurs lacunes. Ils sont bon marché, mais en nombre nettement insuffisant et, qui plus est, ils sont très lents et sans climatisation.

Les minibus peuvent se réserver à un prix abordable auprès de la plupart des hôtels et agences de voyages. Ils sont très pratiques pour les petits groupes et les familles, qui peuvent les louer pour les excursions d'un ou deux jours.

Taxis urbains de différentes compagnies

CIRCULER À HANOI ET À HÔ CHI MINH-VILLE

La meilleure façon de découvrir les deux grandes villes du Vietnam et surtout Hanoi, c'est à pied. Malgré l'étendue de Hô Chi Minh-Ville, chacun de ses arrondissements peut se visiter à pied. Hanoi de son côté est une petite ville que l'on peut parcourir à pied dans toute sa longueur et sa largeur en une journée.

Dans ces deux villes, les visiteurs aiment aussi se déplacer en cyclo-pousse, sorte de triporteur où le pilote pédale assis à l'arrière des passagers. Il a remplacé le « pousse-pousse » tiré par un coolie, qui était très utilisé à l'époque coloniale. Une course à l'intérieur d'un arrondissement de Hô Chi Minh-Ville coûte environ 1 $. Pour ce prix-là, vous pouvez aller n'importe où à Hanoi et à Huê. Les tarifs étant parfois à l'heure, prenez le temps de négocier avec le conducteur. Sachez également que certaines rues de Hô Chi Minh-Ville sont interdites aux cyclo-pousse ; le conducteur sera donc obligé de faire un détour ou de vous laisser relativement loin de l'endroit où vous voulez vous rendre. Évitez de prendre un cyclo-pousse la nuit. Une course en taxi-moto

(*xe om* ou Honda *om*) est plus rapide et à un prix abordable. Le client est assis à l'arrière. Dans les zones touristiques, des motocyclistes proposent leurs services à presque tous les coins de rue. Il suffit de se poster sur le bord du trottoir et de leur faire signe. Le tarif est d'environ 9 000 *dong* par kilomètre, mais il peut varier en fonction du quartier et aussi de vos talents de négociateur ; n'hésitez pas à marchander !

BUS ET MINIBUS

Les bus urbains vietnamiens ne sont pas seulement inconfortables, mais aussi tout à fait inadaptés. Même le gouvernement

TAXIS

Jusqu'à ces dernières années, les taxis étaient rares en ville. Il s'agissait de voitures particulières, empruntées ou louées aux tarifs négociables. Aujourd'hui, la plupart

Cyclo-pousse

Dans la circulation de Hô Chi Minh-Ville

des villes ont leurs taxis. Plusieurs compagnies sérieuses proposent des voitures avec un chauffeur parlant au moins quelques mots d'anglais. Le prix de base indicatif au compteur est légèrement inférieur à 1 $ et une course en ville coûte habituellement moins de 2 $. Si un chauffeur vous propose un prix forfaitaire, insistez pour qu'il mette le compteur.

RÈGLES DE LA ROUTE

Si vous vous aventurez à louer une moto, pensez à prendre un casque (recommandé par l'ambassade de France au Vietnam) et à demander le document de la police d'assurance. Il vous faudra ensuite vous habituer à la circulation qui est très dense et à la conduite très dangereuses des autochtones. Sur les routes, faites également attention aux animaux. Le nombre autorisé de personnes sur une moto est limité à deux, mais les Vietnamiens semblent souvent ignorer ce règlement !

Pour le visiteur à pied, le principal souci sera de savoir comment procéder pour traverser la rue. Il y a très peu de feux de circulation et ils semblent être là à titre consultatif quand ils existent. Regardez faire les autochtones et suivez leur exemple en laissant d'abord passer les voitures puis en vous faufilant au

milieu du flot des deux-roues. N'ayez surtout pas l'air d'hésiter et ne vous arrêtez pas non plus soudainement, car vous risquez alors une collision.

Motos à louer

CIRCUITS ORGANISÉS

Des excursions d'un ou deux jours sont proposées par les agences de Hô Chi Minh-Ville et de Hanoi. Ces formules sont pratiques et peuvent, selon le nombre de participants, revenir moins cher qu'en individuel. N'hésitez pas à consulter plusieurs agences afin de trouver le meilleur rapport qualité-prix. Les principales destinations autour de Hô Chi Minh-Ville sont les tunnels de Cu Chi

ADRESSES

TAXIS DE HANOI

Airport Taxis
Tél. (04) 873 3333.

City Taxis
Tél. (04) 822 2222.

Hanoi Taxis
Tél. (04) 853 5353.

TAXIS DE HÔ CHI MINH-VILLE

Airport Taxis
Tél. (08) 844 6666.

Taxis Mai Link
Tél. (08) 822 2666.

Taxis Vina
Tél. (08) 811 1111.

AGENCES DE VOYAGES

A to Z Queen Café
65, Hang Bac, Hanoi. **Plan** 2 E3.
Tél. (04) 826 0860.

Buffalo Tours *Voir p. 275.*

Explorer Tours
2, Tran Thanh Tong, Hanoi.
Plan 2 F5. *Tél.* (04) 972 1607.

Kim Travel
270, De Tham, 1er arr., Hô Chi Minh-Ville
Plan 2 D5. *Tél.* (08) 920 5552.

Saigon Tourist
Voir p. 281.

Sinh Café
Voir p. 281.

TNK Travel
230, De Tham, 1er arr., Hô Chi Minh-Ville. **Plan** 2 D5.
Tél. (08) 931 5560.

(p. 73) et le delta du Mékong, ainsi que la célèbre baie de Ha Long *(p. 182-184)* et Sapa *(p. 196-197)*, dans les environs de Hanoi.

Car de tourisme devant le théâtre Thang Long de Hanoi

Index

Les numéros de page en **gras** renvoient aux entrées principales.

Remerciements

L'éditeur remercie tous ceux qui par leur aide et leurs conseils ont contribué à la préparation et à la réalisation de ce guide.

Auteurs
Andrew Forbes est titulaire d'une licence de chinois et d'un doctorat d'histoire de la Chine. Il vit depuis vingt ans à Chiang Mai, en Thaïlande, où il est rédacteur à CPA Media (www.capmedia.com). Au cours de ces dix dernières années, il s'est rendu tous les ans au Vietnam.

Richard Sterling vit dans la région de San Francisco aux États-Unis où il exerce depuis longtemps le métier d'écrivain voyageur. Lauréat du prix Lowell Thomas, il a beaucoup écrit sur le Vietnam où il se rend chaque année.

Vérification des informations
Nam Nguyen, Nick Ray

Lecture-correction
Shahnaaz Bakshi

Responsable de l'index
Jyoti Dhar

DK London
ÉDITION Douglas Amrine
DIRECTION ÉDITORIALE Jane Ewart, Scarlett O'Hara, Kate Poole
DIRECTION DE LA RÉDACTION kathryn lane
RESPONSABLE DU PROJET Ros Walford
MAQUETTE Gadi Farfour, Kate Leonard
COLLABORATION ARTISTIQUE ET ÉDITORIALE Alexandra Farrell, Fay Franklin, Jacky Jackson, Janis Utton
COORDINATION CARTOGRAPHIQUE Casper Morris
CONCEPTION PAO Natasha Lu
COLLABORATION RECHERCHE PHOTOGRAPHIQUE Rachel Barber
PHOTOTHÈQUE Romaine Werblow
MÉDIAS NUMÉRIQUES Fergus Day
PRODUCTION Louise Daly

Photographie d'appoint
Simon Bracken, Eric Crichton, Robin Forbes, Ken Findlay, Frank Greenaway, Colin Keates, Dave King, David Mager, Ian O'Leary, David Peart, Roger Smith, Kavita Saha, Kim Taylor, Jerry Young.

Avec le concours spécial de
L'éditeur remercie les personnes suivantes pour leur collaboration : Ton Sinh Thanh et Nguyen Luong Ngoc de l'ambassade de la République socialiste du Vietnam à New Delhi, Inde, Pham Ngoc Minh de Buffalo Tours au Vietnam et tous les responsables de musées, hôtels, restaurants, magasins, galeries, églises et sites touristiques trop nombreux pour que nous puissions les remercier individuellement.

Crédits cartographiques
Netmaps pour les plans de Hô Chi Minh-Ville et de Hanoi.

Crédits photographiques
hg = en haut à gauche ; hcg = en haut au centre à gauche ; h = en haut ; hc = en haut au centre ; hcd = en haut au centre à droite ; hd = en haut à droite ; chg = au centre en haut à gauche ; ch = au centre en haut ; chd = au centre en haut à droite ; cg = au centre à gauche ; c = au centre ; cd = au centre à droite ; cbg = au centre en bas à gauche ; cb = au centre en bas ; cbd = au centre en bas à droite ; bg = en bas à gauche ; bcg = en bas au centre à gauche ; b = en bas ; bc = en bas au centre ; bcd = en bas au centre à droite ; bd = en bas à droite ; bgh = en bas à gauche en haut ; bch = en bas au centre en haut ; bdh = en bas à droite en haut ; bgb = en bas à gauche en bas ; bcb = en bas au centre en bas ; bdb = en bas à droite en bas ; hcd = en haut au centre à droite ; hcg = en haut au centre à gauche ; hdb = en haut à droite en bas ; bh = en bas en haut ; dh = à droite en haut ; g = à gauche ; d = à droite.

Nous prions par avance les propriétaires des droits photographiques de nous excuser si une erreur ou une omission subsistait dans cette liste malgré tout le soin que nous y avons apporté. La correction appropriée serait effectuée à la prochaine édition de cet ouvrage.

L'éditeur exprime sa reconnaissance aux particuliers, organismes et photothèques qui ont autorisé la reproduction de leurs photographies.

4CORNERS IMAGES : Amantini Stefano 2-3.

AKG-IMAGES LTD : 49c ; Amelot 6-7 ; François Guénet 267cd.

ALAMY : A.M. Corporation 5hgl, 130bg, 181hd ; Arco Images 18bg ; Bill Bachmann 65hc ; Oliver Benn 105bd, 114cg ; Blickwinkel 18cb, 97cdb, 201cdb ; Tibor Bognar 90hg ; Jon Bower 215hd, 216ch, 220bg ; Rachael Bowes 45bg ; Paul Carstairs 23bd, 57bd ; Rob Cousins 3c, 17b ; FLPA 182hd ; Glow Images 24hg, 26cgb, 267bd ; Alex Griffiths 23cd, 192cgb ; Gavin Hellier 205h ; Henry Westheim Photography 2hd, 201cgh ; Hornbil Images Pvt Ltd 19cgb ; Jeremy Horner 95ch ; Imagebroker 99cdh, 214cdb ; ImageState 39h, 146-147 ; Index Stock 166cgh ; Ingo Jezierski 32cd ; Jon Arnold Images 12, 14hg, 47crb, 60hg, 152, 202-203, 204bg ; Elmari Joubert 182bc ; E. J. Baumeister Jr 25bd ; Christian Kober 25hd ; Serge Kozak 63bd ; Kevin Lang 25bg, 28bg, 50cdb, 99cdb, 120,166bd ; Barry Lewis 29bg ; Mary Evans Picture Library 40bd, 203c ; Neil McAllister 127cdb, 128bd, 160hg, 167hg, 174hc ; Chris McLennan 159c, 160cd ; Nic Cleave Photography 214bg ; David Osborn 18cgb ; Papilio 97cgb ; Edward Parker 193hd ; Photobyte 199bg ; Photofrenetic 19ch, 98c ; Photoz. 129bg ; Pictorial Press Ltd 59cdb ; Christopher Pillitz 276-277 ; Nicholas Pitt 273hd ; Popperfoto 44hd, 45cdb ; Royal Geographical Society 50cgh ; Marcus Wilson-Smith 19cdh ; Stephen Frink Collection 190bg ; Ulana Switucha 57hd ; The Photolibrary Wales 90bg ; Tribaleye Images/J. Marshall 179b ; Ian Trower 24bc ; Visual Arts Library (London) 37bd ; Andrew Woodley 114hd, 196bg ; WorldFoto 192cgh.

ARDEA. COM : Jean Paul Ferrero 201c ; Masahiro Iijima 201bg ; Jean Michel Labat 19bd ; ASIAN EXPLORERS : Timothy Tye 215hg.

THE BRIDGEMAN ART LIBRARY : Archives Charmet/ Private Collection *Soldats français débarquant dans la baie de Haiphong en juin 1884* (lithographie), École vietnamienne (XIXe siècle) 42hg ; Archives Charmet/Bibliothèque nationale, Paris, France, *Hô Chi Minh (1890-1969) au Congrès de Tours* dans *L'Humanité*, décembre 1920 (b/w photo) 169cdh ; JULIET BUI : 98hd.

CORBIS : 19bc, 273cg ; Asian Art & Archaeology, Inc 37c ; Bettmann 43bd, 44cg, 44bc, 44bg, 45hg, 45hd, 45c, 45cgb, 45cdb, 46bg, 46bc, 46bd, 151cdb, 169cd, 169bg ; Tibor Bognar 52 ; Christophe Boisvieux 28bg, 29cdh, 30bg, 249c ; Corbis Sygma/J.P. Laffont 46cgb,/ Jacques Langevin 46hd,/Les Stone 279bd,/Orban Thierry 169bd ; Natalie Fobes 20bd, 33hg ; Owen Franken 74cgh, 116hd, 183cd ; Michael Freeman 104cg, 132cg ; Philippe Giraud 156cgh ; Robert van der Hilst 249hg ; Jeremy Horner 99cgb ; Hulton-Deutsch Collection 42cb, 169cg ; Catherine Karnow 20-21c, 28hg, 182cdh, 186-187, 269cb ; Charles & Josette Lenars 38hc ; Christophe Loviny 215cd ; Wally McNamee 45bd ; Kevin R. Morris 209hg, 218bd ; David A. Northcott 19c ; Tim Page 31bg, 32tl, 119bd ; Papilio/John R. Jones 20cgh, 25cgh, 25cdh, 41hc ; Steve Raymer 13b, 21hg, 21hd, 25cd, 30hc, 166cdh, 169cgh, 279hg ; Reuters/Dien Bien Phu Museum 43cdb ; Roman Soumar 72hg ; Keren Su 19fcdh ; Luca Tettoni 275hd ; Brian A. Vikander 63hg ; Nevada Wier 24cdh, 29cdb, 30cd, 31hg ; Alison Wright 198cgb ; Michael S. Yamashita 99bg ; Zefa/Gary Bell 190cgh.

CPA MEDIA : 22bg, 38cgb, 40c, 42bc, 43hc, 44cdb ; Jim Goodman 24hd, 24bg, 29cd ; David Henley 22hg, 23cg, 23cgb, 29cgb, 135cg, 135c.

DAVID J. DEVINE : 44hg.

FRANK LANE PICTURE AGENCY LIMITED : Colin Marshall 178.

GETTY IMAGES : AFP/Hoang Dinh Nam 24cgh ; Asia Images/Martin Puddy 192hd ; Iconica/John W. Banagan 103b ; Photographer's Choice/John W. Banagan 97cg ; Riser : Astromujoff 10bg, Image Makers 11hd ; Robert Harding World Imagery : 18cdh,/Robert Francis 111cdb, 248cg, Occidor Ltd 199bd ; The Image Bank/Peter Adams 16bg ; Time Life Pictures/Larry Burrows : 44 45c, Stringer 44cgb ; Stone/Simeone Huber 210-211.

VIKKI HILL : 56hd.

TRAN LINH : 32bd

LONELY PLANET IMAGES : John Banagan 4bd, 92-93, 102, 112-113, 226-227 ; Anders Blomqvist 48-49, 153bc, 206bg ; Alain Evrard 19cgh ; Mason Florence 84,

164hg ; Kraig Lieb 118hg ; Craig Pershouse 193bg ; Peter Ptschelinzew 40hg ; Patrick Ben Luke Syder 23cgh.

MARY EVANS PICTURE LIBRARY : 7c, 22hd, 22cgb, 36, 43bg, 227c, 277c.

MASTERFILE : Pierre Arsenault 18cgh, 85b.

NATUREPL. COM : Jeff Foott 18c ; David Kjaer 136c ; Pete Oxford 201cd ; NGOC : 29cla ; NGOC DONG HA NAM CO. LTD : 267cgb, 267cb, 267fcgb, 267bc ; PHONG T. NGUYEN : 24cgb, 24cdb, 25cg.

MICK PALARCZYK : 9bd ; PETER PHAM : 198bd ; PHOTOGRAPHERSDIRECT. COM : Images & Stories 198hd ; Jamie Marshall Photography 199hg ; Peter Schickert 193hg ; Steve MacAulay Photography 199hd ; tanchouzuru. com 51cd ; Tanya D'Herville Photography 9cg.

PHOTOLIBRARY : Oxford Scientific Films/Mary Plage 77bd.

REUTERS : Larry Downing 47hc, 47bd ; Kham 78hc ; Nguyen Huy Kham 20cgb.

SEDONA SUITES HANOI : 231bd.

STARS & STRIPES : Photographie de John Olson - « Cu Chi, Vietnam-du-Sud, novembre, 1967 : Son colt 45 et sa torche à la main et son masque à gaz sur la tête, le 'rat de tunnel' Richard Winters du 2e bataillon de la 27e infanterie de la 25e division d'infanterie se glisse avec prudence dans un tunnel du Viêt-công de 300 km de long situé dans le Triangle de fer du Vietnam » 73cdh ; SWRIGHT. SMUGMUG.COM : Steven L. Wright 95bg.

TERRA GALLERIA PHOTOGRAPHY : Q.T. Luong 65bd, 151hd.

WIKIPEDIA. COM : Public Domain 39 bc ; WORLD PICTURES : Eur 184b ; Stuart Pearce 101bg.

Page de garde avant : ALAMY : Jon Arnold Images c, hd ; Kevin Lang cgh ; CORBIS : Tibor Bognar bd ; FRANK LANE PICTURE AGENCY LIMITED : Colin Marshallhgl ; LONELY PLANET IMAGES : John Banagan cd , Mason Florence bg.

Couverture

Première de couverture : © BODY Philippe/hemis.fr (visuel principal, détourage et dos).
Quatrième de couverture : © Philippe Giraud (hg et bg) ; © Imagestate/Jupiterimages (cg).

Toutes les autres images © Dorling Kindersley. Pour plus d'information, consultez le site : **www.dkimages.com**

Lexique

Le vietnamien fait partie de la branche môn-khmère de la famille des langues austro-asiatiques. À côté du vietnamien classique de la région de Hanoi, il existe plusieurs autres dialectes, notamment ceux des régions du Centre et du Sud. Ils se différencient essentiellement par la phonétique (ils ont par exemple moins de tons que le vietnamien classique) et par la lexicologie, et non par la grammaire.

Pendant des siècles, le chinois *(chu han)* fut la langue administrative et celle des lettrés, pour la simple raison qu'il n'y avait pas de langue vietnamienne écrite. L'écriture *chue nom* apparut plus tardivement. Au XVIIᵉ siècle, des missionnaires inventèrent le *quoc ngu* pour transcrire le vietnamien en alphabet latin *(p. 41)*. À l'arrivée des Français, le *quoc ngu* devint l'écriture officielle. Celle-ci fut perçue au début comme un instrument du colonialisme, mais elle avait l'avantage d'être relativement facile à apprendre.

Les six tons

Le vietnamien est une langue monosyllabique à six tons avec des syllabes prononcées sur des tons différents. Les tons se reconnaissent à leurs signes diacritiques placés généralement sur les voyelles.

C'est le ton qui décide du sens d'un mot. Le mot ma, par exemple, a six sens différents suivant l'accent :

Ma (fantôme)	Ton haut
Mà (mais)	Ton bas descendant
Mã (cheval)	Ton ascendant glottal
Mả (tombe)	Ton descendant ascendant
Má (joue)	Ton ascendant
Mạ (jeune plant de riz)	Ton aigu descendant glottal

En fonction du lien de parenté

Les termes employés pour s'adresser à une personne sont différents selon le sexe, l'âge, le statut social, le lien de parenté et le degré d'intimité avec cette personne. Les plus courants sont :

Anh (frère aîné) pour s'adresser à un homme jeune.

Chị (sœur aînée), équivalent féminin de **anh**.

Em (frère ou sœur cadet) pour s'adresser à un enfant ou une personne plus jeune.

Ông (grand-père) pour s'adresser à un homme plus âgé – terme formel et respectueux (Monsieur).

Bà (grand-mère) pour s'adresser à une femme plus âgée – terme formel et respectueux.

Cô, équivalent de mademoiselle.

Prononciation

La plupart des consonnes se prononcent comme en français à l'exception de :

d	comme un z
đ	comme un d
gi	comme un z
kh	K aspiré
ng	comme dans bINGo
ngh	comme dans bINGo
nh	comme gn
r	comme un j
t	comme un t
th	comme un t
tr	tche
x	comme un s

Les voyelles se prononcent de la façon suivante :

a	comme un â
â	comme un o court
ă	eu
e	comme un è (lait)
ê	comme un é (thé)
i	comme un i (iris)
o	comme le o de mort
ô	aul
ơ	eu
u	ou
ư	ei

L'essentiel

Bonjour	Xin chào!
Au revoir	Chào tạm biệt!
Oui/non	Vâng/không
Je comprends	Tôi hiểu
Je ne comprends pas	Tôi không hiểu
Je ne sais pas	Tôi không biết
Merci	Cám ơn!
Parlez-vous l'anglais ?	Anh/chị có biết iếng Anh không?
Je ne parle pas le vietnamien	Tôi không biết tiếng Việt
Désolé/Excusez-moi !	Xin lỗi!
Pas du tout	Không dám
Entrez je vous prie !	Mời anh/chị vào!
urgence	Cấp cứu
police	Công an
ambulance	Xe cấp cứu
pompiers	Cứu hỏa

frère cadet	em trai
frère aîné	anh trai
sœur cadette	em gái
sœur aînée	chị
gros/petit	to/nhỏ
haut/bas	cao/thấp
chaud/froid	nóng/lạnh
bon/mauvais	Tốt/xấu
jeune/vieux	trẻ/già
ancien/nouveau	cũ/mới
cher/bon marché	đắt/rẻ
ici	đây
là	kia
quoi ?	gì?
qui ?	ai?
où ?	(ở) đâu?
pourquoi ?	(tại) sao?
comment ?	thế nào?
C'est comment ?	

Phrases utiles

Je m'appelle…	Tên tôi là …
Quel est votre nom ?	Tên anh/chị là gì?
Enchanté de faire votre connaissance	Rất hân hạnh được gặp anh/chị
Comment allez-vous ?	Anh/chị có khỏe không?
Quelle est votre profession ?	Anh/chị làm nghề gì?
Quel âge avez-vous ?	Anh/chị bao nhiêu tuổi?
De quelle nationalité êtes-vous ?	Anh/chị là người nước nào?
Qu'est-ce que c'est ?	Dây là cái gì?
Est-ce qu'il y a… ici ?	Ở đây có… không?
Où y a-t-il… ?	…. ở đâu?
Combien ça coûte ?	Cái này giá bao nhiêu?
Quelle heure est-il ?	Bây giờ là mấy giờ?
Félicitations	Xin chúc mừng
Où sont les toilettes/ W.-C. ?	Phòng vệ sinh ở đâu?
Où est l'ambassade de France ?	Đại sứ quán Anh ở đâu?

Mots utiles

je	tôi
homme	đàn ông
femme	đàn bà
famille	gia đình
parents	bố mẹ/cha mẹ /ba má
père	bố/cha/ba
mère	mẹ/má/mạ

Argent

Je veux changer 100 $ en dong vietnamien	Tôi muốn đổi 100 đô la Mỹ ra tiền Việt.
taux de change	tỷ giá hối đoái
J'aimerais encaisser ces chèques de voyage	Tôi muốn đổi séc du lịch này ra tiền mặt.
banque	nhà ngân hàng
argent/espèces	tiền/tiền mặt
carte de crédit	thẻ tín dụng
dollars	đô la
dong vietnamiens	bảng đồng (Việt Nam)

Communication

J'aimerais téléphoner	Tôi muốn gọi điện thoại.
J'aimerais appeler l'étranger	Tôi muốn gọi điện thoại quốc tế.
téléphone portable	máy điện thoại di động
renseignements	chi dẫn điện thoại
cabine de téléphone public	trạm điện thoại công cộng
indicatif	mã (vùng)
bureau de poste	bưu điện
timbre	tem
lettre	thư
lettre recommandée	thư bảo đảm
adresse	địa chỉ
rue	phố
ville	thành phố
village	làng

Achats

Où puis-je acheter… ?	Tôi có thể mua …. ở đâu?
Combien est-ce que cela coûte ?	Cái này giá bao nhiêu?
Est-ce que je peux essayer ?	Tôi mặc thử có được không?
Combien ça coûte ?	Bao nhiêu?
Combien ?	Mấy?
cher/bon marché	đắt/rẻ
marchander	mặc cả
taille	số, cỡ
couleur	màu
noir	đen
blanc	trắng
bleu	xanh da trời
vert	xanh lá cây
rouge	đỏ
marron	nâu
jaune	vàng
gris	xám
librairie	hiệu sách
grand magasin	cửa hàng bách hóa
marché	chợ
pharmacie	hiệu thuốc
supermarché	siêu thị
boutique de souvenirs	cửa hàng lưu niệm
souvenirs	đồ lưu niệm
peinture sur laque	tranh sơn mài
peinture sur soie	tranh lụa
statuette en bois	bức tượng gỗ
foulard en soie	khăn lụa
nappe	khăn trải bàn
plateau	khay
vase	lọ hoa

Tourisme

Agence de voyages	công ty du lịch
Où se trouve le comptoir des vols internationaux ?	Phòng bán vé máy bay quốc tế ở đâu?
Vietnam Airlines	Hãng hàng không Việt Nam
plage	bãi
baie	vịnh
minorité ethnique	dân tộc ít người
festival	lễ hội
île	hòn đảo
lac	Hồ
forêt, jungle	rừng
montagne	núi
rivière	sông
temple	đền
musée	viện bảo tàng
pagode	chùa
campagne	nông thôn
grotte	hang

Déplacements

gare ferroviaire	nhà ga
aéroport	sân bay
billet d'avion	vé máy bay
gare routière	xe ô tô búyt
billet	vé
biller aller	vé một lượt, một lần
billet retour	vé khứ hồi
taxi	tắc xi
location de voiture	thuê xe ô tô
voiture	xe ô tô
train	xe lửa
avion	máy bay
moto	xe máy
vélo	xe đạp
cyclo-pousse	xích lô
Combien de temps faut-il pour aller à… ?	Đi …. mất bao lâu?
Où est la route pour… ?	Anh/chị có biết đường …. không?
C'est loin ?	Có xa không?
C'est tout droit	Đi thẳng.
tourner	rẽ
gauche	trái
droite	phải
passeport	hộ chiếu
visa	thi thực
douanes	hải quan

Hébergement

hôtel	khách sạn
guest-house	nhà khách
chambre (simple, double)	phòng (đơn, đôi)
climatisation	điều hòa nhiệt độ/máy lạnh
numéro de passeport	số hộ chiếu

Au restaurant

J'aimerais réserver une table pour deux	Tôi muốn đặt trước một bàn cho hai người.
serveur	người phục vụ
Puis-je voir la carte ?	Xin cho tôi xem thực đơn?
Vous avez des suggestions du jour ?	Hôm nay có món gì đặc biệt không?
Qu'est-ce que vous prendrez ?	Các anh/chị muốn gọi gì?
Puis-je avoir l'addition s'il vous plaît ?	Xin anh/chị cho hóa đơn?
Je suis végétarien	Tôi ăn chay.
savoureux/délicieux	ngon/ngon tuyệt
épicé (relevé)	cay
sucré	ngọt

aigre	chua
amer	đắng
petit déjeuner	bữa ăn trắng
baguettes	đũa
couteau	dao
fourchette	nĩa
cuiller	thìa
boire	uống
manger	ăn
avoir faim/soif	đói/khát
restaurant	hiệu ăn, nhà hàng
cuisine occidentale	món ăn Âu
spécialités vietnamiennes	đặc sản Việt Nam

Nourriture

pomme	táo
banane	chuối
pousses de bambou	măng
pousses de soja	giá
bœuf	thịt bò
pain	bánh mì
beurre	bơ
gâteau	bánh ngọt
poulet	(thịt) gà
noix de coco	dừa
crabe	cua
dessert	(món) tráng miệng
canard	vịt
anguille	lươn
œuf	trứng
poisson	cá
sauce de poisson	nước mắm
grenouille	ếch
fruit	hoa quả
gingembre	gừng
glaçon	đá
glace	kem
citron	chanh
citronnelle	xả
homard	tôm hùm
mandarine	quít
mangue	xoài
carte	thực đơn
lait	sữa
champignons	nấm
viande (bien cuite, à point, saignante)	thịt (tái, vừa, chin)
nouilles	mì, miến
soupe aux nouilles et au bœuf/poulet	phở bò/gà
oignon	hành
papaye	đu đủ
pêche	đào
poivre	hạt tiêu
porc	thịt lợn
patate douce	khoai tây (khoai)
crevette	tôm

ramboutan	chôm c.
riz	gạo
riz cuit	cơm
riz gluant	gạo (cơm)
riz non gluant	gạo (cơm) t
salade	xà lách
sel	muối
escargot	ốc
rouleaux de printemps	nem rán (chả g
entrée	(món) khai vị
soupe	xúp
sauce de soja	tương
bœuf sauté aux champignons	bò xào mắm
sucre	đường
soupe aux nouilles vietnamienne	phở
légumes	rau

Boissons

thé	trà, chè
boissons	cà phê (cà phê sữa)
eau	nước
jus de fruits	nước quả
eau minérale	nước khoáng
lait	sữa
boissons non alcoolisées	nước ngọt
bière	bia
vin	rượu vang
verre	cốc
bouteille	chai

Santé

De quoi souffrez-vous ?	Anh/chị bị làmsao?
fièvre	sốt
accident (de la route)	tai nạn (giao thông)
acupuncture	châm cứu
ambulance	xe cấp cứu
antibiotiques	thuốc kháng sinh
allergie	dị ứng
sang	máu
tension artérielle (élevée/basse)	huyết áp (cao/thấp)
toux	ho
diabète	bệnh đái đường
diarrhée	đi ngoài
pris de vertiges	chóng mặt, hoa mắt
médecin	bác sĩ
oreille	tai
grippe	cúm
intoxication alimentaire	ngộ độc thức ăn
mal de tête	đau đầu
cœur	tim
hôpital	bệnh viện
hygiène	vệ sinh

	mất ngủ	8 h 45
	bệnh	
	tiêm	
	bệnh sốt rét	
nt	thuốc	10 h 15
	mổ	
cie	cửa hàng thuốc	12 h 00
ance médicale	đơn thuốc	matin
e gorge	viêm họng	midi
érature	sốt	après-midi
cin antitétanique	tiêm phòng uốn ván	soir
edecine traditionnelle	thuốc Nam	nuit
vietnamienne		
dent	răng	
mal de dents	đau răng	**Nombres**

		1
Le temps et les saisons		2
		3
minute	phút	4
heure	giờ	5
jour	ngày	6
semaine	tuần	7
mois	tháng	8
année	năm	9
lundi	(ngày) thứ hai	10
mardi	(ngày) thứ ba	11
mercredi	(ngày) thứ tư	12
jeudi	(ngày) thứ năm	15
vendredi	(ngày) thứ sáu	20
samedi	(ngày) thứ bảy	21
dimanche	Chủ nhật	24
saison	mùa	
printemps	mùa xuân	25
été	mùa hè/mùa hạ	30
automne	mùa thu	40
hiver	mùa đông	50
saison sèche	mùa khô	100
saison des pluies	mùa mưa	101
pluie (il pleut)	mưa (trời mưa)	
vent	gió	105
ensoleillé	nắng	
temps	thời tiết	200
chaud/froid	ấm/lạnh	300
calendrier lunaire	Âm lịch	1 000
calendrier solaire	Dương lịch	
nouvel an vietnamien	Tết Nguyên đán	10 000
Quelle heure est-il ?	Bây giờ là mấy giờ?	
8 h 30	tám giờ rưỡi	1 000 000

tám giờ/ba mươi
phút/chín giờ
kém/mười lăm
(phút)
mười giờ mười
lăm phút
mười hai giờ
buổi sang
buổi trưa
buổi chiều
buổi tối
đêm

một
hai
ba
bốn
năm
sáu
bảy
tám
chín
mười
mười một
mười hai
mười lăm
hai mươi
hai mươi mốt
hai mươi bốn/
hai mươi tư
hai mươi lăm
ba mươi
bốn mươi
năm mươi
một trăm
một trăm linh
(lẻ) một
một trăm linh
(lẻ) năm
hai trăm
ba trăm
một nghìn/
một ngàn
mười nghìn/
mười ngàn
một triệu

GUIDES 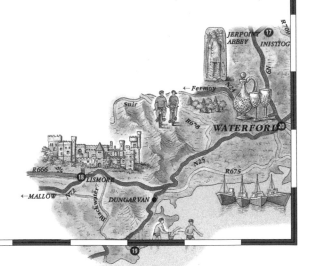 VOIR

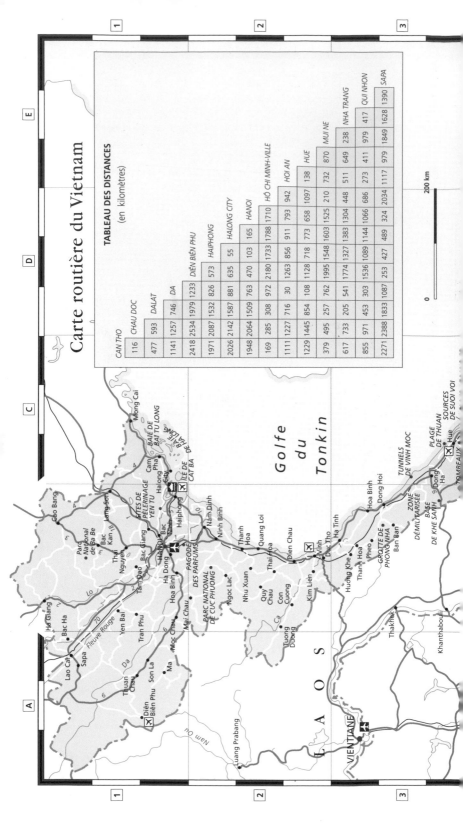

Carte routière du Vietnam

TABLEAU DES DISTANCES
(en kilomètres)

	CAN THO	CHAU DOC	DALAT	DA	DIÊN BIÊN PHU	HAIPHONG	HALONG CITY	HANOI	HÔ CHI MINH-VILLE	HOI AN	HUE	MUI NE	NHA TRANG	QUI NHON
CHAU DOC	116													
DALAT	477	593												
DA	1141	1257	746											
DIÊN BIÊN PHU	2418	2534	1979	1233										
HAIPHONG	1971	2087	1532	826	573									
HALONG CITY	2026	2142	1587	881	635	55								
HANOI	1948	2064	1509	763	470	103	165							
HÔ CHI MINH-VILLE	169	285	308	972	2180	1733	1788	1710						
HOI AN	1111	1227	716	30	1263	856	911	793	942					
HUE	1229	1445	854	108	1128	718	773	1097	210	138				
MUI NE	379	495	257	762	1995	1548	1603	1525	732	511	649			
NHA TRANG	617	733	205	541	1774	1327	1383	1304	448	273	411	238		
QUI NHON	855	971	453	303	1536	1089	1144	1066	686	273	411	979	417	
SAPA	2271	2388	1833	1087	253	427	489	324	2034	1117	979	1849	1628	1390

0   200 km